www.tredition.de

D1726990

Simone Theisen-Diether, Jahrgang 1976, lebt mit ihrem Mann in der Nähe von Koblenz. Sie hat einen Abschluss als Diplom-Verwaltungswirtin (FH) und verfügt über langjährige Erfahrung in der Kommunalverwaltung. Auch in ihrer Freizeit interessiert sie das kommunale Geschehen, sie engagiert sich im Stadtrat ihrer Heimatgemeinde. Die Inspiration fürs Schreiben ergab sich aus ihrer eigenen Krankheitsgeschichte und  den damit verbundenen Erlebnissen. Nach ihrem ersten Buch „Wackelköpfchen" folgt nun das zweite Werk: „Der HWS-Stammtisch - Geschichten einer unsichtbaren Krankheit."

Simone Theisen-Diether

Der HWS-Stammtisch

Geschichten einer unsichtbaren Krankheit

© 2020 Simone Theisen-Diether

Autor: Simone Theisen-Diether

Coverillustration: Katharina Netolitzky

Foto: Godehard Juraschek

Verlag & Druck: tredition GmbH, Halenreie 40-44, 22359 Hamburg

ISBN Paperback: 978-3-7497-3259-3
ISBN Hardcover: 978-3-7497-3260-9
ISBN: e-Book: 978-3-7497-3261-6

Bibliographische Information der Deutschen Nationalbibliothek: Die Deutsche Nationalbibliothek verzeichnet diese Publikation in der Deutschen Nationalbibliographie; detaillierte bibliographische Daten sind im Internet über http://dnb.d-nb.de abrufbar.

Inhalt

-

Prolog

Eine japanische Weisheit lautet: „Siebenmal hinfallen, achtmal aufstehen!" Das könnte auch gut mein Lebensmotto sein, bei den Stehaufmännchen-Qualitäten, die ich in den letzten fünfzehn Jahren entwickeln musste. Zwanzig Jahre im Judosport haben mir glücklicherweise eine Menge Kampfgeist mitgegeben, sowohl für das Leben im Allgemeinen als auch für das Leben mit einer Kopfgelenksinstabilität. Fallen und wieder aufstehen sind Bestandteile des Lebens, davon wird im Grunde niemand verschont. Allerdings müssen einige mehr kämpfen als andere. Das gilt insbesondere, wenn man es mit so einem speziellen Krankheitsbild wie der Kopfgelenksinstabilität zu tun hat. In diesem Buch haben sich viele Kämpferinnen und Kämpfer vereint, um ihre Geschichte zu erzählen. Der HWS-Stammtisch ist ein Buch von und über Kämpfer!

Dieses Buch ist meiner wunderbaren Mama gewidmet, die leider nicht mehr bei uns ist. Auch sie war eine Kämpferin, eine wahre Löwenmutter. Um Ungerechtigkeit von mir abzuwenden, wäre sie in jede Schlacht gezogen. Ihr Sinn für Gerechtigkeit hat mich nachhaltig geprägt und war mir Antrieb und Inspiration für mein Buch.

Simone Theisen-Diether

Haftungsablehnung

Dieses Buch habe ich nach bestem Wissen und Gewissen verfasst. Es dient ausnahmslos dem Zweck der Aufmerksamkeitsarbeit über das Krankheitsbild Kopfgelenksinstabilität bzw. Halswirbelsäulentrauma oder ähnliche Erkrankungen.

Ich verfüge über keine medizinische Ausbildung. Der Text ist auf der Basis von selbst Erlebtem und den Erfahrungen der Gastautoren entstanden. Die geschilderten Geschichten und Erfahrungsberichte sind nicht auf andere übertragbar und nicht verallgemeinerbar; sie können und sollen in keinem Fall als ärztliche Beratung gesehen werden, eine Diagnose oder Behandlung ersetzen.

Die nachfolgend enthaltenen Informationen sollen daher niemals als alleinige Quelle für gesundheitsbezogene Entscheidungen verwendet werden.

Anatomie und Biochemie für Einsteiger

An einer seltenen Krankheit zu leiden ist oft frustrierend. Betroffene erleben das leidvoll. Eine seltene Krankheit zu haben, die außerdem aus unterschiedlichen Gründen nicht ins System passt, weder in das von Ärzten noch in das von Versicherungen und Sozialleistungsträgern, macht es noch um ein Vielfaches schwerer. Betroffene fühlen sich allein gelassen, sind verzweifelt, rennen gegen verschlossene Türen. Es geht oft so weit, dass die Erkrankung zum existenziellen Problem wird.

Mich hat so eine seltene Krankheit getroffen. Wobei, vielleicht sollte ich besser das Wort „ungewöhnlich" benutzen. Der Definition nach gilt eine Erkrankung dann als selten, wenn nicht mehr als 5 von 10.000 Menschen das spezifische Krankheitsbild aufweisen (1). Wenn ich bedenke, was ich in den vergangenen Jahren alles erfahren habe, scheint es sich eher um eine selten diagnostizierte, als um eine tatsächlich seltene Krankheit zu handeln. Ich spreche von einer funktionellen Instabilität der oberen Halswirbelsäule, also der Kopfgelenke, in Verbindung mit einer sekundären Mitochondriopathie.

Worum handelt es sich dabei? Um das Krankheitsbild nachvollziehen zu können, muss man sich zunächst den Aufbau der menschlichen Halswirbelsäule anschauen (2). Diese wird unterteilt in die klassische Halswirbelsäule (C3 – C7) und den Kopfgelenksbereich (C1, C2 und C2/3). Der Kopfgelenksbereich ist aufgeteilt in das obere und das untere Kopfgelenk.

Das obere Kopfgelenk besteht aus dem ersten Halswirbel Atlas (C1) und den Gelenkflächen des Hinterhauptbeines. Hier sitzt der Schädel mit einem Gewicht von bis zu 7 kg. Der Atlas erhielt seinen Namen von dem Titanen Atlas aus der griechischen Mythologie. Dieser musste die Last des Himmelsgewölbes auf seinen Schultern tragen, so wie der Atlas hier den Kopf zu tragen hat. Der Atlas ist das sogenannte Nickgelenk („Ja-Gelenk") und gleichzeitig ein Sperrgelenk für Rotation. Bezeichnet wird dieses erste Gelenk der Halswirbelsäule als atlanto-occipital- oder craniocervicales Gelenk. Der Atlas besitzt als einziger Wirbel keine Wirbelkörper. Dafür besitzt dieser Wirbel rechts und links sogenannte Auftreibungen.

Der Axis, auch C2 genannt, bildet das untere Kopfgelenk (= Atlanto-Axialgelenk). Der Axis hat einen vorne in den Atlas hineinragenden Zahn, den Dens axis. Dieses zweite Halswirbelsäulengelenk ermöglicht Drehbewegungen um je 45°. Es ist das Rotationsgelenk („Nein-Gelenk"). Seitneigungen, Vor- und Rückwärtsbeugungen sind nur im geringen Umfang möglich.

Zum Kopfgelenksbereich gehört auch das dritte Halswirbelsäulengelenk (C2/3). Dieses ermöglicht deutliche Neigungen zu den Seiten, sowie Vor- und Rückwärtsbeugungen des Kopfes.

Die Beweglichkeit der einzelnen Kopfgelenke für sich ist nicht besonders ausgeprägt, das Zusammenspiel beider Kopfgelenke und der übrigen Halswirbel ermöglicht jedoch das große Beweglichkeitsausmaß der Kopfbewegung. Die Stabilität der Verbindung zwischen dem 1. und 2. Halswirbel, dem oberen und unteren Kopfgelenk und dem Kopf wird durch einen straffen Bandapparat gewährleistet (3).

Der Bandapparat soll vermeiden, dass unkontrollierte Streck-, Beuge- und Drehbewegungen das Rückenmark verletzen. Die wichtigsten Bänder (Ligamente) im Bereich der Kopfgelenke sind die Flügelbänder (Ligamenta alaria) und das Querband (Ligamentum transversum atlantis) (4). Letzteres ist zwischen den beiden Auftreibungen des Atlas gespannt. Es ist dafür verantwortlich, den Dens axis in seiner Position zu halten und zu verhindern, dass sich der Dens axis gegen das Rückenmark neigt.

Die Flügelbänder haben vor allem Brems- und Haltefunktion. Sie sollen ein übermäßiges Drehen und Kippen im unteren Kopfgelenk verhindern.

Im Kopfgelenksbereich finden sich Vernetzungen von cervicalen, vegetativen Nerven und den Hirnnerven. Dort befinden sich das Atemzentrum und die Vertebralarterien, die das Kleinhirn, die Seh- und Hörzentren, den Hirnstamm, das Innenohr und den hinteren Teil des Hippocampus (Teil des Gehirns, der für Gedächtnis und Lernen zuständig ist) versorgen. Die obere Halswirbelsäule stellt die beweglichste und gleichzeitig eine extrem sensible Region des menschlichen Organismus dar. Hier werden motorische Abläufe der Kopf-, Rumpf-, Extremitäten-, Augen-, Kau-, Schlund-, Kehlkopf- und Zungenmuskulatur koordiniert (5).

Da der Hals eine so sensible Stelle des Körper ist, kann sich im Prinzip jeder noch so kleine Unfall auf das Genick auswirken. Zum Beispiel kann bei einem Sturz die Kopfbewegung so heftig sein, dass sich die Genickgelenke weiter bewegen, als sie es von Natur aus tun sollten. Und das kann zu kleinen oder auch größeren Rissen in den stabilisierenden Flügelbändern am Axis führen und Schäden der übrigen Bänder, der Gelenkknorpel, oder Verreißen der umliegenden stabilisierenden Muskulatur auslösen. Dann wird die Halswirbelsäule instabil (6). Das hat Folgen.

Die wichtigen Blutbahnen und Nervenstränge und die benachbarten Regionen des Gehirns können durch unnatürliche Bewegungen der Wirbel gedrückt oder gerieben werden. Dadurch können viele verschiedene Symptome, wie beispielsweise Schwindel, Übelkeit, Taubheitsempfindungen oder Sehprobleme auftreten. Durch wiederholtes Gegenstoßen an die Nerven können diese ständig gereizt sein, es kommt zu Entzündungen in dieser Region mit vielen negativen Auswirkungen (7).

Auch ohne tiefergehende anatomische Kenntnisse kann man sich vorstellen, dass Verletzungen im Kopfgelenksbereich eine Vielzahl von Beschwerden mit sich bringen können. Dazu später mehr. Soviel zum ersten Teil der Diagnose. Wie kommt es nun zu einer sekundären Mitochondriopathie, also zu einer Beeinträchtigung der Mitochondrienfunktion?

Hier muss man zunächst unterscheiden zwischen primärer und sekundärer Mitochondriopathie. Bei der primären Mitochondriopathie handelt es sich um eine angeborene Erkrankung. Die Medizin spricht von einer schweren genetischen Erkrankung. Als sekundär bezeichnet man eine im Laufe des Lebens erworbene Mitochondriopathie. Darum geht es im Folgenden.

Betrachten wir also zunächst die Mitochondrien. Die gängigste Definition lautet: Mitochondrien – die Kraftwerke unserer Zellen. Mitochondrien sind kleine, bakterienähnliche Zellorganellen. Jede Zelle enthält zwischen 100 und 2000 solcher Mitochondrien, die in Form von ATP (Adenosintriphosphat) jene Grundenergie liefern, die eine Muskelzelle fähig macht, Kraft zu entwickeln, eine Drüsenzelle befähigt, Hormone herzustellen oder eine Nervenzelle, Informationen weiterzuleiten. (8) Als Energielieferanten sind die Mitochondrien also von enormer Bedeutung für unseren Organismus. Welche Vorgänge lösen nun aber eine Beeinträchtigung der Mitochondrienfunktion aus?

Werden die Nerven im Halsbereich häufig durch falsche Reize beeinflusst, dann werden die Stoffwechselwege beeinträchtigt und Abläufe in Gang gesetzt, die nicht mehr zu stoppen sind. Das wiederholte mechanische Reiben der falsch stehenden Halswirbel an den Nerven kann u.a. auch zu Entzündungen führen. Ein wichtiger Bestandteil einer Entzündungsreaktion ist das Stickstoffmonoxid, auch genannt NO. Wenn durch immer wieder auftretende Reizungen Dauerentzündungen entstehen, kommt es auch fortwährend zur Bildung von NO. Befinden sich große Mengen NO im Körper, erhalten die Zellen zu wenig Energie. Das liegt daran, dass viele Enzyme, die für die energieproduzierenden Vorgänge in den Mitochondrien notwendig sind, von NO blockiert werden. Dadurch steht nicht nur zu wenig Energie zur Verfügung, sondern auch der Stoffwechsel in den Mitochondrien läuft völlig falsch. Es kommt zu einer Mitochondrienzerstörung, diesen Ablauf nennt man Mitochondriopathie (9).

Die biochemischen Hintergründe der Mitochondriopathie empfinde ich als zu komplex, um sie mit meinen eigenen Worten verständlich erklären zu können. Glücklicherweise gibt es verschiedene Veröffentlichungen, die das wesentlich besser können als ich. Beispielhaft möchte ich hier folgenden Absatz zitieren:

„Auch die Halswirbelsäule (HWS) kann der Ursprung für sekundäre Mitochondriopathien sein: Durch direkte (Schleudertrauma) oder indirekte Gewalteinwirkungen (Sturz auf den Steiß) können Schäden an der HWS entstehen, die nachfolgend irreguläre Bewegungen von Atlas und Axis zulassen. Somit kommt es dann wiederholt zum Abklemmen von Arterien mit Durchblutungsstörungen des Kopfes (möglich sogar bis hin zur kurzzeitigen Bewusstlosigkeit), zu Reizungen und Schäden der Hirnnerven und des Nervus sympathicus, neurogenen Entzündungen mit allen denkbaren Folgen inkl. Ausfällen von Sinnesleistungen, Öffnung der Blut-Hirn-Schranke, massivem oxidativen und nitrosativem Stress, Verlust von Antioxidantien und Mineralstoffen, Stoffwechselveränderungen und vielfachen Funktionsstörungen, die natürlich besonders auch die Mitochondrien betreffen und dadurch schnell zu Multimorbidität führen" (10).

Allgemein gesprochen bedeutet dies, dass es durch die Instabilität der Kopfgelenke zu Nervenreizungen kommt, die letztendlich einen chronischen Entzündungsprozess in Gang setzen. Dadurch kommt es zu einer andauernden Bildung von Stickstoffmonoxid, und die energieproduzierenden Vorgänge in den Mitochondrien werden gestört. Kurzum, aufgrund eines „Knacks im Nacken" fehlt es fortwährend an Energie. Der Energiemangel ist nur ein Problem in einer langen möglichen Beschwerdekette.

Eine Liste voller Beschwerden

Die Beschwerden oder Störungen, die über die Kopfgelenke ausgelöst werden können, sind vielfältig, wodurch es überaus schwierig ist, die jeweiligen Symptome der richtigen Erkrankung zuzuordnen. Die Beschwerden treten nicht alle gemeinsam auf, d.h., nicht jeder Betroffene hat mit allen Beschwerden zu kämpfen. Jedoch bleibt es meistens nicht bei 1-2 Beschwerden, die Liste der Probleme ist in der Regel lang. Die nachfolgende Aufzählung bezieht sich sowohl auf meine eigenen Erfahrungen, Schilderungen von anderen Betroffenen sowie Informationen aus Fachliteratur (11). Die Auflistung erhebt nicht den Anspruch vollständig zu sein und folgt in ihrer Unterteilung auch keinen medizinischen Maßstäben. Vielmehr habe ich die Beschwerden nach für mich logischen und verständlichen Oberbegriffen zusammengestellt:

Schmerzen

- Kopfschmerzen, oft einseitig, vom Nacken über den Kopf bis zur Stirn ziehend
- Schmerzen der Kaugelenke /-muskulatur
- Nackenschmerzen; insbesondere morgens
- Trigeminusneuralgien
- Hinterhaupt- und Schulterschmerzen
- Gelenkschmerzen
- Einschießende „Zahnschmerzen"
- Zungenbrennen
- Schmerzen im Zwerchfell und den Rippen

Augenprobleme

- Unscharfes, verschwommenes Sehen, unklare Konturen
- Probleme bei der Scharfstellung
- Schwarze Punkte vor den Augen (Mouches volantes)
- Gesteigerte Empfindlichkeit gegen helles Licht
- Dämmerungssehen erschwert
- Gesichtsfeldausfälle
- Schwindel bei Augenbewegungen
- Rasche Ermüdbarkeit der Augen
- Brillenstärke schwankt
- Schwierigkeiten beim Einschätzen von Abständen

Herz-Kreislauf-Probleme

- Erhöhter Ruhepuls
- Nächtliche Attacken mit Herzrasen, Schweißausbrüchen, Herzstolpern
- Atembeschwerden, Luftnot
- Bluthochdruck

Gleichgewichtsprobleme

- Schwindel
- Gangunsicherheit
- Anstoßneigung
- Taumeligkeit beim Gehen und Stehen
- Wattegefühl unter den Füßen
- Verlust des Raumgefühls
- Koordinierungsstörungen

Kognitive Probleme

- Merkfähigkeits- und Konzentrationsstörungen
- Eingeschränkte Aufmerksamkeitsfähigkeit
- Wortfindungsstörungen

Unverträglichkeiten

- Histaminüberempfindlichkeit
- Unverträglichkeiten gegen verschiedene Lebensmittel
- Chemikalienunverträglichkeit (MCS = Multiple Chemical Sensitivity)
- Sonnenlichtüberempfindlichkeit

Magen/Darm-Trakt etc.

- Übelkeit
- Magen-Darm-Beschwerden, wie Krämpfe, explosionsartige Stuhlabgänge
- Nächtliche Harndrangattacken

Hals-Nase-Ohren

- Ohrengeräusche (z.B. Rauschen im Ohr, Tinnitus), Hörstörungen
- Behinderte Nasenatmung, besonders nachts
- Schluckstörungen bis hin zu Passagenstopps und Spasmus in der Speiseröhre
- Raue, kloßige Stimme
- Störungen an Zunge und Rachen

Sonstige Beschwerden

- Rasche Erschöpfbarkeit, bis hin zur Ausbildung eines Chronic Fatigue Syndrom (CFS, chronisches Erschöpfungssyndrom)
- vegetative Störungen
- Lärmüberempfindlichkeit
- Generelle Überempfindlichkeit gegen Sinneseindrücke
- Stressempfindlichkeit
- Erhöhte Zugluftempfindlichkeit
- Knirschen an Hals und Hinterkopf
- Gefühl, den Kopf nicht mehr tragen zu können
- Unruhiger Schlaf, Albträume
- Morgendliche Benommenheit mit langer Anlaufzeit/Zerschlagenheit
- Grundsätzliche Benommenheit („Kopf ist zu" oder „Watte im Kopf")
- Geschmacksstörungen
- Craniomandibuläre Dysfunktion (Kiefergelenksstörung)
- Reaktivierung von Viruserkrankungen
- Starke Wetterfühligkeit
- Rückzug aus der Gesellschaft/Soziale Isolation

Wackelköpfchen

Soweit erst mal die Theorie. Wenn man die Ausführungen zu diesem Krankheitsbild auf sich wirken lässt, wird schnell klar, dass wir es dabei nicht mit einer herkömmlichen Krankheit zu tun haben. Das hängt im Wesentlichen mit der Besonderheit der betroffenen Region zusammen, wie bereits die anatomischen Ausführungen gezeigt haben.

Auf meinen persönlichen Fall bezogen, kann ich sagen, dass ich auf der Suche nach einer Diagnose, dem Testen verschiedener Therapieansätze, sowie dem Durchsetzen von Ansprüchen, in der Vergangenheit Einiges erlebt habe. Der Weg war steinig, frustrierend, verletzend, ebenso teuer, tränenreich und voller Rückschläge. Es gab kuriose Begegnungen, unfassbare behördliche Entscheidungen und Mediziner, die mich sprachlos machten, aber glücklicherweise auch viel familiäre Unterstützung und das große Glück, doch noch die richtigen Ärzte zu treffen. Letztlich habe ich meinen Weg gefunden und gelernt, mit den geänderten Lebensumständen umzugehen.

Während dieser Zeit, die sich über viele Jahre zog, habe ich immer vermutet, dass es auch andere Menschen mit den gleichen Beschwerden, der gleichen Erkrankung geben musste. Ich hatte jedoch noch keine anderen Betroffenen kennen gelernt. So blieb es lange nur bei der Vermutung und ich eine Einzelkämpferin. Irgendwann entschied ich mich, meine Geschichte aufzuschreiben, zunächst als ganz persönliches Mittel zur Verarbeitung beziehungsweise Aufarbeitung der Geschehnisse. Aber auch in der Hoffnung, andere Betroffene zu erreichen und eventuell Hilfestellung zu leisten. „Wackelköpfchen" habe ich mein Buch genannt, weil dieser Begriff ganz schnörkellos die Situation beschreibt.

Zeitgleich mit der Veröffentlichung meines Buches habe ich damit begonnen, nach ähnlichen Büchern zu suchen. Und ich wurde fündig. Bei meinem eigenen Verlag fand ich gleich zwei weitere Bücher Betroffener, die sich im Großen und Ganzen mit dem Thema Halswirbelsäule und Instabilitäten befassten. Ich fand auch noch ein drittes Buch einer Schweizer Autorin. Es gab sie also tatsächlich, andere Betroffene. Die drei Geschichten waren sich verblüffend ähnlich. Die Krankheitsbilder stimmten nicht bis ins Detail überein, aber die Kernaussagen passten. Interessanterweise waren es drei Frauen, die über ihren Weg zur Diagnose, behördliche und rechtliche Hürden schrieben und ihre Gefühle teilten. Jedes der drei Bücher hätte ein „Zwilling" meines Buches sein können, die Parallelen waren unglaublich.

Mit einer der drei Autorinnen nahm ich Kontakt auf und es entstand ein reger Austausch. Ich war froh, eine Kommunikationspartnerin gefunden zu haben, die mich sofort verstand. Es macht einen erheblichen Unterschied, ob man mit einer gesunden Person über die Thematik spricht oder mit einer Betroffenen. Schilderungen von Befindlichkeiten und Ängsten sind einfacher, weil das Gegenüber sie auch kennt. Ich erfuhr viel Neues, unter anderem über die unterschiedlichen Ausprägungen von Instabilitäten. Dass diese zum Beispiel auch genetischen Ursprungs sein können, war mir bislang unbekannt. Obwohl ich für mich einen Weg gefunden hatte, mit der Krankheit und den Einschränkungen umzugehen, überwog doch in regelmäßigen Abständen die Neugier, noch mehr über die medizinischen Zusammenhänge zu erfahren, um so eventuell noch kleine Verbesserungen erzielen zu können. Soweit es meine Gesundheit zuließ, las ich in Blogs und Foren und besorgte mir zusätzliche Literatur. Es zeigte sich, dass es eine Vielzahl von Betroffenen gibt, die sich informieren und austauschen möchten. Die Anonymität des Netzes hilft offensichtlich vielen Menschen dabei, sich zu öffnen. Umso überraschter war ich, als ich plötzlich persönliche Rückmeldungen erhielt.

Nachdem zwei regionale Zeitungen über mein Buch berichtet hatten, klingelte zu Hause immer öfter das Telefon. Zumeist begann das Gespräch mit den Worten: „Sind Sie die Autorin von Wackelköpfchen?" Jedes Mal schnellte mein Puls in die Höhe, weil ich es einfach aufregend fand, mich mit eigentlich völlig fremden Menschen über ein ganz privates Thema auszutauschen. Ich bekam Rückmeldungen aus den verschiedensten Regionen Deutschlands, mein Buch hatte offensichtlich auch überregional Leser gefunden. Ich freute mich über positives Feedback und den Gedanken, vielleicht ein kleines bisschen helfen zu können. Aber es machte auch gleichermaßen nachdenklich, wie viele Leidensgenossen es gibt. Je mehr Rückmeldungen ich bekam, desto häufiger stellte ich mir die Frage: „Wie viele gibt es noch?"

Jeder telefonische oder schriftliche Austausch zeigte auf, dass alle Betroffenen Einzelkämpfer sind, Einzelkämpfer, die jedoch alle in etwa den gleichen Werdegang schilderten. Nachdem die Probleme auftraten, suchten alle lange nach den Ursachen, gingen von einem Arzt zum nächsten. Oft wurden ihre Beschwerden abgetan, sie der Einbildung beschuldigt, zumeist mit dem Ergebnis, dass rein psychische Ursachen konstatiert wurden. Hatte man endlich eine Diagnose, fand diese keine Anerkennung, Krankenkassen und Unfallversicherungen stellten sich quer, Behandlungskosten wurden nicht übernommen. Viele endeten in Rechtsstreitigkeiten mit Versicherungen, Rententrägern oder Arbeitgebern, das Ganze oftmals einhergehend mit hohen finanziellen Belastungen und häufig auch sozialer Isolation. Grob zusammengefasst ist es das, was alle Betroffenen, mit denen ich Kontakt hatte, erlebten. Weshalb ist das so? Bevor ich versuche, dieser Frage auf den Grund zu gehen, soll im Nachfolgenden zunächst erklärt werden, wie es überhaupt zu diesen Halswirbelsäulenschädigungen kommt.

Ursachen und Auslöser

Was sind die Auslöser für Probleme im Kopfgelenksbereich? Ähnlich wie die Liste der Beschwerden, handelt es sich auch bei der nachfolgenden Aufzählung um eine Sammlung eigener Erfahrungen, Berichte anderer Betroffener und Erläuterungen aus Fachbüchern (12). Wahrscheinlich ist die Liste nicht vollständig, aber die mir bekannten, wesentlichen Risikofaktoren sind enthalten.

Auslöser für Probleme im Kopfgelenksbereich in alphabetischer Reihenfolge

- Anpralltraumata
- Erschütterungen
- Extraktionsgeburten
- Fehlhaltungen und falsches Kraft- und Fitnesstraining
- Gegenstände, die auf den Kopf oder in den Nacken fallen
- Gewalteinwirkungen auf Kopf, Hals, Schultern, Rumpf oder Wirbelsäule
- Genetische Bindegewebserkrankungen (z.B. Ehlers-Danlos-Syndrom)
- HWS-Manipulationen („Einrenken")
- Kopfüberstreckungen beim Friseur oder Zahnarzt
- Neurotoxische Schäden durch Virusinfektionen oder neurotoxische Schadstoffexpositionen
- Operationen in Vollnarkose (mit Überstreckung der HWS)
- Schütteln eines Babys oder Kleinkindes
- Sportunfälle z.B. bei Kampfsportarten, Wintersportarten, Boxen, Motocross, Bodenturnen, Wasserspringen etc.
- Stürze von Treppen, Leitern, Bäumen, durch Glatteis, vom Fahrrad oder Pferd etc.
- Tritte von Tieren, z.B. Pferde, Kühe etc.
- Verkehrsunfälle

Gibt es ein Instabilitäts-Desaster?

Es gibt also eine Vielzahl von Auslösern für Probleme im Kopfgelenksbereich, die keinesfalls als exotisch einzustufen sind.
Viele dieser Ursachen können im alltäglichen Leben auftreten,
was grundsätzlich zur Folge hat, dass auch viele Menschen davon
betroffen sein können. Es ist nicht zwingend davon auszugehen,
dass Personen, die eines der oben genannten Ereignisse erlebten, daraus auch gravierende Probleme davon tragen. Manche haben das
große Glück, dass auftretende Verletzungen folgenlos ausheilen. Allerdings gibt es auf der Gegenseite auch eine Vielzahl von Menschen, bei denen gleichgelagerte Ereignisse nicht ohne Folgen bleiben. Vielmehr bildet sich ein chronischer Beschwerdekomplex aus,
der alles „auf den Kopf stellt". Ich habe inzwischen viele dieser Menschen kennen gelernt, deren Schicksale sich verblüffend gleichen.
Insbesondere die quälend lange Suche nach dem Grund für ihre Beschwerden sowie nach einem passenden Arzt eint sie alle. Das lässt
Raum für die Vermutung, dass die Dunkelziffer von Betroffenen
noch viel höher sein muss. Damit komme ich unweigerlich wieder
zu der Frage, warum dies ausgerechnet bei Kopfgelenksinstabilitäten, Halswirbelsäulentraumata etc. der Fall ist.

Mangels medizinischer und juristischer Ausbildung möchte ich
hier gar nicht versuchen, einen rein wissenschaftlichen Erklärungsansatz zu dieser Frage zu liefern. Um die Frage dennoch fachlich zu
beleuchten, möchte ich an dieser Stelle aber einige mutige Aussagen
und Erklärungsansätze aus unterschiedlicher Fachliteratur zitieren.
Ich wähle bewusst die Bezeichnung „mutig", da sich Autoren entsprechender Literatur durchaus den Anfeindungen großer Interes-
senverbände ausgesetzt sehen. Weil der größte Teil der Fachliteratur
sich mit dem Thema „Schleudertrauma nach Verkehrsunfall" befasst, wird in den fünf ausgewählten Zitaten auch zumeist darauf
abgestellt, was aber deren generelle Bedeutung in Bezug auf Halswirbelsäulenverletzungen nicht mindert.

„Erhebliche Probleme bereitet allerdings eine größere Zahl von Unfall-geschädigten bei denen die Beschwerden oft ein Leben lang zurückbleiben und bei denen die <u>langwierigen Symptome häufig in</u> keinen kausalen Zu-<u>sammenhang gestellt werden</u>. Diese Patienten erleiden häufig eine medizi-nische, versicherungstechnische und juristische Odyssee, bei der die Be-troffenen häufig keine Anerkennung ihres Leidens finden, immer wieder als Simulanten diskreditiert werden und dabei oft längere soziale und fi-nanzielle Benachteiligungen in Kauf nehmen müssen." (13)

„Läsionen der Halswirbelsäule im Sinne eines Schleudertraumas schä-digen den aktiven und passiven Bewegungsapparat des kraniozervikalen Übergangs in einer Weise, die zu einem <u>Beschwerdebild führen kann, das in seiner Schwere oft in krassem Missverhältnis zur</u> Geringfügigkeit des Traumas selbst steht."(14)

Zitat aus einem Vorgutachten eines unfallchirurgischen Sachverstän-digen: „Die Beschwerden der Patientin sind glaubwürdig, aber <u>nicht un-fallkausal</u>, weil das Ergebnis des verkehrstechnischen Gutachtens die An-nahme einer Verletzung der HWS nicht zulässt." (15)

„Es geht in medizinischen Sachverständigengutachten oft um das Problem des rechtlichen Zusammenhangs zwischen der Handlung des Schädigers und der eingetretenen Rechtsgutverletzung, z.B. Körperverlet-zung, Körperschaden, also darum, ob ein <u>Ursachenzusammenhang</u> zwi-schen beiden gegeben ist." (16)

> *„Der allergrößte Streitpunkt im Zusammenhang mit Atlasstörungen ist das Halswirbelsäulen-Schleudertrauma ...... Dadurch geraten die Kopfgelenke sehr in das Gutachtenwesen hinein, in dem es um die <u>gerichtliche Durchsetzung von Ansprüchen und um die Anerkennung von Unfallfolgen</u> geht. Hier wird zwar die Wahrheit gesucht, aber, und das ist bekanntermaßen nicht nur in der Medizin so, recht haben und recht bekommen sind zwei sehr unterschiedliche Angelegenheiten. Nennen wir es ein menschliches Grundproblem. In der Realität werden auf Grund dieser Auseinandersetzungen oftmals die Beschwerden von Patienten gänzlich in Frage gestellt und auf psychische Probleme abgeschoben. Ganz ohne Frage haben seelische und emotionale Gründe einen Einfluss und sind zuweilen auch der Auslöser von Schmerzen. Und ebenfalls ohne Frage sind nach langer Schmerzdauer psychische Veränderungen die Regel. Die grundsätzliche Leugnung von Beschwerden, die von der oberen Halswirbelsäule ausgehen, ist aber gerade auf Grund der neuesten wissenschaftlichen Erkenntnisse völlig unverständlich und nicht nachvollziehbar."* (17)

Nimmt man diese Aussagen als Denkanstoß, verbunden mit eigenen Erfahrungen und den Berichten anderer Betroffener, fügt sich ein Bild der Gesamtproblematik zusammen. An dieser Stelle wage ich einen eigenen Erklärungsansatz.

Alle fünf Zitate gehen auf ein Hauptproblem des – nennen wir es mal - Instabilitäts-Desasters ein. Begriffe wie „unfallkausal" oder „Ursachenzusammenhang" machen deutlich, dass es in vielen Fällen auch um die Frage der Schuld und damit der Haftung geht. Verletzungen der Halswirbelsäule sind häufig die Folge von Unfällen verschiedener Art. Wie die Liste der Auslöser zeigt, kommen u.a. Sportunfälle, Verkehrsunfälle, Haushalts- oder Arbeitsunfälle dafür in Frage. Aber auch Auslöser, die man nicht automatisch als Unfall bezeichnen würde, stellen die Beteiligten vor die Kausalitätsproblematik. Denkt man zum Beispiel an die Folgen einer Überstreckung in Vollnarkose oder Verletzungen durch Gewalteinwirkungen. Der gesunde Menschenverstand lässt einen eigentlich zu dem Schluss kommen, dass der Verursacher eines Unfallereignisses auch die Schuld trägt. Da jedoch mit dem Anerkenntnis von Schuld zumeist auch erhebliche finanzielle Folgen einhergehen, hat es sich leider durchgesetzt, Ursachenzusammenhänge erst mal weit von sich zu weisen. Die meisten Betroffenen erleben, dass Versicherungen als erstes die Kausalität von Unfallereignis und eingetretenem Schaden in Frage stellen.

Als Geschädigter ist man dann plötzlich in einer Bringschuld und muss beweisen, dass der Unfall verantwortlich ist für den eingetretenen Schaden. Dabei sind die Hürden unfassbar hoch, denkt man zum Beispiel an die unrühmliche Diskussion der Bagatellgrenze. Danach sind sehr geringe Geschwindigkeiten bei Autounfällen angeblich nicht geeignet, einen bleibenden Schaden an der Halswirbelsäule hervorzurufen. In dem Zusammenhang wird auch regelmäßig das Auto-Scooter-Beispiel herangezogen, wonach ein Zusammenstoß bei niedriger Geschwindigkeit nichts anderes sei, als ein „Rammen" beim Auto-Scooter.

Unter Umständen wird dem Betroffenen auch eine Aggravation vorgeworfen. Dies ist eine medizinische Bezeichnung für das Übertreiben von Krankheitserscheinungen. Zumeist taucht dieser Vorwurf in Verbindung mit der Haftungsfrage auf. Damit wird dem Geschädigten recht unverblümt vorgehalten, dass er seine Beschwerden übertrieben schlimm darstellt, um eine möglichst hohe Schadenersatzforderung durchsetzen zu können. Der pauschale Vorwurf der Aggravation wird bei genauerer Betrachtung der Realität widerlegt. Wie sich im späteren Verlauf des Buches zeigen wird, leiden die meisten Geschädigten an ähnlichen Beschwerden, völlig unabhängig davon, ob ein Dritter zur Verantwortung gezogen werden kann, was aber die Gegenseite keinesfalls daran hindert, den Vorwurf vorzubringen.

Auch die Diskussion einer Vorschädigung wird immer wieder eröffnet. Ab einem gewissen Lebensalter lässt sich gut mit einer degenerativen Veränderung argumentieren – der berühmte altersbedingte Verschleiß der Bandscheiben zum Beispiel. Dem hat man als Betroffener wenig entgegenzusetzen. Wer macht schon regelmäßig Upright-MRT- oder CT-Aufnahmen seines Körpers, um im Falle eines Falles für solche Argumentationen gewappnet zu sein? Ganz ungeachtet der Tatsache, dass ein altersbedingter Verschleiß nicht automatisch einen Schaden im Bereich der Kopfgelenke begünstigt. Beliebt ist es auch die „Psycho-Karte" zu ziehen. Das heißt, man wirft dem Geschädigten vor, das Unfallereignis nicht verarbeitet und dadurch psychische Probleme entwickelt zu haben, die das geschilderte Beschwerdebild verursachen. Kurz gesagt, als Geschädigter hat man es oft mit heftigem Gegenwind zu tun.

Zusätzlich erschwert wird diese Problematik häufig auch durch die Tatsache, dass Betroffene selber keinen absoluten Kausalzusammenhang herstellen können. Sieht man von lebensbedrohlichen Schäden ab, wie zum Beispiel Brüchen von Halswirbeln, die man mit den üblichen bildgebenden Verfahren schnell erkennen kann, ist es gerade bei Verletzungen der Halswirbelsäule oft so, dass die Beschwerden erst später auftreten und somit zunächst keiner Ursache zugeordnet werden können. Das war bei mir der Fall und auch bei vielen anderen Betroffenen. Erst als eine abschließende Diagnose vorlag, wurde im Rückblick erkannt, welche Ereignisse dafür auslösend waren. Gerade bei Sportlern kann man dieses Phänomen beobachten. Die üblicherweise sehr gut ausgebildete Muskulatur ist über einen längeren Zeitraum in der Lage, die Schädigung zu kompensieren, bevor diese sich letztlich zeigt und manifestiert. Oftmals ist die Halswirbelsäule auch schon durch ein scheinbar unwichtiges Ereignis aus der Vergangenheit vorgeschädigt und einer erneuter Vorfall löst final die chronischen Beschwerden aus.

Es gibt noch einen weiteren Aspekt, durch welchen es so schwer wird, einer Halswirbelschädigung auf die Spur zu kommen. Wie man anhand der Beschwerdeliste sieht, kann eine Verletzung der Halswirbelsäule einen wilden Symptomemix verursachen. Viele dieser Symptome können auch zu anderen Krankheiten passen, was die Wahrheitsfindung nicht gerade einfacher macht. Die meisten Betroffenen wissen zunächst gar nicht, bei welchem Arzt sie mit ihrem Beschwerdebild vorstellig werden sollen. Egal für welche Fachrichtung man sich entscheidet, der jeweilige Spezialist wird sich nur für den Teil des Körpers interessieren, der in sein jeweiliges Fachgebiet fällt. Es fehlt oft an dem Willen „über den Tellerrand zu schauen". Oftmals stellt der eigene Hausarzt zunächst die beste Option dar, da dieser seinen Patienten meist schon länger kennt und eine Vertrauensbasis vorhanden ist oder zumindest sein sollte. Gerade bei Halswirbelsäulenschädigungen mit chronischem Beschwerdebild fehlt es an interdisziplinärer Zusammenarbeit.

Über all diesen Problemen thront die sehr modern gewordene Vorgehensweise, Patienten ganz schnell in die Psycho-Schublade zu stecken. Das ist mein ganz persönliches „Lieblings-Problem", da ich damit umfangreiche Erfahrungen machen durfte. Es macht mich heute noch wahnsinnig wütend, dass man von mir eine psychiatrische Begutachtung verlangte, obwohl ich einen Berg medizinischer Unterlagen hatte, die eine orthopädische Schädigung belegten. Ich konnte mich zwar erfolgreich gegen die Begutachtung wehren, aber das mildert nicht die Fassungslosigkeit über den Vorgang. Leider bin ich damit nicht alleine. Es scheint regelrecht in Mode gekommen zu sein, Patienten mit ungewöhnlichem Beschwerdebild vorzuverurteilen und ihnen eine psychische Erkrankung zu attestieren. Doch woher kommt diese Psychiatrisierung? Liegt es daran, dass Ärzte das wahre Krankheitsbild nicht erkennen, dies aber nicht zugeben wollen? Ganz nach dem Motto: „Lieber eine psychiatrische Diagnose, als gar keine."

Oder liegt es möglicherweise an der Lobby der Pharmaindustrie? Bitte verstehen Sie mich hier nicht falsch, ich bin dankbar, in einem Land zu leben, in dem ich mir keine Gedanken machen muss, ob ich Antibiotika erhalte, wenn ich sie benötige. Aber es stimmt dennoch nachdenklich, dass man in Deutschland leichter an ein Rezept für Psychopharmaka kommt, als an eine Verordnung für manuelle Therapie. Dem wahren Grund werde ich an dieser Stelle nicht „auf die Schliche kommen". Interessant finde ich aber in diesem Zusammenhang die Aussage des französischen Soziologen Michel Foucault, wonach die Psychiatrie die Rolle einer gesellschaftlichen Kontrollinstanz und normenstiftenden Machtinstanz spiele, deren Beurteilungen sich gesellschaftlich und politisch auswirken (18).

Wie auch immer dieser Hang zur Psychiatrisierung entstanden ist, für die Betroffenen ergeben sich daraus weitreichende Probleme. Hat man erst eine falsche Diagnose in den Unterlagen, bekommt man diese so gut wie nicht mehr korrigiert. Ein Gutachter schreibt vom anderen ab, so verfestigt sich ein angebliches psychiatrisches Problem immer weiter. Für Gegengutachten muss man zunächst selbst aufkommen und erhält trotzdem keine Garantie auf Korrektur der Krankenakte. Eine psychiatrische Diagnose – und liegt sie noch so weit zurück – wird immer wieder ausgegraben und regelmäßig gegen die Betroffenen verwendet. Nehmen wir das Beispiel eines Verkehrsunfalls mit anschließenden chronischen Halswirbelsäulenproblemen. Hat der Betroffene „dummerweise" in seiner Krankengeschichte Besuche beim Psychiater oder Psychologen vermerkt – warum auch immer – wird man dies nun gegen ihn verwenden. Die beklagten Halswirbelsäulenbeschwerden werden schnell einer psychischen Belastungsreaktion zugeschrieben und damit ganz einfach die Frage der Haftung abgeschmettert. Diese Vorgehensweise ist leider bittere Realität.

Ein großes Hindernis stellen für viele Halswirbelsäulengeschädigte die ungedeckten Kosten dar. Hat sich erst einmal der Verdacht eingestellt, die Halswirbelsäule könnte der Auslöser allen Übels sein, gibt es zahlreiche Untersuchungsmethoden, um dies auch zu verifizieren. Dazu gehören beispielsweise ein Upright-MRT, eine neurootologische Untersuchung, ein Hirnleistungstest, Genuntersuchungen, die Testung der Augen bei einem Visualtrainer, eine Gesichtsfelduntersuchung, komplexe Labordiagnostik, Röntgen in Funktionsstellung und SPECT-Untersuchung (Sonderform der CT-Untersuchung). Leider fällt fast nichts davon unter herkömmliche Krankenkassenleistungen. Viele Betroffene haben keine andere Wahl, als die Kosten selber aufzubringen, sofern es ihnen irgendwie möglich ist. Da es sich meist um aufwendige Untersuchungsverfahren handelt, sind die Kosten leider entsprechend hoch. Für ein Upright-MRT fallen durchschnittlich 700,-- bis 800,-- € an. So wird die Frage der Gesundheit ganz schnell eine Frage des Geldbeutels. Je nach Schwere der Schädigung und Anzahl der benötigten Untersuchungen, wird daraus auch schneller als gedacht ein existenzielles Problem. Das kann selbst dann passieren, wenn die Krankenkasse grundsätzlich die Kosten für eine Untersuchung übernehmen würde. Dann muss man als Betroffener aber zunächst einen Arzt finden, der hinter einem steht und die entsprechende Überweisung ausstellt. Ohne ärztliche Begründung wird wahrscheinlich auch die großzügigste Krankenkasse nicht zahlen, so dass wieder nur die Option bleibt, die Kosten selber zu übernehmen.

Als wäre durch die bislang geschilderten Schwierigkeiten nicht schon alles kompliziert genug, werden Halswirbelsäulengeschädigte auch noch mit der Problematik der Unsichtbarkeit konfrontiert. In der Regel sieht man Betroffenen ihr gesundheitliches Problem nicht an. Wir gehen nicht an Krücken, tragen weder Gips, Verband oder Pflaster, äußere Verletzungen sind nicht sichtbar und Merkmale einer körperlichen Behinderung fehlen auch. Mir ist es kürzlich erst wieder passiert, dass ich mit dem typischen Satz bedacht wurde: „Man sieht dir das gar nicht an!" Ich war auf einer Feier und musste – wie so oft – als eine der ersten gehen. Ich war erschöpft, hatte Muskelschmerzen und war froh, überhaupt etwas länger durchgehalten zu haben. Beim Verabschieden äußerte ich dies dann auch, was den oben zitierten Satz zur Folge hatte. Diese Sätze sind grundsätzlich nie böse gemeint, sie offenbaren aber ein Grundproblem bei der Anerkennung von Halswirbelsäulenschädigungen: man sieht sie nicht. Gut, wenn ich an meine hängende linke Schulter und die oftmals geschwollenen unteren Halswirbel denke, stimmt das nicht hundertprozentig. Aber das sind optische Kleinigkeiten, die einem Laien nicht auffallen. In unserer Gesellschaft ist man anscheinend nur krank, wenn es äußerlich nicht zu übersehen oder gesellschaftlich anerkannt ist. Das ist schon kurios, wenn man bedenkt, dass man Diabetes oder Bluthochdruck auch nicht sehen kann, deren Existenz jedoch niemand in Frage stellen würde. Wenn Sie jemandem erzählen, Sie haben Herzrhythmusstörungen, wird das sofort akzeptiert. Erzählen Sie allerdings, Sie haben eine Halswirbelsäulenschädigung, werden Sie mit großer Wahrscheinlichkeit hören. „Das sieht man gar nicht!"

Wenn man das ganze Problem-Spektrum betrachtet, bekommt man ein Gefühl von „David gegen Goliath". Halswirbelsäulengeschädigte stehen offensichtlich einem übermächtigen Gegner gegenüber. Trotz zumeist sehr schlechter körperlicher Verfassung, kämpfen Betroffene darum, eine ordentliche Diagnose zu erhalten, sie kämpfen um medizinische Hilfe, um Anerkennung ihrer Beschwerden, oftmals um ihre finanzielle Existenz und letztlich um Gerechtigkeit.

Ein neues Buchprojekt

Seit ich das erste Mal konkret mit dem Thema „Kopfgelenksinstabilität" oder „HWS-Trauma" in Kontakt kam, sind inzwischen zwölf Jahre vergangen, die Jahre der Ursachenforschung nicht eingerechnet - eine lange Zeit, in der gefühlt wenig bis gar kein Fortschritt für die Betroffenen erzielt wurde. Wenn man die aufgeführten Hürden betrachtet, stellt man sich die Frage: Kann man daran etwas ändern? Wenn ja, wie kann ich dazu beitragen? Diese Frage führte mich die letzten zwei Jahre regelmäßig in einen inneren Konflikt. Auf der einen Seite stand der Wunsch, einfach zu leben ohne Grübeln und Kämpfen. Ich hatte mein Buch geschrieben, meine Geschichte erzählt, eigentlich könnte ich es damit gut sein lassen. Aber es ist ein klassischer Zwiespalt mit dem Engelchen auf der einen und dem Teufelchen auf der anderen Schulter: man bekommt etwas in jedes Ohr geflüstert. So gab es also andererseits auch weiterhin den Wunsch, etwas zu verändern, nach Möglichkeit auch zu helfen. Würde es eventuell etwas bringen, die verschiedenen Einzelschicksale zu bündeln? Könnte ein gemeinsames Buch mit den Geschichten vieler Betroffener für genug Aufmerksamkeit sorgen, dass sich endlich etwas bewegt? Sollte ich versuchen, ein solches Buch zu schreiben? Könnte ich das als medizinischer Laie überhaupt? Fragen über Fragen und über einen längeren Zeitraum keine Antwort in meinem inneren Konflikt! In der Zeit zwischen der Veröffentlichung meines ersten Buches und heute ist eine Menge geschehen, das mich letztlich bei meiner Entscheidungsfindung beeinflusst hat.

Da gab es eine Begegnung, die ich nur als „orthopädisches Missverständnis" bezeichnen kann, ohne weiter darauf einzugehen. Leider ein teures und zeitaufwendiges Missverständnis. Man lernt auch nach vielen Jahren auf diesem Gebiet nicht aus. Es gab einen Augenarzt, der meine HWS-Beschwerden mit einer Spezialbrille beheben wollte. Die Situation erinnerte mich an die berühmte „Huhn-Ei-Frage" danach, was zuerst da war. Im übertragenen Sinne kann ich sagen, dass zuerst meine Halswirbelsäulenschädigung vorlag und dann die Sehprobleme folgten. Führen Sie diese Diskussion einmal mit einem Prismenbrillengestell auf dem Kopf; das brachte mich völlig aus dem Gleichgewicht. Ich verließ die Praxis mit einer Spezialbrillenverordnung. Meinen Argumenten war der Arzt nicht zugänglich. Er hatte die „Huhn-Ei-Frage" ganz offensichtlich anders beantwortet als ich. Die Verordnung landete im Papierkorb. Die Rechnung dieses merkwürdigen Termins reichte ich lieber mal nicht bei meiner Krankenversicherung ein. Dann gab es auch noch den Kampf mit meinem Antrag auf Überprüfung des Grades der Behinderung. Das Amt für soziale Angelegenheiten hatte mir vor vielen Jahren einen Grad der Behinderung (GdB) von 20 zugestanden. Mein Widerspruch damals war erfolglos, also beließ ich es zunächst dabei. Mit dem dazu gewonnenen Wissen wollte ich es aber doch noch einmal versuchen und stellte erneut einen Antrag, dieses Mal vorsorglich direkt über meinen Anwalt. Die Erhöhung des GdB wurde abgelehnt und mein Widerspruch unter totaler Verkennung des Krankheitsbildes ebenfalls zurückgewiesen. Nächster Schritt: Akteneinsicht und Klage einreichen. Der ganze Vorgang zog sich gewaltig in die Länge. Mein Anwalt wartete auf die Übersendung der Akten, um die Klagebegründung fertig zu stellen.

Währenddessen traf mich ein schwerer Schicksalsschlag: meine Mama verstarb völlig unerwartet mit 62 Jahren an einem Darminfarkt. Das riss mir den Boden unter den Füßen weg. Ausgerechnet der Mensch, der mich in all den Jahren des Kampfes und der Krankheit immer unermüdlich unterstützt hatte, der mich angetrieben hatte, nie aufzugeben, immer weiterzukämpfen, war von einem auf den anderen Tag nicht mehr da. Mein ganzer Kampfgeist hatte sich in Luft aufgelöst. Nichts war mir in dem Moment so egal, wie mein GdB. Ich bat meinen Anwalt kurz darauf, meine Klage zurückzunehmen. Ich war kampfesmüde geworden. Vierzehn Jahre nach dem ersten Auftreten der Beschwerden schien mir der Gedanke unerträglich, mich wieder mal untersuchen, begutachten und bewerten zu lassen, um am Ende vermutlich wieder nicht verstanden zu werden. Meine Kraftreserven waren aufgebraucht, und lange Zeit hatte ich die Befürchtung, sie würden sich auch nicht mehr füllen. Aber irgendwann ertappte ich mich bei dem Gedanken, dass meine Mama sicher geschimpft hätte, weil ich es dem Amt für soziale Angelegenheiten so einfach gemacht hatte. Und sie hätte damit Recht gehabt. Das war der Moment, in dem ich mich dafür entschied, dieses Buch zu schreiben. Der Vollständigkeit halber soll hier auch nicht unerwähnt bleiben, dass ich bei meiner zweiten Untersuchung zur Überprüfung meiner Dienstfähigkeit auf einen bemerkenswerten Amtsarzt traf. Das erste Mal lief es nicht so rund, das habe ich in „Wackelköpfchen" ausführlich geschildert. Aber dieses Mal fühlte ich mich verstanden; meine Dienstunfähigkeit wurde weiterhin festgestellt. Der Amtsarzt verabschiedete mich mit den Worten: „Machen Sie Ihren Möglichkeiten entsprechend, das Beste aus Ihrem Leben." Dieser Satz hat mich nachhaltig berührt und er hat seinen Anteil an meiner Entscheidungsfindung.

Also begab ich mich auf die Suche nach Betroffenen, die ihre Geschichte erzählen möchten. Mein Suchgebiet begrenzte sich auf Deutschland und Österreich. Mit großer Sicherheit würde ich auch über diese Ländergrenzen hinaus weitere Betroffene finden. Es war mir aber wichtig, Geschichten aus Ländern zu erhalten, deren Gesundheitssysteme etc. sich relativ ähnlich sind, um eine Vergleichbarkeit der Problematik sicherzustellen. Ich kontaktierte Selbsthilfegruppen, nutzte die sozialen Medien und alle meine bestehenden E-Mail-Kontakte, bat außerdem zwei meiner Ärzte, entsprechende Flyer zu verteilen und „nervte" schlichtweg jeden – ob er es hören wollte, oder nicht – mit meinem Suchaufruf.

Herausgekommen sind 19 berührende, spannende, tragische und unglaubliche Geschichten. Jede Geschichte für sich zeigt auf, was ein Leben mit einer Kopfgelenksinstabilität oder ähnlichem Krankheitsbild bedeutet. Jeder erzählt seine Geschichte auf seine ganz eigene

Art. Bei den Schwierigkeiten, die jeder einzelne zu bewältigen hat, bleibt es nicht aus, dass hin und wieder auch anklagende Wort fallen, die Dinge zynisch oder mit Galgenhumor geschildert werden. Alle eint aber ungeachtet dessen der Wunsch, mit ihrer Geschichte aufzurütteln, zu helfen und vielleicht zu verändern. Ich ziehe meinen Hut vor diesen Kämpferinnen und Kämpfern und bin ihnen unfassbar dankbar, dass sie dazu beigetragen haben, mein Herzensprojekt zu verwirklichen. Manche Geschichten sind anonym oder unter einem Pseudonym verfasst, andere nennen ihren Namen. Dies war allen Gastautoren freigestellt. Die korrekte Identität und der Wahrheitsgehalt der Geschichten wurden mir gegenüber bestätigt.

Wie Sie schon zu Beginn lesen konnten, handelt es sich um ein hochkomplexes Krankheitsbild. Dabei ist Instabilität nicht gleich Instabilität und kein HWS-Problem ist wie das andere. Neben den bereits erläuterten Begrifflichkeiten soll an dieser Stelle noch kurz erwähnt werden, dass es eine Vielzahl unterschiedlicher Ausprägungen der Krankheit gibt, die aber letztlich alle zum Gesamtthemenkomplex gehören. Dazu zählen beispielsweise: HWS-Trauma, Kopfgelenksinstabilität, chronisches Schleudertrauma, atlanto-axiale Instabilität, cranio-cervicale Instabilität, Ehlers-Danlos-Syndrom, Marfan-Syndrom und Barré-Lieu-Syndrom, um einige zu nennen.

Die in den Geschichten geschilderten Therapieansätze und Behandlungsmethoden beruhen auf den persönlichen Erfahrungen der Betroffenen und deren jeweiligen individuellen Krankheitsbildern. Diese stellen keine medizinischen Empfehlungen dar und garantieren auch keinen Behandlungserfolg bei Dritten. Dennoch können sie als wichtige Denkanstöße dienen und sollen deshalb aufgezeigt werden.

1. Vom Arzt, der zum Patienten wurde!

Es war ein schöner, warmer Tag im September, als ich mit dem Fahrrad auf der Landstraße Richtung Heidelberg fuhr. Ich hatte mir nichts dabei gedacht, als ich in der Ferne einen Opel Corsa zügig fahren sah. In einer Kurve kam es dann zur Begegnung. Obwohl ich mich relativ weit rechts hielt, schnitt der Autofahrer seine Kurve in der Ideallinie und ließ sich nach außen tragen. Er hatte nicht gesehen, dass ich dort mit meinem Fahrrad fuhr – wahrscheinlich war er in Gedanken beim letzten Formel-1-Rennen von Monza.

Ein Gefühl der Ohnmacht überkam mich, als ich das Auto direkt auf mich zukommen sah. Alles geschah in Bruchteilen von Sekunden. Obwohl ich noch versuchte auszuweichen, erwischte mich das Auto frontal. Ich stürzte zunächst auf die Motorhaube und dann auf die Straße, Kopf voran. Wie lange ich dort lag, weiß ich nicht mehr. Die Erinnerung daran ist verschwommen – auch ob ich bewusstlos war, kann ich nicht mehr sagen. „Gott sei Dank hast du einen Helm getragen", dachte ich mir. Mit dem Handy machte ich ein Bild meines Gesichtes um mir einen Überblick über die Verletzungen zu verschaffen. Als Arzt und früherer Rettungssanitäter bin ich gewohnt, zunächst mal Ruhe zu bewahren und das immer gleiche „Programm" abzuspulen, wenn so etwas passiert. Obwohl ich mein Herz noch bis zum Hals pochen hören konnte, war ich froh, dass ich Herr der Lage war und alles bewegen konnte. Ein paar Schürfwunden im Gesicht, das eine Auge war schon zugeschwollen. Das Knie schmerzte, und auf die Schulter war ich auch gefallen. So lange man alles noch bewegen kann und kein Gelenk in nichtnatürlicher Weise vom Körper ab- oder heraussteht, habe ich ja nochmal Glück gehabt, dachte ich und war innerlich sehr erleichtert. Aus meiner Erfahrung im Rettungsdienst wusste ich sehr genau, dass sich auch ganz andere Eindrücke von derartigen Unfällen ergeben können.

Erinnerungen an unschöne Szenen kamen in mir hoch, von jungen verunfallten Personen, die oftmals noch nicht einmal groß etwas dafür konnten, dass sie sich in dieser Lage befanden, sondern einfach nur zur falschen Zeit am falschen Ort waren. Der Fahrer kam auf mich zu, ein junger Mann. Sichtlich bemüht bat ich darum, dass man einen Krankenwagen und die Polizei rufen sollte – wieder so ein Standard aus dem Rettungsdienst. Bei Personenschaden erstmal die Polizei dazu rufen. Innerlich war ich zwar aufgeregt, aber auch irgendwie erleichtert gerade mit dem Leben und ein paar Schürfwunden davon gekommen zu sein. Was der Unfall jedoch für mein weiteres Leben bedeuten würde, konnte ich in diesem Moment noch nicht erahnen.

Es kamen Polizei und Rettungswagen. Die obligatorische Halskrawatte wurde angelegt und wir fuhren mit Blaulicht in die nächstgelegene Universitätsklinik. Irgendwie lustig, dachte ich: Da bist du schon zigmal mit Patienten hingefahren. Jetzt fahren sie dich da mit Blaulicht hin, obwohl es dir doch ganz gut geht, von den paar blauen Flecken abgesehen. Ich gehöre zu denjenigen Personen, die versuchen in allem erstmal das Positive zu sehen: „Guter Perspektivenwechsel" dachte ich bei mir. „Jetzt kannst du deine Patienten das nächste Mal wieder besser verstehen, wenn sie auf deiner Trage liegen." In der chirurgischen Notaufnahme dann das übliche Bild wahrscheinlich jeder Notaufnahme: Überall Patienten, gestresstes Personal und ich durfte in einer kleinen Kabine (immerhin alleine) liegen. Ich kenne das ja selbst aus meiner Arbeit in der Notaufnahme: Zuerst heißt es Triage, also Schwerverletzte haben Vorrang. Da ich davon ausging mit ein paar Blessuren davongekommen zu sein, aber ansonsten noch ganz gut bei Verstand schien, war ich in der Kategorie „kann warten" eingeteilt. Positiv denkend war ich alles andere als verärgert deswegen, da alles hätte schlimmer sein können.

Es kam die erste Assistenzärztin – sie sah so aus, als hätte man ein Reh auf dunkler Straße mit dem Abblendlicht angeleuchtet. Als junger Assistenzarzt muss man sich an den Stress der Aufnahme oft erst gewöhnen und möchte keine Fehler machen und nun sah sie sich meine Verletzungen an. Sie untersuchte meine Schürfwunden, meldete diverse Röntgenuntersuchungen an, erkundigte sich nach dem Tetanusschutz und nahm mir die Halskrawatte ab. Endlich!! Diese dummen Stehkragen habe ich schon immer gehasst! In der Ausbildung zum Rettungssanitäter haben wir gelernt, wie wir einen Schwerverletzten versorgen. Hier gehört es auch dazu, dass man einmal den Patienten spielt und sich vollständig auf der Trage immobilisieren und eine Halskrawatte anlegen lässt. Ich weiß noch von der Ausbildung, wie beklemmend ich dieses Gefühl damals empfand und wie froh ich war, dieses Ding nach 20 Minuten wieder los geworden zu sein. Wenn ich gewusst hätte, dass eine solche Halskrawatte für die nächsten 10 Wochen mein ständiger Begleiter sein würde, wäre ich wohl die Wände hoch gegangen.

Es folgten Röntgenaufnahmen von Hals, Schulter und Knie. Man sah keinen Bruch. Uff, wieder machte sich die Erleichterung breit. Nach ca. 4 Stunden Wartezeit zwischen keuchenden und weinenden Patienten kam dann der zuständige Facharzt der chirurgischen Aufnahme. Er kam gerade aus dem OP. Chirurgen sind am liebsten im OP, dann muss alles andere warten. „Was haben Sie denn gemacht, Herr Kollege" scherzte er. „Ich wollte mal sehen wie Sie hier so arbeiten" entgegnete ich „schließlich ist draußen gerade so schlechtes Wetter". Es hatte übrigens 25 Grad und schönsten Sonnenschein. Wir verstanden uns auf Anhieb prächtig. Er führte noch einen Ultraschall der Bauchorgane durch und schlug vor noch eine Computertomografie des Schädels zu machen. „Muss das sein?" fragte ich. Immerhin handelt es sich bei so einer Untersuchung um eine nicht unerhebliche Strahlenbelastung. „Würde ich auf jeden Fall machen", sagte er. „Da ist gerade ein Corsa mit 40 Sachen in Sie frontal reingerauscht. Ein Wunder, dass sie überhaupt noch mit mir sprechen". Also gut, dachte ich. Danach kann ich ja dann nach Hause gehen. Es folgte das erste CT meines Lebens. Alles total easy, viel Platz und nach 5 Minuten war ich wieder draußen. Beunruhigender war es da schon, dass die Schwester unmittelbar nach der Untersuchung wieder zu mir ins Zimmer kam und sagte „Also ich glaube es wäre besser, wenn Sie die Halskrawatte wieder anziehen". Oh mein Gott. Da wurde es mir das erste Mal Angst und Bange: Was hieß das jetzt? Hatten sie etwas übersehen? Unfälle an der Halswirbelsäule sind aus meinem Gedächtnis immer undankbar – jedenfalls was ich noch aus dem Studium darüber wusste. Tausend Gedanken schossen mir durch den Kopf. Ich hatte ja noch kein Ergebnis, und die Schwestern durften mir nichts sagen. Ich war das erste Mal richtig fertig und hätte anfangen können zu heulen. Mittlerweile war meine Partnerin eingetroffen und versuchte, mich so gut es ging zu beruhigen: „Jetzt warte mal, so schlimm kann es ja nicht sein. Das Röntgenbild war unauffällig und dir geht's ja bis auf die paar Beulen ganz gut".

Der Facharzt betrat den Raum und was er genau zu mir sagte weiß ich nicht mehr, nur, dass wir jetzt noch ein MRT machen sollten. Das war schon etwas uncooler. Megaeng, megalaut und so eine bescheuerte Spule vorm Kopf. Ich ertrug es und danach stand die Diagnose fest: okzipitale Kondylenfraktur rechts (Bruch der Gelenkfortsätze des Hinterhauptbeines) mit Gefügestörung der Gelenke C0/C1, knöcherner Ausriss des Ligamentum alare sowie konsekutiver Lateralisierung des Dens axis nach links. Aha. Ich hab ja schon so einiges gehört, aber das war jetzt echt mal was Neues. Man müsste Neurochirurg oder Wirbelsäulenchirurg sein um das zu verstehen. Ich wollte eigentlich nur wissen, was das jetzt im Genauen für mich weiter heißen sollte: OP oder konservative Versorgung? Würde ich damit Probleme bekommen? Seit ich mich erinnern konnte war ich nie ernsthaft krank gewesen. Schnupfen hatte ich wie alle Männer ertragen und war noch am Leben. Ernstere Verletzungen, bis auf einen unkomplizierten Handgelenkbruch in der

Kindheit oder den üblichen Schürf-, Quetsch- und Risswunden, hatte ich noch nie gehabt.

Man verlegte mich direkt auf die „Spine Unit" der Orthopädischen Universitätsklinik. Ein etwas aufgedrehter Kollege sah mich gegen 23 Uhr (wie sich später heraus stellte, war er der Leiter der Sektion „Wirbelsäule" und wohl gerade aus einer anstrengenden OP gekommen). Er stellte den radiologischen Befund in Frage und sagte etwas wie „nicht mit dem Leben vereinbar" und „da kann was nicht ganz stimmen, das wäre ein schweres Krankheitsbild". So richtig beruhigen konnte er mich damit nicht. Jedenfalls stand schon mal fest, dass ich zur Beobachtung da bleiben müsse. Wieder gingen mir 100 Dinge durch den Kopf: Der Bruch lag an einer äußerst ungünstigen Stelle, die sich in der Nähe des verlängerten Rückenmarks (Medulla oblongata) und einer versorgenden Hirnarterie (A. vertebralis) befindet. Manchmal ist es ein Fluch, zu viel über Medizin zu wissen und zu viel gesehen zu haben, dachte ich noch bei mir. Was ist, wenn es aus dem Bruch zu einer Blutung oder einem Gewebsödem käme (Das passiert oft nach Brüchen. Das Gewebewasser ist eine Reaktion auf einen Bruch). Im verlängerten Rückenmark befindet sich das Elementarste, was das Hirn so zu bieten hat: Das Atemzentrum und die Temperaturregelung. Wäre blöd, wenn da was passiert. Ich hatte echt Todesangst! Ich wurde auf ein Zimmer verlegt. Meinen Bettnachbarn hatte es noch schlimmer erwischt als mich. Er war bei einem Motorradrennen am Hockenheimring gestürzt und hatte fast keine Stelle am Körper, die nicht gebrochen war. Er hatte sogar einen Hubschrauber bekommen. Ich nur einen Rettungswagen mit Blaulicht. Ich war beeindruckt. In diesem Moment hielt ich etwas Sarkasmus ganz gut, um einige Dinge besser zu verarbeiten.

Die Nacht verlief ruhig, ich hatte Kopf- und Nackenschmerzen, mir war schwindlig und ich hatte ein Piepsen auf dem Ohr. Also ließ ich mir ein paarmal von der Nachtschwester etwas bringen. Am nächsten Tag standen dann mehrere Konsile an. Zunächst in der Hals-Nasen-Ohren-Klinik wegen des Schwindelgefühls und des Ohrgeräusches. Dann in der Hautklinik wegen der Schmutzeinsprengungen des Straßenasphalts und in der Zahnklinik wegen einer leichten Absprengung der Schneidezähne, die ich mir nebenbei zugezogen hatte. Schließlich noch in der Augenklinik, denn das Auge hatte auch etwas abbekommen. Abends wurde ich dann wieder in der orthopädischen Universitätsklinik abgesetzt und bekam Besuch von der Familie. Am nächsten Morgen durfte ich das Krankenhaus verlassen mit der Maßgabe die Halskrawatte zunächst mal noch 8 Wochen tragen zu müssen, bis der Bruch ganz verheilt sei. Ganz schön doof sowas, kann ich sagen. Wenn ich jetzt durch meinen Beruf Patienten sehe, die mit diesem Ding rumlaufen, sehe ich das mit ganz anderen Augen. Man ist wirklich behindert, kann weder Dinge vom Boden auflesen noch sich entspannt ins Bett legen. Ständig hält einer einem den Hals und Nacken, wie bei einer Giraffe die einen Regenschirm verschluckt hat, nach oben. Solange nur alles gut verheilt, sollte es mir aber Recht sein. Schwindel und Ohrgeräusch waren noch da, aber man sagte mir, dass das am ehesten im Rahmen der Gehirnerschütterung zu sehen ist und einfach etwas Zeit brauche bis es wieder verginge.

Zu Hause angekommen war ich erstmal krankgeschrieben. Mein damaliger Chef war zwar sehr unerfreut, da auch er noch nichts von einer solchen Verletzung gehört hatte und machte den Vorschlag, mit Halskrause könne man doch zumindest Arztbriefe schreiben. Aber der Schwindel und der Tinnitus hatten mich fest im Griff und ich beschloss die Zeit mit Halskrause zu Hause „abzusitzen", da ich auch keine Lust hatte von allen und jedem auf die augenscheinliche Situation angesprochen zu werden. Ich bemühte mich parallel um eine Zweitmeinung bei einem sehr renommierten Wirbelsäulenspezialisten in Heidelberg, der mittlerweile emeritiert, also in Rente war. Unzählige auch komplexeste Wirbelsäulenoperationen gehen auf sein Konto. Er hat nicht nur eigene Operationsinstrumente, sondern auch ganze OPs entwickelt, die nach ihm benannt wurden. Kurzum wollte ich diese Koryphäe kennen lernen und um seine Erfahrung und Einschätzung bitten. Nachdem ich seine Sekretärin so lange genervt hatte, dass er neben allen privaten arabischen Patienten meine CT-Bilder, die ich ihm zugeschickt hatte begutachtet, klingelte bei mir zu Hause das Telefon. Ich wusste erst gar nicht wer dran ist, aber er kam direkt zur Sache und murmelte etwas von „müssen nochmal ein paar Bilder machen" und „wir haben ein 3-Tesla-MRT hier im Haus, am besten kommen sie gleich". Zur Erklärung: In Tesla wird die Feldstärke des MRT gemessen. Je höher, desto schönere Bilder – jedenfalls habe ich mir das im Studium mal so gemerkt. 3 Tesla ist schon mal ziemlich gut würde ich sagen. Ich setzte mich also ins Taxi und fuhr mit Halskrause in eine große Privatklinik in Heidelberg, wo ansonsten Fußballprofis aus Deutschland ihre Knie untersuchen lassen und fand mich mal wieder – sie werden es erahnen – mit Kopfspule im MRT wieder. Ich war echt fertig an dem Tag und musste heulen. Die Vorstellung operiert zu werden und die Folgen und Risiken, die sich aus einem solchen Eingriff ergeben würden waren zu viel für mich. Die medizinisch-technischen Assistentinnen taten ihr Bestes und beruhigten mich so gut sie konnten; ich lag über eine Stunde im MRT. Dadurch, dass alle Strukturen am Übergang zwischen Kopf und Hals so fein sind, müssen sehr dünne „Schichten" gefahren werden, die enorm viel Zeit kosten, während man in völliger Stille daliegen muss. Nachdem die Untersuchung abgeschlossen war sagte die MTA, die mir die Spule vorm Gesicht entfernte: „Der Herr Professor ist selbst da und schaut sich gerade die Bilder an. Er ist extra aus der OP gekommen. Das ist sehr ungewöhnlich und macht er sonst nie."

Da saß ich nun. Noch mit etwas verheulten Augen und 2 Köpfe größer als die Koryphäe, von der ich schon so viel gehört hatte. Er kam auf mich zu und erzählte mir, dass wir noch ein Spezial-CT machen müssten, bei dem der Kopf gedreht wird um das vollständige Ausmaß der Verletzung beurteilen zu können. Am besten natürlich wieder sofort und in seiner alten Klinik ca. 70 km entfernt, die er über Jahre geprägt hat und die genau wisse, welche Diagnostik er benötigt (Anm.: Weil er es ihnen bestimmt tausendmal eingeimpft hat). Ich rief also meine Eltern an und fragte, ob sie mich direkt mal eben kurz 70 Kilometer in seine alte Klinik fahren könnten. Dort angekommen wurde ich mit offenen Armen empfangen („Sind Sie der Patient fürs Dvorak-CT?" Darauf ich: „Bitte was?" MTA: „Kommen Sie von Prof. XY und wurden uns angekündigt?" ich: „Wusste gar nicht, dass ich schon so berühmt bin").

Mit den Bildern wieder zurück nach Heidelberg und wie ich es fast nicht anders erwartet hatte, saß er da noch und arbeitete an seinem Computer. Um 21 Uhr abends! Wir führten ein Gespräch in dem er mir zu verstehen gab, dass man operieren sollte, da es ansonsten sehr unangenehme Schmerzen und sonstige Probleme geben könne und es sich um eine Instabilität der oberen Halswirbelsäule (also Diagnose: Wackelköpfchen) handele mit der nicht zu spaßen sei. Der Befund sei: „hocheindeutig". Experimentell wollte er sodann eine Platte von der Kopfhinterseite in den ersten Halswirbelkörper einbringen. „Die nehmen wir in einem Jahr wieder raus oder lassen sie drin. Das sehen wir dann mal". Das Vorgehen zeigt, wie selten eine solche Verletzung ist. Nämlich so sehr, dass es überhaupt kein Standardvorgehen dafür gibt. Ich entschied mich nach einer kurzen Nacht mit wenig Schlaf gegen einen operativen Eingriff. Risiko und Erfolgsaussichten standen für mich nicht im Verhältnis.

Nach 8 Wochen erfolgte eine Kontrolluntersuchung bei einem anderen Wirbelsäulenspezialisten der Uniklinik. „Der Kopf ist ja noch dran" scherzte er. Es erfolgte ein erneutes CT und die Empfehlung noch für weitere 2-3 Wochen die starre Halskrawatte zu tragen, weil der Bruchspalt noch sichtbar sei. Danach würde ich das Ding endlich ablegen können. Dann war der Tag endlich gekommen. Ich werde diesen Moment nie vergessen: Wenn man nach 10 Wochen ohne längere Unterbrechung das erste Mal die starre Halskrawatte abnimmt, ist es, als ob der Kopf wie ein rohes Ei auf einer Wolke aus Schaum balanciert. Jede Kopfbewegung tut weh. Man kann seinen Kopf nicht zur Seite drehen und nicht nach oben oder unten schauen. Man muss sich echt erstmal zusammennehmen, um keine Panik zu bekommen. Nach 30 Minuten zog ich den Kragen freiwillig wieder an und beschloss, dass ich es ein paar Stunden später noch einmal probieren wolle. Die Muskulatur hatte sich verkürzt und war abgebaut. Ich musste mich erst langsam wieder daran gewöhnen meine eigene „Wassermelone" mit einem Gewicht von 4-5 kg auf dem Hals zu tragen. Klingt total doof, weil man es ansonsten ja immer automatisch macht und überhaupt keinen Gedanken daran verschwendet. Ich war aber froh, wieder normal atmen zu können. Ich war erleichtert, weil ich dachte, nun wieder mein altes Leben leben zu können. Der Schwindel und der Tinnitus waren noch da, was mich etwas beunruhigte. Aber wenigstens konnte ich wieder meinen eigenen Kopf zwischen den Schultern tragen.

Die Wochen danach machte ich sehr langsam. Bei der Arbeit war ich in meinem Alltag naturgemäß eingeschränkt. Wenn man wie ich gewohnt ist, viele Dinge auf einmal zu machen und parallel zu bearbeiten muss man sich erstmal an ein langsames Arbeitstempo im Rentnermodus gewöhnen. Vor dem Unfall war ich als Arzt im OP eingeteilt. Zwischen den OPs schrieb ich Arztbriefe, telefonierte mit den Schwestern und Kollegen und kümmerte mich parallel noch um meine Freizeitgestaltung am Abend oder dem bevorstehenden Wochenende. Nach einer OP musste ich das erste Mal feststellen wie es ist, auf einmal nicht mehr scharf sehen zu können, wenn man operiert. Dass einem dabei schwindelig wird und dass man ständig Nackenschmerzen hat. Für die Nächte ließ ich mir etwas verschreiben um wegen des Tinnitus nicht wach zu liegen. Die Briefe machte ich bei der Arbeit lieber in Ruhe auf Station, nicht mehr zwischendurch. Ich brauchte viel mehr Zeit für mich, um mich zu „Sammeln" und ließ mich des Öfteren im OP ablösen. Die Kolleginnen und Kollegen machten schon ihre kleinen Scherzchen indem sie sagten „Willst du schon in Rente gehen?" oder wenn ich wegen des Schwindels nicht mehr ganz kerzengrade gelaufen bin „Hast du schon einen gezwitschert?". Ich war wegen dieser liebevollen Neckereien nie böse. Im Gegenteil: Ich fand es gut, dass man offen damit umgeht und nicht hinter dem Rücken getuschelt wird. Es zeigte mir aber auch, dass ich nach dem Unfall noch nicht ganz auf der Höhe war.

Es vergingen die Wochen, Monate und Jahre nach dem Unfall. Ich ließ mich wegen Nackenbeschwerden behandeln, machte eine erweiterte ambulante Physiotherapie, Reha, Akupunktur, Osteopathie, nahm zahlreiche Medikamente für und gegen alle möglichen Symptome wie Schwindel, Ohrgeräusche und Nackenschmerzen ein. So richtig befriedigend half nichts! Noch immer leide ich unter den Symptomen, durch die sich fast mein gesamtes Privat- und Berufsleben grundlegend geändert haben: Früher ging ich nach jedem Arbeitstag, ganz gleich wie stressig er auch war, noch zum Sport. Entweder ins Fitnessstudio, Joggen oder Radfahren. Limits gab es kaum und es tat einfach gut noch etwas für sich selbst zu tun und den Kopf frei zu bekommen vom Alltag. Heute nach dem Unfall bin ich froh, wenn ich mit der Arbeit überhaupt fertig werde. Immer wieder muss ich die Arbeit unterbrechen wegen Schwindelgefühlen, Augenflimmern oder Nackenschmerzen. Mein Arm schläft ein, ich fühle mich unsicher. Ich mache dann meine Stabilisationsübungen, wie sie mir mein Physiotherapeut beigebracht hat. Es fällt auch schwer mich damit zu konzentrieren, denn man muss sich richtiggehend zusammenreißen, um noch einen klaren Gedanken fassen zu können. Ich habe das Glück bei einem Arbeitgeber gelandet zu sein, der großes Verständnis für meine Einschränkungen hat. So kann ich auch morgens nach dem Aufstehen etwas später zur Arbeit kommen, wenn der Schwindel mal wieder nicht verschwinden will oder etwas früher nach Hause gehen, wenn die Stabilisationsübungen nicht den gewünschten Effekt zeigen. Ich habe verständnisvolle Kollegen, die für mich einspringen können. Wenn man es nicht so

machen könnte, müsste ich mich noch wesentlich häufiger krank-
melden, als bisher.

Zu allem Übel kam dann noch die Tatsache, dass sich meine damalige Partnerin, mit der ich einen gemeinsamen Sohn habe, von
mir trennte. Für sie war es auch eine zusätzliche Belastung, dass ich
unter den Symptomen litt. Obwohl ich stets versuchte mich zusammen zu reißen, ist man doch nicht mehr derjenige, der man vorher
war und das spiegelt sich leider auch in der Beziehung wieder. Sie
hat mich gut unterstützt, Verständnis gezeigt, aber es wurde ihr
schlussendlich doch alles zu viel. Heute haben wir uns das Sorge-
recht für unseren Sohn aufgeteilt und ich darf ihn fast jedes Wochenende sehen. Natürlich fallen einige Dinge weg, die man sonst gerne
mit seinem 4-jährigen Sohn machen würde: Auf den Schultern tragen, Rennen, ausgelassen Toben – das geht aufgrund der Einschränkungen nicht mehr. Mir wird sofort schwindelig und übel, ich bekomme starke Nackenschmerzen. Aber wir machen dafür andere
schöne Dinge zusammen.

Da las ich das Buch „Wackelköpfchen". Irgendwie erinnerte mich
das alles stark an meine Symptome. Klar, die Krankheitsgeschichte
begann anders, da es bei mir ein einziges Unfallereignis war, welches ursächlich war. Aber die Symptome und Beschwerden, die sich
einstellen, sind teilweise haarscharf so beschrieben, wie ich es auch
erlebt habe. Das war irgendwie beängstigend und faszinierend zugleich. Ich versuchte so viele Informationen wie möglich über Instabilitäten der Halswirbelsäule zu erfahren. Spezialisten und Behandlungsmöglichkeiten über Bücher, Zeitschriften und Internet. Ich
habe als Arzt und Wissenschaftler die großartige Möglichkeit auch
auf direktem Weg mit Kollegen der Neurochirurgie und Wirbelsäulenchirurgie in Kontakt zu treten und über wissenschaftliche Veröffentlichungen zu dem Thema unmittelbar erfahren zu können. Darüber bin ich äußerst dankbar. Es scheint aber tatsächlich so zu sein,
dass dieses Thema zwar existiert – allerdings sind die

Therapiemöglichkeiten nach wie vor äußerst begrenzt und erstrecken sich über konservative Maßnahmen wie Physiotherapie und Kräftigung der Halswirbelsäulenmuskulatur bis schließlich zur Versteifungs-Operation des Hinterhaupts bis zum 2. Halswirbel. Trotz aller bestehenden gesundheitlichen Probleme habe ich mich hierzu noch nicht durchringen können – allerdings gibt es Tage und Stunden, an denen man schon das Telefon in die Hand nehmen möchte, um einen stationären Termin in der Neurochirurgie zu vereinbaren. Beispielsweise dann, wenn man wieder ständig Schmerzen hat, oder man denkt, dass man eine Behinderung hat, die man einem überhaupt nicht auf den ersten Blick ansieht. Allerdings darf man nicht die Hoffnung haben, dass man nach einer solchen OP wieder rumspringt wie ein junges Reh. Diese Eingriffe sind extrem komplex und führen ihrerseits zu starken Einschränkungen der Kopfmotorik mit Folgeproblemen. Ob der Schwindel und Tinnitus sich dadurch bessern würden, ist mehr als fraglich. Natürlich bin ich froh, dass ich keine augenscheinliche Behinderung habe – allerdings fällt es bei dieser Art der Behinderung allen sofort in den Blick und man kann es dadurch wahrnehmen. Mit einer seltenen Erkrankung wie einer Halswirbelsäuleninstabilität im oberen Kopfbereich gehört man eher zu den Außenseitern, und man kann einem die Einschränkungen nicht auf den ersten Blick ansehen, wenn man nicht gerade seine Halskrause trägt. Ich habe gelernt, diese Einschränkungen so gut es eben geht für mich zu akzeptieren und in mein Leben entsprechend zu integrieren.

Im Moment läuft die Prüfung auf das Vorliegen einer mindestens 50%igen Berufsunfähigkeit meiner Versicherung. Auch hier ist es ein Kampf gegen Windmühlen, da keiner das Krankheitsbild kennt und alle dementsprechend skeptisch sind, was die Gewährung von Leistungen angeht. Es wird mittlerweile seit einem Jahr geprüft, und kompetente Gutachter auf diesem Gebiet, die von der Versicherung auch akzeptiert werden, sind entsprechend schwer zu finden. Zunächst schlägt einem hier einmal ein generelles Misstrauen entgegen, da man sich nur schwer vorstellen kann, dass ich im Alter von 39 Jahren schon teilweise berufsunfähig sein soll – zumal ich ja bis vor dem Unfall immer kerngesund war und sich bildgebende Befunde oder Laborwerte bei diesem Krankheitsbild nur schwer bis gar nicht erheben lassen, die einen Rückschluss auf die Einschränkungen des täglichen Lebens zuließen. Auf der anderen Seite habe ich bei meinem Beruf als Arzt auch eine klare Verantwortung meinen Patienten und mir selbst gegenüber. Und das bedeutet auch die Reißleine zu ziehen, wenn man merkt, dass man nicht mehr der Selbe ist und dadurch ggf. für sich oder seinen Patienten zum Risiko werden kann. Ansonsten geht es mir wie wahrscheinlich vielen Menschen, die eine Krankheit haben: Der einzige Wunsch ist es, gesund zu werden.

Ich werde weiterhin Therapien ausprobieren, auch wenn ich weiß, dass klinische Studien aufgrund der Komplexität und Einzigartigkeit dieser Kopfgelenkinstabilität nicht vorhanden sind. Ich werde Dinge ausprobieren, von denen ich hoffe, dass sie mir guttun. Ich werde die Augen und Ohren offenhalten und mich mit ähnlich Betroffenen unterhalten, welche Erfahrungen sie gemacht haben oder was ihnen geholfen hat. Und ich gebe die Hoffnung nicht auf, dass ich irgendwann etwas finden werde, das mir die Beschwerden so lindert, dass ich morgens gerne aufstehe und abends nicht schon wieder Angst vorm nächsten Tag haben muss. Ich bin fest entschlossen, dass ich mein Ziel erreichen werde!

Dr. Acula*

* Name auf Wunsch des Autors geändert

2. Nur nach vorne!

Sommer 2010.
Sonne, Strand, Palmen und mein Lieblingsessen: italienische Pizza. Daran denke ich, als ich im August 2010 auf den Bus warte, der mich zur Praxis meines neuen Orthopäden bringen wird. Die Sonne scheint mir ins Gesicht. „Endlich Urlaub", denke ich mir, „in wenigen Wochen bist du in Italien." Als frisch gebackene MTLA (Medizinisch-technische Laboratoriumsassistentin) war ich gerade erst nach Erlangen gezogen, habe eine neue Stelle in einem Forschungslabor angenommen und genieße meinen ersten Jahresurlaub, den ich mit meinem Freund in Rimini verbringen würde.

Doch alles läuft anders. Schon seit Jahren hatte ich immer wieder mit Rückenschmerzen zu tun, doch in den letzten Monaten waren diese ausgeartet. Ständig schlug ich mich mit starken Kopfschmerzen herum, mein Nacken war steinhart und mittlerweile zogen die Schmerzen über den ganzen Rücken. Ein paar Massagen jährlich konnten nichts mehr gegen den neuen Schmerz ausrichten, und so beschloss ich einen Orthopäden in meiner neuen Heimat aufzusuchen.

Zu Ärzten gehen mochte ich nie wirklich. Als ehemalige Arzthelferin hatte ich das Gefühl, in meiner Vergangenheit mehr als genug schwer Kranke gesehen zu haben und hielt mich gern fern von allen Ärzten. Ich war gerade 24 Jahre alt, machte viel Sport und schob meine Beschwerden auf meine aktive Lebensweise. Und bis auf regelmäßige Kontrollen einer Schilddrüsenunterfunktion, mit der ich mich seit meiner Kindheit herumschlug, hatte ich bislang kaum Kontakt zu Ärzten - zumindest nicht außerhalb meiner Arbeit.

Die Behandlung. Als ich die Praxis betrete, freue ich mich darauf, schmerzfrei in den Urlaub fahren zu können. Nach langer Wartezeit werde ich in das Behandlungszimmer gerufen. Ich erzähle kurz von meinen Beschwerden. Der Arzt meint er könne all meine Schmerzen lindern, in dem er mir Spritzen an die kleinen Gelenke der Halswirbelsäule gibt. Ohne lange zu überlegen, stimme ich zu. Minuten später sitze ich auf einer Behandlungsliege. Meine Beine hängen vorne über. „Pass auf, dass die Patientin uns nicht umkippt", oder so ähnlich sagt der Arzt zu seiner Assistenz, die mit offenen Armen vor mir steht. Das ist das letzte Detail, an das ich mich heute noch genau erinnern kann. Die Tage danach sind für mich ein Meer aus verschwommenen Bildern, Tränen und Angst. Ich spüre mehrere Einstiche in meinem Nacken bevor es mir schlecht wird und ich mein Umfeld nicht mehr richtig wahrnehme. Stimmen höre ich wie durch Watte, der Boden unter mir bewegt sich, Schweiß läuft mir über den Rücken und meine Atmung ist wie gelähmt.

Der Arzt schickt mich nach Hause. Ich verlasse die Praxis und fühle mich, als würde ich jeden Moment kollabieren. Um meinen Kreislauf anzukurbeln, beschleunige ich meinen Gang. Ich schaffe es in meine Wohnung und lasse mich aufs Sofa fallen. „Bestimmt nur kurzfristige Nebenwirkungen", denke ich mir. An die nächsten 24 Stunden erinnere ich mich kaum. Nur der Abend danach ist fest in meiner Erinnerung verankert.

Mein Freund kocht Nudelauflauf für mich. Immer noch recht schwach auf den Beinen, sitze ich auf dem Sofa und schaue fern. Nach den ersten paar Bissen ist mir plötzlich schwindelig. Dann wird meine linke Körperhälfte taub und mein Magen zieht sich zusammen. Ich stehe auf, um zur Toilette zu rennen, doch meine Beine tragen mich nicht. Ich falle zurück aufs Sofa. Angst macht sich breit. „Ein Schlaganfall!", ist das Erste was mir in den Kopf schießt. Meine Stimme ist verschwommen. Ich klinge, als hätte ich Alkohol getrunken. Habe ich aber nicht. Meine Zunge ist schwer und taub. Die gelben Wände meines Wohnzimmers drehen sich um mich. Ich weine. „Was passiert da gerade?", frage ich mich.

Eine Stunde später kommt der Bereitschaftsarzt. Durch den Nebel nehme ich nur begrenzt wahr, was der Arzt mir erzählt. Ich höre die Worte „Panikattacke", „Stress" und wie er eine Frage von „Wer wird Millionär" beantwortet, das gerade im Fernsehen läuft. Die Kraft zu widersprechen und ihm zu erklären, dass mein Leben gerade so geordnet wie nie zuvor ist und ich keinen merklichen Stress verspüre, habe ich nicht. Auf mich wirkt er genervt. Er legt eine kleine grüne Pille auf den Tisch und sagt, die solle ich nehmen, wenn ich noch mal eine solche Attacke verspüre. An meinem Zustand hat sich zu dem Zeitpunkt nicht viel verändert. Meine linke Körperhälfte ist nach wie vor taub. Einen Zusammenhang mit den Spritzen vom Vortag sieht er nicht. Ich schon. Nach wenigen Minuten verlässt er meine Wohnung.

Die schlimmsten Symptome überraschen mich in der Nacht. Ich beschließe früh ins Bett zu gehen und hoffe, am nächsten Tag wäre alles wieder so wie vorher. Während ich versuche einzuschlafen, merke ich, wie meine Atmung plötzlich aussetzt und ich unbewusst aufschrecke. Es fühlt sich an, als würde ich mich aktiv auf das Atmen konzentrieren müssen. Ich bin erschöpft. Jedes Mal, wenn ich mich wieder hinlege und einschlafe, schrecke ich erneut auf und atme ruckartig ein. Kontrollieren kann ich diese Reaktion nicht. Mein Kopf ist matschig. Dieses Szenario wiederholt sich Nacht für Nacht über Wochen.

Der Ärztemarathon beginnt. Da sich meine Beschwerden über viele Wochen nur wenig veränderten, schickt mich mein Hausarzt zu allen erdenklichen Fachärzten. Die Termine verlaufen alle gleich. Von Aussagen wie „Sie müssen mehr Sport machen", über „Sie haben zu viel Stress" zu „Das bilden Sie sich nur ein", ist alles dabei. Es zeichnet sich eine Art Schema ab. Orthopäden wollen mich kaum mehr behandeln, nachdem ich erzählte, was bei der letzten Behandlung passiert war, Neurologen glauben mir pauschal nicht und schieben alles auf meine Psyche, ohne dabei jemals körperliche

Ursachen abzuklären und häufig wird einfach die Diagnose vom letzten Arztbrief übernommen, was dazu führt, dass ich nach nur kürzester Zeit die diversesten psychischen Diagnosen gesammelt habe. Und meine Physiotherapeuten, die ich mittlerweile mehrmals in der Woche aufsuche, können mit den wahllosen Diagnosen, wie „HWS-Syndrom" auf den Rezepten nicht viel anfangen.

Nach sechs Wochen werde ich ins Krankenhaus eingewiesen. Mit immer noch akuten neurologischen Symptomen beschließt die lokale Neurologie mich stationär aufzunehmen und ein MRT des Kopfes und der Halswirbelsäule mit Kontrastmittel wird veranlasst. Dafür soll ich mindestens eine Nacht auf Station bleiben. Zu diesem Zeitpunkt war ich noch nie in einem MRT gewesen. Heute kann ich kaum noch zählen, wie viele MRTs, CTs, Röntgenaufnahmen und ähnliches ich bereits hinter mir habe. Das MRT überstehe ich unbeschadet, nur vom Kontrastmittel ist mir ordentlich übel. Ich werde zurück auf mein Zimmer begleitet. Mittlerweile ist es abends und ich beschließe früh schlafen zu gehen.

Der Nachtarzt stürmt mein Zimmer. „Wir verlegen Sie vorsichtshalber auf die Stroke Unit", sagt der Arzt, den ich vorher noch nie gesehen habe, zu mir. Ich verstumme. Was eine Stroke Unit ist, kann ich mir ausmalen. Warum ich dorthin verlegt werde, sagt mir keiner. Als ich mich wieder fange, befinde ich mich bereits mit samt meinem Bett im Fahrstuhl auf dem Weg zur Schlaganfallstation. Niemand spricht mit mir. Ich werde in ein Zimmer gebracht, in dem eine ältere Dame und ein älterer Herr liegen. In der Mitte bin ich nur durch Vorhänge von den beiden getrennt. Ich werde an Maschinen angeschlossen und alle paar Minuten erklingt ein lautes Piepen aus verschiedenen Richtungen. Ich mache die Nacht kaum ein Auge zu.

Nach Mitternacht bringt ein Arzt ein Dokument an mein Bett. Ich soll unterschreiben, dass man mir den Blutverdünner Heparin über eine Infusion verabreichen darf. Ich weiß immer noch nicht warum ich überhaupt hier bin, aber nehme an, dass das wohl wichtig ist. Was Heparin ist, weiß ich und auch wofür es verabreicht wird. Doch ich verstehe nicht, warum keiner mir Klarheit verschafft und mir erklärt, ob ich nun einen Schlaganfall hatte, oder nicht. Ich willige ein. Erst am nächsten Morgen erklärt mir eine Horde junger Mediziner, die sich um mein Bett scharen, dass man vermutet hatte, ich hätte eine beidseitige Vertebralarteriendissektion, ein Riss eines gehirnversorgenden Gefäßes, das durch die Halswirbelsäule verläuft. Nachdem der morgendlich eingetroffene Professor die Bilder erneut beurteilt hatte, ginge man nun aber davon aus, dass das nur alte Blutergüsse an den Gefäßen seien und keine frischen Risse. „Nur Blutergüsse? Woher?", frage ich. Eine Antwort bleibt aus.

Die Neurologen schicken mich nach Hause. Vorsichtshalber solle ich aber noch einen leichten Blutverdünner in Tablettenform einnehmen. „Warum, wenn da doch nichts ist?", frage ich. „Nur als Vorsichtsmaßnahme", sagen die Ärzte. Zum ersten Mal in meinem Leben fühle ich mich hilflos. Ich bin zwar froh, dass ein Gefäßriss ausgeschlossen wurde, doch das ändert nichts daran, dass ich nach wie vor die selben Beschwerden habe. Die Neurologen auf der Stroke Unit hingegen, sahen ihren Job als erledigt, nachdem eine akute Blutung ausgeschlossen war. Und so stand ich wieder alleine da. Zuhause liege ich für die nächsten Wochen meist auf dem Sofa. Die besseren Momente nutze ich zur Recherche. Schnell merke ich, dass ich mich nur auf eine Person verlassen kann: mich selbst. Wenn ich der Ursache meiner Beschwerden auf den Grund gehen wollte, musste ich die Dinge selbst in die Hand nehmen. Nur wie? Alleine und ohne medizinische Hilfe?

Mittlerweile war ich seit vielen Wochen krankgeschrieben. Täglich begleiten mich starke brennende Schmerzen in der Halswirbelsäule, eine dumpfe Taubheit meiner linken Körperhälfte, ein lautes Knacken im Nacken bei fast jeder Bewegung, das zu einer starken Verschlechterung meiner motorischen Fähigkeiten in Armen und Beinen führt, Gangunsicherheit, verschwommenes Sehen, eine überwältigende Erschöpfung und Benommenheit und viele weitere neurologische Beschwerden, die mich dazu zwingen, dass ich mich nur wenig bewegen und nicht mehr selbst Autofahren kann. Ich brauche für alles Hilfe. An manchen Tagen schaffe ich es nicht von meinem Bett zur Dusche.

Auch ein Sozialleben habe ich nicht mehr. Zwischenzeitliche Versuche, mit meinen Beschwerden im Labor zu arbeiten, scheiterten, und je häufiger ich aufgeben muss, desto größer wird meine Frustration. Von der aktiven 24-jährigen, die ich noch vor wenigen Wochen war, ist nichts mehr übrig. Ich kann nur schwer mit dem Verlust und der daraus resultierenden Trauer und Wut umgehen. Und gleichermaßen schwer war es für die Menschen in meinem Umfeld. Viele Freunde wenden sich ab. Gemeinsame Hobbies oder Interessen gibt es nicht mehr. Unsere Leben sind plötzlich zu verschieden.

Wenige Monate später gebe ich meine frischbezogene Wohnung in Erlangen auf. Die meiste Zeit verbringe ich ohnehin in meinem Elternhaus. Zu groß ist die Angst vor dem Alleinsein mit den erschreckenden Symptomen. Nicht zu wissen, womit ich da kämpfte, war für mich am Schlimmsten. Bei vollem Bewusstsein mitzuerleben, wie der Körper einfach aufhört zu atmen, traumatisierte mich, und mit der Wohnung in Erlangen waren all diese negativen Emotionen verbunden. Nudelauflauf habe ich seither auch nicht mehr essen können. Mittlerweile ist auch klar, dass meine Beschwerden nicht einfach von alleine verschwinden werden. Mein Leben sollte sich von nun an grundlegend verändern.

Viele Monate trainiere ich diszipliniert mit meinen Physiotherapeuten. Osteopathie, Krankengymnastik, Gerätetraining, Kieferbehandlung, neurophysiologische Therapien, wie Vojta und Bobath, Bewegungsbad und vieles mehr führt dazu, dass meine Symptome sich zumindest nicht verschlechtern und ich glaube ein Licht am Ende des Tunnels sehen zu können. Immer mit dem Gedanken, dass es vielleicht doch einen Weg zurück in mein altes Leben geben kann, arbeite ich hart und mache alles, was mir meine Therapeuten, die das einzige medizinische Personal sind, denen ich noch vertrauen kann, auftragen. In der Physiotherapie werde ich ernst genommen und wir sind uns einig, dass meine Symptome von der Halswirbelsäule her rühren. Mittlerweile fällt es mir immer schwerer meinen Kopf aufrecht zu halten und ständig spüre ich wie sich Wirbel verschieben. Die Ärzte schütteln nur den Kopf, wenn ich von solchen Symptomen berichte, weshalb ich irgendwann aufgebe, etwas von Medizinern zu erwarten.

Durch meine Onlinerecherche stoße ich auf das Upright-MRT. Ungefähr sechs Monate nach akutem Beginn meiner Erkrankung sitze ich in einem stylischen Wartezimmer einer Privatpraxis in München. Zwei schmerzhafte Untersuchungen, bei denen ich den Kopf in alle Himmelsrichtungen biegen muss, später, steht fest, dass ich mehrere Verletzungen an Bändern und Kapseln der Halswirbelsäule habe und dadurch mein Rückenmark und Gefäße im Nacken in Bedrängnis geraten. Es dauert keine zwei Stunden, und ich habe endlich - zum ersten Mal seit Monaten - einen klaren Befund, der meine neurologischen Ausfälle erklärt. Ich weine. Einerseits vor Erleichterung, endlich eine Diagnose zu haben, aber andererseits auch, weil mir schlagartig klar wird, dass es keine einfache Lösung, kein Zurück, in mein altes Leben mehr gibt.

Doch auch mit der Diagnose wird es nicht einfacher. Den fünfseitigen Befund vom Upright-MRT schicke ich an all die Ärzte, die mich in der Vergangenheit falsch diagnostiziert oder behandelt haben. Eine Reaktion darauf erhalte ich nicht. Ich stelle mich bei vielen Chirurgen vor, doch fast alle wollen nichts von Upright-MRTs wissen. Meistens können sie mit den Upright-Bildern nichts anfangen und viele der Ärzte weigern sich, die Bilder überhaupt anzuschauen. Niemand wagt es, auch nur das magische Wort „Instabilität" in den Mund zu nehmen. Es wird mir immer nur weiter zur Physiotherapie geraten, die ich mit eher wenig Erfolg seit nun mehr fast einem Jahr mehrmals in der Woche habe. Schnell merke ich, dass ich trotz klarer Diagnose keine Hilfe von Ärzten bekomme.

Ich versuche mich alleine ins Leben zurück zu kämpfen. Erst will ich die Diagnose Halswirbelsäuleninstabilität nicht wahr haben und tue so, als ob ich nicht chronisch krank wäre. Wenig überraschend geht jeder Versuch, in mein altes Leben zurückzukehren, nach hinten los und meine Symptome verstärken sich. Ich kämpfe mit mir selbst und versuche herauszufinden, wer ich von nun an sein will. Ständig suche ich nach neuen Hobbies, anderen Möglichkeiten, meinen Geist zu stimulieren und ab und zu vor der Krankheit zu fliehen. Ich stricke, male, bastle, singe - dabei stelle ich hauptsächlich fest, welche Talente ich definitiv nicht habe. Drei Mal pro Woche gehe ich zu verschiedenen Physiotherapeuten. Mir wird erklärt, ich müsse meine Halswirbelsäulenmuskulatur stärken, um die Instabilität, durch die geschädigten Bänder und Kapseln auszugleichen. Wenn ich nicht bei der Physio trainiere, mache ich eine Stunde pro Tag Übungen zuhause.

Ich lerne mit meinen Symptomen zu leben. Mit der Zeit finde ich Wege mit meinen Symptomen umzugehen. Ich trage zwischendurch eine Halskrause, die dazu führt, dass ich mich generell etwas stabiler fühle. Außerdem beginne ich wieder damit Tagebuch zu schreiben - ein Hobby, das ich bereits in der Grundschule entdeckte, aber im Erwachsenenalter kurzfristig vergaß. Meine Gefühle aufzuschreiben, hilft mir dabei sie zu verarbeiten und gleichzeitig besser mit der Angst, Frustration und dem Kranksein klar zu kommen. Ich bin mehrere Wochen in einer Klinik in Heidelberg zur stationären Physiotherapie, gehe ab und an spazieren und treffe alte Freunde, die mich ablenken.

Trotzdem kann ich nicht mehr in meinen Beruf zurück. Das führt nicht nur zu finanziellen, sondern auch zu persönlichen Problemen. Plötzlich muss ich mich mit den Sozialversicherungen herumschlagen, und keiner will sich zuständig fühlen. Nachdem das Kranken- und Arbeitslosengeld abgelaufen ist, soll ich Rente beantragen, und ein Teufelskreis aus Gutachten, Klagen und Traumata beginnt. Zwischenzeitlich zerbricht meine Beziehung an den veränderten Lebensumständen, und wenn ich ehrlich bin auch daran, dass ich selbst nicht mehr weiß, wer ich eigentlich bin. Mit 25 Jahren lebe ich wieder im Haus meiner Eltern, bin arbeitsunfähig, Single und verbringe den Großteil meiner Zeit mit Arztterminen, Physiotherapie oder erhole mich von diesen.

Die Trennung ist der letzte Schritt in ein neues Leben. Die Beziehung zu meinem damaligen Freund war das Einzige, das mich mit meinem alten Leben, dem Leben vor der Krankheit, verbunden hat, und als auch das vorbei war, war ich mehr erleichtert als traurig. Ich war glücklich, dass ich mich nicht mehr dafür rechtfertigen musste, dass ich meistens zu krank war, um mich hübsch anzuziehen, abends auszugehen oder unseren Lebensunterhalt zu verdienen. Nach der Trennung konnte ich mein altes Leben ablegen und mich voll darauf konzentrieren, einen Weg zu finden, wieder glücklich zu werden.

Die zwei Jahre danach verbringe ich damit, Therapien zu suchen, die meinen Zustand verbessern können. Ich trainiere jeden einzelnen Tag für mindestens eine Stunde und probiere jede erdenkliche physiotherapeutische Maßnahme aus, die es gibt. Neben den kassenärztlichen konservativen Therapien stecke ich auch ordentlich Geld in alternative Verfahren, wie Nahrungsergänzungsmittel, kaufe mir unzählige Hilfsmittel, wie Sitzkissen, eine neue Matratze, einen besseren Lattenrost und lege mir ein Arsenal an Halskrausen zu. Doch nichts hilft wirklich. Die Ärzte erzählen mir, ich müsse Geduld haben, Stabilisierung würde eine Weile dauern. Ich frage mich: „Wie viele Jahre denn noch?"

Mittlerweile stecke ich in einem jahrelangen Klageverfahren mit der Rentenversicherung. Nachdem der Rentenantrag mehrfach abgelehnt wurde, musste ich zum ersten Mal in meinem Leben jemanden verklagen. Heute gehören Klageverfahren zu meinem Alltag. Das Rentenverfahren lässt mich fast zerbrechen. Jedes einzelne Gutachten bringt mich ein Stückchen näher an die Verzweiflung. Ein Gutachter ist mir besonders in Erinnerung geblieben: Ein Neurologe mit Spezialisierung „Psychoanalyse." Mittlerweile war ich es gewöhnt, dass mein Upright-MRT-Befund und die passenden Symptome ignoriert wurden und alles auf die Psyche geschoben wird, aber dieser Termin übertrumpfte jeden anderen an Widersprüchlichkeit.

Langsam und beruhigend auf mich einredend, fragt mich der Neurologe: „Fangen wir mal in ihrer Vergangenheit an. Wie war denn ihre Schulzeit? Hatten Sie gute Noten?" Ich verstehe nicht was meine Jugend mit den Symptomen zu tun haben soll, die ich als 24-jährige entwickelt habe, aber antworte ihm ehrlich: „In der Realschule hatte ich eher schlechte Noten. Der Knoten ist bei mir etwas später geplatzt." Der Arzt erwidert: „Gab es denn während dieser Zeit Probleme zuhause? Haben sich Ihre Eltern vielleicht häufig gestritten" Ich antworte ihm etwas genervt: „Nein, eigentlich empfinde ich meine Kindheit als sehr glücklich. Meine Eltern sind nach wie vor verheiratet und es gab nie größere Streitigkeiten. Ich war halt einfach nur faul und hatte in der Pubertät wenig Interesse am Lernen. Meine beiden Ausbildungen danach habe ich mit einem Einser-Schnitt als Klassenbeste abgeschnitten." Darauf sagt der Arzt: „Wieso denn dann plötzlich die guten Noten? Haben Sie Ihre Eltern unter Druck gesetzt, immer die Beste zu sein?"

An diesem Punkt will ich am liebsten mit dem Kopf gegen die Wand rennen. Ich realisiere, es ist egal was ich sage. Seine Meinung über mich steht lange fest. Händeringend sucht er nach einem psychischen Problem in meinem Leben. Im Gutachten steht ein schwammiger Satz, der nirgendwo rechtliche Gültigkeit hätte, als in einem Gutachten für die Rentenversicherung. Der Neurologe schreibt, dass die Patientin womöglich in der Vergangenheit ein verstecktes Kindheitstrauma erlitten hat. Ich finde es ironisch, dass es als wahrscheinlicher angesehen wird, dass ich ein psychisches Problem habe, von dem ich selbst nichts weiß, als dass die kürzlich stattgefundene Bildgebung, die in der Diagnose Instabilität der Halswirbelsäule resultierte und die praktisch jedes einzelne Symptom passend beschreibt, zutrifft.

Viele weitere Gutachten waren demütigend, andere enthielten schlichtweg falsche Informationen zu medizinischen Operationen, die ich nie hatte und alle meine Briefe an das Gericht, in denen ich detailliert die Fehler der Gutachter darstellte und mit wissenschaftlichen Quellen belegte, was meiner Meinung nach vermutlich länger dauerte, als diese Gutachten zu erstellen, blieben reaktionslos.

Was mich an der ganzen Situation am meisten frustrierte, war die Hilflosigkeit und Abhängigkeit. Egal was die Gutachter schrieben, ich musste es hinnehmen. Selbst wenn in Gutachten nachweisbar falsche Diagnosen aufgelistet oder Befunde von Fachärzten, die die HWS-Instabilität bestätigten, falsch zitiert waren, damit muss man leben. Niemand lässt die Person zu Wort kommen, die am meisten zu verlieren hat: Den Antragsteller. Und häufig wird impliziert, dass junge Menschen, die Rente beantragen, „Sozialschmarotzer" wären und keine Lust auf Arbeit hätten. Derweil wären etwaige Vermutungen doch schnell auszuräumen, wenn man sich a) die potentielle Rentenhöhe anschaut, denn die reicht mit Mitte 20 kaum um irgendeine Miete zu bezahlen und b) den Hintergrund der Person recherchiert, denn warum würde man nach dem Abschluss der zweiten Ausbildung und nach gerade einem Jahr Festanstellung, dem Umzug in eine schöne Wohnung und an dem Punkt, an dem man zum ersten Mal tatsächliches Geld verdient, plötzlich beschließen, dass man vielleicht lieber arbeitsunfähig und am Existenzminimum leben möchte? Von vielen Seiten wird mir erzählt, ich solle doch einfach den Gutachtern zustimmen und mir eine psychische Erkrankung attestieren lassen. Vielleicht würde ich dann einfacher Rente bekommen. Doch das will ich nicht. Ich möchte dass Ehrlichkeit gewinnt und dass anerkannt wird, womit ich jeden Tag kämpfe. Zumindest diesen Teil meiner Persönlichkeit will ich nicht verlieren: meine Prinzipien und Moralvorstellungen.

Keine konservative schulmedizinische Therapie schlägt an und ich greife nach jedem Strohhalm. Und wirklich jeder Mensch um mich herum hat einen „innovativen" Vorschlag, wie ich meine Situation verbessern kann. Viele raten zu alternativen Therapien - oft Heilpraktik. Andere meinen mehr Entspannung und Yoga wäre hilfreich. Ich hingegen kann die gut gemeinten Ratschläge kaum noch hören, will aber niemanden beleidigen, höre geduldig zu und schimpfe später in mein Tagebuch. Wenn ich der damaligen Karina einen Rat geben könnte, dann wäre das: Vertraue auf dein eigenes Gefühl und höre nicht auf Menschen, die nicht einmal wissen, was eine instabile Halswirbelsäule ist. Doch damals war ich weit davon entfernt meine Erkrankung anzuerkennen und zu akzeptieren, und in dem Glauben, ich könne irgendwann zurück in mein altes Leben, probierte ich allerhand komische „Therapien" aus.

Platz 2 auf der Liste von sinnloser Geldverschwendung nimmt der Tee eines traditionell chinesischen Mediziners ein. Der meinte, die rund 150 Euro Mischung, die wie Erbrochenes schmeckt, könne meine Bänder „straffen". Der Termin, der mit Abstand alles schlägt, was ich jemals über mich ergehen habe lassen, ist bei einem Heilpraktiker, der mir als „besonders kompetent und mit viel medizinischem Fachwissen" beschrieben wurde. Was mich dort erwartet, lässt mich heute noch den Kopf schütteln. Ich fahre mit meinem Vater aufs Land. Die Praxis sieht aus wie ein Hexenhäuschen, das in einem tiefen, grünen Waldstück steht, in dem es keinen Handyempfang gibt. Von innen sieht das Gebäude aus wie eine rustikale Holzhütte, in der ich gerne Urlaub machen würde. Außer mir und meinem Vater ist sonst niemand da. Ich werde aufgerufen. Kurz sprechen wir über meinen mittlerweile recht dicken Befundordner. Noch erscheint er mir freundlich und ich bin erleichtert, dass man mir glaubt. Doch der relativ positive Eindruck soll sich in der nächsten Minute ändern als er sich umdreht und eine Schnur mit einem Metallstück am anderen Ende vom Tisch nimmt. Noch bin ich unsicher, was ich da sehe. Als er anfängt, das Metallstück vor mir hin und her zu schwingen, wird mir bewusst, dass ich gerade ausgependelt werde. Ob ich nun lachen oder weinen soll, ist mir unklar. „Wo zum Teufel bin ich denn jetzt schon wieder gelandet?", denke ich mir. Aufgrund meiner beiden medizinischen Ausbildungen war ich immer der Schulmedizin zugewandt. Doch nach mehreren Jahren Krankheit erkannte ich, dass ich auch alternativen Verfahren gegenüber offener sein musste. Dieser Termin hingegen grenzte an Hokuspokus. Ohne viele Worte verlasse ich die Praxis. Das Pendel hat ergeben, dass ich zum Ende des Jahres genesen sein soll. Ich hoffe das Pendel hat recht.

Gesund werde ich zwar nicht zum Jahresende, doch ein bisschen glücklicher. Ich verliebe mich neu in einen ehemaligen Arbeitskollegen, der mir über die schwierigen Wochen und Monate nach der Trennung beisteht. Wie alles in meinem Leben ist auch diese Beziehung kompliziert, denn mein neuer Freund ist vor Kurzem von Deutschland in die USA gezogen, um dort seinen PhD (Doktor) zu machen. Anfang 2013, nach vielen Monaten im Videochat, fliegt Markus spontan für vier Tage nach Deutschland und wir beschließen der Beziehung eine Chance zu geben „auch wenn es eine blöde Idee ist" - seine Worte, nicht meine. Ich hatte noch nie eine Fernbeziehung und konnte ohnehin nicht im konventionellen

Sinne „daten", weil mir dazu einfach die Energie fehlte. Daher akzeptiere ich schnell, dass in meinem Leben eben alles etwas anders läuft und hörte nicht auf die vielen Stimmen, die uns zum Scheitern verurteilten.

Über die nächsten Monate verschlechtert sich mein Zustand weiter. Auf den Rat einiger Ärzte trainiere ich viel an Geräten und mit Gewichten, was dazu führt, dass nach und nach andere Gelenke anfangen stark zu schmerzen. Erst beide Knie, dann entwickelt sich ein brennender Schmerz, der vom unteren Rücken bis in das linke Bein ausstrahlt und gegen sämtliche Schmerzmittel immun ist. Ich verstehe nicht, wie das sein kann. Eigentlich soll das Training meine Halswirbelsäule stabilisieren, doch was passiert, ist, dass mehr und mehr Gelenke instabil werden. In der Lendenwirbelsäule entwickelt sich ein Bandscheibenvorfall, die Kniescheiben sind instabil, die rechte Schulter hängt und jedes Gelenk knackt.

Als ich kaum noch laufen kann, reicht es mir. „Jetzt ist Schluss!", denke ich mir, „So kann es nicht weitergehen." Ich stürze mich erneut in die Recherche, lese hunderte von Publikationen rund um Halswirbelsäulenverletzungen. Immer öfter stoße ich auf einen alternativen Therapieansatz, der mit Hilfe von Zuckerinjektionen Bänder und Knorpel zur Regenerierung anregen soll und zu gut klingt, um wahr zu sein. Schnell komme ich in Kontakt mit einem der bekanntesten Ärzte, der die Prolotherapie durchführt. Dieser praktiziert in den USA. Ich diskutiere mit meinen Eltern und Markus, der an der Ostküste der USA lebt, und wenige Wochen später steht der Plan: Ich werde in die USA reisen. Ich beschließe dieser Therapie eine Chance zu geben und sehe sie als die letzte Möglichkeit einer konservativen Behandlung vor der immer näher rückenden Operation und leere mein Bankkonto.

Einige Monate später, befinde ich mich auf dem Weg von Deutschland an die Ostküste der USA. Mit nur wenigen Brocken

Realschulenglisch sitze ich nervös wippend in der großen Maschine von Frankfurt nach Boston. Geflogen bin ich noch nie und ich bin besorgt darüber wie sich das Fliegen auf meinen Gesundheitszustand auswirkt. Zum Glück bin ich nicht allein. Nach einem Jahr Fernbeziehung holt mich Markus in Deutschland ab und fliegt mit mir zusammen die sechs Stunden nach Boston. Danach geht es noch einmal 30 Minuten nach Worcester, wo ich zusammen mit Markus und seinem Mitbewohner in einem Haus am See leben werde. Die Landung und der erste Tag in Worcester vergehen wie im Traum. Die Kombination aus Jetlag und totaler Überforderung führen dazu, dass ich mich wie im Nebel bewege. Fünf Tage habe ich nun um zu akklimatisieren. Dann geht es weiter nach Chicago, um mit der Therapie zu beginnen. Vorher darf ich zumindest noch ein bisschen Tourist spielen, und Markus nimmt mich mit nach Boston. Boston ist für mich Liebe auf den ersten Blick und auch nach vielen weiteren Reisen in den USA meine Lieblingsstadt. Sie fühlt sich vertraut an, mit all ihren Irish Pubs, kleinen Backsteinhäusern und den freundlichen Menschen. Außerdem sehe ich zum ersten Mal den Atlantik, der mich völlig überwältigt. Obwohl es tiefster Winter ist, ist das Wetter fast frühlingshaft und ich genieße den Tag. An Urlaub oder Erholung war jahrelang nicht zu denken, und plötzlich, ganz unerwartet, erlebe ich einen der glücklichsten Tage meines Lebens in dem Chaos der durchwachsenen letzten Jahre.

Fünf Tage später reise ich nach Chicago. In Chicago verbringe ich die ersten Tage vor und nach der Therapie mit Markus in einem Hotel in der Nähe der Arztpraxis. Meine erste wirklich große Stadt gefällt mir anfangs nicht. Die Gebäude fühlen sich erdrückend an, und die Sonne trifft kaum auf den Boden zwischen den ganzen Wolkenkratzern. Außerdem ist es so kalt, dass man es kaum draußen aushalten kann. Die Aussicht auf Dutzende kleiner Spritzen in meinen Nacken trägt auch nicht dazu bei, meine Laune zu verbessern. Nach der ersten Sitzung geht es mir nicht besonders gut. Mein Nacken ist angeschwollen, und ich sehe aus wie ein Boxer. Markus lacht ein wenig, weil meine Halswirbelsäule unproportional dick ist im Verhältnis zu meinem Kopf, den ich derzeit nicht einmal drehen kann. Einen Tag nach der Behandlung muss Markus zurück nach Boston reisen und ich werde die nächsten Wochen bei Menschen leben, die ich über entfernte Verwandtschaft vermittelt bekam. Ich kenne niemanden in dieser Stadt, aber werde von der Familie aufgenommen wie eine Tochter. Für Wochen lebe ich bei Menschen, die, bevor sie mich an diesem Tag in meinem Hotel in Chicago aufsammelten, nichts über mich wussten und mich trotzdem kostenlos bei sich wohnen lassen wollten, nur um mir durch die schmerzhaften Behandlungen zu helfen.

In Chicago lerne ich wieder ein Stückchen unabhängiger zu sein. Außerdem gewinne auch noch eine zweite Familie. Zu den nächsten zehn Therapien, die zu Tausenden von Injektionen am ganzen Rücken führen, werde ich abwechselnd von verschiedenen Familienmitgliedern begleitet. Ich fühle mich sicher und geborgen und merke, wie groß meine Welt plötzlich ist. Außerdem realisiere ich, dass meine Krankheit nicht nur schlechte Dinge bewirkt hat, sondern auch viele positive Erlebnisse. Ohne diese Krankheit wäre ich wohl nie in die USA gereist und hätte nicht festgestellt, wie weit ich bereit bin zu gehen, wenn ich mit großen Schwierigkeiten konfrontiert bin. Auf der anderen Seite frage ich mich häufig, wie es sein kann, dass ich solche Schritte gehen muss, nur um ein wenig Unterstützung für eine Krankheit zu bekommen, die auch in Deutschland kein Geheimnis sein sollte.

Leider schlägt die Therapie nicht an. Nach zehn Sitzungen und Tausenden von investierten Dollars frage nicht nur ich mich, warum mein Zustand sich nicht verbessert, oder warum sich meine Halswirbelsäule nicht stabilisiert hat. Auch mein Arzt ist sich unschlüssig. Da mittlerweile ein Großteil meiner Gelenke instabil ist, vermutet er eine übergeordnete Erkrankung. Er schickt mich zu einem Neurochirurgen. Obwohl ich bereits unzählige Chirurgen in ganz

Deutschland aufgesucht hatte, beschließe ich, dass ich nun auch noch einem US-Chirurgen eine Chance geben könne. Und so reise ich nach Maryland, in meinen dritten US-Staat auf diesem Trip. Die wohl beste Entscheidung meines Lebens, wie sich bald herausstellen sollte.

Im Mai 2014 ergibt plötzlich alles einen Sinn! Zwei Stunden lang werde ich bei meinem neuen Chirurgen untersucht. So etwas hatte ich in Deutschland nie erlebt. Mein Arzt konzentriert sich nicht nur auf meine Halswirbelsäule, sondern untersucht auch alle meine Gelenke und biegt sie in sämtliche Richtungen. Ich verstehe nicht wirklich warum, aber bin so überglücklich über die erste wirkliche Untersuchung meiner Krankheitskarriere, dass ich gerne alles über mich ergehen lasse. Nach zwei Stunden schaut er mich an und sagt: „Karina, du hast das Ehlers-Danlos-Syndrom (EDS) und deshalb ist deine Wirbelsäule instabil." Außerdem wirft er noch andere Begriffe in den Raum, wie z. B. Mastzellaktivierungssyndrom und Dysautonomie, mit denen ich erst einige Wochen später etwas anfangen kann.

Die Ehlers-Danlos-Syndrome. Die Ehlers-Danlos-Syndrome sind eine Gruppe angeborener Erkrankungen des Bindegewebes, die den ganzen Körper betreffen können und durch Veränderungen verschiedener Gene, die den Kollagenaufbau beeinflussen, ausgelöst werden (Malfait et al., 2017). Bindegewebe findet sich überall im Körper, z. B. Bänder und Sehnen, Organkapseln, Blutgefäße, Knochen und ist Teil fast jedes Organs im Körper. Es gibt derzeit 14 verschiedene EDS-Typen, die alle eine Überbeweglichkeit der Gelenke, Hautabnormität und Gewebebrüchigkeit in unterschiedlicher Ausprägung gemeinsam haben (Malfait et al., 2017). Diagnostiziert werden sie anhand der in 2017 festgelegten Kriterien - in der Regel bestehen diese aus einer klinischen Untersuchung und einem Gentest (Sturm & Bohn, 2019). Der häufigste Typ, das hypermobile EDS (hEDS), kann derzeit ausschließlich klinisch festgestellt werden, da bislang noch kein auslösendes Gen gefunden wurde (Castori et al., 2017). Viele EDS-Typen führen zu anderen Erkrankungen (Komorbiditäten), die mit EDS in Verbindung stehen, wie z. B. Dysautonomie (Hakim et al., 2017), Mastzellaktivierungssyndrom (Seneviratne, Maitland & Afrin, 2017) und vielen mehr. Die Therapie der Ehlers-Danlos-Syndrome ist rein symptomatisch, da es bislang keine Heilung gibt. Oft besteht sie aus einer Kombination von Schmerztherapie, Physiotherapie, der Unterstützung durch Hilfsmittel, Operationen und der Behandlung der komorbiden Erkrankungen (Sturm & Bohn, 2019). Die Halswirbelsäuleinstabilität ist eine der schwerwiegendsten, neurologischen Komplikationen von EDS und führt in vielen Fällen zu dramatischen Verläufen, die nur durch Operationen gelöst werden können (Henderson et al., 2017).

Erst bin ich geschockt, aber dann setzt sofort die Erleichterung ein. All meine Symptome der letzten Jahre und gar zurück bis in meine Kindheit ergeben nun einen Sinn, und ich habe das Gefühl endlich einen Schritt vorwärts zu kommen. Mit der EDS-Diagnose schaffe ich es, mein altes Leben abzuhaken und ein neues Leben mit der chronischen Krankheit zu beginnen. Nun ist klar, dass es kein Zurück gibt. Die Diagnose gibt mir die Möglichkeit zur Ruhe zu kommen, und die Suche nach der Ursache allen Übels ist vorbei. Doch damit wird mein Leben nicht unbedingt leichter. Nun heißt es Fachärzte für eine seltene Erkrankung in Deutschland zu finden und ein Leben voller Vorsorgeuntersuchungen beginnt.

Die Jahre nach der EDS-Diagnose erhalte ich viele weitere Diagnosen. Die Liste wird länger und länger. Komorbide Erkrankungen wie das Mastzellaktivierungssyndrom, Dysautonomie, Small-Fiber-Neuropathie, Tarlov-Zysten, Gefäßkompressionen, Thoracic-Outlet-Syndrom und sogar eine zweite seltene Erkrankung, die Blutgerinnungsstörung Faktor-VII-Mangel, habe ich zu verzeichnen. Mit all diesen Diagnosen sind die Ärzte oft nicht nur überfordert, sondern auch der Terminkalender ordentlich voll. Denn aufgrund der

Unbekanntheit der meisten dieser Erkrankungen, kann man als Betroffener froh sein, wenn es einen einzigen Spezialisten im ganzen Land gibt, und oft reist man dafür quer durch Deutschland oder sogar über Landesgrenzen hinaus. Vor allem im ersten Jahr nach der EDS-Diagnose verbringe ich den Großteil meines Lebens bei Arztterminen.

2015 gewinne ich den Streit um die Rente. Mit einer Seite voller Diagnosen mussten sich letztlich auch die Gutachter geschlagen geben und mir wurde die Rente bewilligt. Einerseits war ich erleichtert über das kleine Stückchen finanzielle Sicherheit, die ich dadurch gewann, auf der anderen Seite fühlte ich mich aber auch schlecht, mit 28 Frührentnerin zu sein - hauptsächlich weil Menschen im Umfeld jungen chronisch Kranken oft das Gefühl geben, sie würden ihre Erkrankung nur vorspielen. Ich hasste es auf die Frage „Und was machst du so?", antworten zu müssen: „Ich bin Rentnerin." Die vielen verletzenden Kommentare führten dazu, dass ich mich schuldig fühlte, krank zu sein, obwohl ich genau wusste, dass ich dafür nichts konnte. Niemand kann meine Krankheit von außen sehen, und ich lernte über die Zeit die Schmerzen gut zu verstecken.

Um besser mit meiner Erkrankung und den vielen verurteilenden Blicken und Kommentaren umzugehen, fange ich an zu schreiben. Mittlerweile habe ich die meisten meiner alten Hobbies, die größtenteils mit Aktivität zu tun haben, aufgeben müssen und das, was mir noch bleibt, ist das Schreiben. Es wird zu meinem wichtigsten Bewältigungsmechanismus und legt den Grundstein für meine zukünftige „Karriere". Durch das Schreiben verarbeite ich all meine Emotionen und lerne mein Leben mit EDS zu akzeptieren. Ich finde einen neuen Sinn in meinem Leben.

Das Hier und Jetzt: Ein anderes, aber genauso glücklichen Leben. Mittlerweile bin ich seit fast drei Jahren verheiratet und habe das Schreiben zu meiner neuen Karriere gemacht. Nach langer

Suche fand ich einen Journalismus-Studiengang in Edinburgh, Schottland, der mir ermöglicht, von Zuhause aus und in flexibler Zeit einen Masterstudiengang abzuschließen. Nie hätte ich gedacht, dass ich irgendwann einmal studieren würde und das auch noch in einem englischen Studiengang im Ausland. Nach zwei abgeschlossenen medizinischen Ausbildungen, die ich mit meiner Behinderung nicht mehr ausüben kann, orientierte ich mich noch einmal neu und machte meine Leidenschaft zu einer neuen möglichen Karriere. Mein Weg bis zur Diagnose und all die Hürden, die ich dafür überwinden musste, haben mich zu der Person gemacht, die ich heute bin, und in vielerlei Hinsicht ist das Leben, das ich heute lebe, durch meine Erkrankung bereichert worden. Sie hat mich gelehrt zu kämpfen, durchzuhalten und nicht aufzugeben, bis ich meine Ziele erreicht habe. Und sie hat mir gezeigt, dass ich als Mensch wertvoll bin - ob krank oder gesund; dass ich Großes leisten kann - halt nur zu meinen Bedingungen und in meiner Geschwindigkeit. Was mich antreibt, ist die Antwort auf die Frage, wo ich denn in diesem Leben noch hin will: Immer nur nach vorne!

Karina Sturm
(Autorin, Journalistin, Bloggerin)

Quellen:

Castori, M., Tinkle, B., Levy, H., Grahame, R., Malfait, F. and Hakim, A., 2017, March. A framework for the classification of joint hypermobility and related conditions. In American Journal of Medical Genetics Part C: Seminars in Medical Genetics (Vol. 175, No. 1, pp. 148-157).

Hakim, A., O'callaghan, C., De Wandele, I., Stiles, L., Pocinki, A. and Rowe, P., 2017, March. Cardiovascular autonomic dysfunction in Ehlers–Danlos syndrome – hypermobile type. In American Journal of Medical Genetics Part C: Seminars in Medical Genetics (Vol. 175, No. 1, pp. 168-174).

Henderson Sr, F.C., Austin, C., Benzel, E., Bolognese, P., Ellenbogen, R., Francomano, C.A., Ireton, C., Klinge, P., Koby, M., Long, D. and Patel, S., 2017, March. Neurological and spinal manifestations of the Ehlers–Danlos syndromes. In American Journal of Medical Genetics Part C: Seminars in Medical Genetics (Vol. 175, No. 1, pp. 195-211).

Malfait, F., Francomano, C., Byers, P., Belmont, J., Berglund, B., Black, J., Bloom, L., Bowen, J.M., Brady, A.F., Burrows, N.P. and Castori, M., 2017, March. The 2017 international classification of the Ehlers–Danlos syndromes. In American Journal of Medical Genetics Part C: Seminars in Medical Genetics (Vol. 175, No. 1, pp. 8-26).

Seneviratne, S.L., Maitland, A. and Afrin, L., 2017, March. Mast cell disorders in Ehlers–Danlos syndrome. In American Journal of Medical Genetics Part C: Seminars in Medical Genetics (Vol. 175, No. 1, pp. 226-236).

Sturm, K.U. and Bohn, M.F., 2019. Die Ehlers-Danlos-Syndrome mit Schwerpunkt auf dem hypermobilen Typ. Journal für Mineralstoffwechsel & Muskuloskelettale Erkrankungen, 26(1), pp.12-22

3. „Du musst das Leben nicht verstehen, dann wird es werden wie ein Fest."(Rainer Maria Rilke)

Es gibt Tage im Leben, die verändern einfach alles. Bei mir ist das ein Sonntag. Ein Sonntag im September 2016. Es war einer dieser Tage, an dem die Sonne wunderbar schien, ein Spätsommertag, er lud geradezu ein, raus zu gehen. Seit einiger Zeit habe ich mich mit meiner Tochter geeinigt, dass ich ihr Pferd reite. Ich tat dies aus Neugier und wollte mir mit meinen damals 43 Jahren beweisen, dass es nie zu spät ist, mit Neuem zu beginnen. Insgeheim bewunderte ich meine Tochter dafür, mit welcher Leichtigkeit sie auf unserem Pinocchio, einem 19 Jahre alten Reitpony, saß. Die beiden hatten eine solche Verbindung, dass ein gegenseitiges kleines Zeichen reichte, und beide wussten, was es zu tun gab. Beide ritten unter vollkommener Intuition. Ich aber saß mit „Kopf" auf unserem Pferd und dachte, ein Tier ließe sich über den Kopf steuern. Es gab mehrere Situationen, in denen mir im Sattel mulmig war, aber anmerken lassen wollte ich mir das nicht.

So saß ich nun an besagtem Sonntag im Sattel und sagte zu meiner Reitlehrerin, dass mir der Hufschlag, die Reitspur des Pferdes, zu nah am Zaun entlang führe. Kurzerhand klopfte sie die Spur des Sandbodens zu. Nach einer Runde im Trab kam ich an der Stelle vorbei, ich war in Gedanken dabei, in den nächsthöheren Gang, dem Galopp, zu schalten, während Pinocchio ganz und gar – aufgrund der fehlenden Spur – die Orientierung verlor. Während ich mit meinem Körper nach vorne gerichtet war, zuckte er erschrocken zusammen. Ich verlor das Gleichgewicht. Wie in einem Film kann ich noch heute die Bilder des Sturzes abrufen. Ich fand keine Möglichkeit mehr, den Sturz irgendwie abzuwenden, es drehte sich alles, und Millisekunden später merkte ich auch schon den Aufprall am ganzen Körper. Ein Teil schlug gegen den Zaun, die rechte Körperhälfte knallte mit einer solchen Wucht auf den Sandboden, dass ich glaubte, in tausend Teile zu zerspringen. Einen Helm hatte ich auf. Dadurch, dass er eine breite Kante hat, habe ich den letzten Schlag auf die rechte Seite des Nackens bekommen.

Die Gedanken drehten sich, keine Zeit, um im Sand liegen zu bleiben; die Blöße wollte ich mir nicht geben, dass mir etwas passiert sein könnte. Ich bin aufgesprungen, obwohl mein kompletter Körper signalisierte, dass hier etwas Schlimmes passiert ist. Ich durfte in vielerlei Hinsicht nicht ausfallen: ich bin alleinerziehende Mutter mit zwei Kindern, ich habe einen Job, der genau zu diesem Zeitpunkt alle Aufmerksamkeit von mir abverlangte, und außerdem bin ich die Powerfrau, die nichts aus der Bahn wirft, und so ein „kleiner" Reitunfall schon gar nicht. „Also steh' gefälligst auf", sagte ich innerlich zu mir „und mach' weiter, als ob nichts geschehen sei". Unter Schock und Schmerzen berappelte ich mich. Meine rechte Hand blutete, mein rechtes Bein signalisierte mir, hier sind Schmerzen, meine rechte Körperhälfte blendete ich aus. Meine Reitlehrerin sagte, ich solle mich wieder auf das Pferd setzen, damit die Angst nicht bleibe, ich konnte nicht. Ich habe alles Nötige am Stall erledigt – wie, weiß ich nicht mehr - aber ich habe es getan. Da ich zu dem Zeitpunkt viel Sport trieb, ich war in einem Studio Fitnesstrainerin, war ich mit dem Fahrrad am Stall, ich nutzte jede Gelegenheit, Sport zu treiben. Ich radelte nach Hause – wie, weiß ich nicht mehr. Zu Hause schaute ich an mir herab, blutverschmiert und vollkommen desorientiert. Meine beiden Kinder, die zu Hause geblieben waren, waren irritiert und möglicherweise überfordert, als sie mich sahen.

Ein paar Stunden gingen ins Land, es ging mir immer schlechter. Ich rief meinen Vater an und bat ihn, mich ins Krankenhaus zu bringen, irgendetwas war mit mir geschehen. Er kam. Wir fuhren in die Notaufnahme. Zum Glück war dort nicht viel los. Ich kam schnell in das Behandlungszimmer. Der Arzt fragte viel, was genau, daran kann ich mich nicht erinnern, aber die Körperstelle, die es am meisten betroffen hat, habe ich ausgespart. Wir sprachen über mein Bein, über meine blutige Hand, über die Prellungen am ganzen Körper, aber nicht über meinen Nacken oder meinen Kopf. Mein rechtes Bein wurde geröntgt, Stellen am Körper abgetastet, Bilder ausgewertet. Ein Muskelfaserriss, Wade rechtsseitig. Ich bekam Krücken und humpelte aus dem Krankenhaus. Derweil zog sich eine Wolke über meinem Kopf zusammen. Ich schlief abends schnell ein.

Am nächsten Tag, es war Montag, musste ich wieder fit sein. Ich habe einen ambitionierten Job, den ich sehr schätze, den ich gerne mache und in dem ich mir selbst noch etwas beweisen wollte. Meine Kollegin war nicht da, ich war ihre Vertretung, ich konnte auf gar keinen Fall ausfallen. Am Montag wachte ich auf, ein Muskelkater war der Preis meines Unfalls. Ich stand auf – Energien waren genug vorhanden - in der gewohnten Routine brachte ich meine beiden Kinder auf den Weg in die Schule und machte mich für die Arbeit fertig, ein Job, der viel PC-Arbeit von mir abverlangt. Es war ein 10-Stunden-Tag. Es folgte ein Dienstag, Fahrradfahren ging, nur auftreten konnte ich mit dem Muskelfaserriss nicht. Ich fuhr mit dem Fahrrad zur Arbeit, denn ich war ja Powerfrau, einen Gang zurückschalten gab es nicht, dass sich mein Kopf mehr und mehr zuzog, das wollte ich nicht bemerken und wahrhaben. Ich machte weiter, Mittwoch, Donnerstag. Der Kopfdruck stieg, aber in meiner Wahrnehmung war nichts – wie fatal. Es war Freitag im Büro, meine Kollegin war zurück und fragte mich, ob ich am Sonntag mit auf Geschäftsreise wolle, da ich die Woche nun so gute Vorarbeit für ein Meeting geleistet habe. Das wollte ich – unbedingt – ich habe mich durch diese Woche mit all ihren Beschwerden gebissen und nun hatte ich die Chance, das, was ich vorbereitet hatte, mit zu begleiten. Dass mein Körper schrie und sich wehrte, das wollte ich nicht wahrhaben.

Am Sonntag ging es los. Auf der Autobahn fuhren wir zu Dritt Richtung Süddeutschland. Ich arbeite in einem großen Konzern auf Vorstandsebene, wir fuhren einem Traumziel entgegen, zwar zur Arbeit, aber dennoch von besonderer Bedeutung. Im Auto spürte ich jede Erschütterung, die Wolken, die sich die Woche über an meinem Firmament gebildet hatten, zogen sich mehr und mehr zu, das Gewitter war nicht mehr fern – ich wollte es nicht merken und riss mich zusammen. Nein, bei mir war alles in Ordnung, entgegnete ich auf die fragenden Blicke meiner beiden Kollegen. Nachdem wir angekommen sind, noch ein Abendessen und schnell ein paar Dinge erledigen und dann ab ins Bett, morgen ist ein neuer Tag und dann wird es mir sicherlich besser gehen. Die Unruhe in Kopf und Nacken werden nachlassen, da bin ich mir sicher, ich bin eine Powerfrau und habe bisher alles in meinem Leben unter Kontrolle gebracht. Es war Montag – eine Woche und ein Tag nach meinem Unfall. Die ersten Vorstandsmitglieder reisten an, ich sollte mir einen Veranstaltungsort anschauen und musste in einen Bulli steigen. Jede Erschütterung machte sich in meinem Kopf bemerkbar. Ich kann das Gefühl nicht beschreiben, jede Gehirnzelle hüpfte und signalisierte mir, dass sie Ruhe brauche, jede Zelle im Nacken war überfordert, es war skurril. „OK, diese Sitzung geht zwei Tage, das schaffst du, danach kannst du dich ausruhen, aber jetzt musst du noch durchhalten", sagte ich mir. Die Krücken hatte ich schon zur Seite gelegt, das Bein gehorchte, aber mein Kopf und mein Nacken, die gehorchten mir noch nicht. Noch 48 Stunden, dann kannst du dich ausruhen.

Ich kam von der Fahrt wieder und durch die Erschütterungen auf der Schotterpiste ging es meinem Kopf und Nacken schlechter und schlechter. Ich kam zurück und sagte meiner Kollegin, dass ich eine Pause brauche. Ich habe mich auf mein Zimmer zurückgezogen, Vorhänge zu, ich brauchte Dunkelheit und schlief sofort ein. Als ich aufwachte, dachte ich mein Gehirn komme zu den Ohren heraus. Ich hatte einen unfassbaren Kopfdruck, aus lauter Verzweiflung fing ich an zu weinen. Ich war so fern der Heimat, niemand, der mich hätte halten können. Papa! Mein Vater war mein Verbündeter, er tickt, wie ich – er weiß, wie es mir geht. Wir brauchen nicht viele Worte, er weiß, wer ich bin. Ich rief ihn an. „Ich hole dich, ich fliege nach München, ich hole dich heim", versprach er mir. „Bis dahin hat es keine Zeit mehr, mein Gehirn explodiert", entgegnete ich ihm. „Dann musst du ins Krankenhaus", sagte er.

Ich rief meine Kollegin an, mittlerweile war es abends. Wir fuhren mit dem Taxi in das nächstgelegene Krankenhaus, von der Fahrt bekam ich kaum mehr etwas mit, Tränen liefen über mein Gesicht. Die Notaufnahme war ein Graus, ich nahm sie durch einen Schleier wahr. Die Behandlungszimmer waren gefliest, als ob hier ständig Blut fließen würde, welches abgewischt werden müsse. Ich kam nach kurzer Wartezeit in Behandlungszimmer 2. Nach weiterer Wartezeit kam ein Arzt: „Die Frau muss ins CT – Kopf, wir müssen wissen, was da los ist". Es dauerte gefühlte Stunden, das CT sagte, dass keine gravierenden Vorkommnisse im Gehirn seien. Kein Schlaganfall oder ähnliches, ich flehte, die Ärzte an, meinen Kopf aufzuschneiden, mein Gehirn quille über. Das ist eine sehr starke verschleppte Gehirnerschütterung, beruhigten mich die Ärzte. Was sie brauchen ist Ruhe, viel Ruhe. Sie bleiben hier und kommen auf ein reizarmes Einzelzimmer. Glücklicherweise bin ich privat versichert. Ich wurde nach oben geschoben, ein Einzelzimmer. Ich schloss meine Augen und fühlte mich noch nie so allein. Tränen kullerten über mein Gesicht. Ich war zu müde, erschöpft und fragte mich, ob ich das hier gerade wirklich erlebe, oder ob ich mich in einem Traum befinde. Nein, leider Realität! Ich schlief ein.

Am nächsten Tag wachte ich auf mit dem Gefühl versagt zu haben, auf ganzer Linie. Ich wollte doch nur noch weitere 48 Stunden durchhalten bis Sitzungsende, stattdessen liege ich hier wie ein Häufchen Elend im Krankenhaus. Zu nichts mehr fähig, aber ohne „wirkliche Diagnose". Ich schloss die Augen. Meine Kollegin kam zu Besuch, es tat mir leid, dass ich zusätzlich Arbeit machte. Ich wusste gar nicht, was mit mir los ist. Für die Ärzte war ich uninteressant, weil das CT keine Anhaltspunkte für eine ernsthafte Erkrankung lieferte. In den fünf Tagen meines Krankenhausaufenthaltes habe ich nicht einen Arzt gesehen, es wurde auch nichts weiter gemacht, außer, dass mir gesagt wurde, dass ich Ruhe brauche. OK.

Nach fünf Tagen flog ich zurück nach Hause. Mein Vater wartete am Flughafen und holte mich ab. Ich konnte mein Glück, zu Hause zu sein, kaum fassen, was war da passiert? Er fragte nicht viel, er war lediglich glücklich, seine Tochter wieder in die Arme zu schließen, ich war wieder da. Ich kam nach Hause und schloss meine beiden Kinder glücklich, aber erschöpft in die Arme. Die beiden sind meine Motoren und mit Sicherheit der Grund, warum ich weitermache. Ich wurde drei Wochen mit den Worten „Sie brauchen nun Ruhe" arbeitsunfähig geschrieben. Innerlich war ich wieder in „Hab-Acht-Stellung". Meine Mutter unterstützte mich, während der Zeit des Krankenhausaufenthalts, sie hat auf meine beiden Kinder aufgepasst. Meine Energien waren unvermindert da, nur mein Kopf und mein Nacken machten nicht mit. Ich fühlte mich schwach, und ein leichter Schwindel war dauerhaft vorhanden. „Ach, egal", dachte ich mir: „das blendest du aus".

Aus Süddeutschland heraus hatte ich mich bereits um einen Osteopathen-Termin gekümmert. Zwei Wochen später konnte ich zu ihr. Ich berichtete von Unwohlsein und Schwindel. Ja, es gab eine Stelle am Nacken, die hart war, aber das wird sich mit der Zeit lösen, so meine Osteopathin. Ich bekam homöopathische Tropfen gegen den Schwindel. Er war auch nur sehr dezent da. Meine beiden Kinder lenkten mich ab, für sie lohnt es sich, alles zu geben, ich blendete meine Beschwerden aus und funktionierte in Job und im Muttersein. Meine Energien waren groß genug. Nach einiger Zeit gab ich wieder meine Sportkurse, ich als Fitnesskanone, dass ich nach den Stunden vor Energielosigkeit zusammenklappte, sahen lediglich meine Kinder. Ich will gar nicht wissen, welche Bilder sie abgespeichert haben, wollte ich doch eigentlich die unverwundbare Mama spielen. Manchmal kroch ich auf allen Vieren durch die Wohnung und schlief schon nachmittags auf dem Sofa ein.

Ein paar Monate konnte ich die Fahnen hochhalten. Ich ging zu Homöopathen, Osteopathen, zu meiner Hausärztin wegen diffuser Beschwerden, so richtig konnte ich auch nicht benennen, was los ist. Es gibt Sätze, die brennen sich im Kopf ein. Bei mir sind es Folgende „Es scheint alles zu viel zu sein." „Du bist nicht mehr so belastbar, die Jahre des Alleinerziehens haben ihre Spuren hinterlassen." Ich wollte nur zurück brüllen, „Nein, es war der Reitunfall." Aber gehört hat mich niemand. Irgendwann im Sommer 2017 stellte meine Hausärztin einen Eisenmangel fest. Wieder nahm ich es auf die leichte Schulter. Die Eisentabletten vertrug ich nicht, ich wollte sie nicht nehmen, mein Homöopath sagte, mein Körper hätte sich schon längst an den niedrigen Eisenspiegel gewöhnt. Wieder ignorierte ich die Symptome, die sich auch als Schwindel darstellen können. Immer öfter bekam ich Warnschüsse, während des Mittagessens in der Kantine sackte plötzlich mein Kreislauf weg, im Auto konnte ich mich nicht mehr orientieren, enge Kragen konnte ich nicht mehr ertragen, der Eisenmangel ist daran schuld – glaubte ich. Hatte mir nicht meine Hausärztin eine Eiseninfusion angeboten und hat der Homöopath nicht gesagt, dass eine Infusion zu einer Eisenvergiftung führen kann? Wem glaube ich jetzt? Der Schwindel wurde immer schlimmer, genauso wie die Wolken in meinem Kopf, aber ich musste doch funktionieren. Den Job verlieren? Meine Kinder nicht mehr versorgen können? Das ging doch alles nicht. Die Schlinge um meinem Hals zog sich mehr und mehr zu. Ich wusste nicht, was mit meinem Körper los war, die Einschläge in Form von Aussetzern nahmen zu. Mein Körper gehorchte mir nicht mehr.

Endlich Sommer und Urlaub: August 2017, zur Ruhe kommen. Mein Vater schlug vor, nach Holland zu fahren. Ich fuhr mit meinen Kindern im Auto, rund um Amsterdam bekam ich wieder einen meiner Aussetzer auf der Autobahn. Mir das vor meinen Kindern anmerken zu lassen, auf gar keinen Fall! Alles gut, wir machen weiter! Wir hatten eine gute Zeit in Holland. Der Sommerurlaub 2017 war vorbei, Schule und Arbeit begannen wieder. Meine Einschläge wurden mehr und tiefer. In der Kantine Essen gehen wurde allmählich unmöglich, Menschenmengen machten mich nervös, meine Konzentration ließ nach, ich musste in unterschiedlichen Situationen beginnen, etwas vorzuspielen. Ich führte es auf den Eisenmangel zurück. Nachdem es mich bei einem Mittagessen total aus der Bahn geworfen hatte, entschied ich mich zur Eiseninfusion. Gleichzeitig wurde mir ein Osteopath wärmstens empfohlen, eine Koryphäe auf seinem Gebiet, beides wollte ich in die Wege leiten. Den Termin zur Infusion bekam ich umgehend, den Osteopathen-Termin innerhalb von zwei Tagen. Es war Oktober 2017.

Die Eiseninfusion brauchte 45 Minuten, um durch meinen Körper zu laufen – und ich glaubte, dass nun alles gut sei. Zwei Tage später saß ich beim Osteopathen. Ich erzählte ihm alles von meinem Reitunfall, zeigte ihm genau die Stelle, die noch immer weh tat, wo es hakt. Ich motivierte ihn geradezu sich den Halswirbel zwei und drei anzusehen. Er fing vorsichtig an, mich zu behandeln - erst an den Beinen, dann den Körper hoch. An den Halswirbeln wurde er dann schon forscher, vielleicht kam zu sehr der Manual-Therapeut durch. Ich hörte ihn, wie er zu meinen beiden Halswirbeln sprach: „Nun habe ich euch, ihr beiden Burschen." Ich spürte auch, wie sich Halswirbel zwei und drei wunderbar bewegen ließen, sie flogen geradezu von Seite zu Seite zwischen seinen Fingern, allerdings rebellierte mein Körper. Meine linke Körperhälfte, Arm und Bein kribbelten, meine Lippen waren linksseitig taub, aber noch viel schlimmer als das war, dass ich mich nicht mehr beheimatet in meinem Körper fühlte. Es war, als ob jemand anderes neben mir saß und kopfschüttelnd auf mich schaute und sagte, dass dies nicht mehr mein Körper sei. Im Auto liefen Tränen über mein Gesicht. Ich fühlte mich beschämt und traute mich nicht mehr, in die Praxis zu gehen, er war doch die Koryphäe. Nun saß ich hier und wusste nicht mehr, wie ich das Auto nach Hause steuern sollte. Von meiner ersten Ausbildung her bin ich Logopädin, ich bin also nicht ganz unwissend, was Vorgänge im Körper betrifft und nun trifft es mich selbst. Ich bin kurz davor, verrückt zu werden – ohne Diagnose. Ich saß da und weinte, der Himmel weinte mit mir, und es gab niemanden, den ich hätte einweihen können. Ich musste auch noch zur Arbeit. Sollte ich vor meinen Kindern sitzen, weinend? Ich war verzweifelt und kannte keine Lösung, ich war Powerfrau und ich kannte immer Lösungen, aber diesmal nicht, hier gab es keine Lösung, ich war ein Wrack auf hoher See, unsteuerbar. Ich habe sicherlich 30 Minuten auf dem Parkplatz verbracht, ich habe geweint, mit mir verhandelt, was nun zu tun ist, und irgendein Autopilot hat mich dann nach Hause gesteuert. Am nächsten Tag bei der Arbeit habe ich nur noch geweint, so dass meine Vorgesetzte mich nach Hause geschickt hat. Ich habe mich arbeitsunfähig schreiben lassen und habe gehofft, dass mit einer Woche Ruhe alles ausgestanden sei.

Bei meinem Homöopathen ließ ich mir einen Termin geben und fuhr zu ihm. Im Auto auf der Fahrt war irgendetwas anders. Ein mulmiges Gefühl beschlich mich. Die Ampel schaltete auf Rot, ich wusste, dass eine Strecke vor mir lag, auf der ich nicht anhalten konnte. Auf einmal zog sich alles zu. Die Welt drehte sich, mein Herz raste los, der Boden tat sich auf, die Augen schlossen sich, mir wurde übel, alle Basis-Körperfunktionen fuhren runter. Mit Mühe konnte ich mein Auto auf einen Acker lenken, ich griff zum Handy und rief meinen Vater an. „Ich stehe hier", sagte ich unter Tränen. Er blieb ruhig und sagte, dass wir entweder Polizei oder Krankenwagen benachrichtigen könnten oder aber ich 45 Minuten Geduld habe müsse, und er käme. „Ja, Papa, bitte komm!", ich hatte schon so viele Ärzte aufgesucht und alle sagten, dass ich nichts habe. Ich habe in einer Art Ohnmacht verweilt, irgendjemand parkte neben mir, mir war es egal, ich wartete auf meinen Vater. Irgendwann tauchte er im Schleier in seinem Lieferwagen auf. Papa – mein Retter. Wir fuhren zu meinem Homöopathen, er sagte schon am Telefon, dass ich eine Eisenvergiftung durch die Infusion habe. Ich wusste nicht, was ich glauben sollte, nahm aber alles, was er für richtig hielt. Aber besser wurde nichts.

Mein Vater informierte meine Mutter. Meine Eltern sind nicht mehr zusammen, seitdem ich 14 Jahre alt bin. Sie sprachen sich ab, so dass immer jemand bei mir und den Kindern sein konnte. Ich hatte das Gefühl, verrückt zu werden. Eine innere Unruhe suchte mich heim, ich konnte das nicht beschreiben. Eines Nachts schaute mich meine Mutter an und sagte, dass sicherlich alles in der letzten Zeit zu viel gewesen sei. – wieder dieser Satz. Ich wollte eigentlich nur noch sagen, dass der Reitunfall an allem schuld sei, seitdem ist alles anders. Ich aber war zu kraftlos, das zu erwidern. Ich konnte nicht mehr und nahm den frischen Apfel zu mir, den sie mir in der Nacht geschnitten hatte, ich konnte kaum mehr essen. Alles fühlte sich zu viel in meinem Magen an, mein Magen vertrug nichts mehr. Essen war zu viel, Sonne zu hell, Dunkelheit zu dunkel, Musik zu laut, Stille zu leise, Boden zu uneben, gerade Strecken zu gerade, Menschen zu viel, … meine Sinneswahrnehmungen spielten verrückt, ich konnte das nicht einordnen. Es war grausam!

Ich fand mich damit ab und ermittelte in alle Richtungen. Ich akzeptierte auch, dass ich womöglich plötzlich psychisch krank geworden sei. Ich telefonierte alle Psychologen ab, um Hilfe zu bekommen. Überall Wartezeiten. Mein Osteopath, dem ich den Verlauf nach seiner Therapie schilderte, sagte nur, es sei total normal, dass die Nerven, die in dem Gebiet der Halswirbelsäule verlaufen, Zeit bräuchten, um sich nach der Behandlung zu erholen. Mir ging das zu langsam. Ich war mittlerweile drei Wochen aus meinem Job raus, ich wollte endlich sagen, dass ich zurückkomme, aber in meinem Zustand? Ich konnte noch nicht mal mehr Brötchen kaufen, ohne aus dem Laden zu fliehen. Diese Missempfindungen im Körper waren so grausam. Eine Psychologin rief zurück, sie sei die Expertin auf dem Gebiet der Angststörungen und meiner Schilderung zufolge, sei ich arg angsterkrankt. Aha – OK. Ich, die es früher geliebt hat, in Menschenmengen zu stehen und zu tanzen, Spaß zu haben, großen Gruppen Fitnessübungen beigebracht hat – aber OK, ich lasse mich darauf ein, wenn ich denn wieder die alte werde. Zügig konnte ich in einer Angstgruppe starten, „sie sei in diesem Raum die wahre Expertin für so was", wurde mir erklärt. Ich machte in der Gruppe mit und konnte mich mit dem Bild der Angststörung nicht recht identifizieren, waren meine Beschwerden doch rund um die Uhr da und nicht nur, wenn ich in Situationen komme, die ich für mich als bedrohlich einschätzte. Ich versuchte, meiner Psychologin zu erklären, dass ich mich vordergründig nicht für angsterkrankt halte, denn seit dem Reitunfall waren die Beschwerden in unterschiedlicher Ausprägung ständig meine Begleiter. Bestimmte Situationen verstärkten die Symptomatik, aber waren mit Sicherheit nicht deren Auslöser. Egal, mit wem ich sprach, Ärzte, Behandler, Familie, Freunde, Bekannte, alle waren sich einig, dass es die Psyche sein musste. Es war ein Kampf gegen Windmühlen. Mittlerweile war ich bereits 10 Wochen arbeitsunfähig, ein Ende nicht in Sicht, denn es ging mir unverändert schlecht.

Ich versuche zusammenzufassen, welche Symptome mich in unterschiedlicher Ausprägung begleiten:

- Schwindel (vor allem Schwank- und Liftschwindel)
- Benommenheit mit Konzentrationsschwierigkeiten und Leistungsabfall
- Aus dem Nichts heraus Herzrasen
- Bluthochdruck
- Linkes Bein, linker Arm taub und pelzig
- Kraftverlust im linken Arm und Bein
- Linke Lippenseite taub
- Tinnitus rechtsseitig
- Das Gefühl, dass die rechte Körperhälfte verschoben ist
- Kreislaufzusammenbrüche, das Gefühl, dass nicht genug Blut im Gehirn ankommt.
- Kopfdruck
- Extreme Erschöpfungszustände mit teils komatösem Schlaf

- Ausgeprägte innere Unruhe, unmöglich, in Ruhe irgendwo zu sitzen, ich muss immer in Bewegung bleiben, bis ich vor Erschöpfung einschlafe.
- Extremen Sinneseindrücken konnte ich nicht mehr stand halten. Musik zu laut, Stille zu leise, Dunkelheit zu dunkel, Sonne zu hell (deswegen immer mit Sonnenbrille unterwegs)
- Ständiges Knacken in der HWS
- Nächtliche Schweißausbrüche
- Übelkeit bis hin zu Erbrechen

Ich durchlief die Angstgruppe, am Ende stand die Expositionsübung. Der Ansatz lautet, dass man sich bewusst in eine Situation, die Angst hervorruft, begibt, um sich an die Reize zu gewöhnen bzw. dass man einmal eine Angstreaktion bis zum Ende durchläuft und dann feststellt, dass nichts passiert. Bei mir war das z.B. das Einkaufen im Supermarkt; die Lichter zu hell, die Regale zu voll, die Menschen zu viel, das Warten an den Theken zu lang… Als wir im Supermarkt standen, hackte meine Therapeutin auf meinen Symptomen herum. Auf einer Skala von 1-10 sollte ich meinen Schwindel einschätzen. Wenn man allerdings schon mit einem Schwindel von 8 beginnt, weil er immer da ist, ist die Übung meiner Meinung nach fehl am Platz. Wir standen nun zusammen im Supermarkt, mindestens zwei Stunden, es war die Hölle, da ich nicht nur mit dem Supermarkt zu kämpfen hatte, sondern auch mit der Therapeutin, da ich immer und immer wieder versuchte, zu erklären, dass der Schwindel immer da ist und nicht nur durch den Supermarkt ausgelöst wird. Erschöpft und enttäuscht beendeten wir die Übung, ich konnte sie nicht überzeugen, dass meine Grunderkrankung nicht die Angst war, sondern irgendetwas anderes, was wusste ich zu diesem Zeitpunkt (noch) nicht.

So langsam wusste ich auch nicht mehr, an wen ich mich wenden sollte. Ich war beim Hausarzt und mehreren Allgemeinmedizinern, beim Neurologen („Bitte nehmen sie Antidepressiva, Ihre

Nackenmuskulatur ist rechtsseitig total verspannt, die muss lockerer werden."), mehreren Orthopäden (Muskelrelaxans, „Sie nehmen die Dinge des Lebens zu ernst"), Physiotherapeuten (aus den Behandlungen kam ich mitunter heraus und musste mich eine Woche lang regenerieren, so sehr hat es mein System zerschossen), Osteopathen machten die Symptome meist nur schlimmer, Psychologen („Wir müssen eine Langzeitbehandlung beginnen, bei Ihnen ist einiges im Argen"), Homöopathen, Heilpraktiker. Ich musste mich weiter auf die Suche machen. Durch die ganze Sucherei im Internet schlug mir die Suchmaschine eine Atlastherapie vor. Die Betroffenen schilderten im Netz ihre Beschwerden, ich fand mich endlich mit meinen Symptomen wieder. Es ist der Nacken, die Halswirbel, die Erklärungen klangen sehr plausibel. Wenn die Halswirbel, besser gesagt der erste Halswirbel, der Atlas, nicht richtig sitzt und Strukturen, wie Nerven und Blutgefäße bedrängt, kann das zu weitreichenden Beeinträchtigungen führen. Ich suchte einen Therapeuten, der in meiner Gegend praktizierte. Innerhalb von drei Wochen bekam ich einen Termin. Ein Freund begleitete mich, denn ich wusste nicht, in welchem Zustand ich aus dieser Praxis herauskommen würde.

Ich setzte alles auf eine Karte, denn so, wie es war, konnte mein Leben nicht weitergehen. Ich kenne die Tragweite einer verkorksten Behandlung des Atlas', es kann von einer Verschlimmerung bis zur Querschnittslähmung führen. Aber ich kann auch wie Phoenix aus der Asche steigen. Der Tag der Behandlung war da, wieder glaubte und hoffte ich, wie so oft, dass ein Handgriff mein Leben zum Guten verändern und mein altes Leben wieder zurückholen könnte. Wobei ich mit dieser Annahme mit dem Osteopathen schon einmal schlechte Erfahrungen gesammelt habe. Ich möchte sagen, dass er mein Leben erst so richtig aus der Bahn geworfen hat. Trotzdem begab ich mich voller Zuversicht in die Hände des Therapeuten. Was er sagte klang gut, ich ließ ihn an meinen Nacken, wobei dieser bereits zu einem Hochsicherheitstrakt geworden war. Die Behandlung war nicht angenehm, aber brachte etwas. Die Beschwerden waren zwar nicht weg, aber deutlich reduzierter. Ein paar Tage später war wieder alles beim Alten. Ich fuhr erneut zum Atlastherapeuten und auch noch ein drittes Mal. Nach der dritten Behandlung sagte er, dass mein Atlas nun richtig säße, die Symptome jedoch waren weiterhin da.

Nach sieben endlosen Monaten der Arbeitsunfähigkeit begann ich die Arbeit wieder. Es war einerlei, ob ich daheim mit den vielen Symptomen saß oder bei der Arbeit. Ich wollte unbedingt wieder ein Teil der Gesellschaft werden. Ich arbeitete gegen die Symptome an und konnte doch keine Ruhe finden. Der Satz meiner Vorgesetzten „Du bist in meinen Augen nicht mehr belastbar.", führte bei mir dazu, dass ich mir eine neue Stelle suchte. Von zwanzig Stunden in Teilzeit ging es auf 39 Stunden in Vollzeit, eigentlich fast unmöglich in dem Zustand, in dem ich mich befand. Mir jedoch fehlten die Alternativen. Gleich in der ersten Woche meiner neuen Stelle wurde ich so erkältungskrank, dass ich zu Hause blieb. Da meine HWS-Symptome gleichzeitig so stark wurden, bestrahlte ich meinen Nacken mit Rotlicht. Das scheint meine Nerven so heftig gereizt zu haben, dass ich einen so gravierenden Schwindelanfall bekam, dass ich ins Krankenhaus kam. Mir war es nicht so unrecht, denn endlich konnte ich alle Untersuchungen, auf die man monatelang warten musste, noch einmal gründlich machen lassen.

Es kam, wie es kommen musste, ich wurde mit einer Einweisung in die Psychiatrie entlassen. MRT, EEG, HNO und weitere Untersuchungen, alles ohne Befund, nur Blutdrucktabletten sollte ich nehmen, denn der Blutdruck sei oberhalb aller Normen. Weder bin ich in die Psychiatrie gegangen, noch habe ich Blutdrucksenker genommen, stattdessen habe ich Gleichgesinnte in unterschiedlichen Foren gesucht. Hier konnte ich an Erfahrungen und Behandlungen teilhaben, auf die ich selbst nie gekommen wäre. Mir fiel das Buch „Schwachstelle Genick" in die Hände. Der darin geschilderte Fall einer Patientin hätte der meine sein können. Ich war sprachlos und besorgt zugleich, klang doch alles, was der Autor schrieb, mehr als ernst. Als dreijähriges Kind hatte ich einen schweren Unfall mit gebrochener Nase. Ich kann mich nicht mehr daran erinnern, aber meine Mutter schildert mir noch heute, wie ich die Steintreppe mit dem Dreirad heruntergefahren und ich schwer auf den Kopf gestürzt bin. Mit 14 Jahren habe ich beim Volleyballspiel einen Ball ins Gesicht geschmettert bekommen und mir einen Kieferbruch zugezogen und mit 43 nun der Reitunfall. Seit längerer Zeit schon spielte mein Gleichgewichtssinn nicht mehr so mit, wie es sein sollte, und als ich einmal beim Spiel mit meiner Tochter den Kopf heftig drehte, dauerte es lange, bis ich mich wieder sortiert hatte. Vielleicht alles schon vorher Anzeichen, dass ich in eine Kopfgelenksinstabilität hineinlaufe. Ich nahm das Buch mit zu meiner Physiotherapeutin, sie las es sich durch und sagte, dass ich mich nicht bange machen lassen solle und dass sie so etwas noch nicht erlebt habe. Sie versuchte mich zu beruhigen und spielte die Symptome herunter. Ihrer Meinung nach waren auch die Nackenmuskeln nicht verspannt. Sobald sie nach dem craniosacralen Ansatz das Steißbein in Bewegung brachte, verstärkte sich mein Tinnitus und mein Schwindel nahm zu. Mit dem jetzigen Wissen um meine Instabilität ist das Phänomen gut erklärbar, versucht doch mein Körper alles, um die Strukturen im Nacken stabil zu halten.

Ich biss mich weiterhin durch meine Vollzeit-Woche. Eine chinesische Meisterärztin wurde mir in der Nachbarstadt ans Herz gelegt. Sie habe so ziemlich alle Beschwerdebilder mit ihrer Akupunktur, dem Setzen von Nadeln, in den Griff bekommen. So wurde sie mir schmackhaft gemacht. OK, wenn das so ist. Innerhalb von 3 Wochen bekam ich einen Termin. Die Behandlungen waren intensiv. Dreimal die Woche 45 Minuten Hin-, 45 Minuten Rückfahrt. Mindestens eine Stunde Wartezeit und dann noch anderthalb Stunden Behandlung. Allein dieses Prozedere hat mich symptomtechnisch bereits aus der Bahn geworfen. Es gab Sitzungen, da kam ich beinahe symptomfrei heraus, aber dann gab es Sitzungen, aus denen bin ich auf allen Vieren herausgekrabbelt. Es waren immer die gleichen Fragen: Wie konnte eine Behandlung helfen und dann wieder so kontraproduktiv sein? Abgesehen davon, dass ich die Ärztin nicht verstehen konnte, gab sie mir auch keine Antworten auf meine brennenden Fragen, womit ich es bei meinem Beschwerdebild überhaupt zu tun habe. Es war die zehnte Sitzung, der Durchbruch war noch lange nicht in Sicht. Ich erzählte ihr, dass ich eigentlich wegen des Nackens da sei, dort saß noch nicht eine einzige Nadel. Kein Problem, sie stieß mir vier Nadeln in den Nacken. Bereits nach zwei Minuten merkte ich deren Wirkung, meine Sinne gingen immer wieder weg. Anstatt die Nadeln sofort herauszuziehen, habe ich sie anderthalb Stunden sitzen lassen. Wie ich nach Hause gekommen bin, ich weiß es nicht mehr. In der Nacht wachte ich mit dem schlimmsten Drehschwindel auf, den man sich vorstellen kann. Wenn ich nun zu Schwank- und Liftschwindel noch Drehschwindel durch Akupunktur dazubekomme, na dann Prost Mahlzeit. Zum Glück war es ein Freitag, das Wochenende lag vor mir. Ich verbrachte es auf dem Sofa und vor der Toilettenschüssel. Eigentlich wollte ich den Geburtstag meiner Tochter feiern, es war nicht möglich. Nun zerstört dieser Mist auch noch mein Privatleben. Ich lag ein weiteres Mal am Boden und war vollkommen geknickt. Ich will endlich wissen, was mit mir los ist, koste es was es wolle. In den Foren las ich immer wieder von einem MRT in Bewegung, dem Upright-MRT. Glücklicherweise bekam ich sofort einen Termin, ich wollte endlich wissen, ob ich ein instabiles Kopfgelenk habe, davon hatte ich mittlerweile so viel gelesen, die Symptome passten.

Auch diese Untersuchung war alles andere als angenehm, musste man sich doch in Positionen bringen, die die Symptome zum Überlaufen brachten. Nach einem Vormittag hatte ich die Diagnose schwarz auf weiß:

- Verdacht auf lage- und bewegungsabhängige Instabilitäten bei Zustand nach Reitunfall in 2016
- Diskrete Rotationsfehlstellung des Axis in Richtung des Uhrzeigersinns
- Der subarachnoidale Puffer zwischen Ligamentum transversum und Myelon ist mit 1,5 mm verschmälert (Norm 3-5 mm).
- Im Rahmen der Funktionsuntersuchung kommt es bei der Rotation der HWS nach rechts zu einer aufgehobenen Drehfähigkeit des Axis.
- Bei der Rotation der HWS beidseits, links betont kommt es zu einem Kontakt des Ligamentum transversum mit dem Myelon = funktionelle zervikale Myelopathie.
- Bei der Seitneigung der HWS nach rechts paradoxe Beweglichkeit des Dens nach rechts.
- Bei der Seitneigung der HWS nach links geringe physiologische Auslenkung des Dens nach rechts.
- Vermutlich Densinstabiltät
- Starke Streckfehlhaltung der Halswirbelsäule

Es gibt erst einmal nicht viel, was man – meiner Meinung nach – bei einer solchen Diagnose tun kann. Zumindest habe ich diese Erfahrung gemacht. Das einzige, was ich gelernt habe, ist, dass man in eine Instabilität nicht noch mehr Instabilität bringen sollte (siehe meine Physiotherapie). Die Behandlungen habe ich auf ein Minimum zurückgefahren. Jeder Tag sieht symptomtechnisch gesehen anders aus. Ich weiß nicht, was mich am nächsten Tag erwarten wird. Konstanz und Stabilität gibt es in meinem Leben nicht mehr, ich werde mich wohl daran gewöhnen müssen, dass nichts mehr planbar ist.

Ich habe gelernt, damit umzugehen, dass ich mich aus bestimmten Situationen herausziehen muss, wenn es mir zu viel wird. Neulich war ich zum Beispiel auf einem Konzert eines tollen Tenors.

Seine Stimme war großartig, jedoch war sie zu viel für mich, zu intensiv, ich musste das Konzert verlassen. Bei der Arbeit wird es schon schwieriger, sich immer aus den Situationen zu befreien, die unangenehm werden. Meist finde ich einen Weg, damit umzugehen. Einige meiner Mitmenschen wissen über meinen Zustand Bescheid, können aber trotzdem nicht zu 100% verstehen, was da los ist, ich sehe ja noch immer ganz normal aus. Hier und da werde ich weiterhin Therapien ausprobieren, aber sicherlich nicht in der Taktung wie anfangs. Ich habe mich damit abgefunden, dass dies wohl nun mein Leben sein wird, ein einziges Auf und Ab. Ja, ich wünsche mir sehr ein ausgeglichenes Leben, ob ich es jemals wieder bekomme? Ich weiß es nicht. Jetzt habe ich noch meine beiden Motoren, meine Kinder an meiner Seite, sie geben mir Kraft, ich kämpfe weiter für die beiden, es lohnt sich. Es gab einige Situationen, in denen ich gedacht habe, dass es besser wäre, aufzuhören. Diese Unklarheit im Kopf. Aber es gibt genug, was trotzdem schön ist im Leben, auch wenn mein Radius deutlich eingeschränkter ist als vor dem Unfall. Weite Reisen werde ich wohl nicht mehr unternehmen, in ein Flugzeug traue ich mich nicht mehr.

Hier noch die Therapien, die ich gemacht habe, die jedoch allesamt keinen durchschlagenden Erfolg hatten:

- Einnahme von Nahrungsergänzungsmitteln (allen voran B12, Magnesium, etc.)
- Ausprobieren von vier verschiedenen Osteopathen, einer von denen hat meine instabile Halswirbelsäule durch Bewegung des zweiten und dritten Halswirbels noch instabiler gemacht.
- Physiotherapie: der Körper gleicht eine Instabilität durch sich fester machende Muskeln aus. Die Physiotherapie hat die Muskeln weicher und lockerer gemacht, was die Instabilität verstärkt hat.

- Einnahme von CBD-Öl, mal hatte es eine positive Wirkung, mal schlägt CBD-Öl ins Gegenteil um; gleiche Erfahrung habe ich mit Alkohol gemacht. Ein Orthopäde empfahl mir, jeden Abend ein Glas Wein zum Lockern der Muskulatur zu trinken. Hat manchmal geholfen, manchmal nicht. Nein, ich bin noch keine Alkoholikerin geworden
- Antidepressiva wurden mir verschrieben, ich habe diese aus meiner eigenen Einstellung heraus nicht genommen.
- Muskelrelaxans, auch diese habe aus meiner eigenen Überzeugung heraus nicht genommen.
- Dehnübungen, können sich positiv auswirken, aber auch manchmal ins Gegenteil übergehen.
- Kräftigungsübungen, können gut oder auch kontraproduktiv sein.
- Schlafen auf dem Rücken (ich bin passionierte Seitenschläferin). Die Umgewöhnung will und wollte mir einfach nicht gelingen. Auf dem Rücken habe ich Atemaussetzer.
- Nicht einer meiner Ärzte (verschiedenste Fachrichtungen) hat mein Beschwerdebild verstanden und akzeptiert, außer der Radiologe des Upright-MRT. Er empfahl mir einen Physiotherapeuten – auf diesen Termin warte ich nun schon 10 Monate, im nächsten Monat ist es soweit.
- Bestrahlung der Nackenregion mit Rotlicht. Kann helfen, kann aber auch ins Gegenteil steuern. Einmal habe ich die Nerven der Nackenregion derart gereizt, dass ich im Krankenhaus gelandet bin.
- Akupressurmatten für Nacken und Rücken (haben bei mir nichts bewirkt).
- Vibrationsgeräte zur Lockerung der Muskulatur (brachten bei mir gar nichts).
- Nordic Walking ist sehr gut, um die Nacken- und Schulterpartie beweglich zu halten, hilft mir recht gut.
- Meditation hilft die innere Ruhe zu bewahren, wenn das Nervensystem überreagiert.

Ich brauche kein Mitleid in meiner Situation. Alles, was ich mir von der Zukunft wünsche, ist Verständnis. Aufgeben ist für mich keine Option, auch wenn es an einigen Tagen verdammt schwer fällt. Allen Betroffenen wünsche ich von Herzen alles Gute und den Angehörigen und Begleitern viel Einsicht in ein Beschwerdebild, das so fern der „Normalität" liegt.

Lotte*

* Name auf Wunsch der Autorin geändert

4. Kopfgelenke, Ein Ausflug in das schwarze Loch der deutschen Medizin

München, April 2019:
Stell dir eine Krankheit vor, die dich schon in jungen Jahren sukzessive schwer behindert und arbeitsunfähig macht. Stell dir eine Krankheit vor, zu der kein Arzt eine Erklärung hat und dich mit zunehmender Erkrankung immer weiter abwimmelt oder zum Psychologen schickt. Stell dir eine Krankheit vor, die für Außenstehende völlig unsichtbar ist, du giltst nicht als körperlich krank. Stell dir eine Krankheit vor, deren Symptome so unaushaltbar sind, dass du dir nichts als ein Ende wünscht, die Krankheit dich aber leider nicht umbringt.

Du denkst, das gibt es nicht? Oh doch. Ich stehe gerade eine Woche vor einer Operation im Ausland. Ich weiß nicht, ob ich den Eingriff überlebe oder ob mein Leben danach dauerhaft lebenswert ist, daher hinterlasse ich ein paar Zeilen.

Mein Hintergrund: Meine Geschichte beginnt im Alter von 25 Jahren. Ich war ein in jeglicher Hinsicht „normaler" Junge, der nie sonderlich häufig krank gewesen war. Ich hatte einen unauffälligen, schlanken Körperbau und war vielfältig sportlich aktiv - in manchen Bereichen talentierter, in anderen weniger. Ich hielt mich fit mit regelmäßigem Joggen und machte jeden Sommer mit Freunden eine doch etwas härtere Single Trail Mountainbike Tour von Garmisch zum Gardasee. In meiner Jugend war ich Kunstrad gefahren, ein Hallenradsport mit artistischen Einlagen, mein Studium hatte ich mir als Skilehrer finanziert. Ich ging ins Fitnessstudio und aufs Oktoberfest. Ich hatte einen gut bezahlten, erfüllenden Bürojob mit großartigen Kollegen und der Möglichkeit von Überstundenabbau, die es mir ermöglichten, ein- bis zweimal im Jahr für 4 Wochen die Welt zu bereisen. Ich war in einer glücklichen Beziehung, hatte einen intakten, lebhaften Freundeskreis und war gerne in Gesellschaft. Ich hatte eine glückliche Kindheit und eine Ausbildung mit einem Master abgeschlossen. Mein Leben war nicht ausschließlich rosarot - auch ich hatte schon Menschen enttäuscht und bin an manchen Tagen mit dem falschen Fuß aufgestanden - aber alles in allem war ich ein gut gelaunter, lebensbejahender Kerl mit einem doch privilegierten Leben. Ich arbeitete, schlief, tanzte, lachte, reiste, kochte, spielte Karten. Ich war zufrieden.

Mit meinem Sportlerleben verbunden waren zahlreiche Unfälle. Besonders beim Kunstrad, auf der Skipiste und auf dem Mountainbike krachte es hin und wieder, teilweise auch mit Krankenhausaufenthalt. Mit 24 war ich außerdem in einen Auffahrunfall verwickelt. Ob diese Unfälle für meine spätere Gesundheit relevant sind, weiß ich bis heute nicht.

Erste Symptome: Im Alter von 25 Jahren hatte ich an einem Sonntagnachmittag - ich lümmelte auf der Rückbank eines Autos auf dem Weg nach Hause - ein seltsames Benommenheitsgefühl. Meine Gesichtsmuskeln waren taub und ich hatte das Gefühl, ich könne ein Bein nicht mehr bewegen. Es fühlte sich an, als würde ich jeden Moment umfallen, ich begann zu schwitzen. Dieses Gefühl hielt sich über Stunden. Im Krankenhaus brachten ein MRT und eine Lumbalpunktion kein Ergebnis, bzw. einen Verdacht auf eine Migräne mit Aura ohne Schmerzen. In den folgenden vier Jahren lebte ich weiterhin ein ganz normales Leben, mit dem Unterschied, dass ein bis zweimal im Jahr dieses Benommenheitsgefühl samt Begleiterscheinungen einsetzte und sich manchmal ein paar Stunden, manchmal ein paar Tage hielt. Ich wusste, mit meinem Körper läuft etwas komplett falsch, da ich aber im Krankenhaus schon einmal ohne Ergebnis durchgecheckt wurde, ging ich in dieser Zeit nicht mehr zum Arzt und verdrängte die Symptome, so gut es eben ging.

Chronisch: Im Alter von 30 Jahren begannen - mitten im Italienurlaub, drei Monate vor Geburt meiner Tochter und drei Tage nachdem ich aufgrund eines Knöchelbruchs 6 Wochen zuvor langsam meine Krücken wieder loswurde - die Kopfschmerzen. Die Schmerzen waren drückend, Kompressionsschmerzen, als würde etwas permanent vom unteren Kopfbereich in das Gehirn Richtung Nasenwurzel drücken. Morgens war ich schmerzfrei, abends nach Aktivität wurde es zunehmend schlimmer. Der Krankenhausaufenthalt direkt nach meiner Rückkehr aus dem Urlaub dauerte keine 18 Stunden. Das MRT war normal, die Lumbalpunktion war ohne Anzeichen einer Entzündung, ich wurde am nächsten Morgen mit einem „Kopfschmerz unklarer Genese" und einem Päckchen Ibuprofen nach Hause geschickt mit der Bitte, die Geschichte doch bitte bei niedergelassenen Neurologen abzuklären - denn etwas Gefährliches hätte ich nicht.

Die Ibuprofen waren genauso wie Aspirin oder Paracetamol völlig wirkungslos, was für mich wenig verwunderlich war: Ich hatte keine neuronalen Schmerzen, sondern einen kompressionsartigen Schmerz, als würde etwas in den Kopf drücken.

Pünktlich zu meinem Neurologentermin setzte das Benommenheitsgefühl, das ich aus den Vorjahren ja kannte, wieder ein und wurde ebenso chronisch. Mein Zustand war keine Sekunde auszuhalten. Die neue Diagnose nach zwei Besuchen beim Neurologen hieß dann „New Daily Persistent Headache". Der permanente Benommenheitsschwindel und die Verschlechterung bei Bewegung waren hierfür zwar völlig untypisch, konnten aber eben nicht weiter eingeordnet werden. Meine Therapie gegen diese Art von „Kopfschmerz" sollte sein: Ausdauersport, Antidepressiva und ein „Coach", also ein Psychotherapeut, der mich in meinem stressigen Leben unterstützen sollte. Bestätigt wurde diese Diagnose vom interdisziplinären Kopfschmerzzentrum einer Uniklinik, auch hier wurde mir versichert, ich hätte eine gute Prognose und müsse mich mehr anstrengen. Leider fruchtete die Therapie nicht: In Bewegung wurden meine Symptome unerträglich. Ich hatte mein Leben lang Ausdauersport getrieben, und es war mir daher auch nicht klar, warum Bewegungsmangel oder Ablenkung durch Sport zielführend für mein Beschwerdebild sein konnte. Meine Psychotherapeutin konnte offensichtlich wenig mit meinem Leiden anfangen. Den Therapieplatz bei ihr erhielt ich über gute Beziehungen, und ich ärgerte mich nach jedem Besuch doppelt - über meine Zeitverschwendung und darüber, dass ich offenbar anderen traumatisierten Kindern (wie ich sie im Wartezimmer kennengelernt hatte) den Therapieplatz wegnahm. Die Psychopharmaka hatten bei mir über Wochen und Monate überhaupt keinen Effekt - weder niedrig dosiert zur „Senkung der Schmerzschwelle" noch hochdosiert, um zunehmend depressiven Tendenzen entgegen zu wirken.

3 Monate nach Beginn der Chronifizierung wurde ich krankgeschrieben, weil ich immer weiter auseinander fiel. Zusätzlich zu den Symptomen bekam ich im Liegen ein permanentes Kribbeln in den Beinen, ich bekam anhaltende Verdauungsstörungen. Eine Elektromyografie beim Neurologen blieb ohne Befund, ebenso eine Darmspiegelung beim Gastroenterologen. Ich bekam trotz 12 Stunden täglichen Schlafs (hier wirkten die Antidepressiva) Augenringe und sah aus wie ein Gespenst. Zusätzlich wurde es zu diesem Zeitpunkt für mich immer offensichtlicher, dass die kompressionsartigen Schmerzen in der Nasenwurzel durch Kopfbewegungen triggerbar waren. Absolut ekelhaft.

Mein Hilfeschrei an meinen Hausarzt, mich endlich zielgerichtet zu diagnostizieren, wurde insofern missverstanden, als dass ich in einer psychosomatischen Klinik landete. Es war wie im falschen Film. Um mich herum wuselten lauter vor körperlicher Gesundheit nur so strotzende Menschen mit Problemen und Krankheitsbildern, die mir völlig fremd waren. Ich hatte keine innere Traurigkeit und wollte keine neuen Menschen kennenlernen, ich hatte genug wunderbare Freunde. Ich hatte keine Probleme mit meiner Ehefrau, denn ihr Verhalten in dieser schwierigen Zeit war selbstlos und großartig. Ich war nicht gestresst oder überfordert im Job, sondern ging auf in meinem Beruf. Und mir fielen auch bei langem Nachdenken, in Hypnose oder Meditation, keine Kindheitstraumata ein, die meinen Therapeuten irgendwelche Behandlungsansätze gegeben hätten. Nach 5 Wochen weiterer Verschlechterung wollte ich nur noch nach Hause. Eine erste Erkenntnis brachte der Klinikaufenthalt: Der Oberarzt hatte mich - stutzig geworden durch meine Beschreibung, dass ich die Symptome durch Bewegung des Kopfes triggere - auf ein Konzil in die orthopädische Klinik nebenan geschickt. Deren Befund „Verdacht auf Fehlstellung C1/C2", letztendlich dann niedergeschrieben im Entlassbericht durch einen Psychiater, ist bis heute (2 Jahre später) der intelligenteste Befund eines deutschen Kassenarztes.

Orthopädie: Mein Erstkontakt mit orthopädischen Kassenärzten lief so ab, dass mir ein Chiropraktiker 4 Monate nach Beginn der Chronifizierung in einem 5-Minuten-Kontakt C1/C2 einrenkte. Ich war fern der Heimat bei meinen Schwiegereltern zu Besuch, bettlägerig, nach der von mir verneinten Frage nach einem Unfall und Abtasten zweier schmerzhafter Druckpunkte in der Kieferregion wurde ich zweimal in den „Indianergriff" gepackt - knacks und knacks. Ich weiß bis heute nicht, ob ich die Behandlung verfluchen sollte: Ich war - völlig ohne das zu erwarten, also jegliche Placebo-Interpretation ist hier völlig abwegig - plötzlich symptomfrei und hatte somit nach 4 Monaten endlich einen Anhaltspunkt, wo die Ursache meiner Probleme liegen könnte. Leider kamen die Beschwerden zurück nach 3 Tagen, und zwar schlimmer!

Meine Kontakte mit Orthopäden wurden - im Rückblick - immer grotesker. Orthopäde Nummer 2 hielt Einrenken für Blödsinn, diagnostizierte eine Fasziendistorsion und strich mit seinem Daumen die Halswirbelsäule runter - ausschließlich links. Tyfaldos-Therapie nannte sich das Ganze. Wenn es mir helfen würde, sollte ich doch in einer Woche für die rechte Seite kommen. Die rechte Seite wäre dann leider keine Kassenleistung, sondern koste 40 Euro. Er ließ mich also „einseitig behandelt" zurück. Da es nichts half, war es aber nicht schlimm, dass es nur einseitig war.

Orthopäde Nummer 3 befand meine Halswirbelsäule nach 2 Röntgenaufnahmen für völlig in Ordnung. Orthopäde Nummer 4 überwies mich in ein MRT und verordnete aufgrund des Befunds (Steilstellung, leichte Skoliose, leichte Bandscheibenprotusionen) Physiotherapie. Der MRT-Befund würde aber meine Symptome nicht erklären. Es wurde wieder C1/C2 entblockt und die Symptomatik war wieder verschwunden, diesmal allerdings nur noch für ca. 24 Stunden.

Ein Besuch bei einem Atlastechniker - also einem Spezialisten für Atlaskorrekturen - wo die Muskulatur mit Mikroimpulsen aus einem speziellen Gerät aufgelockert wurde und dann C1 „verschoben" wurde, hatte den gleichen Effekt.

Bei Orthopäde Nummer 5 - diesmal ein Privatarzt mit Spezialisierung auf den craniocervikalen Übergang - gab es neben einer ausführlichen Anamnese ein CT und ein Röntgen in Funktion (von der Seite). Dass meine Symptome kurzfristig nach Manipulation an der Halswirbelsäule verschwanden, aber wiederkamen, wertete er als Instabilität. Über mehrere Monate verteilt gab es Impulse von Hand auf den Querfortsatz von C1 („Therapie nach Arlen"). Der Effekt war nach der ersten Behandlung, 6 Monate nach Beginn der Chronifizierung, ähnlich gut wie nach dem chiropraktischen Entblocken, allerdings nur für einen halben Tag. Seitdem merkte ich auch durch diese Therapie keinen Erfolg mehr.

Weitere Behandlungsansätze: Da der Schmerz und die Benommenheit aus dem unteren Kopfbereich kam, außerdem durch

Bewegungen der Halswirbelsäule triggerbar war, war für mich sonnenklar, dass hier die Wurzel des Problems lag. Ich lag aber chronisch krank zuhause, und aus allen Ecken und Enden prasselten sehr gut gemeinte Ratschläge und Behandlungsvorschläge auf mich ein, hauptsächlich von Ärzten aus dem Freundes- und Bekanntenkreis. Ich war insgesamt bei bestimmt über 50 Ärzten und Heilpraktikern, wo ich mich mit meinem Beschwerdebild vorstellte. Allen gemein war - obwohl natürlich kein Heilversprechen abgegeben werden könne - ein ungebändigter Optimismus, dass es mir mit der vorgeschlagenen Therapie besser gehen würde. Es würde zu weit führen, die Therapien im Einzelfall vorzustellen, daher nur ein kurzer Überblick: Zahlreiche Heilpraktiker sahen den Darm als Wurzel allen Übels, wahlweise die Übersäuerung, ich schluckte monatelang Nahrungsergänzungsmittel. Ich hatte aufgrund meiner zahlreichen Auslandsaufenthalte in Dritte-Welt-Ländern eine tiefergehende tropenmedizinische Diagnostik, außerdem eine Borreliosediagnostik nach ILADS. Ich hatte eine Diagnostik auf Schwermetallbelastung und zahlreiche Chelatinfusionen. Ich hatte zahlreiche Bioresonanztherapien, Behandlungen mit Elektroimpulsgeräten und Entgiftungskuren. Ich war bei Wunderheilern, Aurachirurgen, Hypnotiseuren und geistigen Aufrichtern. Eine Verbindung zu den Kopfgelenken hatten meine zahlreichen Osteopathie- und Physiotherapiesitzungen, außerdem das Gerätetraining zum Muskelaufbau an der Halswirbelsäule, aber anders als durch Chiropraktik zu Beginn, merkte ich hier keinerlei Veränderung. Ich war noch einmal 4 Wochen in einer orthopädischen Schmerzklinik, aber auch andere Schmerzmittel brachten keine Veränderung. Diese Benommenheit, mein Hirnschaden, blieb.

Ein Jahr nach Beginn der Chronifizierung hatte ich über zwei Tage eine intensive neurootologische Diagnostik, die massiv pathologisch war. Die Nystagmusreaktion meiner Augen war zwar vorhanden (das hatten ja auch Neurologen mit ihren Fingertests schon festgestellt), aber in Videonystagmographie waren die

Pupillenbewegungen bei Veränderung im Raum (z.B. Drehung, Kopfbewegung) völlig untypisch, bei Rechts- und Linksdrehung ungleich. Der Befund war reproduzierbar. Aus Interesse setzen wir auch meine (gesunde) Begleitung auf den Drehstuhl, der Befund war sauber und symmetrisch. Mit meinem Hirn stimmte etwas nicht. Erklärungen für meinen Nystagmus kann es viele geben. Wenn jedoch Erkrankungen der Augen, des Gleichgewichtssinns und neurologische Erkrankungen ausgeschlossen wurden, bleibt als mögliche Erklärung eine mechanische Störung des Hirnstamms. Aber in meinem MRT war doch alles in Ordnung? Oder?

Neurochirurgie: Da die konservative Therapie keinen Erfolg zeigte, stellte ich mich mit meinen Symptomen in der Neurochirurgie vor. Der erste Besuch dauerte keine 5 Minuten. „In der Neurochirurgie sind Sie falsch." Nach ein paar Monaten hatte mich mein Orthopäde in ein MRT der Kopfgelenke in Funktion gesteckt, in dem eine Instabilität und defekte Ligamente am craniocervikalen Übergang beschrieben waren, aber dieser Befund verwirrte den nächsten Neurochirurgen nur. „Aber Ihr Spinalkanal ist doch frei!"

Insgesamt stellte ich mich bei 5 Neurochirurgen vor, alle auf Empfehlung von irgendjemandem. Ein paar der Binsenweisheiten, an die ich mich aus dieser Zeit zurückerinnere, waren: „Wenn Sie instabil wären, wären Sie tot." und „An der oberen HWS operiere ich erst, wenn Sie mit dem Kopf unterm Arm kommen." Die Termine dauerten alle ca. 10 Minuten und endeten mit dem Ergebnis, dass kein neurochirurgisches Problem vorliege, sondern ein neurologisches (immer wenn ich in Begleitung kam) oder ein psychosomatisches (wenn ich meine Geschichte alleine erzählte). Bei den letzten Terminen hatte ich auch den neurootologischen Befund bereits dabei, der mich zwar vor psychosomatischen Schubladen bewahrte, aber sonst nur ein Schulterzucken hervorrief, denn „ich kann nur operieren, was ich in Bildern sehe".

Ein einziger Neurochirurg stellte nach einer längeren Anamnese fest, dass mein klinisches Bild perfekt zu einer Instabilität passe, wollte aber noch bessere Funktionsaufnahmen unter Belastung mit gehaltenem Kopf durchführen. Dazu kam es aber leider nie. Die Spitze des Eisbergs war der Kollege, der mir stolz erklärte, er hätte auch abgelehnt, Patienten zu operieren, die beim Ablegen der Halskrause bewusstlos umfallen. Er könne die psychiatrischen Fälle nicht von den wirklichen Problemfällen unterscheiden. Hier war für mich der Punkt erreicht, wo es offensichtlich nicht mehr rational zuging.

Zuspitzung: Als es mit meiner Gesundheit immer weiter bergab ging, änderte sich auch der Ton in der schmerztherapeutischen Betreuung. Als mich die Krankenkasse 14 Monate nach Beginn der Chronifizierung bat, mich mit der Bitte um medikamentöse Neueinstellung noch einmal in einer Uniklinik vorzustellen, erlebte ich mein blaues Wunder. Nach einem kurzen Psychologengespräch und einer kurzen Untersuchung durch einen Schmerztherapeuten wurde mir erklärt, dass ich körperlich völlig gesund sei und mein Schmerzempfinden nur eine psychische Störung sei. Dass meine Symptomatik sehr gut zur neurootologischen Diagnostik passt, interessierte nicht. Der Befund aus dem Funktions-MRT interessierte nicht. Dass in den zahlreichen Schmerzkliniken und Therapien bei niedergelassenen Psychotherapeuten bei den Kollegen, bei denen ich länger betreut wurde, niemand Anzeichen für eine tiefere psychische Störung gesehen hatte, interessierte nicht. Man versicherte mir, ich wirke völlig normal, konstruierte dann aber doch aus meiner Biografie wahllos ein „biosoziales Erklärungsmodell". Dies hatte zwar Comedyfaktor für meine Familie zum Lesen, hatte aber den gravierenden Effekt, dass mein Hausarzt mir mit diesem Befund („ist ja eine Uniklinik, sind ja schlaue Leute") die Unterstützung einstellte. Da der Befund aber auch sonst vor Fehlern nur so strotzte, schickte mich mein Hausarzt noch einmal in die Uniklinik, diesmal in Begleitung. Zu einem Gespräch kam es aber nicht, denn - in

Kurzfassung - wurde mir bestätigt, dass das Leugnen meiner Diagnose eine psychische Diagnose nur bestätige.

Dies war für lange, lange Zeit mein letzter Arztbesuch. Mir war klar, dass meine Suche nach Antworten bei deutschen Kassenärzten beendet war. Wenn ich als chronisch Kranker mit meinen Beschwerden weiterhin mit offenen Karten spielte, würde jedes Verhalten von mir diagnosebestätigend im Sinne einer Konversionsstörung ausgelegt werden können. Emotional war dieser Schock verkraftbar. Mein Körpergefühl war immer noch gut genug, zu wissen, wo das Problem lag. Ich hatte von Freunden und der Familie jede Unterstützung, die ich brauchte. Auch finanziell stand ich nicht vor dem Ruin. Ich lernte in dieser Zeit zahlreiche andere Schicksale mit ähnlichem Beschwerdebild kennen. Die Geschichten klangen alle ähnlich. Während ich einfach damit kämpfte, jeden Tag irgendwie zu überleben, standen andere durch wegbrechende Einnahmen zusätzlich vor den Scherben ihrer Existenz, ich erlebte die Suizide zweier Kämpfer, denen es einfach zu unerträglich geworden war.

Ich erlebte zahlreiche Patienten, die nach einem Auffahrunfall erwerbsunfähig wurden, und bei denen die Schäden an den Ligamenten erst Monate nach dem Unfall diagnostiziert wurden, vorher alle Symptome mit einer posttraumatischen Belastungsstörung erklärt wurden. In dieser Zeit änderte sich meine Einstellung zu Suizid (bzw. ich hatte vorher keine, ich war ein lebenslustiger Kerl, der sich nie Gedanken darum gemacht hatte): Warum sollten Patienten, die ihre Symptome als pure Quälerei empfinden und alle Therapien fehlgeschlagen haben, weiterhin leiden müssen? Das ist inhuman.

Mein Zustand war subjektiv für mich einfach nicht aushaltbar, die reinste Folter. Ich hatte (mit Ausnahme einer Stammzellentherapie für die Ligamente) jede Therapie ausprobiert. Ich hatte keine Diagnose, es suchte auch niemand danach, sondern verwies mich zum Psychotherapeuten. Aber auch alle Psychotherapeuten hatten keine

Erklärung für meinen Zustand und sagten mir ehrlich, dass sie nicht glauben, mir helfen zu können, und auch nicht wussten, was ich hätte tun können, damit sie mir helfen könnten. Ich wäre mit Ausnahme von Anzeichen einer sekundären Depression psychisch völlig gesund - Therapie wäre, die Ursache für die Depression zu beseitigen. Von Dummheiten abgehalten hat mich damals einzig und allein der Gedanke an meine Angehörigen und deren Umgang damit. Ich war zwar auch so zu nichts zu gebrauchen und terrorisierte zuhause alle mit meinen Symptomen, ich empfand es trotzdem noch eine Nummer härter, mit 31 Jahren Witwe und Halbwaise durch Suizid zurückzulassen. Trotzdem war für mich keine einzige Sekunde in diesem Hirnschaden auch nur ansatzweise okay, ich wusste, mein Durchhalten war eine Frage der Zeit und ich hätte mit jedem Patienten mit tödlicher Krankheit oder jedem Unfallopfer getauscht. Ich wollte leben, aber nicht um diesen Preis.

Diagnosen: Meine eigene Aktivität hatte sich bis ca. 15 Monate nach Beginn der Erkrankung auf verzweifelten Erfahrungsaustausch mit anderen Betroffenen und „Verlassen" auf Ärzte beschränkt. Ich hatte mich auf Ärzte verlassen, obwohl mir mein Bauchgefühl permanent sagte, dass hier etwas komplett schief läuft. Als ich irgendwann aus schierer Verzweiflung das erste Mal mit englischen Schlagwörtern in medizinischen Fachdatenbanken suchte, traute ich meinen Augen nicht. Die kommenden Wochen lernte ich. Ich lernte, dass es für die Diagnostik craniocervikaler/atlantoaxialer Instabilitäten eigentlich offizielle, auf internationalen Neurochirurgiekonferenzen verabschiedete Kriterien gibt, die auf Messungen in der Funktions-Bildgebung beruhen, die - das war im Abgleich mit meinen Befunden schnell klar - in Deutschland nie gemacht wurden (Wie auch - man war ja mit Fragen über meine Kindheit beschäftigt ...). Ich lernte, dass zur Diagnostik MRTs der Halswirbelsäule in Flexion/Extension, CTs in Rotation und idealerweise ein Bewegungsröntgen erforderlich sind - diese bildgebende Diagnostik hatte ich ebenfalls nie gehabt. Ich lernte, dass ein Unfall direkt

100

zu Symptombeginn zwar eine häufige Ursache der Instabilität sein kann, aber auch andere Komorbiditäten wie ein Ehlers Danlos Syndrom, ein Marfan Syndrom oder ein Down Syndrom denkbar sind.

In den USA und Spanien lernte ich bei insgesamt 4 Neurochirurgen „Medizin" kennen, wie man es sich als Laie naiverweise vorstellen würde. Ich hatte mit jedem eine mindestens zweistündige Erstanamnese, während welcher ich auseinander genommen wurde, wie ich es zuvor noch nicht erlebt hatte. Ich wurde in einer Tiefe nach der Symptomatik befragt, wie ich es nicht gewohnt war. Ich bekam zusätzlich zu meiner Bildgebung ein CT in Rotation, ein MRT in Flexion und Extension und ein Röntgen in Bewegung. Die Diagnosen am Ende waren bei jedem gleich: deutliche atlantoaxiale Instabilität, leichte craniocervikale Instabilität und subaxiale Instabilität C2-C5. Die OP-Indikationen waren bei jedem anders, zum einen in Bezug auf die Fusionstechnik und zum anderen in Bezug auf die einzuschließenden Segmente. Die Optionen wurden ausgiebig diskutiert, mir wurde angeboten, mich mit Patienten mit ähnlicher Symptomatik über ein Leben nach der OP auszutauschen, und zwar ausdrücklich mit solchen, die von der Operation profitierten, als auch mit solchen, die sie bereuen. Das Wissen über mögliche Komorbiditäten und Wechselwirkungen war beeindruckend. Mir wurde hier auch nicht schnell eine Operation verkauft, sondern ich wurde teilweise zu deutschen Neurochirurgiekollegen zurücküberwiesen, die von internationalen Konferenzen bekannt waren. Ich war aber soweit bedient, dass ich nach dem Trip an die US-Ostküste keine Neurochirurgen in Deutschland mehr aufsuchte. Nach meinen bisherigen Erfahrungen erwartete ich, dass man - anstatt sich die Mühe machen würde, die Befunde (seitenlange Ausführungen, statt den deutschen Einseitern) zu lesen - sich über die Tatsache amüsieren würde, dass ich in die USA geflogen war. Meine Ehlers-Danlos-Syndrom-Diagnose erhielt ich parallel in Deutschland. Ich war keiner der typischen Patienten, die am ganzen Körper auseinanderfallen, die Probleme beschränkten sich bei mir tatsächlich auf die Halswirbelsäule.

Bin ich optimistisch, dass Geschichten wie meine zukünftig seltener werden? Nein, lediglich zynisch. Ich habe nicht den Eindruck, dass sich die medizinische Versorgung für chronische Multisystemerkrankungen dieser Art in Deutschland verbessern wird. Ein Problem ist schlicht und einfach die Ärzteausbildung und damit die Kompetenz. Solange Radiologen bei MRT-Aufnahmen der Halswirbelsäule auf Bandscheibenvorfälle C2 abwärts fixiert sind und gar nicht wissen, welche Anatomien im craniocervikalen Übergang nach internationalen Kriterien pathologisch sind, wird in diesem Bereich außer offensichtlichen Myelopathien und Frakturen auch nichts diagnostiziert.

Ein weiterer wesentlicher Treiber hierfür ist sicherlich eine Krankenhausversorgung, die mit diagnoseabhängigen Fallpauschalen vergütet wird. Und zur Diagnose eines „Kopfschmerzes unklarer Genese" ist es eben effizienter, im Notfall-MRT eine Thrombose auszuschließen und die weitere Diagnostik niedergelassenen Ärzten zu überlassen, anstatt Funktionsaufnahmen der Halswirbelsäule anzufertigen.

Ein weiterer „Genickbruch" für seltene Krankheiten allgemein ist sicherlich ein Wandel in der Stigmatisierung psychischer Krankheiten. Ein Blick in Instagram und Twitter reicht, wie selbstbewusst heute jeder seine Angststörung oder Depression vor sich her trägt, und wie Menschen, die sich für ihre mentale Gesundheit eine Woche frei nehmen, gefeiert werden. Überall ist zu lesen, dass psychische Krankheiten zunehmen. Ob das auch noch so ist, wenn somatische Erkrankungen oder Modewellen rausgerechnet werden, wage ich zu bezweifeln. Und da es ja keine Schande ist, ist die Depression eben schneller diskutiert, als einmal das korrekte Röntgenbild recherchiert. Menschen mit psychosomatischen Erkrankungen soll und muss geholfen werden. Leider schlägt das Pendel aktuell in die falsche Richtung. Ich habe in den vergangenen Jahren hunderte Krankheitsverläufe kennengelernt, bei welchen die eigentliche Diagnose erst nach Jahren erfolgte. Die Label hießen vorher Konversionsstörung, Münchhausen, Hypochonder, Depression und Angststörung. Die andere Variante - die durch das therapierte Kindheitstrauma verschwundenen Kopfschmerzen - sind mir aus Patientenerzählungen vielleicht zwei Mal begegnet. Ansonsten liest man diese Geschichten nur in Lehrbüchern von Psychoanalytikern, die ja auch eine Rechtfertigung für ihr Dasein brauchen. Dieses Bild ist natürlich subjektiv, aber ein Erklärungsansatz. Auch aus Sicht des Arztes ist die schnelle Falldiagnose ja vollkommen verständlich. In der Mehrzahl sind Ärzte ja dank Nummerus Clausus die 0,8er bis 1,0er Abiturienten aus dem Gymnasium. Und jeder, der sich an seine eigene Schulzeit zurück erinnert, weiß ja noch genau, dass diese 1,0er Abiturienten meistens nicht die sozial kompetenten Stammtischkollegen mit Humor und Einfühlvermögen waren. Und wenn diese analytischen „Fachidioten" dann in ihren Schulungen eingetrichtert bekommen, dass Menschen hauptsächlich aus Einsamkeit, Langeweile oder Beziehungsproblemen zum Arzt gehen, dann fallen wir eben durchs Raster.

Hauptproblem bleibt wohl auch unsere ärztliche Spezialisierung nach Fachbereichen. Wenn Irritationen am craniocervikalen Übergang zu Störungen im neurologischen, kardiologischen, gastroenterologischen und orthopädischen Bereich führen, landet der Patient unweigerlich bei den verschiedensten Fachärzten und verlässt diese mit wenigen Informationen oder aber nicht erklärbarem Befund. Dass der gemeine deutsche Hausarzt damit überfordert ist, die Einzelthemen zusammenzuführen, liegt auf der Hand.

Über die Verquickung anderer Interessen (als dem Patientenwohl) will ich hier nicht nachdenken, das hat verschwörungstheoretische Züge. Mein Krankheitsbild ist ähnlich dem eines

Distorsionstraumas der Halswirbelsäule, und über das Für und Wider der Existenz eines „Schleudertraumas" ist viel geschrieben worden. Ich kann dazu wenig beitragen, da man mir ohne fremdverschuldeten Unfall keine Begehrensneurosen vorwerfen kann. Aber: Ja, das Krankheitsbild gibt es, es ist somatisch und real. Inwieweit Versicherungsinteressen mit verantwortlich dafür sind, dass in Deutschland craniocervikale/atlantoaxiale Instabilitäten nicht diagnostiziert werden, das kann ich nicht einschätzen. Auffällig ist der Unterschied zu den USA, wo ja bekanntlich der Anwalt schneller mit einer Klage wedelt. Leider ist es mir auch nicht zu Ohren gekommen, dass jemand an diesen Problemstellungen forscht. Das Thema ist kompliziert und unsexy, es langweilt. Und solange die Erkrankung überhaupt nicht als Problem anerkannt ist, besteht auch logischerweise kein Anspruch, an Therapien zu forschen. Die „Googlesuche" zur Medizin der Zukunft liefert Sex- und Handysucht, das scheinen unsere Hauptprobleme zu sein. Dies alles soll kein Ärztebashing sein, ich habe auch hier viele großartige Menschen kennengelernt. Es soll ein kleiner Einblick in eine Problematik sein, die sich für manche leider zur Hölle entwickeln kann.

Wie geht es bei mir weiter? Die Entscheidung zur Operation fiel sehr schnell, aus der rationalen Situation heraus, dass mein Zustand keine Sekunde tolerierbar war und mich mittelfristig sehr sicher in den Suizid getrieben hätte. Die Prognosen einer Operation sind bei mir leider durchwachsen. Gute Heilungschancen haben diejenigen Patienten, bei denen die Schmerzen bei Bewegung der Halswirbelsäule überwiegen. Wenn - wie bei mir - schon ein Hirnschaden vorliegt, wird es schwierig - was die Reversibilität von Hirnstammkompressionen angeht, ist sich die Wissenschaft nicht wirklich einig. Es kann also sein, dass meine Geschichte ein Happy End hat, es kann genauso gut sein, dass ich bei der Operation drauf gehe, es kann ebenfalls gut sein, dass mein Zustand im Anschluss genauso unerträglich ist, wie jetzt. In diesem Fall habe ich es aber dann zumindest versucht, also werde ich den Schritt wohl kaum bereuen. In der

Außendarstellung kann ich nicht gewinnen. Im Erfolgsfall wird das Ganze als Placebo gewertet. Und falls es mir weiterhin so schlecht geht, dass ich mich trotzdem verabschieden werde, wird wohl die Operation der Grund sein - in Wahrheit ist mein Zustand aber schon jetzt nicht mehr ansatzweise lebenswert. Man erkennt: Den Anspruch, Recht zu haben, muss man mit dieser Erkrankung ziemlich schnell über Bord werfen.

Ich habe mich bemüht, nochmal möglichst viel Zeit mit Familie und Freunden zu verbringen, und kann mittlerweile absolut damit leben, wenn es daneben geht. See you on the other side.

Florian B. (✝)

5. Diagnose: instabiles Genickgelenk

Mein Name ist Patricia. Ich möchte meiner Geschichte zunächst einige Informationen zu meiner Person, meinen beruflichen, privaten und medizinischen Hintergründen voranstellen.

Ich bin 44 Jahre alt, verheiratet und arbeite Vollzeit in der öffentlichen Verwaltung. Meine erste Ausbildung zur Kauffrau im Einzelhandel habe ich Mitte der 1990er Jahre im Lebensmittelhandel absolviert und wechselte im Anschluss daran in den Textilhandel. Im Jahr 2006 entschied ich, mich freiwillig als Zeitsoldatin für 8 Jahre zu verpflichten. Von 2012-2014 dann - im Rahmen der Wiedereingliederung in das zivile Berufsleben - begann ich die Laufbahnausbildung für die mittlere Beamtenlaufbahn.

Bis zum Jahr 2015 war ich regelmäßig und leidenschaftlich joggen, habe außerdem Karate und Wing Tsun trainiert und dort auch meinen Mann kennengelernt, mit dem ich jetzt schon 20 Jahre glücklich verheiratet bin. Das Karate habe ich mit Beginn meiner ersten Ausbildung aufgegeben. Die Arbeit im Lebensmittelhandel war für mich körperlich sehr anstrengend, ich hatte nicht die Energie für beides. Mit Wechsel in den Textilhandel fing ich mit Wing Tsun an, eine chinesische Kampfkunst. Etwa 2004 hörte ich aber auch damit auf, da mir irgendwie nicht mehr nach „hauen und schlagen" war.

Im Laufe meines Lebens hat sich der eine oder andere Unfall, die eine oder andere Operation angesammelt, wie bei so vielen anderen Menschen auch. Ganz normal. Das Leben hinterlässt eben seine Spuren. Als Kind vollführte ich einen Sturz von der Leiter, sowie einen beim Fahrradfahren, und auch beim Kampfsport gab es den ein oder anderen Tritt an den Hals. Im Jahr 2004 erlitt ich einen Treppensturz in einem Freizeitbad. Es war dunkel und auf einmal trat ich ins Leere. Mein linkes Knie war aufgeschlagen und mein Fuß hatte eine

Risswunde. Zum Glück nichts gebrochen. Ebenfalls 2004 stürzte ich beim Inlineskaten auf den Allerwertesten und brach mir dabei den rechten Zeigefinger. 2008 wurde ich als Fußgängerin von einem Radfahrer angefahren und nach vorn geschleudert. Dazu kommen diverse HNO-Operationen in der Zeit von 1995 bis 2013, vor allem, weil meine Nase immer wieder „dicht" war und verschiedene Eingriffe im Unterleibsbereich in den Jahren 2008 bis 2018, zum größten Teil bedingt durch die Kinderwunschbehandlung, mit der wir versuchten, unseren Kinderwunsch zu erfüllen.

Nach meinem Sturz im Jahr 2008 war ich - wie 2004 auch - beim Arzt. In diesem Fall zur Truppenärztin, da ich noch Soldatin war und damit keine freie Arztwahl hatte. Mein linker Arm war durch den Sturz leicht verletzt und wurde geröntgt. Zum Glück war nichts gebrochen, aber einen Tag nach dem Sturz bekam ich heftige Nackenschmerzen und ich suchte die Truppenärztin erneut auf. Dort wurde ich überhaupt nicht ernst genommen. Der Unfall passierte kurz nach meiner zweiten Fehlgeburt. Vermutlich hielt die Militärärztin mich aufgrund dessen wohl für hysterisch oder so. Jedenfalls schob sie mir nur zwei einzelne Tabletten rüber, und damit war ich für sie erledigt. Meine Bitte nach Physiotherapie wurde von ihr abgelehnt. Was das für Tabletten waren, weiß ich nicht, es kam keine Erklärung seitens der Ärztin dazu, und der Name der Medikamente war auf den Einzelstücken nicht zu lesen, so dass ich sie umgehend entsorgt habe. Die Physiotherapie habe ich dann auf eigene Kosten wahrgenommen. Sie hat mir geholfen und die Schmerzen verschwanden. Der Arzt, der später ein Upright-MRT bei mir durchführte, sagte mir, dass ich nach diesem Unfall in die Notaufnahme gehört hätte und dass das sehr viele Ärzte falsch machen. Ob das allerdings die Entwicklung meiner gesundheitlichen Beschwerden verhindert hätte, weiß ich nicht.

Nun zu meiner Geschichte. Ich schreibe sie anonym, um mich vor möglichen beruflichen Nachteilen zu schützen. Es ist gar nicht so leicht für mich herauszufinden, womit es anfing, wann dieser schleichende Prozess begann. Denn genau das ist es, ein schleichender Prozess, der harmlos beginnt und irgendwann so geballt zuschlägt, dass ich mich mit dem Rücken zur Wand gedrängt fühle - von meinen vielen Symptomen, einzelnen Erkrankungen und dem, was die landläufige Schulmedizin daraus macht.

Im März 2012, im Alter von 37 Jahren, war ich zur Blutuntersuchung bei meinem Gynäkologen, da ich innerhalb meines Zyklus Veränderungen feststellte. Ergebnis: alles altersentsprechend ok. Nun ja, sicherlich hat die 3,5 jährige, leider erfolglose Kinderwunschbehandlung mit all ihren Medikamenten und Eingriffen, drei Operationen in dieser Zeit, auch ihre Spuren in meinem Körper hinterlassen. Ich habe es so akzeptiert, denn schließlich ändern sich bekanntlich der Körper und seine Abläufe, wenn er älter wird.

Im gleichen Jahr, ich war zu dem Zeitpunkt noch Zeitsoldatin, suchte ich die Truppenärztin auf, weil ich Probleme mit dem Stuhlgang bekam, sprich Verstopfung. Das war völlig neu für mich, die ich bisher wirklich keinerlei Probleme auf diesem „Gebiet" hatte. Dieser Zustand hält leider bis heute an und belastet mich extrem, da er wirklich sehr resistent gegen alle natürlichen Mittel ist und chemische lehne ich bis auf ein Präparat, das nur im Enddarm wirkt, kategorisch ab. Dieses wende ich auch nur äußerst sporadisch an, wenn der Druck zu groß wird. Eine durchgeführte Darmspiegelung war ohne pathologischen Befund, alles in Ordnung. Jedenfalls der Rat der Truppenärztin: „Ich solle mit einer Zeitung o. ä. zur Toilette gehen. Ich hätte halt Reizdarm, da sie ja meine Vorgeschichte mit der Kinderwunschbehandlung kannte und der Auffassung war, dass mein Problem stressbedingt sei.

Im Oktober 2012 begann ich mit meiner Wiedereingliederung in das zivile Berufsleben, in meinem Fall bedeutete dies, die zweijährige Ausbildung für die mittlere Beamtenlaufbahn, ein neuer

Berufsweg für mich. Die Ausbildung ist fordernd, ich kniete mich richtig rein, mit dem Ziel Lehrgangsbeste zu werden. Schon bald bemerkte ich weitere Verdauungsbeschwerden. Ich vertrug plötzlich kein Vollkornbrot mehr und hatte immer öfter Blähungen. Auch ohne ärztliche Bestätigung wusste ich, dass mein Körper mit Laktose auf Kriegsfuß steht, aber das konnte nicht der Grund für die immer massiver werdenden Beschwerden sein. Echt ein Problem, wenn man nicht weiß, wohin mit der Druckluft, so den ganzen Tag in der Schule bzw. im Büro. Ich habe versucht die Problematik mittels Ernährung zu umschiffen, und ansonsten es zu ignorieren. War doch bestimmt nur stressbedingt, und wenn man körperlichen Beschwerden zu viel Aufmerksamkeit schenkt, wird´s nur schlimmer, gerade weil man so viel darüber nachdenkt. So mein Gedanke und meine Hoffnung. Also blendete ich meine körperlichen Beschwerden aus und powerte weiter. Hauptsache in den Phasen der theoretischen Ausbildung nicht fehlen, den Anschluss nicht verlieren. Die Menge an Unterrichtsstoff war enorm. Dafür war ich dann während den Praktika auch mal krank.

Stück für Stück kamen immer mehr Diagnosen dazu. Zum Beispiel im Jahr 2013 eine Schlaf-Apnoe. Ich habe während des Schlafes Atemaussetzer. Vom HNO-Arzt bekam ich eine Protrusionsschiene verordnet, da die Schlaf-Apnoe bei mir zum Glück nicht so ausgeprägt ist. Im September 2014 schloss ich die Laufbahnausbildung erfolgreich als Lehrgangsbeste ab und trat daraufhin meinen Dienst in einer selbstgewählten Behörde an. Ein kleiner Bereich, mit einer Vorgesetzten, die mich von Anfang an nicht mochte, und einer Kollegin, die sich sehr gut mit derselbigen verstand und alles was sie hörte, sah... an diese weitertrug. Ein sehr unangenehmes Arbeitsklima! Nach Ausbildungsende bemerkte ich endlich, weil ja Ruhe einkehrte, wie erschöpft ich bin. Aber ich konnte mich damals noch recht gut davon erholen. Die Verdauungsbeschwerden blieben allerdings.

Nun konnten wir uns auch endlich den Traum von einem eigenen Haus verwirklichen, das wir Mai 2015 bezogen. Es ist eine Bestandsimmobilie auf dem Land, die wir noch bis heute und auch noch einige Zeit in der Zukunft sanieren, immer Stück für Stück in Eigenleistung. Dafür war der Kaufpreis günstig mit einem großen Grundstück, so wie wir es uns vorgestellt haben. In der Nähe einer Großstadt bzw. direkt in der Großstadt wäre so etwas kaum zu finden und außerdem absolut unbezahlbar für „Normalsterbliche" wie meinen Mann und mich. Vorher wohnten wir auf 56 qm, nun sind es ca. 130 + Grundstück. Deutlich mehr zu tun und vielleicht hat die ungewohnte teils schwere Arbeit auch dazu beigetragen, dass meine Energiereserven rasant bergab gingen.

Meine Verdauungsbeschwerden wurden schlimmer und schlimmer, schließlich hatte ich das Gefühl, nichts mehr essen zu können, ohne davon Blähungen zu bekommen, die ich nicht ablassen konnte, selbst wenn die Möglichkeit dazu bestand und deshalb Druckschmerzen entstanden. Aus diesem Grund ließ ich zwei Atemtests durchführen, um eventuelle Nahrungsmittelunverträglichkeiten festzustellen. Bestätigt wurde dann eine massive Laktoseunverträglichkeit sowie Fruchtzuckerunverträglichkeit. Laktose ist ja heutzutage kein Problem mehr, es gibt zahlreiche Austauschmöglichkeiten. Die Fruchtzuckerunverträglichkeit empfand ich als Supergau. Was soll ich essen? Wie fange ich an, herauszufinden, wie viel Fruchtzucker ich überhaupt noch vertrage? Wo liegt mein persönlicher Level? Im Internet gibt es reichlich Tipps, trotzdem fühlte ich mich allein gelassen. Die Ärzte kennen sich mit Ernährungsberatung bei dieser Diagnose nicht aus. Externe Ernährungsberatung wird allenfalls auf Kulanz von der Krankenkasse getragen, von der Beihilfe gar nicht. Ich war nur noch mit Reis, hellem Mischbrot, Zwieback, Frischkäse, Scheibenkäse unterwegs. Viel zu einseitig und nährstoffarm.

Im September 2015 suchte ich meine damalige Hausärztin auf, weil ich ständig ein Kloßgefühl im Hals hatte. Sie schickte mich zum HNO-Arzt, dieser schickte mich zum Orthopäden, Neurologen und zur Schilddrüsen-Sonografie. Außer einem Zufallsbefund in Form eines Mikroprolaktinoms und einem etwas größeren Knoten im rechten Schilddrüsenlappen, was beides nicht Auslöser meines Symptoms war, war keine Ursache für das ständige und nervige Kloßgefühl zu finden. Zudem muss ich mich nach jedem Essen minutenlang räuspern, immer sehr langsam essen, gründlich kauen und beim Essen nicht reden, da ich mich sonst verschlucke und Gefahr laufe, Nahrungsbestandteile in die Atemwege einzuatmen. Das Mikroprolaktinom sitzt im Gehirn an der Hypophyse, die auch den hormonellen Haushalt steuert. Mein Hormonwert Prolaktin ist deshalb abwechselnd zu hoch, dann wieder normal. Mittlerweile kam ich mir wie ein Hypochonder vor, und man wollte mir einreden, das sei alles psychosomatisch. Darüber hinaus entwickelten sich heftige Unterleibsschmerzen, die sich zeitlich getrennt von Mittelschmerz und Regelschmerzen zeigten. Wie bei den Menstruationsbeschwerden konnte ich auch diese meist nicht ohne Schmerzmittel überstehen. Ohne Tabletten hatte ich jedes Mal das dringende Bedürfnis mich hinzulegen. So schwach fühlte ich mich. Und selbst mit Medikamenten hätte ich mich immer noch am liebsten zurückgezogen, um mich auszuruhen. So verbrachte ich praktisch meinen ganzen Zyklus mit Schmerzen und zwar jeden Zyklus, von etwa 2015 bis 2018.

Ich blieb standhaft, ließ mir nichts Psychisches einreden. Von einer Freundin bekam ich den Tipp mit einem Hamburger Krankenhaus. Da ich Privatpatientin bin, konnte ich direkt Kontakt zum Krankenhaus aufnehmen, ohne einen Arzt von einer Überweisung überzeugen zu müssen. So verbrachte ich dann 2016 fünf Tage auf Station, um meinen Verdauungsproblemen und dem Kloßgefühl auf den Grund zu gehen.

Die Woche im Krankenhaus war echt die Hölle, wenn auch selbst gewählt. Jeden Tag Untersuchungen, die es erforderten nüchtern zu bleiben. Da man als Patient im Krankenhaus nie weiß, wann man denn endlich zur Untersuchung dran ist, hieß das stundenlang nüchtern bleiben. Eine echte Zumutung und Tortur. Und ich kann auch so viel sagen, es gibt richtig peinliche Untersuchungen! Die überspielt man am besten mit etwas schwarzem Humor. Als wirklich sehr schlimm und belastend habe ich die Druckmessung in der Speiseröhre empfunden. Einen „dünnen" Schlauch definiere ich anders. Und dann wurde ich auch noch böse und verständnislos angesehen, wenn ich extrem gereizt war. Ich bin 1,65 m groß und bei Klinikantritt wog ich 53 Kg. Verlassen habe ich es mit 50 Kg und völlig entkräftet. Einen grippalen Infekt mit erhöhter Temperatur und extremen Schlafmangel gab es gratis dazu. Es war sehr heiß zu dem Zeitpunkt meines Krankenhausaufenthaltes, ich hatte Zimmergenossinnen, die nachts schnarchten, und am Hamburger Flughafen fanden gerade Baumaßnahmen statt, die es erforderten, dass die Flugzeuge einen veränderten Anflug vornehmen mussten. Deshalb lag das Krankenhaus in dieser Phase genau in der Einflugschneise. An nächtlichen Schlaf war also nicht zu denken. Ich hatte über einen Monat zu tun, das verlorene Gewicht wieder drauf zu kriegen. Ergebnis der Woche: Magen in Ordnung, ein komplikationsloser Gallenstein, Stuhlentleerungsstörung mit paradoxem Pressen und eine hypotensive Motilitätsstörung des Ösophagus. Ach ja und eine Anpassungsstörung. Wenn man die ganze Woche am Hungern ist und unter akutem Schlafmangel leidet, kann man schon mal psychisch angegriffen sein.

„Paradoxes Pressen" meint, dass sich mein Schließmuskel beim Stuhlgang nicht entspannt, sondern abkneift und ich deshalb große Schwierigkeiten habe, die Stoffwechselendprodukte los zu werden. Mit der hypotensiven Motilitätsstörung des Ösophagus ist eine Schluckstörung gemeint. Daher auch das ständige Kloßgefühl, das Räuspern, Verschlucken. Es ist nicht behandelbar, da die

Schluckstörung bei mir im unbewussten, nicht steuerbaren Teil der Speiseröhre liegt. Heißt, der unbewusst gesteuerte Teil der Speiseröhre übt nicht mehr genug Druck aus, um das Essen hinunter zu schlucken. Mir wurde erklärt, dass es sich hierbei um ein organisches Problem handelt, dass sehr viele Menschen haben. Stress ist nicht der Auslöser, kann die Problematik aber verstärken. Den Grund kennen die Ärzte noch nicht, sie forschen noch daran. Ansonsten wurde noch ein gravierend niedriger Ferritinwert (Eisenspeicherwert) festgestellt, der mit Eisenpräparaten behandelt wurde. Ich vertrage die Eisentabletten nicht besonders gut, weshalb ich sie nicht sehr lange genommen habe. Mir wird davon sehr übel und zwar nicht nur kurz nach der Einnahme, sondern dauerhaft und meine Verstopfungen verschlimmern sich davon. Mittlerweile ist mein Eisenspeicherwert wieder in Ordnung. Ich esse mehr Fleisch. Auf pflanzliche Eisenlieferanten, dem sogenannten Kräuterblut, kann ich wegen der Fruchtzuckerunverträglichkeit nicht zurück greifen.

In all den Jahren war ich auch immer wieder in physiotherapeutischer Behandlung, weil ich wiederholt unter Verspannungen im Schulter- / Nackenbereich litt. Anfangs half die Manuelle Therapie auch noch . Aber irgendwann war leider Schluss damit, so dass ich die Physiotherapie weg ließ. Sie brachte einfach nichts mehr.

2016 war auch das Jahr, in dem ich meinen bisherigen Dienstposten verließ und an einen anderen Standort mit neuem Aufgabengebiet wechselte, das mir aber dann doch zu technisch war, weshalb ich 2018 innerhalb des Standortes einen neuen Dienstposten antrat

Irgendwann zwischen 2015 und 2016 begann ich vermehrt, mich körperlich erschöpft zu fühlen. Ich war früher regelmäßig mehrmals die Woche joggen. Das mache ich heute gar nicht mehr, denn ich fing an mich danach regelrecht krank zu fühlen. Wie bei einem grippalen Infekt. Anfangs dachte ich, dass vor dem Joggen bei mir wohl ein

Infekt im Kommen war, legte eine Sportpause ein, versuchte es erneut, aber das Ergebnis war das Gleiche. In sporadischen Abständen versuchte ich immer wieder mal zu joggen, aber wieder diese Krankheitssymptome. Meine Versuche wurden immer seltener und irgendwann ließ ich es schweren Herzens ganz. Jedes Mal wenn ich in der Schublade meinen Sport-MP3-Player sehe, bin ich traurig, dass ich nicht mehr Laufen kann. Es ist so ein tolles Gefühl, währenddessen konnte ich gut abschalten, den Alltag loslassen und hinterher fühlte ich mich immer so leicht, körperlich wie mental.

Obwohl ein Arzt der Myom- Sprechstunde, die ich wegen der Unterleibsschmerzen 2017 aufsuchte, mir empfahl, den Darm abklären zu lassen, unterzog ich mich 2018 nochmal einer Bauchspiegelung in der Frauenklinik meiner Heimatstadt, weil ich die Unterleibsschmerzen nicht mehr aushielt. Ergebnis: nichts, keine Verwachsungen oder Endometriose, die die Schmerzen erklären könnten. Das ist ja an sich ein positives Ergebnis, aber in dem Moment nicht die Lösung für mich. In dieser Zeit stieß ich in der Zeitung auf eine Annonce einer Heilpraktikerin, die ich sehr ansprechend fand. Sie verordnete mir Mittel zur Darmsanierung mit anschließendem Aufbau der Darmflora. Das hat mir sehr geholfen, meine Blähungen gingen deutlich zurück, nur meine Neigung zur Verstopfung blieb. Ich war/bin in der Lage, wieder etwas mehr Obst und Gemüse zu essen. Vollkorn und generell Ballaststoffe sind immer noch ein Problem, und ich kann sie nur in sehr geringen Mengen verzehren. Außerdem war sie der Auffassung, dass ich unter einem Progesteronmangel leiden würde. Ich suchte also meinen Frauenarzt auf, um einen entsprechenden Bluttest durchführen zu lassen. Er zeigte einen massiven Mangel an Progesteron. Auch mein Frauenarzt riet mir daraufhin zur Einnahme von Progesteron. Der Einnahme von künstlichen Hormonen stand ich bisher immer sehr kritisch gegenüber, wegen der Krebsgefahr. Aber er überzeugte mich, dass bei meiner geringen Dosierung von 200 mg Progesteron täglich keine Krebsgefahr bestehe. Was soll ich sagen, ich bin glücklich darüber, dass ich mich habe überzeugen lassen. Denn ich bin seitdem endlich komplett schmerzfrei. Nach 30 Jahren Schmerzen welcher Art auch immer während des Zyklus. Begründung meines Arztes: auch wenn bei der Bauchspiegelung keine Endometriose gefunden wurde, kann es doch so leicht ausgeprägte Herde geben, die mikroskopisch nicht auffindbar sind.

Im Sommer 2018 stellte ich auf einmal ein Klingeln in meinem linken Ohr fest: Tinnitus. Der auch geblieben ist. Daraufhin habe ich mich näher mit dem Thema beschäftigt und stellte fest, dass ich ja schon viel länger unter Tinnitus leide, als ich dachte. Schon lange habe ich ein beständiges Rauschen in beiden Ohren. Wie lange, weiß ich schon gar nicht mehr. Und auch dieses zählt zu Tinnitus, ausgelöst durch zu niedrigen Blutdruck, den ich immer habe. Ich fragte meine HNO-Ärztin auch nach der Ursache für ständig juckende Ohren. Nach einem schnellen Blick in mein linkes Ohr sagte sie, ich hätte zu wenig Ohrenschmalz, meine Haut da drinnen sei dadurch zu trocken, was den Juckreiz verursacht. Ich solle mir regelmäßig Öl ins Ohr träufeln. Das habe ich natürlich auch gemacht, aber geholfen hat es mir nicht wirklich. Mittlerweile lasse ich das Ölen wieder weg. Denn die Ursache liegt, wie ich jetzt weiß, ganz woanders.

Den häufig auftretenden Phantomgeruch, den ich wahrnehme, habe ich bei keinem Arzt bisher angesprochen. Dieser ist auch extrem belastend für mich. Weil ich immer den gleichen wahrnehme: Zigarettenrauch. Und den hasse ich wie die Pest. Und auch den Schwindel habe ich nie untersuchen lassen, weil mir klar war, das wird wieder die Suche nach der Nadel im Heuhaufen, genau wie bei der Ursachenforschung für das Kloßgefühl im Hals. Und ich hatte genug von dem „Arzt-Tourismus".

Aufgrund des im Jahr 2015 gefundenen Knotens, ließ ich meine Schilddrüse regelmäßig überprüfen. Bis dato immer alles in Ordnung. März 2018 verschlechterten sich die Werte auffällig, so dass ich zu einer Schilddrüsenszintigraphie und einer Suppressionsszintigraphie geschickt wurde. Bei der normalen Schilddrüsenszintigraphie wird ein Kontrastmittel in die Vene injiziert und die Schilddrüse quasi „geröntgt". Bei der Suppressionsszintigraphie muss man einige Zeit vorher ein Schilddrüsenmedikament nehmen, das die Funktion der Schilddrüse herunterfährt. Nur so kann der Arzt dann feststellen, ob ein Patient einen sogenannten heißen Knoten hat, der völlig eigenständig und unbeeinflusst von Schilddrüse und Hypophyse Schilddrüsenhormone produziert. Bei mir war das Ergebnis positiv, ich hatte einen heißen Knoten und somit zusammen mit der normalen Hormonproduktion der Schilddrüse zu viele Hormone im Körper. Nun hieß es für mich, kein Koffein, Hitze und jodreiche Lebensmittel meiden. Das hat mir aber erst ein Arzt in Ägypten (Reise dorthin im Sommer 2018) erklärt. Hier in Deutschland hat mich kein Arzt darauf hin gewiesen. Dies treibt die Schilddrüsenüberfunktion noch an. Nun ja, Koffein und auch Alkohol habe ich noch nie gut vertragen, Fisch und auch Kiwi z. B., darauf ließ sich gut achten. Das mit der Hitze war 2018 ein Problem. Ich blieb fast nur drinnen.

Von Mai bis November war ich, bis auf meine Urlaubsreise nach Ägypten, durchgehend krankgeschrieben, ich war total erschöpft, alle Energiezellen leer. Ich schwitze und friere häufig gleichzeitig, mein Blutdruck ist ständig zu niedrig, meine Augen sind oft gerötet und trocken, ich bin insgesamt leicht reizbar und unausgeglichen, ich habe Gleichgewichtsstörungen in Form von Schwindel, Stolper- und Anstoßneigung, Magenschmerzen nach dem Essen von Obst, Probleme bei der Eiweißverdauung, bei Hitze bin ich schnell schlapp und erschöpft, weshalb ich mich dann verstärkt drinnen aufhalte, nach dem Essen bin ich zumeist sehr müde, leide oft unter Schmerzen im Hinterkopf kurz über dem Nacken, beiße mir häufig auf die Zunge oder in die Wange beim Essen, ich habe seit vielen Jahren Pollenallergie, meine Ohren jucken und ich leide unter massiven Konzentrationsproblemen. Es fühlt sich an wie Nebel im Kopf und ich kann mir Dinge nur noch schlecht merken. Wenn man so erschöpft ist, warum fliegt man nach Ägypten? Für meinen Mann erfüllte sich der langersehnte Traum vom Tauchen im Roten Meer und ich wollte einfach mal komplett aus allem raus, total abschalten. In Ägypten ging es mir tatsächlich besser, weil ich in dieser Zeit körperlich fast nicht gemacht habe. Es war dort mit etwa 37 Grad genauso heiß wie bei uns. Mein Mann war oft tauchen und ich blieb dann im kühlen Zimmer und nutzte die Zeit zum Lesen.

Ich erhoffte mir dauerhafte Effekte von diesem schönen Urlaub. Leider wurde ich enttäuscht. Wenn man ein Haus und Grundstück hat, hat man immer was zu tun. Zuhause sah ich wieder überall die Hausarbeiten, die erledigt werden mussten und die mich mittlerweile körperlich auch überforderten. Nach einer halben Stunde absaugen bin ich - genau wie nach dem Joggen - gefühlt krank. Ich muss mich dann hinlegen und ausruhen. Danach geht es dann tatsächlich wieder einigermaßen. Und ich kümmere mich auch um meinen demenzkranken Vater, der bis dato noch in einer eigenen Wohnung lebte. Im ersten Versuch hatte mein Vater leider nur Pflegegrad 1 zugesprochen bekommen. Auch ein Widerspruch änderte daran nichts. Im Juni 2018 hatte ich mich zu einem Höherstufungsantrag entschlossen und diesmal bekam er gleich Pflegegrad 3. Nun musste ich die Entscheidung treffen, dass er nicht mehr alleine zu Hause leben konnte. Es gab diverse Vorfälle, die die Notwendigkeit eines Pflegeheimes zeigten. Mit Pflegegrad 3 konnte und musste ich es nun umsetzen. Das bedeutete jetzt viel Planung, Gespräche und Besichtigungen von Seniorenheimen, Kündigung der Mietwohnung, Realisierung des Umzuges, Auflösen und Renovieren der ehemaligen Wohnung, Antrag beim Sozialamt und und und. So blieb die Urlaubserholung ganz schnell auf der Strecke, denn das Ganze zog sich bis November hin, und beim stundenweisen Wiedereinstieg in das Arbeitsleben war ich nicht wirklich erholt. Aber ich traute mich auch nicht, viel länger vom Dienst fern zu bleiben, aus Angst davor, für dienstunfähig erklärt zu werden. Mein Vater hat sich mittlerweile gut in seinem neuen Zuhause eingelebt, und mir wurde mit seinem Umzug eine Menge abgenommen. Das verschaffte mir mehr Zeit für mich selbst, auch mehr Zeit zum Ausspannen.

Mitten drin war ich auch noch in einer Spezialklinik in Frankfurt/Main zur Behandlung meiner Schilddrüsenüberfunktion via Thermoablation. In meiner Heimatstadt bot man mir nur die klassischen Methoden an: Operation oder Radio-Jod-Therapie. Beides kam für mich nicht infrage. Bei einer Operation weiß man nie, wieviel der Chirurg wegschneidet, und verstrahlt werden wollte ich auch nicht, auch wenn zig mal betont wurde, es hinterlässt keine Spuren, keine erhöhte Krebsgefahr, nur mindestens drei Tage im Krankenhaus eingesperrt, je nachdem, wie schnell der eigene Körper das radioaktive Jod abbaut. Man darf keinen Besuch empfangen, auch das medizinische Personal kommt einem nicht zu nahe. Meiner Meinung nach sagt das schon alles. Und die beiden klassischen Methoden haben das hohe Risiko, dass man hinterher in die Unterfunktion fällt und damit dann auf Hormontabletten angewiesen ist. In meinem persönlichen Umfeld habe ich miterlebt, wie schwer eine Unterfunktion einzustellen ist, das heißt, die richtige Dosis zu finden, vor allem bei Frauen. Zum Glück hörte ich von einer Bekannten von der Methode der Thermoablation. Ein Eingriff ohne Vollnarkose, nur zwei kleine Einstiche zur örtlichen Betäubung. Dann sticht der Facharzt mit einer dickeren Nadel, an deren Ende eine Sonde ist, von außen durch den Hals in die Schilddrüse und erhitzt den Knoten. Dieser wird sozusagen verbrutzelt und in den nächsten Monaten vom Körper abgebaut. Natürlich ist auch dieser Eingriff mit Risiken verbunden, aber alles lief glatt, meine Schilddrüsenwerte haben sich stetig gebessert. Auch wenn ich zu diesem Zeitpunkt noch nicht wusste, dass die Lage mit dem überstreckten Kopf schädlich ist bei einem instabilen Genickgelenk, habe ich es bis jetzt nicht bereut. Denn die anderen beiden Varianten sind für mich bis heute keine Alternativen.

Im Herbst 2018 diagnostizierte meine Neurologin ein Karpaltunnel-syndrom rechts. Meine rechte Hand war nachts immer wieder eingeschlafen, und dieses Gefühl ließ sich nur schwer wieder beheben, so dass an erholsamen Schlaf nicht mehr zu denken war. Also hatte ich zur Zahnschiene nun auch noch eine Schiene, die mein rechtes Handgelenk fixierte. So konnte ich nun endlich wieder durchschlafen.

Ich fing an, mich mit der Anwendung von Kräutern zu beschäftigen. In der heutigen Zeit mit all unseren schnell verfügbaren, schnell wirkenden chemischen Mitteln haben wir diese natürlichen Heilmittel aus den Augen verloren. Ich war schon fast dazu gezwungen, denn mit Beginn meines „Hamburger Modells" zur Wiedereingliederung wurden auch die Blähungen wieder schlimmer und auch die Verspannungen. Sicherlich bedingt durch das lange Sitzen/Stehen am höhenverstellbaren Schreibtisch, sprich die körperliche Unbeweglichkeit, die immer gleiche Haltung, das zunehmende Arbeitspensum. So fand ich im Internet verschiedene Kräuterteerezepte gegen Blähungen, die ich bis heute abwechselnd anwende. Der Wechsel ist wichtig, da bei Heilkräutern ein Gewöhnungseffekt eintritt bei zu langer einseitiger Anwendung. Ich mische sehr gerne selbst, da habe ich richtige Kräuter und keine Brösel im Teefilter. Gegen die häufig auftretenden Infekte bzw. Infektsymptome - denn oft habe ich eigentlich gar keinen Infekt, sondern habe mich mal wieder privat oder beruflich körperlich überfordert - fand ich im Netz ein Rezept für einen Erkältungstee, der mir schneller über die kritische Phase hilft. Aber eigentlich muss ich lernen, umsichtiger zu agieren, mir meine Kräfte besser einzuteilen. Das zeigt mir auch mein höheres Schlafbedürfnis gegenüber früher. Nachts muss ich mindestens acht Stunden schlafen, sonst ist meine Konzentration und Merkfähigkeit deutlich beeinträchtigt. Nach der Erledigung von einzelnen Hausarbeiten, z. B Staubsaugen oder Wäsche abnehmen, muss ich mich für 30 – 60 Minuten hinlegen.

Im Dezember 2018 hatte ich - nach vierzehn Monaten Wartezeit - meinen Termin bei einem Spezialisten in Rostock. Endlich! Ich war gespannt, wie der Termin abläuft, was dabei herauskommt. Ich kannte ja niemanden persönlich, der schon mal bei diesem Arzt gewesen ist. Die ganze Zeit über, als mehr und mehr Beschwerden und Diagnosen bei mir aufkamen, habe ich immer gedacht, wie kann das sein, wo kommt das alles auf einmal her, das muss doch einen gemeinsamen Grund haben. Meine Hoffnungen in diesen Spezialisten waren also groß.

Der erste Termin, einer von zweien, war wirklich fordernd. Anderthalb Stunden kamen die Fragen seinerseits wie aus der Pistole geschossen, Untersuchungen und Tests wurden gemacht. So gründlich wurde ich noch nie befragt. Vieles hatte ich bis dahin als gegeben betrachtet. Meinen Ordner mit gesammelten Befunden ließ ich beim Spezialisten, und am nächsten Tag bekam ich dann meine Aufklärung. Verdacht auf instabiles Genickgelenk. Nicht behandelbar. Man kann nur die Symptome lindern und versuchen, dass die Beschwerden nicht schlimmer bzw. mehr werden. Des Weiteren riet mir der Spezialist noch ein Upright-MRT, eine neurootologische Untersuchung, sowie eine spezielle Gesichtsfelduntersuchung durchführen zu lassen. Zum Glück hatte er ein paar Adressen von Ärzten, die diese Untersuchungen machen können, quer in der Republik verteilt. So brauchte ich nicht selbst danach zu suchen. Es war mit einer Menge Fahrerei und Übernachtungskosten verbunden, aber ich habe alles machen lassen, um ein aussagekräftiges Bild zu bekommen. Der Verdacht auf das instabile Genickgelenk hat sich bestätigt.

Meine Diagnosen lauteten:

„Chronisches Müdigkeitssyndrom infolge posttraumatischer Genickgelenkinstabilität,   sekundäre   Nahrungsmittelintoleranzen, sekundäre Hypoglykämien, sekundäres Schlafapnoe-Syndrom, sekundäres Karpaltunnelsyndrom".

Im Upright-MRT wurde eine wahrscheinlich angeborene Verengung der rechten Arteria Vertebralis, eine der beiden Wirbelarterien, festgestellt. Und der Puffer zwischen Ligamentum Transversum und Myelon ist bereits in Ruhestellung zu schmal. Unter Rotationsbewegung verschmälert er sich auf unter 1 mm. Der Puffer ist der Abstand zwischen Rückenmark und Wirbelkörperstrukturen.

Bei der neurootologischen Untersuchung wurde eine Schädigung des rechten Gleichgewichtsorgans diagnostiziert, die den Schwindel, die Stolper- und Anstoßneigung vor allem nach rechts begründet. Die Gesichtsfelduntersuchung ergab bei einer Kopfrotation nach rechts eine deutliche Zunahme des blinden Fleckes gegenüber der Untersuchung in Ruhestellung und damit eine Einschränkung des Gesichtsfeldes rechtsseitig.

Wertung durch den Spezialisten:

„Hirnwasser (Liquor) fließt stets pulssynchron laminar von den Hirnhöhlen durch den Wirbelsäulenkanal abwärts. Bei Einengung des Rückenmarkkanals durch Rotationsbewegungen, wahrscheinlich auch durch Retroflexion, staut sich Liquor in das Hirn hinein, presst damit Hirnmasse entlang der Hirnventrikel zusammen, Zellen erhalten dann zu wenig Sauerstoff, Blut und Glukose. Damit Müdigkeit, Erschöpfung, abnehmende Hirnleistung. Stau bis in die Sehnervenscheiden des Nervus opticus nachweisbar."

„Erschwert wird die Situation durch die Hypoplasie der rechten Arteria vertebralis. Bei stabilen Verhältnissen wäre dies unbedeutend, nicht jedoch bei instabilem Genickgelenk. Durch bestimmte Bewegungen kann dann auch die weitlumige, normal weite linke Arterie eingeengt werden, so dass dann zu wenig Blut den

Hirnregionen bereitsteht, die von den Wirbelsäulenarterien versorgt werden. Dies sind Kleinhirn, Seh-, Hörzentren der Hirnrinde, Innenohr, Hirnstamm (verantwortlich für Releasinghormone einschließlich Prolaktin), Hippocampus, der für die Umsetzung des Kurzzeit- in das Langzeitgedächtnis verantwortlich ist." Weiter heißt es: „Bei der Patientin liegt die Symptomatik eines cervico-encephalen Syndroms vor. Eine kausale Therapie ist nicht möglich. Es kommt hier funktionell zu Durchblutungsminderungen in unterschiedlichem Ausmaß. Im Wechsel mit unauffälligen Zuständen der Hirnnerven, besonders der Hirnstammnerven wie Schlundnerv, Hypoglossus, Trigeminus, Facialis, Vagus und Sympathicus. Lage- und erschütterungsabhängig treten diese Beschwerden auf. Bei Nichtbeachtung werden sie progredient verlaufen. Entscheidend sind die Liquorzirkulationsstörungen."

Ich soll längere Kopfrotationsbewegungen und Knickbildung im Genickgelenkbereich am PC meiden, stets mittig sitzen vor dem Computer, Hausarbeiten immer in senkrechter Kopf-, Hals-, Oberkörperhaltung ausführen oder sie anderen überlassen. Täglich 30 Minuten flottes Gehen an frischer Luft, da Sauerstoffaufnahme die Stickstoffmonoxid-Bindung an Mitochondrien blockiert. Zur Vermeidung von Erschütterungen bei PKW-Fahrten und schnellem Spaziergehen eine Nackenbandage tragen. Ca. 15 Minuten vorm Zubettgehen ein Spätstück essen, um nächtliche Unterzuckerungszustände zu vermeiden, Augen- und Zungenübungen durchführen, um den Trigeminusnerv ruhig zu stellen, Eier und 1-2 mal pro Woche Fisch essen, flache Schuhe mit weichen Sohlen tragen, um Erschütterungen zu minimieren sowie die verordneten Mikronährstoffe zweimal täglich einnehmen.

Es ist Sommer 2019. Mittlerweile habe ich seit sechs Monaten meine Diagnose. Und ich bin erleichtert, weil ich nun endlich weiß, was genau mit mir los ist. Dass ich es mir nicht einbilde, dass es nicht psychosomatisch ist. In den vergangenen Jahren habe ich hilflos zugesehen, wie sich meine gesundheitliche Situation immer mehr verschlechtert hat, sich meine Lebensqualität einschränkte. Ich habe oft das Gefühl, nicht mehr die Gleiche zu sein, nicht mehr ich zu sein, schon allein, weil ich mir Dinge deutlich schlechter merken kann als früher. Die, die noch 2014 als Lehrgangsbeste abgeschlossen hat, ist weit entfernt. Ganz weg ist sie nicht, denn ich habe zum Glück auch Phasen - Dank der Mikronährstoffe und Verhaltensvorgaben - in denen mein Kopf wieder wie ein „Computer" funktioniert. So hat mein Mann es immer bezeichnet, ich hätte einen Kopf wie ein Computer, konnte mir alles merken. Mein persönliches und berufliches Umfeld habe ich weitestgehend nicht eingeweiht, weil ich der Meinung war und bin, dass es nur auf Unverständnis stößt. Nur ein paar sehr enge Freunde wissen Bescheid. Denn all meine Beschwerden lassen mich im Gegensatz zu einer Grippe oder einem Beinbruch nicht krank aussehen. Immer habe ich versucht, weiterzumachen, mich nicht einschränken zu lassen. Aber das war falsch. Jetzt stehe ich darüber, wenn es staubig ist zu Hause, das Unkraut mal etwas höher steht. Das Gemüsebeet ist jetzt eine Wildblumenwiese, zur Freude der Insekten und Ringelnattern. Auf einigen anderen Beeten haben wir Holzschnitzel verteilt, um Unkraut zu unterdrücken. Auch wenn natürlich immer etwas zu tun ist bei Haus und Grundstück, so genieße ich hier sehr die Ruhe, die Natur, die Pferde auf Nachbars Weide, den wunderschönen Anblick meiner Wildblumenwiese mit den fleißigen Insekten und kann dabei ganz wunderbar vom Alltag und meinen gesundheitlichen Problemen abschalten.

Mein Mann hat immer zu mir gehalten, mich unterstützt, wo es nur ging. Er braucht auch kein „klinisch sauberes Haus", um es mal überspitzt auszudrücken. Sondern mich. Unter der Woche nach der Arbeit läuft bei mir nicht mehr viel. Ich arbeite Vollzeit, da ist hinterher Ausruhen angesagt, Trotzdem nimmt die Energie im Lauf der Woche sehr deutlich ab. Auf der Arbeit versuche ich nicht mehr mit aller Macht, die erwünschten 40 Akten pro Tag über den Tisch zu ziehen. Wichtiger ist mir, dass ich arbeite, nicht so viel ausfalle und dass die Qualität meiner Arbeit stimmt, damit die Akte nicht x-mal nachgebessert werden muss. Ich bin noch jung und möchte noch ganz viel erleben, möglichst gesund älter werden. Deshalb gilt es in anderen Bereichen lockerer zu sein, nicht überall 110 Prozent zu leisten.

Es ist im vergangenen halben Jahr noch ein Impingement Syndrom der linken Schulter dazu gekommen. Das ist eine schmerzhafte Einklemmung von Sehnen oder Muskeln innerhalb des Schultergelenks. Meinen linken Arm kann ich nur noch bis auf eine bestimmte Höhe bewegen. Darauf schlafen kann ich auch nicht mehr. Die Physiotherapie hat bisher nur kleine Verbesserungen gebracht, sie nimmt mir wenigstens den Schmerz. Die Ärzte haben mich bei der Diagnose mal wieder verunsichert. Der Radiologe, der das Röntgenbild erstellt hat, diagnostizierte das Impingement-Syndrom, der Radiologe beim MRT sprach sich eher dagegen aus. Mein Orthopäde hat mir auch alles zum Impingement erklärt. Aber er wirkte dabei irgendwie unsicher. Worauf sich diese Unsicherheit bezog, weiß ich aber nicht. Seither nutze ich jeden Tag nach dem Aufstehen ein heißes Körnerkissen, welches meinem Nacken und der Schulter gut tut und mich nebenbei auch noch wärmt, da ich sehr schnell friere. In seiner Form ist es absolut optimal, da es wie ein größerer Kragen geschnitten ist, der sich gut anschmiegt und so sehr wirksam ist an den richtigen Stellen. Seit Mai habe ich immer wieder mit Halsentzündungen zu kämpfen und deshalb einen neuen HNO-Arzt aufgesucht. Laut diesem sehen meine vier großen Speicheldrüsen nicht so aus, wie sie aussehen sollten, weisen ein wolkenartiges Bild im Ultraschall auf. Ich habe zu wenig Speichel, was meinen Mund- und Rachenraum immer wieder entzündet. Ich kann nicht allzu lange sprechen ohne einen staubtrockenen Mund und Halsschmerzen zu bekommen. Der HNO-Arzt und davor die Allgemeinärztin haben den Verdacht auf Sjögren-Syndrom geäußert. Eine Untersuchung beim Rheumatologen hat diesen Verdacht zum Glück nicht bestätigt, alle Blutwerte sind unauffällig. Ich selbst gehe davon aus, das die Ursache im instabilen Genickgelenk zu suchen ist.

Es fällt mir immer wieder schwer, meinen Kopf nicht ständig zu drehen, Knickbildung zu vermeiden, zu natürlich sind einfach häufige Drehbewegungen. Ich halte mich an die Ernährungstipps, nehme die empfohlenen Mikronährstoffe täglich ein, den flotten Spaziergang realisiere ich mindestens an fünf Tagen der Woche, sofern es draußen nicht zu heiß ist, nutze die Nackenbandage und habe diese mittlerweile sehr schätzen gelernt. Auch die Augen- und Zungenübungen sind inzwischen gut in meinem Tagesablauf integriert und auf das Spätstück freue ich mich jeden Tag, weil es super lecker ist und ich eh ständig Hunger habe. Die Konzentrationsschwierigkeiten haben sich verringert, und das Ohrenjucken auch, die Merkfähigkeit hat sich wieder deutlich gebessert. Dank des Spätstücks kann ich nachts durchschlafen. Und ich habe aufgrund der Einnahme der Mikronährstoffe keine Probleme mehr mit dem Karpaltunnelsyndrom. Die schnelle Erschöpfung, vor allem bei Hitze ist geblieben.

Die Diagnose des instabilen Genickgelenks begründet meine gesundheitlichen Probleme. Leider habe ich die Erfahrung gemacht, dass dies von anderen Ärzten nicht akzeptiert wird. Sie glauben es einfach nicht, können es sich nicht vorstellen, dass all meine Beschwerden vor allem meine ständige Erschöpfung, nur auf die Halswirbelsäule zurückzuführen sind. Sie suchen nach Entzündungen, Mangelzuständen, die es aber nach jüngsten Blutuntersuchungen nicht gibt. Diese wurden durchgeführt, weil ich zur Zeit krankgeschrieben bin. Ich war einfach zu erschöpft. Ich merke, dass meine Symptome zunehmen, wenn ich mich nicht vorsichtig genug verhalte.

Ich habe Respekt vor den Ärzten, denn die Ausbildung wird ihnen schließlich nicht geschenkt. Aber ich vermisse in unserem

Gesundheitssystem das Vernetzte. Im Allgemeinen sehen die Ärzte nur ihren jeweiligen Fachbereich ohne zu schauen, ob das Ganze nicht eine übergeordnete organische Ursache hat. Meiner Meinung nach werden die Patienten vorschnell in die psychosomatische Schiene abgeschoben. Und ich finde es zu sehr vom Streben nach Gewinn verseucht. Und ja, ich habe eine Psychologin aufgesucht, um mit dem unerfüllt gebliebenen Kinderwunsch besser umgehen zu können. Verständlicherweise ist es belastend, wenn ein so wichtiger Lebenstraum nicht in Erfüllung geht. Aber bis auf diese emotionale Belastung bin ich psychisch gesund. Und wenn wir mal ehrlich sind: Wenn man ganz tief gräbt, würde man bei jedem irgendetwas körperliches oder seelisches finden. Ich habe mal einen traurigen Spruch gehört, der die Situation in unserem manchmal fragwürdigen Gesundheitssystem widerspiegelt: „Es gibt keine gesunden Menschen, nur schlecht untersuchte."

Patricia*

*Name wurde auf Wunsch der Autorin geändert

6. Plötzlich instabil

Eine atlantodentale Instabilität in ihrem Alter ist wie ein negativer Lottogewinn." Der Neurochirurg blickt mich mitleidsvoll an. „So eine Diagnose sieht man selten ohne Querschnittlähmung. Ich verstehe ihr Problem, aber die OP mache ich nur, wenn sie nach einem Autounfall mit dem Kopf unterm Arm eingeliefert werden."

Meine Geschichte: Mein Leidensweg beginnt im März 2017, als ich mit meinem Freund auf Teneriffa urlaubte. Wir hatten uns abseits der Touristenstrände, an dem sich die Menschen stapelten, auf einem Weg zu einem entlegenen Felsstrand durchgeschlagen. Um an den Strand zu gelangen, mussten wir auf einem inoffiziellen Felsweg runterkraxeln. Plötzlich rutschte ich aus und knallte mit dem Rücken auf den Boden. Äußerlich war, abgesehen von ein paar Schrammen auf der Schulter, nichts zu sehen. Wie geplant setzten wir einige Tage später mit der Fähre nach La Gomera über. Am letzten Tag auf der Insel plagte mich auf dem Weg zum tropischen Obstgarten erstmals massiver Schwindel.

Zurück in Deutschland machten wir abends Yoga. Als ich in den Schulterstand ging, passierte es. Plötzlich bekam ich einen extrem starken Druck auf dem Hinterkopf, so als würde dort etwas abgeklemmt werden, und ein starkes Benommenheitsgefühl setzte ein. Seit diesem Zeitpunkt war ich keine Sekunde mehr symptomfrei. Ich war damals 26, machte meinen Master und wohnte mit drei sehr lieben Menschen in einer WG. Bis dato hatte ich nie Rücken- oder Nackenschmerzen. In den nächsten Wochen begann sich mein Rücken vom Nacken bis runter in die Lendenwirbelsäule immer mehr zu verspannen. Irgendwann war mein Rücken nur noch ein hartes Brett. Der Übergang von der Halswirbelsäule zur Brustwirbelsäule begann wahnsinnig zu brennen, sodass ich keine Jacken mit Kapuzen mehr tragen konnte. Ich versuchte alles, um diese krampfartigen

Dauerverspannungen zu mindern: Massagen, Sauna, Wärme, Bewegung, Schröpfen. Nichts wirkte. Da meine Kopfrotation durch die massiven Verspannungen extrem eingeschränkt war, machte ich regelmäßig Dehnübungen. Sobald ich meinen Kopf drehte, hatte ich das Gefühl, als würde Sand von meiner Halswirbelsäule rieseln. Eine Osteopathin meinte, dass sich eine Art natürliche Versteifung gebildet hätte, die ich unabsichtlich wieder gelöst hätte.

Insgesamt fühlte ich mich wahnsinnig schlapp und energielos. Jede noch so kleine Aufgabe wurde für mich mit der Zeit zum Kraftakt. Selbst Einkaufen wurde zur Tortur. Nicht nur, dass mir beim Laufen permanent schwindelig war und ich das Gefühl hatte, dass ich die Spur nicht halten kann, weil mich jemand zur Seite wegreißt. Ich spürte jeden einzelnen Schritt bis zum Schädel hoch, der ohne Halt und Stabilität vor sich hin schaukelte. Sobald ich mich in Bewegung setzte, flimmerten gelbe Punkte durch mein Sichtfeld. So schleppte ich mich in den Bioladen. Im Geschäft wurde mir plötzlich extrem schummrig, und es fühlte sich an, als ob die Sauerstoffzufuhr zu meinem Gehirn unterbrochen wurde. Mit zittrigen Händen unterschrieb ich noch meinen Kassenzettel und packte wie in Trance meine Lebensmittel in meine Tragetasche. Ich konnte keine klaren Gedanken mehr fassen und bekam kaum Luft. Ich versuchte nur noch irgendwie lebend nach Hause zu kommen. Kraftlos schleifte ich meinen völlig ausgelaugten Körper in den 5. Stock und legte mich hin. Nach einigen Minuten schreckte ich wieder auf. Panisch schnappte ich nach Luft. Ich hatte das Gefühl, als würde ich ersticken.

In der nachfolgenden Zeit beobachtete ich dieses Phänomen jede Nacht. Immer wieder schreckte ich luftlos hoch. Ich hatte wahnsinnig viele Symptome. Neben meinen nächtlichen Luftproblemen, hatte ich auch tagsüber ständig Atemnot. Dazu kamen Druck auf den Ohren und Schluckbeschwerden. Außerdem komische Nervenschmerzen in den Armen und Beinen. Zudem war meine Schulter verzogen und ich hatte ein permanentes Brennen neben dem Schulterblatt. Regelmäßig überprüfte ich meine Vitalwerte: Mein Puls krebste häufig bei 46 rum, und ich fühlte mich alles andere als vital. Mein Zustand verschlechterte sich zunehmend. Mir fielen vermehrt Sachen aus der Hand. In Gesprächen in unserer WG-Küche konnte ich mich kaum noch konzentrieren und hatte Wortfindungsschwierigkeiten. Ich musste immer meinen Kopf an der Wand anlehnen, weil ich ihn alleine nicht halten konnte. Mein Körper funktionierte einfach nicht mehr. Irgendetwas musste passieren, das war klar. Ich war wirklich an der Grenze des Ertragbaren angelangt und wollte nur noch, dass es aufhört. Auch mein Umfeld wunderte sich, was mit mir los ist. Ich wandelte nur noch wie ein Zombie durch die Gegend.

Ärzte: Inzwischen dauerte dieser Zustand bereits einen Monat, und ich wusste weder, woher all diese Symptome kamen, noch wusste ich, wie ich wieder gesund werden kann. Langsam wurde mir alles unheimlich. Also vereinbarte ich einen Termin bei meinem Hausarzt. Ich schilderte meine Problematik: Schwindel, Gangschwierigkeiten, Brennen in der HWS/BWS, extreme Verspannungen, Brennen im Hinterkopf. Ich reduzierte meine Symptomliste sogar schon auf das Wesentliche, um nicht komplett irre zu wirken. Leider erfolglos. Mein Hausarzt, den ich vor dem Einsetzen der Symptomflut, das letzte Mal im Kindesalter gesehen hatte, war sofort davon überzeugt, dass all meine Symptome von der Psyche erzeugt werden. Primär um mich zu beruhigen, schrieb er mir eine Überweisung zum CT, um einen Gehirntumor auszuschließen und überwies mich zum HNO-Arzt. Das CT war befundlos und auch der HNO-Arzt konnte nichts Auffälliges feststellen. Mit den Untersuchungsergebnissen kehrte ich zu meinem Hausarzt zurück: „Sehen sie es ein, wir haben alles untersucht, es kommt von der Psyche." Damit war die Diagnostik für ihn abgeschlossen.

Da ich spürte, dass es sich um eine körperliche Erkrankung handelt und ich längst nicht mehr alltagsfähig war, konnte ich mich damit nicht abspeisen lassen. Ich musste die Ursache von diesem diffusen Symptomwirrwarr herausfinden. Notgedrungen suchte ich auf eigene Faust Ärzte aller möglichen Fachrichtungen auf:

Hals-Nasen-Ohren-Arzt: Der HNO-Arzt bemerkte, dass meine Nasenscheidewand „krüppelschief" ist. Er empfahl mir wegen meinen Atemproblemen meine Nasenscheidewand korrigieren zu lassen oder alternativ auf die kanarischen Inseln zu ziehen.

Schilddrüsenarzt: Der Endokrinologe meinte, meine Schilddrüsenhormone sollten neu eingestellt werden, aber sah die Schilddrüse nicht als Auslöser meiner Symptome.

Frauenarzt: Der Frauenarzt, den ich kontaktierte, weil meine Menstruation seit fünf Monaten ausblieb, konnte mir nicht weiterhelfen.

Gastrologe: Auch einen Gastrologen suchte ich auf: Das Diclofenac, dass ich nach einiger Zeit aus Verzweiflung gegen die Verspannungen nahm, führte bei mir zu wahnsinnigen Magenkrämpfen, nach ein paar Tagen brannte meiner Zunge wie Feuer. Tagsüber lief immer wieder mein Essen zurück in meinen Mundraum, und ich hatte ständig Schluckauf. Um dem Ganzen auf den Grund zu gehen, checkte ich vor dem Spiegel meine Zunge: Sie war schwarz. Scheinbar reagierte ich sehr extrem auf das Schmerzmittel. Ich ließ daraufhin eine Magenspiegelung durchführen, die keine neuen Erkenntnisse brachte. Nach zehn Tagen täglichem Ölziehen, basischer Ernährung und dem Weglassen des Diclofenacs, war meine Zunge wieder tageslichttauglich.

Orthopäde: Schließlich führte mich meine Arztodyssee zu einem Orthopäden. Er röntgte meine Halswirbelsäule. Natürlich sah man auf der Röntgenaufnahme bis auf eine Steilstellung der HWS nichts. Um meine Verspannungen zu lösen, gab mir der Arzt eine Spritze mit einem muskelentspannenden Mittel. Bei meinem zweiten Besuch hielt er mir so ein „Elektrodings-Gerät" direkt an den Hals. Eine hochgefährliche, sehr fragwürdige Behandlungsmethode.

Psychologe: Aufgrund der massiven Beeinträchtigung im Alltag, vereinbarte ich einen Termin bei einer Psychologin. Während einer Probesitzung schilderte ich ihr meine Symptomatik und teilte ihr mit, dass bisher kein Arzt eine Ursache für meine Symptome gefunden hatte. Die Frau sagte etwas, was für mich einer Offenbarung gleichkam: „Wenn es ihnen wirklich so schlecht geht, warum sind Sie dann hier und nicht im Krankenhaus?" Was sie eigentlich sagen wollte war: „Sehen sie es ein, wenn die Ärzte nichts finden, dann ist es psychisch."

Von dem Moment an war mir klar: Ich kann hier nichts finden und habe hier nichts zu suchen. Ich habe an allem gezweifelt, an Ärzten, dem anfänglichen Unverständnis meiner Umwelt, meinem Schicksal, aber ich habe in all der Zeit keine Sekunde daran gezweifelt, dass hinter meinen katastrophalen Symptomen eine körperliche Erkrankung steht. Natürlich kann die Psychologin nur mit dem arbeiten, was sie sieht. Ihr gegenüber saß eine hübsche, junge Frau im kurzen Sommerkleid, was bei ihr natürlich den Eindruck erzeugte, dass ich einfach nur nicht mehr alle Latten am Zaun habe. Gerade wenn man jung ist und kerngesund aussieht, glaubt einem niemand sein Leiden. Ratzfatz bekommt man einen Psychostempel aufgedrückt und soll doch bitte akzeptieren, dass man nicht krank ist.

Der Horror geht weiter; Symptomtrigger: Zwar wusste ich immer noch nicht, was der konkrete Auslöser für das alles war, aber ich erkannte bestimmte Trigger, die meine Symptomlage massiv verschlechtern. Beim Autofahren spürte ich jede noch so kleine

Unebenheit auf der Straße bis ins Genick. Ich stütze meinen Kopf mit der Hand auf, um die Fahrten irgendwie zu überstehen. Aber auch eine Gewichtsbelastung wirkte symptomauslösend. Nach einer kurzen Heimatvisite war ich mit dem Zug zurück in meine Studienstadt gebraust. Ich zog meinen großen Rollkoffer in Richtung Wohnung. Plötzlich spürte ich meinen Körper nicht mehr. Mein Kopf fühlte sich nicht mehr mit dem restlichen Körper verbunden, ich war komplett derealisiert. Immerhin spürte ich auch keine Schmerzen. So schwebte ich quasi nach Hause. Nachdem ich zu Hause angekommen war, dauerte es noch einige Zeit, bis ich wieder meinen normalschlechten Zustand erreichte. Diese Kofferlebnisse hatte ich mehrmals. Auch kopfüber arbeiten war Gift für mich. Beim Fensterputzen hatte ich permanent das Gefühl kurz vor der Bewusstlosigkeit zu stehen. Auch Sport schien keine gesundheitsfördernde Wirkung auf mich zu haben. Anfangs, als ich die Symptome noch nicht zuordnen konnte, war ich fast täglich Inliner gefahren. Danach hatte ich immer massive Atemprobleme, was mich sehr ratlos zurückgelassen hat. Die gleichen Probleme bereitete mir Joggen.

Der Bruch: Trotz des ganzen Symptomchaos ging ich im Mai 2017 mit meinen Freunden zu einem Kulturfestival. Ich konnte es mir nicht nehmen lassen, mit tanzen zu gehen. Schließlich war Tanzen immer eine meiner größten Leidenschaften. Hinter mir lagen so entbehrungsreiche Wochen. Ich wollte doch einfach nur leben und nicht immer auf alles verzichten. Diesen Übermut habe ich bitter bereut. Als ich am nächsten Morgen aufwachte, hatte ich plötzlich höllische Schmerzen, und mein Schädel drückte mir so stark in den Kopf wie noch nie.

Nach einer Woche, die ich hauptsächlich damit verbrachte, auf meiner Yogamatte zu liegen und zu atmen, fiel mir auf, dass meine Nase anders aussah als sonst. Also stiefelte ich in die Notaufnahme und gab an, sehr starke Schmerzen im Nasenbereich zu haben. Die Ärztin schaute sich meine Nase an und sagte, dass sie äußerlich nichts sieht, trotzdem wurde eine Röntgenaufnahme angefertigt. Siehe da: meine Nase war tatsächlich gebrochen. Am nächsten Tag hatte ich einen Termin beim HNO-Arzt. Die Frau gipste meine Nase und behauptete, dass meine Nasenscheidewand immobil ist, also dass die Nasenscheidewand aus der Verankerung gerissen wurde und umherschlackerte. Meine Nase wurde gegipst, aber ich merkte weiterhin, dass das Problem nicht meine Nasenscheidewand war, sondern es war mein Schädel, der sich in meinem Gips verschob. Es war zu bizarr. Ich habe an diesem Abend keinen Alkohol getrunken, und ich kann ausschließen, dass ich einen Blackout hatte, da ich permanent in Begleitung unterwegs war. Es gab kein Ereignis, das alles nur ansatzweise erklären könnte. Der Nasenbruch verheilte, aber die Gesichtsschmerzen verloren nicht an Intensität. So kam ich zu dem bisher ersten und einzigen Bruch in meinem Leben.

Einrenkmanöver: Ein paar Wochen später, im Juni, suchte ich einen weiteren Orthopäden auf, um endlich Krankengymnastik zu bekommen. Dieser nahm ohne Vorwarnung meinen Kopf zwischen die Hände und riss ihn wüst nach links und rechts. Die Instabilität erreichte einen neuen ungeahnten Höhepunkt. Mein Schädel schwankte vollkommen haltlos auf meiner Wirbelsäule hin und her. Ich war dauerhaft derealisiert. Es fühlte sich so an, als wäre da nichts mehr, was meinen Hinterkopf mit der HWS verbindet. Der Schwindel war so extrem, dass ich mich draußen erstmal an einem Laternenpfahl festhalten musste. Nachts schrie ich vor Schmerzen und rang panisch nach Luft. Nach einer Horrornacht fuhr mich meine Mutter in die Notaufnahme. Dort fertigte man lieblos ein verschwommenes CT an, um grobe Knochenbrüche auszuschließen. Man sagte mir, dass man kein MRT machen bräuchte, weil beim CT nichts rauskam. Man schickte mich dann mit Beruhigungsmitteln nach Hause.

Mein Zustand war absolut lebensbedrohlich. Ich habe die Farben total grell gesehen, war extrem geräusch- und erschütterungsempfindlich. Wenn meine Eltern mein Zimmer betraten, war das so, als wäre eine Horde Elefanten eingetroffen, die eine moldawische Polka tanzen. So stark spürte ich die Erschütterungen des Bodens im Genick. Dazu kam eine so massive lähmungsähnliche Taubheit in den Gliedmaßen wie noch nie zuvor. Zudem konnte ich mich vor Schwindel nicht mehr aufrecht halten. Als ich es versuchte, merkte ich, dass sich meine gesamte Wirbelsäule instabil anfühlte. Ich war mir sicher, dass ich das Ganze nicht überleben würde und begann Abschiedsbriefe zu schreiben. In diesem Zustand lag ich mehrere Wochen hilflos in meinem ehemaligen Kinderzimmer, bis sich die krassen neurologischen Symptome beruhigten. Es ist und war ein so unfassbarer Albtraum. Nach einigen Wochen hatten sich die extremen neurologischen Ausfälle wieder gelegt. Drei Monate später, nachdem ich offensichtlich nicht gestorben war, konnte ich wieder mehr machen. Allerdings hatte ich nun zusätzlich das Problem, dass meine Muskulatur durch meine Bettlägerigkeit ziemlich abgebaut war. Ich musste sehr kämpfen, um wieder auf die Beine zu kommen.

Endlich eine Diagnose: Nachdem ich mit den Ärzten nicht weiter kam, gab ich meine Symptome bei „google" ein und las in allen möglichen Foren. Ich war nicht alleine mit meinen zutiefst beunruhigenden Symptomen. Es gab da draußen viele Menschen, die das Gleiche durchmachten wie ich. Schließlich kam ich auf den Trichter, dass ich eine instabile Halswirbelsäule habe. Eine Heilung war, wenn die Bänder überdehnt oder angerissen waren, nicht möglich. Zudem bestand weiterhin das Problem, dass kein Arzt die Notwendigkeit sah, mich weiterführend zu untersuchen. Da ich von einigen Kopfgelenksgeschädigten gehört hatte, dass ihre HWS-Instabilität in einem Upright-MRT nachgewiesen wurde, ließ ich privat ein ebensolches anfertigen.

Sieben Monate nach meiner Verletzung hatte ich dann einen Arzttermin, der sich im Nachhinein betrachtet als echter Glücksgriff erwies. Mit dem Upright-Befund marschierte ich in die Halswirbelsäulensprechstunde in einer kleinen Klinik. Der Orthopäde sichtete den Befund, aber da er damit nichts anfangen könnte, überwies er mich in ein großes Wirbelsäulenzentrum. Zwei Monate später wurde ich im Wirbelsäulenzentrum stationär aufgenommen. Zunächst erfolgte eine neurologische Untersuchung, bestehend aus Hämmerchenklopftest und einer Nervenstrommessung. Natürlich befundlos. Der Neurologe verabschiedete mich mit einem freundlichen: „Ich gehe nicht davon aus, dass man bei ihnen etwas findet."

Die Ärzte hatten noch ein normales 1 Tesla-MRT und Funktionsröntgen geplant. Da ich von anderen Patienten bereits wusste, dass dort die Möglichkeit besteht, ein hochauflösendes 3 Tesla-MRT zu machen, setzte ich mich bei den Ärzten dafür ein. Es funktionierte. Voilà, das 3 Tesla-MRT zauberte ans Licht, was über Monate hinweg verborgen blieb. Die Bilder waren so scharf, dass man eindeutig Verletzungen am linken Ligamentum Alaria und wahrscheinlich auch dem Ligamentum Transversum Atlantis feststellen konnte. Der Arzt, mit dem ich mein Abschlussgespräch führte, war sehr einfühlsam und erkannte meine Not: „Wenn sie sechzig wären, würden wir sie sofort operieren. Aber sie sind doch gerade in so einem Alter, wo man an die Familienplanung denkt, und da wollen sie sich doch nicht jahrelang von dieser schwerwiegenden Operation erholen." Wenn meine Beschwerden weiterhin bestehen, sollte ich im April erneut vorstellig werden, um ein Vergleichs-MRT zu machen. Immerhin hatte ich nun eine offizielle Diagnose: atlantodentale Instabilität. Nach neun elendig langen Monaten war es soweit. Darauf hatte ich so lange hingearbeitet. Der Befund relativierte meine Freude dann schnell: Als Therapie für die Instabilität wurden leichte Massagen und Physiotherapie empfohlen. Das klang so nach Wellness und wurde der Schwere der Verletzung absolut nicht gerecht.

Neurochirurgie: Hoffnungsvoll stiefelte ich mit der Diagnose und den Bildern zu einem bekannten Neurochirurgen. Er psychomatisierte mich von der ersten Sekunde. „Warum tragen sie eine Orthese? Die brauchen sie doch gar nicht?" Und überhaupt: alles was im Internet steht, sei gelogen. Im Befund folgte dann die 360-Grad-Wendung. Mein Clivio-Axial-Winkel sei pathologisch, und er hätte auch andere Signalauffälligkeiten im MRT entdeckt. Wenn die Orthese eine Symptomlinderung bringe, sei das ein eindeutiges Zeichen, dass eine Instabilität vorliege.

Die anderen Neurochirurgen lehnten die Versteifungs-OP vom Schädel bis zum 2. Halswirbel generell ab, weil die Ergebnisse danach sehr schlecht seien. Das Problem ist aber, dass wir in einem System leben, in dem diese Krankheit so lange negiert wird, bis der Schaden irreparabel ist. Erst wenn die Patienten halbtot sind, findet man mit viel Glück einen Neurochirurgen, der operiert. Dann wird im Endeffekt gesagt, dass die OP nicht hilft, obwohl man die Instabilität, rechtzeitig diagnostiziert, vielleicht noch in den Griff bekommen hätte. Klar, diese OP ist in dem Sinne keine heilende Behandlung, aber die Versorgungsmöglichkeiten wären ganz anders, wenn man Patienten mit komplexen chronischen Krankheiten wie Kopfgelenkserkrankte ernst nehmen würde.

Behandlungsversuche
Orthopädie: Neben kontraindizierten Einrenkmanövern bin ich im Laufe meiner Kopfgelenkskarriere noch mit diversen anderen Orthopäden in Kontakt gekommen. Eine Orthopäde, der sich als Halswirbelsäulenexperte bezeichnete, starrte durch weit aufgerissene Augen meinen Befund an: „Das gibt es nicht! Schwindel kann auch von Verspannungen kommen. Das können sie alles auf meiner Homepage nachlesen." Ein anderer Orthopäde behauptete, man könne „mit ein paar ausgelatschten Bändern ganz gut leben". Ein besonders geschäftshungriges Orthopädenexemplar interessierte sich nur dafür, wie viel das Upright gekostet hat und verschrieb mir Wasserbett, Infrarotlicht und Streckbank. Zufällig hatte er diese Geräte in seiner Praxis. Und rein zufällig war die Behandlung nach der

ersten Anwendung kostenpflichtig. Leider habe ich mich an „Wald-
und Wiesenorthopäden" gewandt, bei denen der Körper exakt von
den Fußsohlen bis zu den Schultern geht. Für viele dieser Orthopäden ist Röntgen der Goldstandard der Diagnostik. Die Rumrenkma-
növer haben mir nachhaltig sehr geschadet. Beim Einrenken kann es
selbst bei gesunden Menschen zu einer Verletzung der Vertebralar-
terie kommen, die das Gehirn mit Blut versorgt. Schlaganfälle und
Lähmungen können die Folge sein. Noch gefährlicher ist es, wenn
bereits ein Vorschaden vorliegt, wie es bei einer Verletzung der At-
lasbänder der Fall ist.

Schmerzklinik: 2018 verbrachte ich drei Wochen in einer
Schmerzklinik. Meine Erkrankung wurde ernst genommen, aber
auch hier war ich mit meinem Verletzungsmuster in Kombination
mit meinem jungen Alter ein Exot. Dort wurde ich auf Opiate eingestellt, die aber außer einer stark sedierenden Wirkung keinen bemerkenswerten Effekt hatten. Da ich mir medizinisches Cannabis verschreiben lassen wollte, wurde ich später erneut in einer Schmerzklinik vorstellig. Im Gespräch schilderte ich meine Lage. Nachdem
sich der Arzt durch meinen Befunddschungel gewühlt hatte, öffnete
er gedanklich sofort seine Psychoschublade: „Wir haben sehr gute
Psychologen und Physiotherapeuten im Haus. Das bekommt man
gut wieder hin. Der Aufenthalt hier wird ihnen gut tun." Vor der
Entscheidung über die Aufnahme sollte ich allerdings zu einem
Physiotherapeuten. Der Physio führte Stabilitätstests der Wirbelsäule durch und war sich sicher, dass mein Ligamentum Transversum Atlantis gerissen und meine Halswirbelsäule instabil ist. Darauf folgte ein Gespräch mit dem Chefarzt, der mich nun auf gar
keinen Fall mehr aufnehmen wollte, weil es ihm zu riskant erschien.
Ich sollte mich möglichst nicht mehr bewegen und mich so schnell
wie möglich operieren lassen. Er ermahnte mich, dass ich, wenn ich
stürze, querschnittsgelähmt oder tot sei.

Stammzellentherapie: Um nichts unversucht zu lassen, habe ich ebenfalls 2018 eine experimentelle Stammzellentherapie ausprobiert. Hierfür wurden bei mir Knochenmark und Blutplasma entnommen. Das Gemisch wurde anschließend unter Vollnarkose in die Ligamente injiziert. Der Arzt spritze die Stammzellen unter Bildwandlerkontrolle durch den Mund und von hinten in die Bänder. Da noch Stammzellen übrig waren, ließ ich mir meinen ebenfalls vorgeschädigten Knöchel spritzen. In den nächsten Tagen übernachtete ich in der Nähe der Arztpraxis. Mein Kopf war durch die Schwellung wie auf meiner Halswirbelsäule festbetoniert. Kurioserweise musste ich beim Aufstehen meinen Kopf mit den Händen hochziehen, weil ich die Muskeln nicht ansprechen konnte. Den ersten Tag verbrachte ich serienguckend im Bett. Der Stammzellenarzt kam, ungewohnt fürsorglich für einen Mediziner, in meiner Unterkunft zur Visite vorbei und überprüfte die Einstichstellen. Am dritten Tag nach der Behandlung schleifte ich meinen geschundenen Körper nach draußen. Mit der Orthese ausstaffiert und durch den geschwollenen Knöchel hinkend, fuhr ich wieder nach Hause. Es war ein komplett neues Gefühl, plötzlich so sichtbar krank zu sein. Zum Glück gingen die Schwellungen nach ein paar Tagen zurück, sodass ich von dem Eingriff schnell nichts mehr merkte.

Osteopathie: Im Rückblick war eine Osteopathiebehandlung die einzige, die mir zumindest kurzzeitig Linderung verschafft hat. Die Osteopathin löste alle meine Verspannungen mit ihren Händen. Danach fühlte ich mich wie neugeboren. Entspannt setzte ich mich auf eine Wiese und aß Kirschen. Ich fühlte mich zum ersten Mal seit langem wieder wie ich. Leider hielt dieser entspannte, symptomfreie Zustand viel zu kurz an. Nämlich genau so lange, bis ich mit einem Bus in die Stadt fuhr. Schnell war mein Rücken wieder hart wie Beton und alle Symptome zurück.

Akupunktur: Einen durchaus bizarren Arzttermin hatte ich bei einem Akupunkteur. Während ich im BH vor ihm saß, erwähnte er lobend: „Sie sind aber eine außergewöhnlich schöne Frau." Darüber hinaus drückte er mir nach der Behandlung die Wahlwerbung einer Partei in die Hand. Sowohl die Avancen des Akupunkteurs, als auch die Behandlung blieben wirkungslos.

Andere Therapien: Cranio-Sacral-Therapie, Rolfing, Globuli und andere Homöopathische Mittel, TENS, Kieser-Training, zu viele Kieferschienen, American Chiropraktik, KISS-Behandlung, Feldenkrais, Physio, Stammzellentherapie, Akupunktur, Cannabis, Osteopathie, Procainspritzen, Schmerzmittel von Aspirin bis Opiat, Schröpfen, Nahrungsergänzungsmittel.

Auch in der Manualtherapie wurden meine Befunde immer wieder angezweifelt. Ein Feldenkraistherapeut zerredete die Bedeutung von MRTs. Schließlich könne man auch bei totem Fisch etwas Pathologisches finden. Und überhaupt: Wer den Diagnosen der Ärzte glaube, der sei wirklich krank. Ganz so, als wäre ich mit Kopfschmerzen zum Arzt gerannt, und die Ärzte hätten mir fälschlicherweise eine Diagnose aufgedrängt. Was viele Manualtherapeuten und Physios nicht sehen, ist das Leid, der Horror und die Negierung der Ärzte, die hinter der Diagnose stehen.

Schuld: Du hast die Kraft, dich selbst zu heilen. Du musst nur fest genug daran glauben. Funktioniert nicht? Selbst schuld. Man neigt dazu die Schuld dem Erkrankten aufzubürden. Es gibt Verletzungen, die man selbst nicht heilen kann. Es ist unfair und nicht liebevoll der erkrankten Person gegenüber, die sowieso schon genug am Hals hat, auch noch die Schuld für die eigene Erkrankung zu geben. Ich bin und war immer offen für alternativmedizinische Behandlungsansätze. Wären die Symptome nicht so drastisch gewesen, hätte ich mich niemals in die Fänge der Schulmedizin begeben. Der Punkt ist: Wenn du eine Kopfgelenksverletzung hast, fühlst du, dass in deinem Körper etwas komplett aus dem Ruder läuft. Wenn mein Körper mir gesagt hätte: Hey, es gibt eine Chance, dass du wieder gesund wirst, wenn du einen Wunderheiler in der Ostukraine aufsuchst, ich hätte es sofort gemacht.

Umfeld: Ich habe großes Glück. Ich habe eine unterstützende Familie und tolle Freunde. Auf meinem Weg haben mich viele Menschen unterstützend begleitet und versucht, Lösungen für mich zu finden. Wenn ich einem neuen Menschen erzähle, dass ich eine unheilbare chronische Krankheit habe, zaubere ich ihm zu 99,99 Prozent ein großes Fragezeichen ins Gesicht (die fehlenden 0,01 Prozent nicken verständnisvoll, weil sie selbst betroffen sind). Es ist unvorstellbar, dass man auf der anderen Seite so funktional ist und gleichzeitig so massiv behindert sein kann. Mir würde es genauso gehen, wenn ich mich gedanklich in mein gesundes Ich zurückversetze.

Es ist zugegebenermaßen ein ausgesprochen unkonventioneller Lebenswandel für eine Endzwanzigerin, wenn man Nahrungsergänzungsmittelkunde, intensive Haustierbetreuung, Physiotherapie, Arzttermine und Kinderbücher schreiben zu seinen Hobbys zählt. Von meinem eigentlichen Leben ist nicht mehr viel übrig. Meine Freunde sind bisher bei mir geblieben, aber nach und nach brechen die Verbindungspunkte weg. Am Anfang habe ich jedes Symptom und jeden Arztbesuch mit Ihnen geteilt, aber inzwischen nehme ich mich zurück. In meinem Alter möchte sich niemand ständig mit Krankheiten konfrontiert sehen, weil es einen an die eigene Verwundbarkeit erinnert. Faktisch ist da aber diese Realität, dass sich das Leben eines Jeden von einer auf die andere Sekunde komplett drehen kann. Wenn man es nicht selbst erlebt hat, klingt es wie kryptisches Rumgelaber und hat in etwa so einen Wahrheitsgehalt für einen selbst, wie ein „Träume nicht dein Leben, lebe deinen Traum-Wandtattoo". Aber es ist wahr.

Und nun? Aktuell habe ich permanent einen unfassbaren Druck auf dem Kopf. Mein Schädel drückt in mein Gesicht, jede Berührung ist extrem schmerzhaft. Ich habe einen ständigen Ohrendruck, so als wäre ich permanent im Flugzeug, und auf einem Ohr plagt mich ein lauter Tinnitus. Häufiger habe ich Schwindelanfälle, Benommenheit und ein Brennen im Hinterkopf. Mein Körper ist etwas verzogen. Auf der linken Seite habe ich einen Schulterhochstand und Hüftschmerzen. Meine Lendenwirbelsäule bereitet mir auch immer mehr Probleme. Mein Biss stimmt überhaupt nicht und ist offensichtlich kieferschienenbehandlungsresistent. Zusätzlich habe ich aggressive Nervenschmerzen in Armen, Beinen und teilweise im Gesicht. Die Krankheit hat sich frecherdings in mein Leben geschlichen und ist nicht mehr gegangen. Es gibt Krankheiten, die sind Teil von deinem Leben, aber du hast noch ein Leben. Und dann gibt es Kopfgelenke. Im Endeffekt ist es eine Höllenkrankheit: Extrem behindernd, fast nicht diagnostizierbar, unsichtbar und nicht heilbar.

Regina H. (†)

7. Chronisch erschöpft!

Bis zu meinem 33. Lebensjahr hatte ich ein ganz normales Leben: ich war verheiratet, hatte zwei kleine Jungs von damals acht und drei Jahren und einen Job, den ich super gerne machte. Wir waren an den Wochenenden sehr viel mit den Kindern unterwegs, unternahmen Tagestouren zur Ostsee und fuhren regelmäßig zu den Großeltern. Irgendetwas war immer los, und mir ging es gut damit.

Im Jahr 2001 fingen plötzlich die gesundheitlichen Beschwerden an. Ich fühlte mich immer wieder schwach und hatte ständig das Gefühl von Muskelkater in den Beinen. Ich war einfach nicht mehr so belastbar. Zu diesem Zeitpunkt ging ich das erste Mal zum Rheumatologen, der eine reaktivierte Eppstein Bar Virusinfektion feststellte und einen Verdacht auf das Sjögren Syndrom äußerte. Das Sjögren Syndrom ist eine Autoimmunkrankheit, die zum entzündlichen Rheuma gehört. Ich erhielt Cortison, das half erst mal für kurze Zeit. Die eingeschränkte Belastbarkeit blieb jedoch, dazu kamen häufige Kopf- und Muskelschmerzen, außerdem ein ständiger Schwindel, was sehr belastend war. Im Jahr 2002 war ich zur Mutter-Kind-Kur und bekam dort eine physiotherapeutische Behandlung. Danach stand meine Welt Kopf, es drehte sich alles, und dieses Problem kam immer wieder. Von diesem Zeitpunkt an konnte ich weder meinen Kopf schnell drehen, noch Karussell fahren, Physiotherapie im Bereich meiner Halswirbel war nicht mehr möglich, mein Körper toleriert es nicht. Jeder Versuch durch Behandlung auch nur ein bisschen Verbesserung für den Hals zu erzielen, verschlechterte alles.

Selbst nachts blieb ich von den Beschwerden nicht verschont. Ich wachte immer mal wieder auf und dann drehte sich alles. In der Situation empfand ich Panik, da ich - teilweise für Stunden – einfach nur einen Punkt anvisierte, bis der Spuk vorbei war. Im schlimmsten Fall dauerte es 6 Stunden. Schwindelsymptome finde ich persönlich ganz schlimm, insbesondere, weil sie ganz oft aus „heiterem Himmel" kommen. Leider wusste ich das damals noch überhaupt nicht einzuordnen. Dauerhaft verfolgte mich auch das Gefühl der ewigen Muskelschmerzen. Ich stellte damals folgenden Vergleich an: mein Mann rannte zig Runden um den See und ich kam mir bereits morgens vor, als wenn ich gerannt wäre, ohne wirklich etwas getan zu haben. Immer wieder fiel ich im Betrieb aus, weil ich einfach zu kaputt war, oder ich quälte mich morgens hin, um dann nach 2 Stunden festzustellen, dass ich sofort nach Hause musste, weil ich die Befürchtung hatte, umzukippen. Das Ganze zog sich über viele Jahre, ohne dass sich etwas besserte. 2009 schickte man mich schließlich in eine Rheumaklinik, wo ein undifferenziertes Rheuma und eine Fibromyalgie diagnostiziert wurden. Allerdings waren alle meine Rheumawerte in Ordnung, lediglich der ANA Wert (= antinukleärer Antikörper) war immer sehr hoch. Ab diesem Zeitpunkt wurden meine Beschwerden, also die Schwäche, die Muskel- und Kopfschmerzen, unter dieser Diagnose abgelegt. Einzig der Schwindel passte nicht ins Bild, den schob man kurzerhand auf die Psyche und später sollte es ein Morbus Menière, also eine Erkrankung des Innenohres sein.

Eine Sache fiel mir in all den Jahren besonders auf: hatte ich irgendwelche „richtigen" Krankheiten, wie beispielsweise eine Erkältung, dauerten diese bei mir viel länger, als bei anderen. Auch meine Zahnimplantate brachten mich fast um den Verstand. Brauchten andere Personen ein paar Tage, um wieder relativ fit zu werden, dauerte es bei mir Wochen unter Antibiotikaeinnahme, bis ich wieder halbwegs gerade gehen konnte.

So vergingen die Jahre bis 2015. Es war eine Mischung aus halb gesund und halb krank, eingeschränkt und leistungsfähig. Ich hatte auf der Arbeit ständig Fehltage, das schlechte Gewissen plagte mich immerzu. Trotz allem schaffte ich irgendwie noch alles und hatte auch den Anspruch, dass alles perfekt ist. Privat wie beruflich hatte ich einen hohen Anspruch an mich selbst. Ich liebte meine Arbeit und verstand mich hervorragend mit meinen Kollegen. Alles hätte so schön sein können. Aber im Laufe des Jahres 2015 wurde es für mich immer schwieriger. Ich kämpfte mich morgens zur Arbeit, fiel immer häufiger aus. Schaffte ich es ins Büro, bekam ich nach kurzer Zeit am Computer Probleme mit den Augen und war heilfroh, dass ich blind auf der Tastatur schreiben konnte. Das Großraumbüro wurde zum Horror: so viele Stimmen, alle sprachen durcheinander, gepaart mit meiner körperlichen Schwäche war es kaum auszuhalten. Oft nutzte ich die Gleitzeit, stempelte mich für kurze Zeit aus, um mich zu Hause etwas hinzulegen und dann später noch mal neu für ein paar Stunden zur Arbeit zu gehen. So konnte es nicht weitergehen. Heimarbeit, das wäre der Ausweg, dachte ich mir. Doch das gab es in unserer Firma nur für besondere Fälle, zum Beispiel für die Pflege von Angehörigen. Zu diesem Zeitpunkt lebte meine Mutter bei uns, sie war pflegebedürftig und brauchte zunehmend mehr Hilfe. Also schilderte ich das Problem bei meinem Arbeitgeber. Nach knapp einem halben Jahr Wartezeit, konnte ich zu Hause loslegen. Die Heimarbeit war meine Rettung, vorerst. Anfangs war es wirklich mein Rettungsanker: zwei Probleme gleichzeitig gelöst. Ich arbeitete ab diesem Zeitpunkt drei Tage die Woche von zu Hause und zwei Tage im Betrieb. Für meine Mutter war ich so immer sofort greifbar, und die Arbeit konnte ich mir einteilen, wie es meine Kraft zuließ. Es klappte erstmal perfekt.

Doch dann kam mein „besonderes" Jahr 2016. Im April stand wieder eine Zahnoperation an. Die reinste Katastrophe. Ich kämpfte danach mit einer Kieferhöhlenentzündung und brauchte - wie schon so oft - Wochen um wieder fit zu werden. Das kannte ich zwar bereits, doch dieses Mal war es anders, es wurde und wurde nicht besser, ich fühlte mich fürchterlich. Nach ungefähr vier Wochen ließ ich mich gesundschreiben, obwohl ich mich eigentlich noch sehr bescheiden fühlte. Das Ende vom Lied war, dass ich auch noch eine riesige Grippe bekam und von da an nichts mehr ging. Ich hatte keine Kraft mehr für nichts und niemanden.

Auf der Arbeit gab es dann auch einen Tiefschlag: das Home-Office wurde mir aus unerklärlichen Gründen vorerst gestrichen. Diese Entscheidung lag nicht an meinen Fehlzeiten oder dass jemand nicht zufrieden mit meiner Arbeit war. Es war wohl ein betriebsinternes Problem. Diese Entscheidung war jetzt natürlich mein kompletter Untergang. Ich war extrem schwach, die kleinste körperliche Betätigung endete mit großer Schwäche, selbst die Abarbeitung von kurzem Schriftverkehr führte zur Erschöpfung. Kürzeste Spaziergänge schwächten mich enorm, alles tat weh. Natürlich wollte ich nicht aufgeben, ich schleppte mich regelrecht zur Arbeit, mal für 2 Stunden, mal für 3 Stunden, feierte Überstunden ab, nahm Urlaub. Ich versuchte mit aller Kraft, meine Arbeitsfähigkeit aufrechtzuerhalten. Dennoch war ich zwischendurch über Tage krankgeschrieben, es war einfach unmöglich, einen normalen Arbeitstag durchzustehen. In meinem Leben existierte nur noch Arbeit und mein Bett, an mehr war einfach nicht mehr zu denken.

Im Sommer diesen Jahres stand dann unser lange geplanter Urlaub an. Unser Sohn hatte in England seinen Bachelorabschluss geschafft, wir wollten nun hin fliegen und dies mit ihm feiern. Heute weiß ich gar nicht mehr wie, aber irgendwie habe ich es geschafft. Ich musste mich zwar ständig zwischendurch hinlegen, kämpfte mich aber durch, irgendwie. Der Preis für diesen Kraftakt war hoch, danach war mein Körper am Ende. Schwindel, Schwäche, hunderte von Symptomen, die ich nicht einordnen konnte und die immer schlimmer wurden. Im Oktober 2016 war dann ein Limit erreicht, ich musste mich durchgehend krankschreiben lassen. Damit stand ich vor dem nächsten Problem. Meine Hausärztin war der festen Überzeugung, dass ich nur einen Burnout haben konnte, eine Erschöpfungsdepression. Wenn ich mir meine ganzen Symptome aber vor Augen führte, war ich mir ganz sicher, dass es keine Depression oder Ähnliches sein konnte, sondern ein körperliches Problem. Meine Hausärztin beantragte erst mal eine Kur, was ja eigentlich gut gemeint war, nur hatte ich zu diesem Zeitpunkt keine Ahnung wie ich diese überstehen sollte. Ich konnte ja fast nur noch liegen, kleinste „Belastungen", wie Duschen, Haare waschen, Essen zubereiten, ja selbst 30 Minuten am Computer, schwächten mich dermaßen, dass ein sofortiges Hinlegen notwendig wurde. Manchmal reichten 5 Minuten, es konnten aber auch 5 Stunden werden, bis die Kraft in den Körper zurückkehrte. Kurzfristig war sie dann wieder da, eine kleine Portion Energie. Nur wusste ich leider nie, wie lange sie bleiben würde. Manchmal hatte ich Glück, und die Energie reichte, sodass ich für kurze Zeit einmal das Haus verlassen konnte.

Während dieser kurzen Phasen der Normalität kam es schon mal vor, dass ich Bekannte traf. Einhellige Meinung war immer: „Du siehst aber gut aus". Das Problem ist, dass man die Erkrankung nicht sieht. Wie sollte ich jemandem erklären, dass ich oftmals für Stunden ohne jegliche Energie liegen muss, Stunden in denen ich nicht mal die Kraft habe, die Augen aufzuhalten, geschweige denn zu reden. Wie sollte dies jemand verstehen, wenn ich eigentlich aussah „wie das blühende Leben". Selbst wenn jemand echtes Interesse hatte, fehlte mir eigentlich die Kraft für große Erklärungsversuche. Je länger ich mit jemandem redete, umso schneller ging das bisschen Energie wieder weg, das gerade im Körper war. So entwickelte sich mancher Einkauf zu einem Spießrutenlauf. Mangels Energiereserven wollte ich eigentlich nur die Erledigungen machen und nicht auch noch reden, reden kostete Energie. Kam es dennoch zu einem Gespräch unter Nachbarn, konnte ich anschließend nur noch nach Hause und ins Bett. Diese langen Phasen der Erschöpfung und die damit verbundenen Liegezeiten sehen die Menschen nicht, diese Erkrankung ist für die Gesellschaft einfach unsichtbar.

Irgendwie musste ich eine Lösung für mein Problem finden. Ich durchstöberte immer wieder das Internet, tagelang. Irgendwann stieß ich auf den Begriff CFS (Chronic Fatigue Syndrom = chronisches Erschöpfungssyndrom). Die genannten Symptome und Beschwerden, alles passte perfekt. Jetzt ist das mit dem Internet und der Medizin ja so eine Sache. Es gibt unzählige Symptome, und die passen immer auf unzählige Krankheiten. Aber ich war trotzdem fest davon überzeugt, dass dieses Chronische Erschöpfungssyndrom bei mir passte. Ich wusste, ich hatte keine Depression, ich war mir niemals so sicher wie bei dieser Frage. Nur, an wen konnte ich mich wenden? Dann stieß ich auf eine traditionsreiche Klinik in Berlin. Das musste mein Anlaufpunkt sein, mein Fels in der Brandung, dachte ich mir. Also suchte ich auf deren Homepage den Aufnahmebogen für Patienten heraus. Die notwendigen Kriterien erfüllte ich komplett, nun wollte ich den Aufnahmebogen durch meine Hausärztin ausfüllen lassen und mir dann damit einen Termin in Berlin besorgen. Dies stellte sich als schwieriges Unterfangen heraus. Meine Hausärztin hatte noch nie etwas von dem chronischen Erschöpfungssyndrom gehört und war weiterhin fest davon überzeugt, ich hätte eine Erschöpfungsdepression. Glücklicherweise füllte sie mir dennoch die Unterlagen aus, schrieb aber auf den Überweisungsschein: „Patientin denkt, sie hätte CFS". Bis zu dem für mich so wichtigen Termin in der Klinik dauerte es leider noch vier Monate. Als es endlich soweit war, stand ich vor dem Problem, erst mal von zu Hause überhaupt nach Berlin zu kommen. Dies war für mich eine wahnsinnige Strapaze. Da einer meiner Söhne in der Nähe von Berlin studierte, konnten wir die zweistündige Fahrt bereits einen Tag vor meinem Klinik–Termin hinter uns bringen. Das war eine gute Entscheidung, da ich – kaum in Berlin angekommen – bereits am Ende meiner Kräfte war. Ich musste liegen und konnte nur hoffen, den Termin am nächsten Tag irgendwie zu überstehen. Tags darauf war ich durch die Anstrengung am Vortag vollkommen platt, aber es nutzte nichts, ich musste und wollte diesen Termin wahrnehmen. Ich hoffte, endlich zu erfahren, was mit meinem Körper nicht in Ordnung war.

Die Fahrt zur Klinik dauerte zum Glück nur 25 Minuten, welche ich halb liegend im Auto verbrachte. Dort angekommen, befand sich das Parkhaus zwar auf dem Gelände, aber für mich trotzdem viel zu weit, um die Ambulanz zu Fuß erreichen zu können. Selbst kürzeste Strecken führten inzwischen zu extremer Erschöpfung. Also fuhr mein lieber Mann mich direkt vor die Ambulanz, um anschließend das Auto allein im Parkhaus abzustellen. Die Krankenschwestern vor Ort waren alle sehr freundlich und gaben mir gleich nach meiner Ankunft mehrere Fragebögen, die ich ausfüllen sollte. „Oje, gleich das nächste Problem", ging es mir durch den Kopf. Ich wusste sofort, diese Fragebögen auszufüllen würde meine restlichen Kraftreserven erschöpfen. Und so war es auch. Nach dem Ausfüllen der Unterlagen war meine Konzentration am Ende, ich war vollkommen erschöpft und verbrachte den Rest der Wartezeit halb schlafend auf dem Schoß meines Mannes. Irgendwann kommt man an einen Punkt, dass es einen nicht mehr interessiert, was andere Personen über einen denken. Als ich endlich aufgerufen wurde, nahm ich meine allerletzte Kraft zusammen und erzählte der sehr netten, verständnisvollen Ärztin mein Problem. Sie hörte aufmerksam zu, stellte immer wieder Fragen und – ich konnte es kaum glauben - verstand mich. Trotz der enormen Schwäche, die dieser Termin verursacht hatte, tat es unfassbar gut, endlich das Gefühl zu haben, da ist jemand, der versteht dich, der glaubt dir. Bereits während unseres Gespräches war sie sich sicher, dass ich am Chronischen Erschöpfungssyndrom leide. Endlich hatten meine Beschwerden einen Namen, wenn ich auch mit diesem noch nichts anzufangen wusste.

Allerdings teilte mir die Ärztin auch mit, dass es für diese Krankheit noch keine endgültige Behandlungsmethode gäbe, sondern, dass man nur versuchen könne, die Symptome zu lindern. Das war natürlich der erste kleine Dämpfer, welcher sich in die Freude, endlich zu wissen, was mir fehlt, einmischte. Zum Abschluss wurden mir noch unzählige Röhrchen Blut abgenommen. Nach Auswertung der Blutergebnisse würde ich einen Befundbrief geschickt bekommen. Diesen bekam ich dann nach ein paar Wochen auch. Der Verdacht des Chronischen Erschöpfungssyndroms bestätigte sich. „CFS, Chronic Fatigue Syndrom, was für ein dummer Name für so eine stark einschränkende Krankheit", dachte ich mir. CFS ist eine Erkrankung mit Fehlregulationen des Nervensystems, des Immunsystems und des Hormonsystems. Die Ursachen sind bis heute noch nicht geklärt. Es gibt nur geringe Möglichkeiten, etwas daran zu verbessern. Das Wichtigste ist, sich seine Kraft richtig einzuteilen, also immer wieder Ruhepausen einzulegen, niemals über seine Grenzen gehen. Nicht über die Grenzen zu gehen, bedeutet an manchen Tagen, dass selbst duschen zu viel ist oder wenige Minuten am Computer eine extreme Verschlechterung des Allgemeinzustandes hervorrufen. Die schwere Erschöpfung geht stets mit ausgeprägten körperlichen und kognitiven Symptomen einher. Charakteristisch für CFS ist, dass die Erschöpfung oft auch erst am Folgetag einer Anstrengung auftritt und tage- oder sogar wochenlang anhalten kann. Es ist extrem schwierig, einem Nicht-CFS-Betroffenen die Erkrankung zu erklären. Sicher würde ich sie auch nicht verstehen, wenn ich sie nicht tagtäglich erleben müsste. Die Erkrankung ist nicht logisch.

Eine ebenfalls CFS-Betroffene erklärte es einmal in etwa so: „....Manchmal geht es mir um 14.30 Uhr noch zu schlecht, um überhaupt aufstehen zu können. Dann kann es aber passieren, dass man mich um 15.15 Uhr beim Einkaufen oder Spazieren trifft. Machen Sie das mal jemandem verständlich. Diese Krankheit lässt mir nur kleine Fenster, in denen Aktivität möglich ist. Diese kurzen Zeiträume, manchmal nur Minuten, sind nicht vorherzusagen, und man kann sie nicht herbei führen. Weder klappt das mit „sich zusammenreißen", noch mit genug Schlaf oder gesundem Essen. Es ist, als wenn urplötzlich der Stecker gezogen wird und nichts mehr geht. So kann es dann tatsächlich passieren, dass ich im Bett liege und trotz voller Blase erst mal darauf warten muss, bis ich mich überhaupt erheben kann; ins Bad zu laufen fordert noch mehr Energie.

Andererseits kann aber eine halbe Stunde später schon so ein besagtes kleines Fenster kommen. Dann kämpft sich ein Fünkchen Energie durch, und plötzlich kann ich nicht nur aufstehen, sondern sogar aktiv etwas tun, wie zum Beispiel ein bisschen raus gehen. Das sind sehr wertvolle Geschenke, manchmal bekommt man sie, manchmal nicht. Ganz schlimm sind Termine. Egal, ob es zum Arzt geht oder ein angekündigter Besuch ansteht. Eigentlich freue ich mich sehr über Besuch, wäre das nur nicht mit dem Stress verbunden, der alleine schon durch die Fixierung eines Zeitpunktes entsteht, und die ewigen Fragen: „Wird es klappen? Bekomme ich gerade dann ein Energie-Geschenk? Oder muss ich mich furchtbar quälen, weil ich eigentlich keine Energie habe?" Wenn die Schwäche überwiegt, ich mich hundeelend fühle, aber trotzdem einen wichtigen Termin einhalten muss, dann bekomme ich Herzrasen, der Schweiß bricht mir kalt aus, die Beine geben nach, und ich habe das Gefühl, mich nicht mehr halten zu können, nicht mal im Sitzen. Es geht nur noch liegend und mit absoluter Ruhe, jegliche Geräusche sind nicht aushaltbar. So ist das für CFS-Erkrankte, wenn sie aktiv werden müssen. Habe ich Glück und ein Energie-Fenster erwischt, dann ist es nicht ganz so schlimm, aber die Beschwerden kommen hinterher........" (Quelle: Mitglied der Facebook-Gruppe ME/CFS – die Plauderecke für selbst Betroffene).

Das ist eigentlich immer so. Habe ich einen anstrengenden Tag hinter mir, kann ich mich darauf einstellen, den nächsten Tag nur im Bett zu verbringen. Auf kurzzeitige körperliche Anstrengung folgt tagelange, massive Erschöpfung. Man kennt ja die guten Ratschläge: „Mach doch mal bisschen Sport, die Bewegung tut dir sicher gut" und dergleichen. Leider ist sportliche Betätigung in meinem Fall absolut kontraproduktiv, da sie eine Verschlechterung des Krankheitsbildes hervorruft. Also bleibt mir wirklich nur die eine Weisheit, mit meinen Kräften hauszuhalten. Aber es gibt noch eine zweite Säule der Behandlung. So zumindest der Vorschlag der Berliner Klinik. Mir wurde eine Liste von Nahrungsergänzungsmitteln genannt. Ich versuchte diese nacheinander, doch bis auf minimale Verbesserungen änderte sich nichts. Aber immerhin hatte ich endlich eine Diagnose. Die Freude währte aber nur kurz, denn so richtig behandeln konnte es niemand. Außerdem wollte ich gerne wissen, woher das CFS kam, was war der Auslöser?

Zwischenzeitlich bekam ich die Zusage für die beantragte Rehakur. Grundsätzlich gut, aber wie sollte ich diese wahrnehmen? Ich würde ja nicht mal bis zur Kureinrichtung kommen, geschweige denn, einen normalen Kuralltag überstehen. Zum Glück hatte sich meine Hausärztin mittlerweile etwas in die ihr bis dato unbekannte Erkrankung eingelesen und sah ein, dass dies für mich nicht möglich war. Sie schrieb mir ein Attest für die Kureinrichtung bzw. Krankenkasse.

Mein Leben bestand fast nur noch aus Liegezeiten im Bett. Genauer gesagt war ich über den Tag verteilt mit Unterbrechungen etwa zwei Stunden aktiv. Den Rest des Tages kämpfte ich mit der daraus folgenden Erschöpfung. Diesen Zustand wollte ich nicht akzeptieren. So las ich weiter im Internet in der Hoffnung, einen entscheidenden Tipp zu finden. Eines Tages erfuhr ich von einem Spezialisten in Rostock, welcher sich mit dieser Erkrankung auskennt. Da es in Deutschland nur eine Handvoll solcher Spezialisten gibt, war es natürlich schwierig, einen Termin zu erhalten; meine Wartezeit betrug mehrere Monate. In dieser Zeit lernte ich mein Schlafzimmer immer besser kennen, ich kannte mittlerweile jedes Foto, jeden Strich an der Tapete auswendig. Langweilig und wenig erfüllend. Selbst ein Buch zu lesen war schwierig, weil meine Konzentration nach spätestens einer halben Stunde versagte. Dann war der Kopf leer, kein klarer Gedanke mehr möglich, und der Körper musste in die Waagerechte. Die Erschöpfung war zu extrem, selbst Reden war dann nicht mehr möglich. Nicht dass ich einfach müde war, nein, es ist vielmehr eine bleierne, extreme Kraftlosigkeit, die selbst Schlafen verhindert. Wie schön, dass dieses Zimmer ein

Dachfenster über mir hat, dadurch kann ich in solchen Zeiten wenigstens den Himmel sehen. Während ich auf meinen Termin bei dem Spezialisten wartete, versuchte ich, Linderung mit Massagen und Physiotherapie zu erlangen. Das scheiterte massiv, da sich die Muskel- und Gelenkschmerzen dadurch noch verschlechterten, Schwindel auslösten und wiederum Erschöpfung mit sich brachten. Einzig eine Lymphdrainage besserte die Muskelschmerzen für kurze Zeit ein wenig. An schlechten Tagen war jedoch selbst dies nicht möglich.

Endlich war der Tag gekommen, an dem der Termin in Rostock stattfinden sollte. Ein erneuter Hoffnungsschimmer und eine erneute Herausforderung, denn erst mal musste ich nach Rostock kommen. Glücklicherweise verlief dies jedoch an diesem Tag besser als gedacht, vielleicht auch, weil ich die eine Stunde im Auto halb liegend verbrachte und mich so etwas schonte. Glücklicherweise bekamen wir auch in kurzer Entfernung zur Praxis einen Parkplatz. Der Termin selber war anstrengend, aber zugleich auch sehr ermutigend. Endlich hatte ich das Gefühl, ernst genommen zu werden. Der Arzt nahm sich sehr viel Zeit und stellte mir gefühlt hundert Fragen. Außerdem wurde mir Blut abgenommen, und einige weitere Tests, zum Beispiel eine Atemgasanalyse, wurden durchgeführt. Es tat mir unglaublich gut, meine Beschwerden einem vorurteilsfreien Gegenüber schildern zu können, ohne Angst haben zu müssen, dass ich wieder in die „Psychoschublade" gesteckt werde. Am Folgetag hatte ich einen weiteren Termin in der Praxis. Während diesem wurde mir sehr ausführlich erklärt, zu welcher Diagnose die Anamnese und die durchgeführten Untersuchungen geführt haben. Durch den anstrengenden Vortag waren meine Energiereserven aufgebraucht, so dass ich die Diagnose nicht mehr richtig erfassen konnte. Da ich jedoch schnell Vertrauen in diesen Arzt gefasst hatte und mir ein schriftlicher Befund zugesagt wurde, nahm ich die Situation einfach mal so hin. Ich erhielt noch einen Einnahmeplan für eine ganze Reihe Nahrungsergänzungsmittel, sowie eine

Verordnung für eine Halskrause, die ich beim Autofahren umbinden sollte. Außerdem empfahl er mir, ein gutes Nackenkissen anzuschaffen.

Da die Diagnose leider an diesem Tag nicht den Weg in mein Gehirn gefunden hatte, wunderte ich mich kurzfristig über die Worte „Halskrause" und „Nackenkissen". Eine Verbindung zu meinen Beschwerden konnte ich spontan nicht herstellen, ich war aber auch einfach zu müde. Mein Bauchgefühl war gut und ich war mich sicher, endlich den richtigen Arzt gefunden zu haben, auch wenn ich gerade nicht viel verstand. Dieser Arzt vermittelte mir das Gefühl, dass sein Beruf auch zugleich Berufung ist. Einziger Wermutstropfen ist, dass man die Behandlung als Kassenpatient selber zahlen muss. Allerdings ist – gemessen an der Zeit, die der Arzt investiert hat – die Höhe der Rechnung wirklich akzeptabel. Völlig erschöpft kam ich wieder zu Hause an. Erschöpft, aber auch glücklich und voller Hoffnung. Wie es zu befürchten war, musste ich die nachfolgenden Tage im Bett verbringen, bis ich endlich wieder genug Energie angesammelt hatte, um die empfohlenen Nahrungsergänzungsmittel zu bestellen. Nach ein paar Wochen bekam ich einen sehr ausführlichen Befundbericht mit einem individuell für mich zusammengestellten Therapieplan. Die Diagnose lautete: „Cervico-encephales Syndrom mit sekundärem chronischem Erschöpfungssyndrom und daraus folgende Pyruvatverwertungsstörung". Weiter hieß es: „Bei der Patientin liegt die typische Symptomatik der Genickgelenksinstabilität vor." Jetzt war ich echt erstaunt, von so einer Erkrankung hatte ich bislang noch nichts gehört. Im Diagnoseschreiben heißt es weiter: „Typisch für dieses Krankheitsbild ist eine Liquorzirkulationsstörung. In senkrechter Körperhaltung kommt es unter Rotations- oder Flexionsbewegungen des Kopfes zu einem Liquorstau in das Gehirn, der in senkrechter Haltung zunimmt, in waagerechter Lage absinkt. Klinisch äußert sich dies in absoluter Erschöpfung, die schlagartig einsetzt."

Auch wenn ich die medizinischen Begriffe erst nachlesen musste, diese Diagnose war ein Volltreffer. Endlich hatte ich jemanden gefunden, der die Ursache meiner Probleme kannte. Mein Genickgelenk sollte also der Grund für meine zahlreichen Beschwerden sein. Jetzt ergab auch mein ewiger Schwindel einen Sinn. Der Arzt empfahl mir eine weitergehende Diagnostik in Form eines Upright-MRTs des kraniozervikalen Übergangs. Leider wieder keine Leistung der gesetzlichen Krankenkassen. Naiv wie ich zu diesem Zeitpunkt noch war, ließ ich mir von diesem Arzt noch ein Schreiben für meine Krankenkasse geben, in der Hoffnung, damit wenigstens einen Zuschuss zu besagtem Upright-MRT zu bekommen. Ich konnte einfach nicht verstehen, dass ich diese Untersuchung aus eigener Tasche zahlen sollte. Guten Glaubens reichte ich also kurz darauf dieses Schreiben bei meiner Krankenkasse ein. Nach einem kurzen Infobrief, dass mein Anliegen noch vom Medizinischen Dienst geprüft werden müsste, erhielt ich nach etwa zwei Wochen die Ablehnung der Kostenübernahme bzw. Kostenbeteiligung. Begründet wurde die Ablehnung damit, dass die Untersuchung nicht lebensnotwendig sei.

Ich war entsprechend verärgert. Es war inzwischen Sommer 2017 und ich seit sechzehn Jahren gesundheitlich stark eingeschränkt. Diese Untersuchung könnte endlich den bildgebenden Beweis liefern, wurde mir aber versagt. Das konnte ich nicht verstehen. Es blieb mir also zunächst nichts anderes übrig, als das Upright-MRT hinten anzustellen. Die hohen Kosten waren mit Krankengeldbezug erst mal nicht zu stemmen. Nachdem ich einige Zeit die empfohlenen Nahrungsergänzungsmittel eingenommen hatte, stellte sich manchmal das Gefühl ein, ein winziges bisschen mehr Kraft zu haben. Ich war glücklich über jede noch so kleine Verbesserung meines Gesundheitszustandes. Auch war ich dankbar, mit dem Arzt einmal im Monat einen Telefontermin vereinbart zu haben. So konnte ich von zu Hause aus alle meine Fragen stellen und hatte endlich das Gefühl, einen Arzt an meiner Seite zu haben, der alles versuchte, um meine Symptome zu lindern und mir ein bisschen mehr Energie zu geben.

Mittlerweile musste ich mir allerdings auch Gedanken machen, wie es mit mir und meiner Arbeitskraft weitergehen sollte. Die Zeit des Krankengeldbezuges neigte sich so langsam dem Ende zu. Ich kämpfte sehr mit mir. Ich wollte doch so gerne wieder arbeiten, mir nicht eingestehen, dass dieser Abschnitt meines Lebens erstmal zu Ende sein sollte. Nach langen inneren Kämpfen blieb mir allerdings nur die Möglichkeit, Erwerbsminderungsrente zu beantragen. Wie gut, dass ich immer meinen Mann zur Seite hatte, der hinter mir stand und mir half, wo immer er konnte. So auch in diesem Fall, gemeinsam kämpften wir uns durch die Anträge und reichten diese dann im August 2017 mit sehr gemischten Gefühlen ein. Nach einer kurzen Eingangsbestätigung passierte erstmal lange Zeit nichts. Da jedoch mein Anspruch auf Krankengeld im Februar 2018 auslaufen würde, sagte man mir, ich müsse mich beim Arbeitsamt melden und Arbeitslosengeld beantragen. „Wieso Arbeitslosengeld?" ging es mir durch den Kopf. Ich war doch krank. Letztlich blieb mir keine andere Wahl: Entweder ich ginge zum Arbeitsamt oder würde bald ohne Geld dastehen. Schon bei dem Gedanken „Arbeitsamt" hatte ich einen Kloß im Hals. Finanzielle Unterstützung vom Amt hatte ich noch nie gebraucht. Ich glaube, es ging mir so wie vielen anderen auch, die unverschuldet in diese Situation kommen: Ich fühlte mich irgendwie ausgeliefert und kam mir vor wie eine Bettlerin. Kein schönes Gefühl, aber leider auch alternativlos.

Da ich alleine schon lange nicht mehr das Haus verlassen konnte – ich wusste ja nie, wie lange meine Kraft reichen würde - fuhr ich in Begleitung meines Mannes zum Arbeitsamt. Mit einem Stapel auszufüllender Vordrucke wurde ich wieder nach Hause geschickt. Zusätzlich zu diesen Papieren sollte ich außerdem alle Angaben zu meiner Erkrankung und eine Kopie des Antrages auf Erwerbsminderungsrente einreichen. Irgendwie hatte ich kein gutes Gefühl. Die

Formulare ließen sich aus meiner Sicht gar nicht richtig ausfüllen, da sie nur für Arbeitssuchende ausgelegt waren und nicht für Menschen, die krankheitsbedingt nicht arbeitsfähig waren. Es war völlig paradox, aber irgendwie musste ich diese standardisierten Formulare ausfüllen. Innerhalb von zwei Wochen erhielt ich dann tatsächlich die Zusage für den Bezug von Arbeitslosengeld. Endlich war mal etwas reibungslos gelaufen. Es fühlte sich immer noch nicht gut an, aber zumindest hatte ich jetzt finanzielle Sicherheit. Ich hoffte weiterhin auf einen positiven Bescheid meines Antrages auf Erwerbsminderungsrente. Was ich diesbezüglich noch erleben würde, konnte ich mir damals noch nicht vorstellen.

Im Dezember 2017 gab es endlich eine Nachricht der Rentenversicherung. Ich sollte mich im Januar 2018 bei einem Gutachter vorstellen. Damit hatte ich natürlich gerechnet, aber nicht damit, dass dieser Gutachter Psychologe ist. Mein erster Gedanke war: „Jetzt geht also die „Psychoschiene" los." Bei dem Gutachter angekommen, erhielt ich gleich den ersten Dämpfer. Auf die Frage, ob denn mein Mann dabei sein könne, kam die prompte Antwort: „Nein, es gibt Regeln und die muss ich einhalten". Diese verbindliche Regel gibt es eigentlich nicht, ich hatte mich im Vorfeld informiert, es liegt im Ermessen jedes Gutachters. Um nicht direkt eine negative Stimmung zu erzeugen, nahmen wir diese Entscheidung zähneknirschend hin. Leider wurde es im Behandlungszimmer nicht besser, ich wurde mit folgenden Fragen konfrontiert: „Wie ist Ihre Stimmungslage?", „Ihnen geht es so schlecht und Ihre Stimmung ist gut, woraus schöpfen Sie Ihre Kraft?" und weiter „Hatte in Ihrer Familie bereits jemand psychische Störungen oder Nervenerkrankungen?" Natürlich wurde auch im meiner Kindheit gestochert. Die Frage: „Wie war das Verhältnis zu Ihrer Mutter?", beantwortete ich mit „Sehr gut, sie war Mutter und Freundin zugleich". Die Schlussfolgerung des Gutachters dazu lautete: „Sie konnte sich also nicht durchsetzen." Es folgten noch mehrere Fragen zu meiner Kindheit etc. Meine eigentliche Erkrankung existierte für ihn definitiv nicht. Nach dieser „Befragung" sollte ich mich kurz hinlegen und dann klopfte er auf die Beine und schaute mir mit einer Lampe in die Augen, ließ mich ein paar Schritte laufen und verabschiedete mich nach nur 25 Minuten mit den Worten: „Ich bin der Meinung, es sind nicht alle Möglichkeiten ausgeschöpft. Sie benötigen intensive, langfristige Therapie, um Ihren Gesundheitszustand zu verbessern, aber sie blocken ja alles ab." Das war jetzt also mein Gutachterbesuch. Ich hatte Tränen in den Augen, war nicht nur körperlich, sondern jetzt auch nervlich völlig am Ende. Es dauerte Wochen, bis ich mich von diesem Termin halbwegs erholt hatte.

Ich machte mir sehr viele Gedanken. Wie sollte es weitergehen, wenn meine Erwerbsminderungsrente auf Grund eines Gutachters abgelehnt wird, der mich nur knapp eine halbe Stunde gesehen hat? Fragen über Fragen! Ich wünschte, ich könnte diesen Menschen, die einen einfach abstempeln und in die Psychoecke stecken, nur für einen Tag meine Krankheit überlassen, einfach nur, damit sie spüren, wie es einem wirklich mit dem Chronic Fatigue Syndrom geht. Ich möchte mir damit kein Urteil darüber erlauben, wie es ist, mit einer psychischen Krankheit zu leben. Aber es ist einfach unfair, wenn man ein organisches Problem hat, dies aber nicht akzeptiert wird. Der Grund für die Beantragung meiner Erwerbsminderungsrente ist nicht meine Psyche, sondern CFS, eine Erkrankung, die viele Ärzte nicht anerkennen möchten.

Es vergingen 6 Wochen in denen ich nichts von der Rentenversicherung hörte und mein Zustand sich nicht wirklich änderte. Das Handy war, wie in letzter Zeit schon so oft, fast mein einziger Kontakt zur Außenwelt. Mittlerweile hatte ich eine Gruppe von Gleichgesinnten im Internet gefunden, mit denen man sich austauschen konnte. Es gab sie also, Menschen denen es ähnlich ging wie mir, und dies tat so gut zu wissen. Dann Ende Februar 2018, am letzten Tag meines Krankengeldbezuges, war es endlich so weit. Ich öffnete den Briefkasten und dort lag der lang erwartete Brief der

Rentenversicherung. Meine Beine begannen zu zittern, und ich traute mich nicht, ihn zu öffnen. Nach einigen tiefen Atemzügen öffnete ich den Brief dann doch und konnte es – nach diesem Gutachter - gar nicht glauben, da stand es schwarz auf weiß, ich war Rentner, rückwirkend ab Mitte 2017 für vorerst 2,5 Jahre. Ich wusste nicht, ob ich lachen oder weinen, mich freuen oder losschreien sollte. Rentner, jetzt war es endgültig. Eigentlich konnte ich aufatmen, ja, irgendwie tat ich es auch, aber da war trotzdem dieses Gefühl von …. ich weiß nicht mal, welches Gefühl, aber ein Gefühl, welches ein ziemliches Durcheinander in meinem Kopf und Bauch veranstaltete. Nachdem ich mich wieder etwas beruhigt hatte, ging mir immer eine Frage durch den Kopf. Aufgrund welcher Diagnose erhielt ich jetzt eigentlich Rente? Ich hätte einfach froh sein sollen, dass der Kampf ein vorläufiges Ende hatte und ich keine Angst mehr haben musste, wie es weitergeht, aber trotzdem, ich wollte Klarheit. Somit forderte ich ein paar Wochen später mein Gutachten an, welches ich kurz darauf auch zugeschickt bekam.

Ich las es einmal durch, ich las es zweimal durch und nachdem es mein Mann gelesen hatte, sagte er nur kurz: „Diese Frau habe ich geheiratet und es so viele Jahre ausgehalten?" Bedarf es über den Inhalt noch mehr Worte? Kurzum ich war eine knappe halbe Stunde bei dem Gutachter und das Gutachten umfasste 27 Seiten. Nicht schlecht, was er in der kurzen Zeit alles über mich aussagen konnte, und jetzt weiß ich auch, dass ich kein Chronic Fatigue Syndrom habe. Ich habe u. a. eine kombinierte Persönlichkeitsstörung und eine depressive Störung. Die beste Aussage im Gutachten ist jedoch: „Darstellungen bezüglich ihrer Befindensauffälligkeiten, aber auch in der Beschreibung ihrer familiären Einbindung, lassen einen sekundären Krankheitsgewinn durch die deutlich chronifizierte und vordergründige Krankheits- und Beschwerdesymptomatik vermuten. Einerseits erfährt sie über Krankheitssymptomatik Zuwendung und Bestätigung, andererseits stellt sich der Verdacht, dass über die Beschwerdesymptomatik   verschiedenen   Konfliktfeldern ausweichend begegnet wird." Das war es nun also, mein Gutachten. Eigentlich hätte ich es anfechten müssen, aber diese Kraft fehlte mir. Dann bin ich halt zu Hause, weil ich eine Depression und eine Persönlichkeitsstörung habe. Was für ein Freibrief. Nein, im Ernst, es ist ärgerlich, dass das Chronic Fatigue Syndrom nicht oder nur bei den wenigsten Ärzten als eigenständige Krankheit akzeptiert wird. Aber was hätte es mir gebracht, um die richtige Diagnose zu kämpfen? Ich war einfach froh, erstmal aufatmen und versuchen zu können, in Ruhe alles auszuschöpfen, was möglich ist, um wieder etwas „auf die Beine zu kommen".

Immer wieder versuchte ich in Zusammenarbeit mit dem Spezialisten aus Rostock die Nahrungsergänzungsmittel anzupassen, verspürte ganz langsam minimale Erfolge und konnte wieder länger als 2 Stunden am Tag das Bett verlassen, wenn auch nur in Etappen und für jeweils kurze Zeit. Ich lernte, was ich wann nicht machen durfte bzw. auch welche Dinge ich gar nicht tun durfte. Körperliche Betätigung, egal welcher Art, sei es ein Hemd zu bügeln oder Betten überziehen, Staubsaugen etc. waren und sind gar nicht möglich, auch musste ich lernen, max. nach einer halben Stunde am Computer Pausen einzulegen, da auch dies in sofortiger Erschöpfung endet. Selbst längere Telefongespräche können solche Zustände auslösen. Am allerschlimmsten jedoch empfinde ich nach wie vor die ganz plötzlichen „Crashs", was eine Terminplanung fast unmöglich macht. Ganz schlimm sind auch die Schwindelanfälle, die ebenso plötzlich kommen. Mittlerweile habe ich auch zu meiner Hausärztin ein sehr gutes Verhältnis entwickelt. Sie versucht wirklich, mir eine große Hilfe zu sein. Das tat und tut immer noch unwahrscheinlich gut. Alle anderen Ärzte, ausgenommen natürlich des Spezialarztes in Rostock, waren mir mittlerweile egal, zu denen kam und ging ich, teilweise ohne dass ich überhaupt versuchte, ihnen meine Erkrankung zu erklären. Jedoch meine Hausärztin, sie ist mir wichtig. Ich weiß nicht, ob sie jemals die vielen Unterlagen zu meiner

Erkrankung, die ich ihr mitbrachte, gelesen hat, aber ich habe das Gefühl, dass sie mittlerweile hinter mir steht und das tut sehr gut.

Auch wagten wir es langsam wieder, in den Urlaub zu fahren. Nicht weit, aber einfach raus, andere Luft schnuppern, Wasser und Strand sehen. Eine Fahrtzeit von maximal 2 Stunden mit Nacken-bandage und halb liegend, das war irgendwie möglich. Ich suchte die Urlaubsunterkünfte mittlerweile nach besonderen Kriterien aus. Sie durften maximal 2 Stunden Autofahrt entfernt sein und mussten ein sehr schönes Schlafzimmer haben. Denn schließlich verbrachte ich dort den größten Teil des Tages. Auch durften sie nur wenige Schritte vom Wasser entfernt sein, denn ich wollte schließlich, wenn auch nur für kürzeste Zeit, den Sand unter den Füßen spüren. Und ich reiste nur noch mit meinem eigenen Kopfkissen. Bloß keine Ver-änderung riskieren, keinen erneuten Schwindelanfall provozieren. Am Urlaubsort angekommen, brauchte ich jedoch immer Tage, um mich ein klein wenig von der anstrengenden Fahrt zu erholen. Dies nahm ich in Kauf, denn die anschließenden Tage zeigten mir, dass es das wert war. Kleine Ausflüge zum Strand waren dann möglich, allerdings halt nur für ca. 1 Stunde am Tag, an sehr guten Tagen manchmal sogar nachmittags noch ein paar Schritte spazieren ge-hen. Zwischendurch war natürlich immer liegen angesagt, damit ich wieder neue Kraft schöpfen konnte. Wenn ich dies allerdings über mehrere Tage tat, dann lag ich nach ein paar Tagen wieder komplett im Bett. Mein Körper brauchte Erholung von den kleinsten körper-lichen Belastungen. Aber manchmal will man einfach mal wieder „ganz normal leben" und nimmt die Konsequenzen in Kauf. Ich weiß, dass ich dann zwangsläufig wieder 2 Tage komplett das Bett hüten muss, um eventuell am dritten Tag wieder kleinere Wege durchhalten zu können. In diesem Zusammenhang muss ich einmal sagen, wie froh ich bin, dass mein Mann dies alles mitmacht, denn ich denke, dies ist keine Selbstverständlichkeit. Es ist schwer für mich, mit diesen Einschränkungen zu leben, aber der Partner leidet ebenfalls extrem, denn ein Leben, so wie wir es vor der Erkrankung kannten, gibt es nicht mehr. Auch er muss auf Vieles verzichten, viele Dinge allein tun und immer wieder all die schlimmen Momente auffangen. Ich danke dir, mein Schatz!

Im Juli 2019 dann stand wieder ein Termin in Rostock beim Spezialisten an. Nachdem ich, wie mittlerweile schon gewohnt, halb liegend durch meinen Mann nach Rostock gefahren wurde, hatte ich wieder ein sehr ausführliches Gespräch mit dem Arzt. Dieser bat mich erneut, zur Diagnosesicherung das Upright-MRT der Kopfgelenke durchführen zu lassen. Erst dann könne mit 100%iger Sicherheit seine Vermutung, welche letztendlich zum Chronic Fatigue Syndrom bei mir führte, bestätigt werden. Der Standort der nächsten Upright-MRT-Praxis war 3 Stunden Autofahrt entfernt, aber ich wollte endlich die Ursache meiner Beschwerden wissen. Ich musste aus zweierlei Gründen in den „sauren Apfel" beißen: einerseits, weil das Upright-MRT nicht von der Krankenkasse finanziell unterstützt wird, somit die 770,00 Euro selber zu zahlen waren und anderseits, weil ich irgendwie die lange Fahrzeit durchstehen musste. Der Termin sollte dann im August sein. Also machten wir uns, wie immer, halb liegend mit meinem Kopfkissen im Gepäck, am Vortag der Untersuchung auf den Weg. Nachdem ich fix und fertig ins Hotelbett fiel, war nur noch ein Gedanke in meinem Kopf, hoffentlich, ja hoffentlich werde ich morgen „so fit" sein, damit ich diesen so wichtigen Termin durchstehen kann. Die Nacht war eigentlich keine Nacht, ich lag mehr wach, als dass ich schlief. Solche Nächte kannte ich bereits. Eigentlich fällt man nach anstrengenden Tagen ins Bett und schläft sofort ein. Nicht so bei mir, wenn ich extrem erschöpft bin, der Körper vollkommen am Ende ist, die Erschöpfung für meinen Körper einfach zu groß war, dann komme ich nicht mehr zur Ruhe, kein Schlafen ist möglich. Dementsprechend fühlte ich mich morgens wieder mal wie vom Traktor überfahren. Irgendwie schaffte ich es dann trotzdem und kam pünktlich zum Termin in der Praxis an.

In der MRT-Praxis ließ der Arzt sich kurz meine Beschwerden erzählen und dann ging es auch gleich los. Das Upright-MRT dauerte insgesamt 45 Minuten, in denen ich teilweise nicht mehr wusste, wie ich es durchstehen sollte. Mir wurde extrem schwindelig, so dass wir eine kurze Pause einlegten, dann jedoch die Untersuchung fortführen konnten. Anschließend wurde ich zur Auswertung ins Behandlungszimmer des Arztes geschickt. Mein Kopf war leer, ich konnte nicht mehr denken und war dem Umfallen nahe. Diese „Schwäche-Crashs" kannte ich, sie kamen sofort oder manchmal auch Tage nach Überanstrengung oder auch einfach so ohne Anlass, wie wenn die Batterie plötzlich aus dem Auto genommen wurde. Nix ging mehr. Der Arzt erklärte mir das Ergebnis, von dem ich auf Grund meines Zustandes fast nichts verstand. Ich bekam noch mit, wie dieser mir sagte, dass die Vermutung des Arztes in Rostock genau richtig war. Den Befund wollte er mir am nächsten Tag zuschicken.

Die folgende Woche verbrachte ich auf Grund der vorangegangenen extremen Anstrengung nur im Bett, selbst die Augen zu öffnen, war mit Anstrengung verbunden, der Weg zur Toilette extrem mühsam. Einige Tage später erhielt ich den schriftlichen Befund des Upright-MRT's. Wie Recht hatte doch der Mediziner in Rostock, ich habe eine Kopfgelenksinstabilität. Es kommt bewegungsabhängig zu Einengungen des Rückenmarkskanals mit Berührungen des Rückenmarkes. Dadurch staut sich das Hirnwasser, was eine Mangelversorgung mit Sauerstoff und Nährstoffen nach sich zieht und bei mir über die Länge der Zeit ein Chronic Fatigue Syndrom hat entstehen lassen. Besonders bei Rotation des Kopfes, sowie bei Retroflexion (Beugen des Kopfes nach hinten), verstärken sich die Defizite. Endlich wusste ich die Ursache. Ich hatte nicht gesponnen, nein, ich hatte die ganze Zeit Recht, mein Gefühl war richtig, die Ursache ist ein körperliches Problem.

Dieser Befund ändert natürlich nichts an meinem Gesundheitszustand, aber er gibt mir die Bestätigung, dass man immer auf seinen Körper, sein Bauchgefühl hören sollte. Obwohl mein Leben nicht mehr ganz so verläuft, wie ich es mir wünschen würde, so versuche ich dennoch mittlerweile die Krankheit anzunehmen, mich an kleineren Dingen zu erfreuen, froh über kleine Fortschritte zu sein. Dies so zu betrachten, war und ist allerdings ein sehr weiter Weg. Man will, aber man kann nicht; man will eigentlich immer wieder ins alte Leben zurück. Dieses „alte Leben", das wird es so aber nicht mehr geben, dafür werden andere Dinge kommen, die mir Auftrieb und Bestätigung geben. Ich kann nicht viel unternehmen, mein Körper rächt jede kleinste körperliche Betätigung. Dieser Umstand hindert mich an vielem, jedoch habe ich eine wundervolle Familie, die hinter mir steht, mich unterstützt und diese unzähligen Stunden, die wir gemeinsam verbringen, sind einfach unbezahlbar.

Und noch ein weinendes Dankeschön an meine Mama, die leider seit kurzem nicht mehr bei uns ist, die immer hinter mir stand und mir mit ihrer unsagbaren Liebe Mut machte, obwohl sie selbst schwer krank war. Sie war einfach etwas ganz Besonderes. Danke, mein doppeltes Lottchen, wo immer du jetzt auch bist….

Frau Büchner*

* Name wurde auf Wunsch der Autorin geändert

8. Plötzlich ohnmächtig

Hätte uns jemand vor fünf Jahren gesagt, dass wir uns künftig mit Begriffen wie „Kleinhirntonsillen" oder „Dancing Dens" auseinandersetzen müssen und der Kampf um die Gesundheit unserer Tochter unser ganzes Leben bestimmen würde, wir hätten ihn sicher ungläubig angeschaut. Aber genauso kam es.

Unsere Tochter Bella war ein sportliches Kind voller Energie. Sie ging gerne zur Schule, hatte gute Noten und viele Freundinnen. Aufgrund ihres besonders stark ausgeprägten Gleichgewichtsgefühls wurde sie schnell eine erfolgreiche Rollkunstläuferin.

Das alte Leben, wie wir es kannten, änderte sich schlagartig, als Bella in der fünften Klasse im Schulgebäude eine Treppe herunterfiel. Der Notarzt wurde gerufen, es herrschte große Aufregung, Bella war bewusstlos. Da der Unfallarzt dem Verdacht einer Gehirnblutung nachgehen wollte, wurde im Krankenhaus umgehend ein MRT durchgeführt. Glücklicherweise bestätigte sich der Verdacht nicht. Aber irgendetwas war anders, irgendetwas musste passiert sein. Unsere Tochter entwickelte nach dem Unfall zahlreiche Symptome. Ihr war ständig kalt, selbst im Sommer hatte sie kalte Hände und Füße. Es war so drastisch, dass sie sogar bei hohen Temperaturen Handschuhe trug und mehrere Schichten Kleidung übereinander. Eine normale Winterjacke war ihr auf den Schultern zu schwer, weshalb wir eine Daunenjacke besorgten. Bella hatte „tellergroße" Pupillen und war im Gesicht „weiß wie die Wand". Dazu kamen ständige starke Kopfschmerzen, Schwindel, Gleichgewichtsprobleme, Sprachstörungen, starke Erschöpfung und kognitive Einschränkungen. Am schlimmsten war jedoch der Umstand, dass Bella regelmäßig in Ohnmacht fiel, ohne Anzeichen, von jetzt auf gleich. Kurz darauf war sie wieder ganz normal ansprechbar. Ein Zustand, der uns sprachlos und hilflos machte. An einen normalen Schulbesuch war in diesem Zustand nicht zu denken, die Fehlzeiten in der Schule nahmen ständig zu, irgendwann musste Bella die Schulform wechseln. Einen tatsächlichen medizinischen Befund gab es nicht. Wir erhielten immer die Aussage: „Da ist nichts".

Es wurde die Idee an uns herangetragen, dass die Ohnmachtsanfälle auf die Pubertät zurückzuführen seien. Diese Erklärung erschien uns zu einfach. Bis zu dem Tag des Treppensturzes hatten wir ein völlig gesundes Kind. Ihre gesundheitlichen Probleme mussten mit dem Unfall zu tun haben. Wie recht wir hatten, erfuhren wir auf Umwegen erst über ein gutes Jahr später.

Am Beginn unserer Ärzteodyssee stand der Vorschlag, Bella in eine Spezialklinik für Kinder mit Schmerzerkrankungen einzuliefern. In dem Kontext fiel auch das erste Mal das Wort „Psychopharmaka". Wir setzten uns zwar mit der Thematik auseinander, entschieden uns dann aber gegen die Einweisung und auch gegen die Medikamente. Obwohl wir als Eltern massiv unter Druck gesetzt wurden, schien uns dies für den jungen Körper unseres Kindes ein zu heftiger Eingriff. Zumal damit ja nur symptomatisch behandelt würde, den Grund für die Beschwerden würden wir so nicht herausbekommen. Also versuchten wir auf eigene Faust und unter Aufbringung erheblicher finanzieller Mittel, unserer Tochter zu helfen. Zunächst konsultierten wir einen Faszientherapeuten. Leider verschlimmerten sich die Ohnmachtsanfälle durch die Behandlung, so dass wir einen anderen Ansatz suchten. Ein Heilpraktiker sollte helfen. Dieser veranlasste verschiedene Laboruntersuchungen, die zu einem ersten kleinen Hinweis führten: Bella hatte so gut wie kein Cortisol (Stresshormon); ihr Hormonhaushalt war total durcheinander. Anschließend stellte ein Orthopäde noch eine ausgeprägte Skoliose fest, die eigentlich operationsbedürftig war. Beides waren Anzeichen auf das tatsächliche Problem, wie wir später erfuhren.

Uns wurde ein Osteopath empfohlen, der Bella mehrmals behandelte. Hier kam erstmals der Verdacht auf, Bella könnte Probleme mit ihrem Dens haben. Der Osteopath riet uns zu einem Upright-MRT. Dieser Ratschlag war ein „Volltreffer"; 1,5 Jahre nach dem Treppensturz hatten wir endlich eine Diagnose. Von der Radiologin erfuhren wir, dass bei Bella die Kleinhirntonsillen, welche Bestandteil des Kleinhirns sind, durch die Öffnung im Bereich der hinteren Schädelgrube drücken und somit Druck auf die Medulla oblongata (auch Markhirn genannt) ausüben. Das bedeutet, dass die daraus resultierende Kompression das Atemzentrum reizt und permanent die Gefahr eines Atemstillstandes besteht. Darüber hinaus drückt ihr Dens axis aufgrund des Unfalles in den Rückenmarkskanal, so dass es zu Problemen beim Ablaufen des Hirnwassers kommt. Es lag also eine massive Verletzung im Bereich der Kopfgelenke und des Hirnstamms vor.

Die Diagnose war ein Schock, lieferte aber endlich eine Erklärung für die permanenten Ohnmachtsanfälle. Da dies insbesondere bei Stress und damit verbundenem Blutdruckanstieg vorkam, schien die Ohnmacht eine Art Schutzreaktion des Körpers zu sein. Dadurch „fährt der Körper herunter", das heißt, er beruhigt sich und reduziert damit auch die Vorgänge, die ansonsten in einem Atemstillstand enden würden.

Bereits auf den ersten MRT-Bildern, die direkt nach dem Unfall gemacht worden waren, hätte man erkennen können, dass Bellas Dens axis in den Rückenmarkskanal drückt. Leider hat man damals nur die Frage einer Hirnblutung klären wollen, darüber hinaus erfolgte keine Diagnostik. Auf einer späteren MRT-Aufnahme konnte man sehen, dass sich die Tiefe, mit welcher der Dens axis in den Rückenmarkskanal eindringt, nahezu verdoppelt hatte. Die Instabilität durch den sogenannten Dancing Dens war massiv. Aufgrund der Sensibilität und Komplexität der betroffenen Region und der damit einhergehenden Risiken, war eine Operation nicht möglich. Dennoch musste eine Lösung gefunden werden. Unsere Tochter lag nur noch im Bett, frierend aber auch gleichzeitig schwitzend, mit andauernden starken Kopfschmerzen und litt weiterhin unter den Ohnmachtsanfällen. Die Radiologin nannte uns Spezialisten, an die wir uns wenden könnten. Glücklicherweise erhielten wir bei einem der beiden recht zügig einen Termin, so dass Bella zumindest schon einmal eine fundierte Versorgung mit den notwendigen Mikronährstoffen erhielt. Die Einnahme führte dazu, dass sich ihr Energiemangel, der sich aus der Mitochondriopathie - eine Folge der Kopfgelenksverletzung - entwickelt hatte, etwas besserte. Trotzdem war in ihrem Zustand nicht an einen Schulbesuch zu denken.

Unser Osteopath, der bereits den entscheidenden Tipp Richtung Dens axis gegeben hatte, informierte uns über eine Therapiemöglichkeit. Er hatte von einer anderen Patientin Erfolgversprechendes über eine Stammzellentherapie gehört und stellte den Kontakt zu dieser Patientin her. Wir informierten uns ausführlich über die bei ihr durchgeführte Behandlung und entschieden uns letztlich dafür, den entsprechenden Arzt aufzusuchen. Bei unserem ersten Termin wurde Bella komplett vermessen und uns der genaue Ablauf der Stammzellentherapie erläutert. Die Stammzellen werden nicht mit einer zusätzlichen Substanz angereichert, sondern das mittels Venenblutentnahme gewonnene Blut wird in einer Zentrifuge in seine Bestandteile zersetzt; Stammzellen und Wachstumszellen werden anschließend direkt in den Bereich der Kopfgelenke gespritzt. Bei diesem Verfahren handelt es sich leider nicht um eine Leistung der Krankenkasse. Trotz des gesundheitlich sehr bedenklichen Zustandes unserer Tochter erhielten wir keine Kostenzusage und mussten die gesamte Behandlung in Eigenleistung erbringen. Insgesamt waren bislang 28 Behandlungen notwendig. Stammzellentherapie, Upright-MRT, Akupunktur, Osteopathie und vieles mehr haben uns im Jahr 2018 insgesamt 27.000 € gekostet. Ähnliche Beträge haben wir auch in den Vorjahren leisten müssen. Aber der Erfolg gibt uns recht. Der Dancing Dens ist verschwunden, das heißt, der Dens axis ist wieder weitgehend stabil. Die Skoliose hat sich auch verbessert, zumindest in dem Umfang, dass eine Operation aktuell kein Thema mehr ist. Die Ohnmachtsanfälle sind glücklicherweise nicht mehr aufgetreten und auch der Allgemeinzustand unserer Tochter hat sich gebessert.

Völlig unerwartet, kam es dann wieder zu massiven Problemen. Bella klagte über Albträume und Sehprobleme, außerdem hatte sie Vergiftungspickel auf der Stirn. Die Verschlechterung ihres Zustandes konnten wir uns nicht erklären, da sich zuletzt auch ihre Mitochondrien und damit ihr Energiehaushalt erholt hatten. Aufgrund der geschilderten Sehprobleme kam es im Januar 2019 zu einem erneuten Treppensturz. Dieser erneute Unfall versetzte uns in helle Aufregung, und wir veranlassten umgehend eine Digitale Volumentomographie (DVT). Dabei handelt es sich um eine detailgenaue Diagnostik mit wenig Röntgenstrahlen. Die Aufnahme belegte, dass die behandelten Kopfgelenke ohne Schaden waren. Die Erleichterung war groß, aber es fehlte immer noch eine Erklärung für die Verschlechterung von Bellas Zustand.

Der Zufall kam uns zur Hilfe, als uns irgendwann auffiel, dass die Tablettendosen mit den Mikronährstoffen gar nicht leerer wurden. Unsere Tochter hatte schlichtweg vergessen, ihre Nahrungsergänzungsmittel zu nehmen. Nachdem diese nun wieder regelmäßig eingenommen wurden, ging es Bella besser, aber immer noch nicht wirklich gut. Zu allem Überfluss hatte sie nach dem zweiten Sturz zusätzlich psychotische Symptome entwickelt, wofür aller Voraussicht nach die Hirnstammverletzung ursächlich verantwortlich ist. An eine reguläre Beschulung war zu diesem Zeitpunkt noch nicht zu denken.

Wir versuchten unser Glück bei einem neuen Arzt, der Bellas Blutwerte in einem neuen Labor testen ließ. Das Ergebnis war erschreckend. Die wichtige Umwandlung von ADP zu ATP (ATP-Synthase) funktionierte nicht, da bestimmte Bestandteile der Mitochondrien durch Toxine blockiert waren. Da heißt, dem Körper fehlte schlichtweg Sauerstoff, mit dem Ergebnis, dass Bella unter massivem Energiemangel litt. Einige Recherchen später erfuhren wir von einer speziellen Mitochondrientherapie. Dabei werden Mikronährstoffe und Entgiftungsmittel mittels Infusionen verabreicht und gleichzeitig unter Zuhilfenahme eines Frequenzgerätes Impulse durch den Körper geleitet. So werden die Toxine ausgeleitet bei gleichzeitiger Fütterung der Mitochondrien mit Nährstoffen. Nach Abschluss dieser Behandlung ging es Bella besser. Die Kopfschmerzen waren zwar geblieben, aber im Vergleich zu vorher deutlich abgeschwächter. Auch die Entgiftung schien wieder zu funktionieren.

Endlich Grund zum Aufatmen, dachten wir uns. Dem war leider nicht so. Nach einiger Zeit nahmen die Kopfstiche wieder zu, und auch die Albträume setzten wieder ein. Bella hatte einen massiv verspannten Nacken. Nach und nach machte sich wieder die Verzweiflung breit, wie wir unserem Kind noch helfen können. Wir hatten inzwischen unser ganzes Leben auf Bellas Genesung ausgerichtet. Ihr Vater hatte seine Arbeitszeit reduziert, um ausreichend Zeit für die ganzen Arzttermine zu haben. Das gesellschaftliche Leben, der Freundeskreis, alles liegt brach. Ganz ungeachtet der immensen Kosten, die wir aufbringen mussten, da ein Großteil der Behandlungen mit uns privat abgerechnet wird! Für uns ist es selbstverständlich, dies für unsere Tochter zu tun, aber es ist unsagbar schwer, immer wieder neue Hoffnung zu schöpfen, nach Erfolgen wieder erneute medizinische Rückschläge zu verkraften. Zumal es wirklich fast unmöglich ist, einen Ansprechpartner zu finden, der sich mit der gesamten komplexen Problematik auskennt. Wir hatten jemanden für die Stammzellen, jemanden für die Mitochondrien, jemanden für die Muskulatur und jemanden für die Faszien. Und die ganze Koordination, den fachlichen Transfer etc. mussten wir Eltern leisten, damit irgendwie der Genesungsweg unseres Kindes weitergehen konnte.

Wenn man nur verzweifelt genug ist, lässt man sich auch auf Ideen ein, die man sonst kritisch betrachten würde. So kontaktierten wir eine Heilpraktikerin, die mit einem Heiler zusammenarbeitet. Deren Meinung nach stehen Bellas Kopfgelenke aufgrund der massiven Nackenverspannung nicht richtig, genauer gesagt, handelt es sich um eine Fehlstellung des Atlas. Offensichtlich hatte sich durch die Treppenstürze zusätzlich eine Schutzspannung aufgebaut, die auch für die Kopfschmerzen verantwortlich ist. Schröpfen und Quaddeln sollte hier Abhilfe schaffen. Nach einer positiven Reaktion auf eine ganz spezielle osteopathische Behandlung aus den USA, die es hier in Europa nur selten gibt, haben wir letztlich entschieden, erst noch mal diesen Weg zu versuchen. Aber auch das ist wieder mit immensem Aufwand verbunden. Jetzt müssen wir dafür immer nach Holland fahren.

Wie es für Bella tatsächlich weiter geht, lässt sich jetzt noch nicht absehen. Sie erhält inzwischen Pflegegrad I und wird zu Hause beschult. Neben der Atlasfehlstellung, die sich hoffentlich durch die Muskelentspannung, die wir uns von der speziellen Osteopathie erhoffen, beheben lassen wird, hat Bella kürzlich eine Duftsensibilität aufgrund der Mitochondriopathie entwickelt. Ihre Nackenmuskulatur muss erst wieder lernen, so zu funktionieren, wie vor den Stürzen. Wenn das klappt, sind wir guter Hoffnung, einen weiteren Schritt Richtung Gesundheit bzw. völliger Genesung zu schaffen.

Demnächst machen wir neue Upright-MRTs von Bellas Kopfgelenken und der Halswirbelsäule. Dann werden wir genau sehen, ob bzw. welche Bereiche wir noch mit den Stammzellen behandeln lassen müssen. Wir und auch der behandelnde Arzt rechnen damit, dass die Grunderkrankung, der Dancing Dens, ausgeheilt ist. Somit haben wir es dann nur noch mit den Folgeerkrankungen, wie der Mitochondriopathie und der verspannten Nackenmuskulatur zu tun. Aber wir sind guter Hoffnung, dass wir auch das hinbekommen werden. Haben wir doch schon durch die Stammzellentherapie etwas heilen können, was laut Schulmedizin nicht heilbar ist.

Hinter uns liegen viele nervenaufreibende Jahre. Die Ungewissheit, die Erkrankung an sich und der völlige Verlust des bisherigen Lebens unserer Tochter und auch unseres, war schon sehr schwer zu ertragen. Wenn das eigene Kind 1,5 Jahre fast ausschließlich im Bett liegen kann, einzig für Arzttermine oder den verzweifelten Versuch, in die Schule zu gehen, aufsteht, meist wieder mit dem Ergebnis einer Ohnmacht, dann ist das hart an der Grenze dessen, was man aushalten kann. Was uns aber immer wieder fassungslos gemacht hat, sind die Auseinandersetzungen mit der Krankenkasse und auch der Unfallkasse. Es wurden ausnahmslos alle therapeutischen Maßnahmen abgelehnt; selbst die Diagnose sekundäre Mitochondriopathie ist schulmedizinisch in Deutschland nicht wirklich anerkannt. Damit einhergehend wurde natürlich die Übernahme der Kosten für alle Mikronährstoffe abgelehnt, ebenso für alle osteopathischen Behandlungen, die Stammzellentherapie etc. Stellten wir einen Antrag auf Übernahme der Kosten, mussten wir regelmäßig Gutachten, ärztliche Stellungnahmen usw. vorlegen, die nie zu einem Erfolg geführt haben. Mittlerweile ärgern wir uns nicht mehr darüber, da wir es finanziell irgendwie hinbekommen. Aber was machen Menschen, die sich diese ganzen kostspieligen Therapien nicht leisten können?

Die Eltern von Bella*

* Name wurde auf Wunsch der Eltern geändert

9. Leiden geschafft durch Leidenschaft!

Ich wurde 1975 in Berlin geboren und noch bevor ich laufen konnte, saß ich auf dem Pferd. Ab meinem fünften Lebensjahr bin ich dann dreimal pro Woche geritten. Die restlichen Wochentage war ich ungeduldig, ich wollte endlich wieder reiten. Pferde waren schon immer meine größte Leidenschaft. Und natürlich gehören Stürze und Unfälle dazu. Wenn ich mir dann mal den Arm gebrochen hatte, bestand das größte Elend darin, sechs Wochen nicht reiten zu können. Blaue Flecken und Prellungen wurden einfach ignoriert. Das Reiterleben ist hart und Zipperlein sind fehl am Platz. Naja, dadurch, dass ich die einzige meiner Familie war, die vom Pferdevirus infiziert war, erntete ich meistens nur Kopfschütteln und Unverständnis.

Mit 15 hatte ich mein erstes ernstes Erlebnis. Einen Huf an der Schläfe. Das hat mir für einen Moment das Licht ausgeknipst und als ich wieder zu mir kam, dröhnte mir mächtig der Kopf, und der Nacken zwickte etwas. Zudem war der erste Blick in den Spiegel ein kleiner Schreck: das Jochbein war sehr dick und irgendwie schief. Überhaupt war mein Gesicht etwas schief. Das rechte Auge ließ sich nicht mehr isoliert schließen und der rechte Mundwinkel hing runter. Problem A habe ich mit viel üben nach 2-3 Jahren in den Griff bekommen. Aber die leicht hängende Gesichtshälfte habe ich bis heute. Nichtsdestotrotz durfte ich mir in diesem Jahr mein erstes eigenes Pferd kaufen (mit dem Satz: „Dann nimm dein Taschengeld und sieh zu wie du klar kommst" – ja, ich habe viele Jahre genervt). Gesagt getan. Babysitten, Nachhilfe geben, Klavier- und Reitunterricht geben, waren jetzt also an der Tagesordnung, um mir mein Pferd finanzieren zu können. Und Schule wuppen. Aber das war alles kein Problem. Ich habe ja meinen Traum dafür leben dürfen.

Mit 17 Jahren endete einer meiner Stürze senkrecht auf dem Kopf. Glück gehabt, das Genick war offensichtlich nicht gebrochen, aber für längere Zeit etwas unbeweglich und schmerzhaft. Aber egal, reiten ging. Trotz meines vollen Programms, fand ich noch Zeit und Spaß fürs Standard-Latein Tanzen, war gerne mit meinen Freunden unterwegs und habe das Leben genossen. Meine Berufswahl fiel auf Physiotherapie, nachdem ich als Stewardess feststellen musste, dass sehr wenig Zeit für meine mittlerweile drei Pferde übrig blieb. Ich wollte mich selbständig machen können und Hobby und Beruf verbinden. Nach Abschluss meiner Ausbildung standen erst einmal zwei Jahre Praxiserfahrung sammeln an, bevor ich meinen Schein für Hippotherapie machen konnte. In diesem besagten zwei Jahren begann das „Drama" stückchenweise. Ich habe offenbar eine seltsame Aura. Ärzte glauben mir einfach nicht. Ein Beispiel: im Januar 2000 stürzte ich samt Pferd und lag mit verdrehtem Fuß unter dem Tier. Der Fuß war eindeutig kaputt. Im Krankenhaus habe ich die Sachlage geschildert. „Kann nicht sein, dann wäre der Fuß viel stärker geschwollen", erhielt ich zur Antwort. Ich erlaube mir aufgrund meiner als Physiotherapeutin erworbenen anatomischen Kenntnisse zu beurteilen, dass ein Fuß, der um 90° beim Auftreten zur Seite weg klappt, eindeutig kaputt ist. Das Röntgenbild war angeblich zumindest knöchern betrachtet o. k. Ich war anderer Meinung. Ein anderer Arzt veranlasste dennoch ein CT. Tata! Ein Trümmerbruch im Mittelfuß. Drei Knochen zerbröselt und die Bänder zerrissen. Genauso erging es mir mit zwei weiteren Brüchen. Ich sag ja, ich habe so etwas wie eine „Simulanten-Ausstrahlung" und wurde eigentlich nie ernst genommen. Und das obwohl ich Ärzte und Krankenhäuser wirklich nur aufsuchte, wenn es absolut notwendig war.

Wie dem auch sei, folgte kurz nach dem Bruch (von dem ich heute noch die Folgen spüre) ein heftiger Sturz auf den Brustkorb. Schleudertrauma und Gehirnerschütterung inklusive. Seit diesem Unfall habe ich ein eingeklemmtes Gefühl im Brustkorb, bei jedem Atmen, bei jedem Drehen. Zudem ein zermürbendes Brennen unter dem Schulterblatt. „Aber da ist nix". Ignorieren und Zähne zusammen beißen. Ich musste mich auf meine Trainerlizenz konzentrieren

und biss die Zähne zusammen. Während des Trainings im Spring-
parcour gab es plötzlich einen heftigen und hörbaren Ruck in meinem Genick und ich dachte: „Jetzt ist alles aus". Die Kontrolle meiner Gliedmaßen ergab dann aber: es geht weiter. Zu allem Übel ist
mir in diesem Jahr auch noch meine Lunge zusammengefallen, einfach so. Auch hier das gleiche Phänomen beim Arzt zu dem ich mich
dann selber schleppte: es kann ja nichts Schlimmes sein, wenn ich
selber in der Lage bin, dorthin zu kommen (kurz für alle, die noch
keinen Pneumothorax hatten: es tut schon weh, und man kriegt
kaum Luft). Sehr nett und hilfsbereit waren sie dann, als das Röntgenbild das Desaster präsentierte.

Ein Jahr später meine erste Herpesinfektion. Das ganze Gesicht
inklusive der Augen war ein einziger Herpes. Und es sollte noch
schlimmer kommen. Eine Herpesmeningitis. Wochenlang rasende
Kopfschmerzen, Nackenschmerzen und heftige Übelkeit. Und das
ganze kurz vor Ablauf meiner Probezeit. Job weg. Dafür seitdem alle
zwei Wochen rezidivierende Herpesinfektionen. Fazit: küsse niemals jemanden mit Herpes!

Aber auch das stutzte mir nicht die Flügel. Ich habe alles an Geld
und Energie in meine Fortbildung gesteckt und wurde Trainer B im
Leistungssport und Hippotherapeutin, konnte endlich durchstarten.
Mit Hilfe der Ich-AG machte ich mich 2003 selbständig. Zuerst auf
einem kleinen Pachtgrundstück, wo ich meine mittlerweile sechs
Pferde zu Therapiezwecken einsetzte. Ich war hoch motiviert, habe
mir einen guten Kundenstamm aufbauen können und war in meinem Element. Dann kam im Jahr 2004 mein schwerster Reitunfall.
Ich wurde runtergebockt, blieb im Bügel hängen und wurde mitge-
schleift. Ich knallte mit dem Kopf gegen einen Pfosten, und das
Pferd trampelt auf mir herum. Jedenfalls setzte es mir mächtig zu,
bis ich frei kam. Pflichtbewusst tat ich, was zu tun ist: „Du musst
sofort wieder rauf, bevor der Schmerz einsetzte." Schwieriges Unterfangen – alles schlackerte, war unkoordiniert, und ich war kurz vor

einer Ohnmacht. Ich konnte kaum noch etwas sehen oder hören. Aber irgendwie ging es. Das Absteigen wurde dann zur größten Hürde. Ich wusste, jetzt hat es mich richtig erwischt. Irgendwie habe ich es doch lebend geschafft, von meinem hysterischen Vierbeiner abzusteigen. Alles drehte sich, mein ganzer Körper war ein einziger Schmerz. Dieser Unfall hat mich einige Monate gekostet. Beinbruch, zerpflücktes Knie, mal wieder ein heftiges Schleudertrauma und eine Gehirnerschütterung. Nach der Operation und mit der Schiene am Knie ging das nicht mit dem Reiten, ich hab's versucht.

Im Jahr 2006 hatte ich die Möglichkeit, eine ehemals gewerblich genutzte Halle mit 10 ha Land zu pachten. Eine Halle war wichtig für mich, damit ich meinen Patienten das Reiten auch im Winter oder bei schlechtem Wetter ermöglichen konnte. Sprüche wie „Das ist eine Nummer zu groß für dich", "Das schaffst du nie" oder „Bist du verrückt?", wurden gekonnt ignoriert. Natürlich hatte ich viele schlaflose Nächte und Ängste. Aber das war genau das was ich wollte: einen eigenen Reit-Therapiehof. Und ich war kreativ, anspruchslos und unermüdlich. Mit Leidenschaft in meinem Element. Es war schwerste körperliche Arbeit. 10 ha mussten eingezäunt werden, die Halle musste eine Holzverkleidung bekommen, Ställe gebaut werden, nebenbei Geld verdienen und die Tiere versorgen. Ab und zu hatte ich Helfer an meiner Seite. Mein Arbeitstag hatte 16-18 Stunden, aber ich war glücklich.

Dann schlagartig ein mir fremdes Gefühl. Ich konnte nicht mehr. Ich hatte nicht mal Kraft, um das Tor zu schließen. Bei einem Notfall wollte ich hin rennen, aber es war, als würde mich jemand mit Gummibändern fixieren. Meine Beine wollten nicht, und ich habe keine Luft bekommen. Die Teilnahme an Turnieren wurde für mich zur Tortur. Man reitet ca. 5 Minuten in einer Prüfung. Ich sagte mir dabei immer nur: „Halt durch, es ist gleich vorbei". Ich war nach wie vor erfolgreich, aber es war unglaublich anstrengend. Aber das war noch „Pillepalle", wie sich später herausstellen sollte. Als ich noch mitten im Aufbau meines Betriebes war, musste ich eine sehr unschöne Trennung erleben, die mir zusätzlich noch mächtig psychischen Stress bereitete. In diesem Zusammenhang verlor ich obendrein noch meine damals beste Freundin, das muss ich wohl nicht näher ausführen.

Neben dem ständig wiederkehrenden Herpes (der sich überall im Gesicht und in bzw. an den Augen ausbreitete) litt ich zunehmend an Rückenschmerzen. In Verbindung mit den schon bestehenden Beschwerden im Brustkorb, vermieste es mir jegliche Freude an körperlicher Aktivität. Ich konnte kaum noch etwas ohne Stöhnen anheben. 2007 flog ich mal wieder von meinem kleinen Hengst. Diesmal mit voller Wucht mit dem Kopf durch die Holzwand. Mein Helm war zerbrochen. Danach ging es mir sehr lange sehr schlecht. Im Krankenhaus wollten sie dann das erste Mal in meinem Leben meinen Kopf röntgen. Bisher hieß es immer nur: „Ist halt eine Gehirnerschütterung, wird schon wieder". Alle starrten verblüfft auf mein Bild, inklusive mir. Mir wurde die Frage gestellt, wann ich denn die Schädelfraktur gehabt hätte. Hmm… vielleicht bei dem Tritt mit 15? Vielleicht bei einem meiner Stürze auf dem Kopf, die als Gehirnerschütterung abgetan wurden? Ich jammere in der Regel nicht, sondern schildere die Tatsachen, und das Letzte, was ich verliere, ist mein Humor. Macht mich das unglaubwürdig? Vielleicht liegt jetzt die Vermutung nahe, ich wäre unfähig zu reiten, wenn ich so oft vom Pferd stürze. Dem ist nicht so, ganz im Gegenteil. Ich wurde glücklicherweise mit einer großen Portion Talent beschenkt, durch welches ich mir viel Respekt, Erfolg und Anerkennung verdienen konnte. Daher war ich schon früh die Anlaufstelle für viele, die reiterlich nicht weiter kamen oder deren Pferde „Probleme" bereiteten. Genau da liegt der „Hund begraben". Ich hatte schon immer einen Hang zu schwierigen und teils „gefährlichen Pferden". Das war meine persönliche Herausforderung. Ich war mir des Risikos stets bewusst, aber ich hatte ein Händchen dafür und habe meine Fähigkeiten nie überschätzt. Dennoch bleibt jedes Pferd unberechenbar. Schließlich ist es ein Fluchttier mit einer Lebend-masse von bis zu 800 kg.

Zu den schon bekannten Rückenschmerzen kamen unangenehm schwere Beine hinzu. Sie waren lahm und taten weh. Ich konnte nachts vor Schmerzen nicht mehr schlafen. Schmerztabletten war mein steter Begleiter, aber so richtig halfen sie nicht. Und an beruf-lich kürzertreten, war nicht zu denken. Zudem war mein „Karriere-plan" noch nicht beendet. Ich wollte Trainerin im Behindertenreit-sport werden, auf meinem Hof breitgefächert therapeutisches Reiten und Leistungssport anbieten. Also habe ich wieder Zeit, Geld und Energie in die Ausbildung gesteckt, darin war ich begabt und fühlte mich dafür berufen. Auch wenn ich sonst eher der weniger offensive Typ bin, etwas schüchtern, bin bzw. war ich in meinem Job sehr selbstbewusst. Allerdings wurde es immer beschwerlicher. Bei An-strengungen litt ich unter Luftnot, bekam einen hochroten Kopf und überall tat etwas weh. Das war sehr lästig, aber da musste ich durch. Und immer wieder Kopfschmerzen. Von den Nackenschmerzen mal ganz abgesehen. Die waren störend, aber nicht mein Hauptproblem. Im Jahr 2008 fing mein ganzer Körper nach und nach an zu streiken. Gefühlt alle Muskeln und Gelenke taten weh, und ich fühlte mich ständig krank. Meinen Job auszuführen begann allmählich körper-lich zur Qual zu werden. Irgendwann versagten meine Beine vor Schwäche, und ich konnte meine MS-Patientin auf dem Pferd nicht mehr halten. Ich sackte zusammen und zog die Frau mit runter. Da saßen wir beide dann im Staub. Gott sei Dank war sie nicht verletzt. Sie war empört und ich entsetzt, dass mir mein Körper nicht ge-horcht hatte. Jetzt musste ich mir eingestehen, dass ich diesen kör-perlichen Belastungen nicht mehr gewachsen war. Aber warum? Der Orthopäde fand bei mir ein Facettengelenkssyndrom, eine schwarze Bandscheibe und eine fast 90° Winkelung der LWS. Damit sollte ich nicht mehr schwer heben. War das die Erklärung für die Schlappheit? Bestimmt. Dauerschmerzen führen ja zu Erschöpfung.

Ich hatte zu Hause einen noch nicht von mir unterschriebenen Vertrag einer Rehabilitations-Einrichtung, die mir mehrere Patienten wöchentlich zur Hippotherapie bringen wollten. Das wäre sehr lukrativ gewesen. Schweren Herzens war ich gezwungen, diesen ununterschrieben zurück zu geben. Es ging einfach nicht mehr. Ebenso musste ich bestehende Verträge auflösen. Ich habe zwar auch klassischen Reitunterricht gegeben, aber meine Haupteinnahmequelle war das therapeutische Reiten. Was tun? Es war bereits 2010. Ich habe eine private Berufsunfähigkeitsversicherung, die laut Vertrag einspringt, wenn ich zu 50 % meinem ausgeübten Beruf nicht mehr nachgehen kann. Da war ich mittlerweile weit darüber hinaus, wenn man bedenkt, dass das ein Einmannbetrieb war und mittlerweile über 35 Pferde dort lebten, die versorgt, gemistet und trainiert werden sollten. Vier Gutachten wurden erstellt. Zwei davon zu meinen Gunsten, zwei andere (natürlich von der BU) zu meinem Nachteil mit dem Vorwurf, Versicherungsbetrug begehen zu wollen. Das war ein harter Schlag! Ich hatte leider keine Rechtschutzversicherung und musste zusehen, wie ich jetzt klarkomme. Ich strukturierte den Hof um und verlagerte meinen Schwerpunkt auf den Reitunterricht.

Ab dem Jahr 2010 begannen meine Beschwerden unerträglich zu werden. Tiefschlafphasen hatte ich nicht mehr. Immer nur ein Dämmerschlaf, ständig (ca. 15 mal pro Nacht – ich habe gezählt) wach. Die Rücken- und Beinschmerzen ließen auch nachts nicht nach. Von der Halswirbelsäule ganz zu schweigen, ich wusste nicht, wie ich liegen sollte, ohne dass sie weh tat. Aber das war ja nicht mein Hauptproblem. Irgendwann wurde es so schlimm, dass ich nach 1 Stunde Kindergruppenbetreuung (1 Stunde stehen und gehen) jeweils eine ganze Woche brauchte, um mich davon zu erholen. Unerträgliche Schmerzen, maßlose Erschöpfung und jedes Mal ein schweres Grippegefühl ohne Fieber! Ich war kaum in der Lage, 5 Minuten zu stehen, ohne dass mir die Tränen in die Augen schossen. Es war ein Gefühl, als ob meine Beine „ersticken" bzw. keinen Sauerstoff bekamen und absterben. Ein dreiwöchiger Klinikaufenthalt zur Diagnostik blieb erfolglos: kein Bechterew, keine MS oder sonstige Befunde. Gefäße und Herz in Ordnung. Nur ein Blutdruck von 70/40 war regelmäßig zum Grübeln anregend. Also: ich war gesund. Meine Verzweiflung wurde stärker. Gott sei Dank hatte ich auf dem Hof einige freiwillige Helfer, die mir sehr viel abnahmen. Es ging fast nichts mehr. Ich versuchte den Alltag durchzustehen und begann mit einem Ärztemarathon auf der Suche nach einer Erklärung. Denn ich war schwer krank, das wusste ich. Mein Problem nach wie vor: meine Aura. Ich sehe aus wie das blühende Leben, bin sehr beweglich (die Schmerzen dabei sieht man ja nicht) und eigentlich ein sehr humorvoller und fröhlicher Mensch. Arztbesuche sind mir allgemein nicht angenehm. Und mit zunehmender Diskriminierung wurde der Zustand nicht wirklich besser. Einem Internisten erklärte ich meinen Zustand mit der absolut zutreffenden Formulierung: „Ich bin zu müde zum Leben". Er lachte mich schallend aus und meinte, ich würde maßlos übertreiben. Na, er steckt ja nicht in meiner Haut. Nichtsdestotrotz machte er ein Blutbild, und die Lösung meines vermeintlichen Problems war gefunden Juhu! Mein Vitamin D Spiegel war so niedrig, dass er nicht mehr messbar war. Das macht müde und löst Schmerzen aus. So einfach war das. Er gab mir ein Präparat und die Empfehlung mit auf den Weg, ich solle mich mehr draußen aufhalten. Mehr draußen aufhalten als ich? Das schafft nur ein Obdachloser. Naja, ich war glücklich, bald wird es mir besser gehen. Aber nichts verbesserte sich.

Ich habe viel Geld in alle möglichen Versuche investiert, um mein Leben und meine Vitalität zurückzubekommen. Vom Handauflegen über Paleodiät bis Chiropraktik. Ich ließ nichts unversucht. Apropos Chiropraktik: da nach wie vor mein Brustkorb klemmte und überhaupt meine ganze Wirbelsäule sich verhakt anfühlte, besuchte ich einen solchen. Da mir meine Halswirbelsäule ja auch Beschwerden machte (Schulterblick, Bauchlage, Umarmungen, Erschütterungen...), ließ ich sie gleich mit behandeln. Obwohl das ja eigentlich nicht mein Hauptproblem war, dachte ich zumindest. Ich wurde massiv überdreht, aber es knackte bei dem Ruck nicht! Dafür wurde mein Genick aber doch zu einem meiner Hauptprobleme. Es war furchtbar, als hätte ich nicht schon genug zu leiden.

Im Jahr 2012 bekam ich meine Tochter, ein absolutes Wunschkind. Die Schwangerschaft war extrem entkräftend und meine Beine schlimmer denn je. Und ich wusste immer noch nicht, was mit mir los war. Als sie auf der Welt war, wollte ich ihr die beste Mutter auf Erden sein und gab mir die größte Mühe. Aber ich funktionierte nur und konnte die Zeit gar nicht wie geplant genießen. Bleierne Erschöpfung! Alles wurde noch schlimmer. Nebensächliche Symptome, wie extreme Licht- und Geräuschempfindlichkeit, Verdauungsprobleme, reißende Schmerzen hinter den Augen, Benommenheit, Schwindel, Tinnitus, Herzrasen- und stolpern, Brennen in den Füßen, Krämpfe, Sehstörungen, Sprach-, Gedächtnis-, Konzentrations- und Wortfindungsstörungen begleiteten mich. Mein Körper schrie förmlich nach Ruhe. Aber das war nicht möglich. Ich war Mama. Und ich hatte einen Betrieb zu führen. Ich hatte die Ärzteodyssee aufgegeben, weil mir niemand glaubte, mir keiner helfen konnte und ich die Diskriminierungen satt hatte. Der Rat aller Ärzte: Ich sollte mich in psychiatrische Behandlung begeben. Verdammt noch mal! Mit meiner Psyche ist alles in Ordnung! Ich will am Leben teilnehmen, ich will reiten, ich will arbeiten, ich will mit meinem Kind in den Zoo. Aber es geht nicht. Draußen scheint die Sonne, perfektes Wetter, um bei einem Ausritt im Wald die Seele baumeln zu lassen. Aber es geht nicht. Ich habe kaum die Kraft zum Zähneputzen. Aber es ist nicht die Psyche. Es ist der Körper. Natürlich weint man oft, weil das Leben an einem vorbei zieht und man nicht richtig teilnehmen kann. Das sind keine Depressionen, das ist einfach Traurigkeit und Verzweiflung.

Irgendwann wurde ich überredet, doch mal zu einem Neurologen zu gehen. Der stellte eine Hüftbeugerparese fest. Aha. Aufgrund meiner Beschreibung riet er mir zu einer Muskelbiopsie im

Krankenhaus. Ich bin Privatpatient; die Biopsie wurde vorerst nicht gemacht, dafür diverse andere, zum Teil sehr schmerzhafte Untersuchungen. Der Arzt mochte mich nicht. Ich wurde ausgesprochen unfreundlich behandelt. Und das, was ich an Symptomen zu bieten hatte, passte nicht in sein Schema. Zum Beispiel, dass ich sehr stark auf Reize reagierte. Stromimpulse lösten reflexartig Zuckungen aus. Die hatte ich gefälligst zu unterbinden, das ginge nicht. Überhaupt waren meine Reflexe überlebhaft. Beim Vorführen, wie ich eine Treppe meistere, blieb ich auf jeder zweiten Stufe stehen, rang nach Luft und versuchte, meine zitternden und erschöpften Beine zu motivieren. Aber ich war eine Simulantin. Einzig der Laktat-Belastungstest machte ihn stutzig. Dieser war schwer pathologisch. Aber das konnte er sich nicht erklären und meinte, ich wäre einfach untrainiert. Nach dieser Anstrengung war ich drei Tage nicht in der Lage zu essen. Weder konnte ich die Gabel halten, noch konnte ich kauen. Musste aber wieder Beschimpfungen und erniedrigende Bemerkungen des Arztes über mich ergehen lassen. Endlich dann die Muskelbiopsie. Muskeln in Ordnung. Ich verstand es nicht. Täglich war ich von Krämpfen geplagt, bevorzugt an den Halsmuskeln, der Zunge und den Füßen. Warum fand man denn nichts? Mit dem Rat, mich stationär in der Psychiatrie behandeln zu lassen, schnürte ich mein Säcklein und ging nach Hause.

In der Zwischenzeit verschlimmerte sich mein Zustand so stark, dass ich es bald mit einem Wachkoma vergleichen konnte. Liegen und Atmen. Und selbst das war zu anstrengend. Ich konnte mich nicht mehr unterhalten oder telefonieren. Ich brachte keine Sätze zustande, denn es war viel zu kraftraubend. Meine Zunge und mein Gehirn gehorchten nicht. Ich wusste, mein Leben ist vorbei. Mein Zustand stieß auf großes Unverständnis in meinem Umfeld. Es musste dringend etwas passieren. Ich sterbe, ich wusste, ich würde sterben. Mein „gesundes Herz" schafft das nicht mehr. Also begann ich radikal etwas zu ändern. Ich stellte jemanden an, der Hof musste ohne mich laufen. Schließlich kämpfte ich ums Überleben und ich hatte eine Tochter. Ich trennte mich nach neun Jahren Beziehung. Ich musste überleben. Für mich und für meine Tochter. Ich hatte keine Kraft für noch jemanden. Also tat ich, soweit ich konnte, das, was mein Körper verlangte: nichts. Ich schob alles von mir, sofern es ging. Auch eine Putzfrau leistete ich mir. Existenzängste machten sich breit, schließlich musste ich Leute bezahlen, die meinen Job machen. Und so viel warf der Betrieb nun auch nicht ab. Ich musste mich krankschreiben lassen. Durch das Krankentagegeld konnte ich zumindest die anfallenden Kosten abdecken.

Per Zufall geriet ich an einen Arzt, der anders war. Er nahm mich ernst und schien dieses Phänomen zu kennen er machte „andere" Blutuntersuchungen und meinte, es wundere ihn überhaupt nicht, dass ich am Ende sei. Mein Mineralstoffhaushalt war katastrophal. Einen so niedrigen Vitamin B1 Wert hätte er noch nie gesehen (der kommt bei Alkoholikern mal vor, ich trinke gar keinen Alkohol). Unter vielem anderen bildete ich viel zu wenig Melatonin (Schlafhormon), Serotonin und diverse Steroidhormone. Zusätzlich fand er heraus, dass ich eine Unterart von Borrelien in mir hatte (den ein oder anderen Zeckenbiss konnte ich verbuchen). Mein ATP, zuständig für die Energiegewinnung in der Zelle, war ebenfalls viel zu niedrig, um nur einiges zu nennen, es würde sonst den Rahmen sprengen. Er stellte fest, dass meine Mitochondrien nicht in der Lage waren, vernünftig zu arbeiten. Endlich hatte mein Zustand einen Namen: CFS/ME (= Chronic Fatigue Syndrom bzw. Myalgische Enzephalomyelitis). Erleichterung machte sich in mir breit. Ich war urkundlich nicht verrückt. Und ich war nicht allein. Es gab noch mehr ähnliche Fälle. Nach meiner Erleichterung kam aber der Schock. Es ist nicht heilbar. Aber mir wurde versprochen, es würde mir etwas besser gehen, es würde nur dauern. Aufgrund meines massiven Vitamin B12 Mangels wurde mir dieses intravenös zugeführt. Darauf reagierte ich mit starken Kreislaufproblemen und Erbrechen. Trotzdem sollte ich mir das B 12 eine Weile selber spritzen. Und jedes Mal musste ich mich übergeben. Ich habe mich also immer hingelegt und einen Eimer neben mir postiert. Wie sich später herausstellte, war das eine anaphylaktische Schockreaktion. Was irgendetwas mit meiner Blut-Hirnschranke zu tun haben sollte. Der Arzt verschrieb mir einen Haufen Pillen und Pülverchen, um meine Defizite auszugleichen. Er hatte nur leider keine Zeit, um mich tatsächlich weiter zu betreuen.

Ein Augenarzt diagnostizierte zwischenzeitlich ein Sicca-Syndrom. Eines meiner kleinen aber lästigen Zusatzproblemchen. Meine Augen waren so trocken, dass bereits die Hornhaut zerkratzt war. Das erklärte, warum meine Augen so schnell ermüdeten.

Wie der Zufall es wollte, kam ich zu einem neuen, sehr aufgeschlossenen Arzt. So einen Fall wie mich hatte er noch nie gehabt. Er tat alles, um mich zu verstehen, machte mir Mut, informierte sich und setzte sich konsequent für mich ein, wo es nur ging. Er betrachtete mich als eine Aufgabe, eine Herausforderung, und vor allem war ihm wichtig, mich wieder auf die Füße zu bekommen. Dass meine Mitochondrien einen Schaden hatten, war für ihn außer Frage. Er belas sich und besuchte für mich Vorträge, um dem Geheimnis auf die Schliche zu kommen. Er war sich dann sicher: das CFS wurde durch meine Halswirbelsäule verursacht. Er überwies mich zu einem Funktions-MRT, und sein Verdacht bestätigte sich. Ich leide an einer instabilen Halswirbelsäule bzw. instabilen Kopfgelenken. Bei bestimmten Bewegungen dezentriert sich mein Dens axis. Die Haltebänder sind ausgeleiert, und es besteht ein Knochenmarksödem, welches auf eine dauerhafte Reizung hinweist. Aber ob das wirklich der Auslöser meiner Krankheit sein sollte? Als Auslöser vermutete ich primär das (verdammte) Herpes Virus oder eventuell das Eppstein-Barr-Virus. Aber gut, meine Halswirbelsäule machte mir ohnehin furchtbare Probleme. Ich sollte alles, was die Halswirbelsäule strapaziert meiden, weiche Schuhe tragen und eine Halskrause. Nachts konnte ich endlich etwas entspannter liegen, und die Krämpfe wurden weniger. Weg waren sie aber nicht.

Zusätzlich bekam ich gegen die Beinschmerzen Alpha-Liponsäure verschrieben. Obwohl ich den Zusammenhang nicht verstand, half es mir. Die Beine wurden (zumindest im Ruhezustand) erträglicher. Mein Arzt legt mir nahe, zu einem Spezialisten nach Rostock zu gehen. Auf diesen Termin habe ich 1,5 Jahre warten müssen.

Zwischenzeitlich stellte ich erneut einen Antrag auf Berufsunfähigkeit. Meine Krankheit hatte ja jetzt einen Namen, nur leider den falschen. CFS wird in Deutschland nicht anerkannt. Es fehlt der eindeutige Marker. Und um diesen zu finden, fehlt es an Forschungsgeldern. Diese wiederum werden nicht locker gemacht, da es diese Krankheit in Deutschland angeblich nicht gibt bzw. zu wenig darüber aufgeklärt wird. Tatsächlich gibt es in Deutschland geschätzte 240.000 von uns. Der größte Teil davon ist erwerbsunfähig, viele hilfe- und pflegebedürftig. Sie sind auf Hilfe von Familie und Freunden angewiesen, denn Hilfe vom Staat und Sozialleistungen sind nur schwerlich zu bekommen. Und das, was uns ein wenig hilft, nämlich die Präparate, die unsere schweren Defizite im Hormon- und Mineralstoffhaushalt ausgleichen sollen, sind sehr teuer und werden von den Kassen nicht bezahlt. Also für viele Betroffene die reinste Katastrophe! Durch die Einhaltung meiner Therapieempfehlungen ging es mir stückweise etwas besser. Zumindest hatte sich mein „Wachkomazustand" dahingehend verbessert, dass ich in der Lage war, eingeschränkt wieder Telefonate zu führen, somit wieder Sozialkontakte pflegen zu können. Ab und zu hatte ich Kraft, um mal essen zu gehen oder meine Familie zu besuchen. Das bedeutete allerdings danach wieder tagelang mit verstärkten Symptomen leben zu müssen.

Ich lernte meinen jetzigen Lebensgefährten kennen. Trotz meiner massiven Einschränkungen liebt er mich sehr. Was ich dringend an meiner Seite brauchte, war jemand, bei dem auch ich mal schwach sein durfte. Einfach einen Baum zum Anlehnen. Anfänglich war er sehr erschrocken über mein Medikamentensortiment, welches in der

Küche gut die Hälfte der Arbeitsplatte einnahm. Ich hatte täglich eine sättigende Menge von 34 Pillen zu schlucken. „Mit dir kann man ja gar nicht in den Urlaub fliegen! Damit kommst du nicht durch den Zoll", war seine Sorge. Nach und nach hat er verstanden, was es bedeutete mit CFS zu leben. Ich sehe ja gesund aus. Und niemand, der nicht in meinem nächsten Umfeld lebt, oder selbst betroffen ist, weiß, was man durchmacht. Er weiß, dass mich jegliche Form von körperlicher und geistiger Anstrengung im Anschluss tagelang umhauen kann. Aber er weiß auch, dass ich irgendwie etwas vom Leben haben möchte und steckt oft in einer Zwickmühle. Er will mich einerseits beschützen, auf der anderen Seite möchte er mich nicht ausbremsen, weil er weiß wie glücklich ich bin, zum Beispiel, wenn ich alle drei Monate mal für 10 Minuten auf dem Pferd sitze oder wenn wir mal ausgehen. Es ist für mich alles eine pure Quälerei, das weiß er, aber es macht mich - wie gesagt - glücklich. Der Preis für so etwas ist tagelange lähmende Erschöpfung, vermehrte Schmerzen und fieberlose Grippe. Um mir dennoch die Teilnahme am Leben zu ermöglichen, schiebt er mich tapfer im Rollstuhl durch die Gegend. Oft hatte ich das Gefühl, ihn in seinem Leben ebenfalls einzuschränken und auszubremsen. Aber diesen Gedanken verbittet er sich. Er hat sich viel belesen und informiert, sich für mich in ein Forum Betroffener eingebracht und weiß wohl als erster über neue Forschungsergebnisse Bescheid. Er nimmt unglaublich viel Rücksicht auf mich. Er sieht als einziger an meinem Blick, wenn ich abbaue, weiß genau, wann ich etwas überspiele, hat Verständnis dafür, dass ich mir oft Dinge nicht merken kann und nimmt mir meinen Ärger, wenn ich wieder Sprachblockaden habe. Er ist in der Lage, mich ohne Mitleid in den Arm zu nehmen, wenn ich mal wieder vor Wut oder Hoffnungslosigkeit heule. Da ich oft auf Unverständnis stoße, unterstützt er mich gezielt sachlich bei der Aufklärung über meine „unsichtbare" Krankheit. Ich wurde schon oft mit verletzenden Bemerkung konfrontiert, natürlich hinter meinem Rücken, und auch er wird gefragt, warum es sich so was mit mir „aufbürdet". Es ist ganz einfach: ich bin ja nicht nur meine Krankheit!

Ich bin immer noch ich. Ich lache gerne, habe immer noch mein Kämpferherz und meinen Dickkopf und mache seine Welt, wie er sagt „so viel bunter". Ich bin nicht die Krankheit, sondern nach wie vor ich nur leider mit dieser Krankheit, auf die er Rücksicht nimmt, sie aber nicht in den Vordergrund stellt. Um allen Vorurteilen somit vorwegzugreifen, mein Partner und ich führen eine ganz normale, innige Beziehung. Nur unter der Berücksichtigung, dass wir uns meinem Tempo und meinen doch sehr einschränkenden Fähigkeiten anpassen müssen.

Ende 2018 hatte ich einen Termin in einer renommierten Klinik in Berlin. Dort wurde meine Diagnose CFS/ME bestätigt. Außerdem wurde ein posturales Tachykardiesyndrom festgestellt, was typisch für dieses Krankheitsbild ist. Es bestand kein Zweifel und auch hier wurde als Auslöser meine instabile Halswirbelsäule vermutet. Meine Aufgabe bestand nun weiterhin darin, die Krankheit zu akzeptieren, Stress und körperliche Anstrengung zu vermeiden, da diese den Zustand dauerhaft verschlechtern können. Ich sollte lernen, meine Grenzen nicht zu überschreiten, was nicht immer ganz einfach ist, da das Aufstehen morgens für mich schon so erschöpfend sein kann. Wichtig war auch, eine Schmerzreduktion anzustreben und weiterhin die Einnahme von diversen Supplementen. Zusätzlich erhielt ich ein Schlafmittel, das ich drei- bis viermal wöchentlich nehmen sollte. Damit war ich anstatt 15 mal nur noch drei- bis viermal nachts wach. Außerdem sollte ich acht Monate lang Aciclovir gegen den ständigen Herpes nehmen. Mein Immunsystem musste sich beruhigen.

Ich beantragte einen Aufenthalt in einer Schmerzklinik, welcher mir auch für drei Wochen bewilligt wurde. Ich legte große Hoffnung auf Schmerzlinderung dort hinein. Genützt hat es allerdings leider nichts. Im Gegenteil! Zwar waren die beiden für mich zuständigen Ärzte sehr nett und konnten tatsächlich mit CFS etwas anfangen, wussten aber nicht, wie eingeschränkt ich tatsächlich war. Ich sehe nach wie vor sehr gesund und munter aus. Mein Therapieplan wurde schonend für mich zusammengestellt, aber selbst das war viel zu viel. Eine Gehstrecke von 50 m überforderte mich bereits, und mein Zimmer war das letzte im Flur. Oft musste ich mich ein- bis zweimal pro Strecke auf den Boden setzen oder legen und minutenlang darauf warten, dass ich wieder Kraft zum Weitergehen hatte. Das Bewegungsbad war der reinste Albtraum. Ein Krampf jagte den nächsten, obwohl das Wasser warm war. Der Widerstand des Wassers erschöpfte mich dermaßen, dass ich nicht mehr alleine aus dem Becken kam. Die Kältekammer verstärkte meine Symptome. Ich vertrage weder Hitze noch Kälte, aber ich wollte nicht als Therapieverweigerer dastehen und ging weiter tapfer bis zum Ende meines Aufenthaltes einmal täglich in die Kälte. Alles andere wurde abgebrochen, da die Ärzte erkannten, dass es mir schadete. Teilweise war ich wieder, trotz größter Mühe, nicht in der Lage, mich zu artikulieren oder zu essen. Dass mein autonomes Nervensystem spinnt, haben sie dort schnell mitbekommen, hatten aber leider keine Lösung für das Problem. Leider habe ich sehr lange gebraucht, um mich von diesem Klinikaufenthalt zu erholen.

Generell hat sich mein Zustand durch das Einhalten der Empfehlungen meiner Ärzte leicht gebessert. Ich kann mittlerweile einige Zeit aufrecht sitzen, ohne mich nach 5 Minuten hinlegen zu müssen. Aber ich muss meine sehr eng gesteckten Grenzen einhalten, was wirklich schwer fällt. Das gerne verwendete Beispiel eines kaputten Akkus, der nach 24 Stunden laden nur 15 % aufgeladen hat und diese Energie gut aufgeteilt für den Tag halten muss, erklärt den Zustand sehr treffend. Was an Energie weg ist, ist weg. Auch durch Schlaf ist eine Erholung nicht möglich. Das ist der Zustand, in dem ich mein Leben fristen werde. Planbar ist wenig. Zudem kommt noch oft maßlose Langeweile. Klingt vielleicht banal, ist es aber ganz und gar nicht. Wenn man oft tagelang nur liegen kann, ohne Ablenkung, denn visuelle und akustische Reize (Fernsehen, Musik hören, Telefonieren etc.) sind oft viel zu anstrengend, dann ist das durchaus schwer zu ertragen. Wie soll ich mit dieser Behinderung einen Beruf ausüben? Das ist trotz großen Wollens schier nicht möglich. Eigentlich sichert man sich ja für genau solch einen Fall mit einer teuren Berufsunfähigkeitsversicherung ab. Aber was tun, wenn diese nicht gewillt ist, deine Krankheit anzuerkennen? Dies alles als subjektive Empfindungen des Versicherten abtut? Als großes Entgegenkommen wurden mir immerhin 50 % der Versicherungssumme angeboten. Wer kann von 700 € monatlich sein Leben bestreiten? Noch ehe ich darüber nachdenken konnte, haben mein Anwalt und mein Vermögensberater das Angebot abgelehnt. Mit dem Erfolg, dass der Widerspruch die gänzliche Ablehnung der Rente bewirkte. Das Argument lautete wieder: „CFS ist nicht nachweisbar". Außerdem hätten die Ärzte in ihren Befunden nur niedergeschrieben, was ich ihnen vorgab. Was ist denn mit meiner nachgewiesenen Kopfgelenksinstabilität, von den Befunden der renommierten Klinik in Berlin mal ganz abgesehen, oder dass ich ein posturales Tachykardiesyndrom habe, welches ja nachweisbar ist und ebenfalls durch einen Kardiologen bestätigt wurde? Was ist das für ein System, das hilflose Menschen nicht unterstützt? Ich habe alles an Geld, Wissen und Energie in meinen eigenen Betrieb gesteckt und war unabhängig. Ich arbeitete gerne und hätte sehr gut verdienen können, hätte ich dort weitergemacht, wo ich zwangsweise aufhören musste. Wer baut sich so etwas auf, um nach kurzer Zeit zu sagen: „Keine Lust mehr, ich lebe lieber vom Amt…" ? Das dürfte wohl auf die Allerwenigsten zu treffen. Auf mich jedenfalls nicht! Aber wie soll ich das beweisen?

Endlich hatte ich im September 2019 meinen langersehnten Termin in Rostock bei dem besagten Spezialisten. Mir rauchte förmlich der Kopf von seinen ganzen Fragen und Tests. Ca. 15 Minuten lang war ich in der Lage, unserem Gespräch zu folgen, dann das Übliche: ich konnte mich kaum noch aufrecht sitzend halten, ich verstand nicht mehr, was er sagte, meine eigene Sprache wurde immer lallender und schleppender, ich hatte massive Wortfindungs- und Konzentrationsstörungen und unsägliche Kopfschmerzen, außerdem

Übelkeit, nachdem ich meine Augen nach oben und unten bewegen sollte. In meinem Hotelzimmer angekommen habe ich mich krank ins Bett gelegt und kam erst am nächsten Morgen wieder mühsam in die Senkrechte. Der zweite Termin bei dem Arzt stand an. Er hatte sich durch meine Befunde, Laborwerte und Röntgenbilder gearbeitet und erzählte mir die Gründe für meine schwere CFS. Er nannte mich „Gehirn-Krüppel". Sachlich, nicht beleidigend! Durch meine Genicksinstabilität, die er als deutlich gravierender als im Befund geschrieben befand, würde das Gehirn nicht ausreichend mit Sauerstoff versorgt. Obendrein drückt der Dens axis ins Liquor, was ebenfalls gewaltige Irritationen auslöst. Ich wurde so sehr mit Informationen beladen das ich nach kürzester Zeit im Kopf schlapp machte und größte Mühe hatte, dem Ganzen zu folgen. Aber es ergab plötzlich alles einen Sinn. Mein Körper ist aufgrund der Unterversorgung im Gehirn auf Sparflamme eingestellt. Meine ganzen Symptome sind die Summe eines einzigen Schadens meiner Halswirbelsäule. Er konnte mir alles bis aufs Kleinste fachlich hochkompetent erläutern. Wie gesagt, habe ich ebenfalls medizinische Kenntnisse und konnte die biochemischen Zusammenhänge und Kettenreaktionen im Großen und Ganzen nachvollziehen. Wichtig für mich ist, auf Kopfrotation zu verzichten, um dem Gehirn weniger Stress zuzumuten. Ich solle tagsüber eine Halskrause tragen, und mir wurde in meinem Fall nahegelegt, über eine Kopfgelenksversteifung nachzudenken. Aus seiner Erfahrung heraus verbesserte sich der Zustand dieser Patienten bedeutend. Sie wurden nicht geheilt, denn geschädigte Hirnareale regenerieren nicht, aber sie erhielten dadurch deutlich mehr Lebensqualität zurück, einige Symptome wurden gelindert, teilweise verschwanden sie sogar.

Er überwies mich an drei weitere Ärzte, die noch spezielle Untersuchungen machen sollen. Diese stehen zeitnah noch an. Ich hoffe, dass diese Befunde dann ausreichen, um endlich die Anerkennung meiner Berufsunfähigkeit zu beweisen. Würden die Verantwortlichen hierfür nur einen Tag in meinem Körper erleben, um nachzuvollziehen, wie stark diese Beeinträchtigung ist, würde keiner von ihnen zögern, mir meine Rente zu bewilligen. Dessen bin ich mir sicher. Vergleichbar mit einer nicht enden wollenden schweren Grippe mit Gliederschmerzen und unfassbare Abgeschlagenheit. Mit der oben geschilderten Operation verhält es sich ähnlich schwierig. Spezialisten für eine Kopfgelenksversteifung bei CFS-Patienten mit nachgewiesener Kopfgelenksinstabilität sind in den USA und in Barcelona zu finden. Dort ist man tatsächlich gewillt uns zu helfen, da man sich damit gezielt auseinandersetzt und es als schwerwiegende Krankheit anerkennt (CFS ist in der WHO, also der Weltgesundheitsorganisation, als solche anerkannt!) Die Krankenkassen übernehmen diese Kosten nicht. Die nächste Hürde: Ich würde dafür das Risiko und die Bewegungseinschränkung in Kauf nehmen, dass sich eventuell meine Lebensqualität verbessert. Aber die Aussicht auf ein gesundheitlich „lebenswertes Leben" kostet ca. 100.000 €. Und das sollen diejenigen aufbringen, die finanziell ohnehin schon mehr als gebeutelt sind.

Wir Betroffenen brauchen dringend Anerkennung und Unterstützung für unsere schwere Erkrankung, und zwar von der Gesellschaft, der Forschung und den Sozialleistungsträgern. Eine Kopfgelenksinstabilität kann schwerste Symptome und Leiden verursachen und die Lebensqualität aufs massivste einschränken. Ich persönlich möchte weder im Mittelpunkt stehen, Mitleid ernten, noch in irgendeiner Weise auffallen oder mich wichtig tun. Ich wollte und ich will mein Leben genießen können. Die ersten 30 Jahre hat das auch sehr gut funktioniert. Das dann folgende Elend habe ich mir bestimmt nicht ausgesucht. Wir haben doch nur dieses eine Leben.

Antonia Strauß

10. Wie ein einziger Tag alles veränderte!

Brigitte ist eine lebenslustige und glückliche Frau. Sie ist verheiratet, stolze Mutter von zwei Söhnen und mit Leib und Seele Krankenschwester. Dass sie sich bezüglich ihrer gesundheitlichen Verfassung von Gleichaltrigen unterscheidet, merkt Brigitte bereits früh. Als Kind hat sie ständige Kopfschmerzen, und auch Beschwerden in allen Gelenken treten schon in jungen Jahren auf. Eine diesbezügliche rheumatologische Abklärung bleibt ohne Befund. Immer wieder stand die Halswirbelsäule mit der Beschwerdesymptomatik im Vordergrund; manualtherapeutische Behandlungen halfen nur kurzfristig. Sicherlich war diese frühe Auseinandersetzung mit den eigenen gesundheitlichen Problemen ein Grund, den Beruf der Krankenschwester zu ergreifen.

Im Rahmen ihrer Schwangerschaft kamen zu den bestehenden Beschwerden noch Schmerzen im Bereich der Iliosakralgelenke sowie der Schambeinfuge, die sich letztlich verfestigten und dauerhaft wurden. Viele neue Beschwerden und unzählige Arztbesuche später hat Brigitte insgesamt 32 Befunde gesammelt, wovon beispielhaft die nachfolgenden genannt werden sollen:

Ehlers-Danlos-Syndrom Typ 4 (vaskulärer Typ)
Hashimoto (Schilddrüsenerkrankung)
Mastzellaktivierungsstörung (Multisystemerkrankung)
leichte Trikuspidalklappeninsuffizienz (Undichtigkeit der Segelklappe des Herzens), Hepatopathie (Lebererkrankung)
Migräne
Instabilität des Iliosakralgelenks
Fibromyalgie
Histaminintoleranz.

Dabei ist das Ehlers-Danlos-Syndrom der schwerwiegendste Befund. Ehlers-Danlos ist ein Gendefekt, der die Funktion des

Bindegewebes außer Kraft setzt. Das Bindegewebe ist die wichtigste Stütze des ganzen Körpers. Bei EDS-Patienten funktioniert diese Stütze nicht. Die Muskeln, Bänder und Knochen werden überstrapaziert, alle Organe sind beeinträchtigt, ebenso die Gefäße. Auch einige von Brigittes anderen Diagnosen können als Komorbiditäten von EDS eingeordnet werden.

Wie auch viele andere chronisch Kranke, arrangiert sich Brigitte mit ihren gesundheitlichen Einschränkungen und versucht, ihr Leben bestmöglich zu leben. Ihren Beruf als Krankenschwester kann sie aufgrund ihrer körperlichen Probleme nicht mehr ausüben und beginnt daher in der Sozialberatung zu arbeiten. Außerdem engagiert sich Brigitte stark in verschiedenen Selbsthilfegruppen; ihr ist es sehr wichtig, andere Betroffene bestmöglich zu informieren.

Aufgrund der beschriebenen EDS-Problematik hat Brigitte zusätzlich einen renommierten Experten in Spanien kontaktiert. Dieser hat mittels Online-Konsultation und unter Hinzuziehung ihrer MRT-Bilder folgende Befunde erstellt:

Craniocervicale und atlantoaxiale Instabilität (d.h. Instabilität zwischen Schädel und 1. Halswirbel, sowie Instabilität zwischen 1. und 2. Halswirbel)

Subluxation (unvollständige Ausrenkung) des Atlas bei Rotation beidseitig

Anzeichen für subaxiale Instabilität c2 – c5

Protrusionen und Prolaps mit Myelonkontakt in Reklinationsstellung (d.h. Bandscheibenvorwölbung und Bandscheibenvorfall mit Kontakt zum Rückenmark bei Rückwärtsneigung des Kopfes)

Es zeigt sich leider, dass sich die Instabilität durch den Gendefekt nachhaltig an der Halswirbelsäule niedergeschlagen hat. Die Wirbel bewegen sich über das normale Maß hinaus; es kommt je nach Bewegung zu Kontakt mit dem Rückenmark.

Das Krankheitsbild führt bei Brigitte insbesondere zu folgenden Beschwerden: Nackenschmerzen, Müdigkeit, Erschöpfung, Hirnnebel, Verlust des Körpergefühls, Sehprobleme, Lichtempfindlichkeit, Geruchsempfindlichkeit, Gedächtnisverlust, Schwindel, unruhiger Gang, Reizdarm, Schwäche in Armen und Händen, Gelenkschmerzen, Kopfschmerzen, Muskelschmerzen, Verstopfung, Probleme beim Wasserlassen, nächtliches Erwachen.

Der spanische Neurochirurg empfiehlt daher einen operativen Eingriff; drei verschiedene Alternativen sind möglich. Dass sich Brigitte so schnell nach der Online-Konsultation mit dem Thema Operation auseinandersetzen muss, war in dem Moment noch nicht absehbar.

Am 22. März 2019 geht Brigitte zum Friseur, nicht ahnend, dass dieser Tag alles verändern wird. Aufgrund der Überstreckung ihres Halses beim Haarewaschen, wird sie mit starkem Schwindel, Benommenheit und Gleichgewichtsstörungen ins Krankenhaus eingeliefert. Fünf Tage bleibt Brigitte im Krankenhaus, einen Tag sogar auf der Stroke Unit, einer Abteilung für Schlaganfallpatienten. Am 27. März 2019 wird sie kurz nach Hause geschickt, um einen Tag später in einem anderen Krankenhaus aufgenommen zu werden.

Nach fünf Tagen sind die Symptome immer noch die gleichen, außerdem hat Brigitte stärkere Schmerzen im Iliosakralgelenk, als sie es bislang kennt. Dennoch ist für den 3. April 2019 die Entlassung geplant, ohne die erwünschte Begutachtung durch einen Neurochirurgen. Sie fühlt sich sehr alleine gelassen und unverstanden. Die Grenzen ihrer Kraft sind bereits nach einer Woche spürbar.

Drei Tage verbringt Brigitte zu Hause, doch ihre Beschwerden sind so erheblich, dass sie erneut Hilfe im Krankenhaus sucht. In der Zeit vom 7. bis 12. April befindet sie sich im Unfallkrankenhaus. Der zuständige Arzt dort hält fest, dass seiner Meinung nach, bei ihr nur eine Hypermobilität vorliege. Er „kritzelt" händisch auf ihren Befund: „DD somatoforme Störung" (Psychosomatisches Syndrom). Diese Diagnose steht im Widerspruch zu der des bekannten Experten aus Spanien, welcher bereits eine massive Instabilität attestiert hatte. Interessanterweise widersprechen sich die Aussagen im späteren Arztbrief. Darin wird die Instabilität laut des Befundes aus Spanien angeführt und auch die Diagnose Ehlers-Danlos-Syndrom Typ 4 angegeben.

Für Brigitte geht es weiter auf den Stationen für Neurologie und Dermatologie. Die Fragen, wie lange sie noch bleiben muss und wie man ihr helfen kann, bleiben offen. Es sind bereits drei Wochen vergangen, ohne Ergebnis und ohne konkrete Ansätze. Auch am 23. April 2019 gibt es noch nichts Neues. Brigitte steckt immer noch bewegungslos und hilflos in einem Albtraum fest. Sie fühlt sich abgestellt und ist verzweifelt. Sie beginnt zu recherchieren, um sich selbst zu helfen. Aufrechtes Gehen ist kaum möglich, weil ihr Körper zu zucken beginnt. Nur mit hängendem Kopf ist normales Gehen ohne Zucken möglich. Sobald sie den Kopf in Normalposition aufrichtet, führt dies zu einer deutlichen Wackelbewegung des Kopfes, sowie Bewegung der oberen und unteren Extremitäten. Sie klagt über starke Schmerzen im craniocervicalen Übergang, über Schwindel, Benommenheit, Präsynkopen und Blackouts.

Völlig unfassbar ist die Nachricht, dass Brigitte entlassen werden soll. Begründung: „Sie hat ja nichts". Brigitte ist am Ende. Sie holt Informationen ein, ob sie überhaupt in diesem Zustand entlassen werden kann bzw. darf. Neben allen bisherigen Symptomen kämpft sie jetzt seit drei Tagen auch mit Drehschwindel, Schlafapnoe und einem bewegungsabhängigen Verschlagen der Ohren, sowie einem klopfenden unrhythmischen Geräusch am Hals rechts. Immer wieder verspürt Brigitte eine Tachykardie, Bradykardie, Übelkeit, Kribbeln und ein Taubheitsgefühl im linken Bein. Ihr Stützapparat versagt, und sie kann eigentlich nur noch liegen. Es scheint, als könne ihr niemand helfen.

Am 25. April 2019 schöpft Brigitte endlich Hoffnung. Es wurde ihr gesagt, dass eine Vernetzung mit dem EDS-Zentrum angedacht ist, um ihren Fall dort zu besprechen. Leider gibt es auch am 1. Mai 2019 noch immer keine Nachricht über eine Vernetzung und eine Besprechung ihres Falles. Die Hoffnung schlägt wieder in Verzweiflung um. Brigitte empfindet ihre Situation als grausam, sie ist ihrem Schicksal völlig ausgeliefert, und ihre Hilflosigkeit wächst täglich. Körperlich geht es ihr immer schlechter.

Am 7. Mai 2019 gibt es endlich gute Nachrichten: Brigitte erhält die Bestätigung, dass sie nun in das internationale Netzwerk für EDS-Patienten eingebunden wurde. Leider gibt es aber auch am 13. Mai 2019 von dort noch keine Rückmeldung. Jeder Tag ist ein Kampf, es dauert einfach alles zu lange. Brigitte hilft sich mit ihren persönlichen Hilfsmitteln etwas über den Tag. Sie versucht selbst aktiv zu sein und schreibt – soweit es ihr möglich ist – Experten an.

Am 23. Mai 2019 wächst wieder die Hoffnung. Ein hilfsbereiter Arzt, der bereit ist, sich Brigittes Fall anzusehen und gegebenenfalls einen operativen Eingriff durchzuführen, hat sich gefunden. Einen Tag später erfährt sie, dass sie in Kürze in ein anderes Krankenhaus in einer österreichischen Großstadt verlegt wird. Bei einer transcraniellen Magnetstimulation wird ein Schaden in der Pyramidenbahn (absteigende motorische Nervenbahn zur Durchführung von Bewegungen) entdeckt. Es hat sich bestätigt, was Brigitte nun seit acht Wochen versuchte zu erklären. Die Verlegung erfolgt am 27. Mai 2019; sie setzt große Hoffnung in dieses Krankenhaus.

Leider zerschlägt sich die Hoffnung bereits am nächsten Tag wieder. Es wird keine Operation geben. Die Aorta Vertebralis ist zu. Das hat niemand in den letzten acht Wochen im Krankenhaus gesehen. Unfassbar, wenn man bedenkt, wie viele Ärzte eingebunden waren. Die Zeit vergeht und Brigitte fühlt sich immer mehr alleine und verlassen. Eine Begutachtung durch einen Neurologen ist geplant. Das Ergebnis lautet: Es ist „nichts" zu operieren. Der Neurologe erklärt ihr, dass sie eine Somatisierungsstörung (der Patient hat körperliche Beschwerden ohne organisch fassbaren Befund) habe und er sie nicht als Patientin übernehmen wolle. Schäbiger kann man einen Patienten nicht „abwimmeln". Brigitte hat Angst um ihr Leben und setzt sich mit der Genetikabteilung des Krankenhauses in Verbindung und bittet dort um Unterstützung. Jetzt sollen die Gefäße nochmal angesehen werden. Sie verzweifelt, und die Atemnot wird immer stärker. Sie wacht nachts auf und schnappt nach Luft. Das Ergebnis der Untersuchung der Gefäße zeigt, dass die Arteria Vertebralis (sog. Wirbelarterie) rechts zu und die Arteria cerebri media (eines der drei arteriellen Hauptgefäße des Gehirns) verengt ist. Brigitte weiß nicht mehr, wie und wo sie sich hin wenden soll. Glücklicherweise kümmert sich ein Arzt um sie und möchte weitere Abklärungen.

Am 29. Mai 2019 steht Brigitte vor einer schweren Entscheidung. In Österreich möchte sich niemand an die notwendige Operation wagen, weil es diesbezüglich zu wenig Erfahrung gibt und das Risiko zu groß ist. Daher entscheidet sie sich nach langem Überlegen, diesen Eingriff bei dem bereits konsultierten Experten in Spanien durchführen zu lassen. Dieser hatte bereits per Ferndiagnose festgestellt, wo das Problem liegt, und dass nur eine Operation der Halswirbelsäule helfen kann. Allerdings muss ihre Familie für die gesamten Behandlungskosten aufkommen, da die Zeit für einen Antrag auf Kostenübernahme bei der Krankenkasse nicht mehr ausreicht. Die nächste Möglichkeit zur Operation wäre sonst erst wieder im September 2019. Unter den katastrophalen körperlichen Umständen ist eine solch lange Wartezeit schlicht undenkbar.

Als Operationstermin ist der 13. Juni 2019 angesetzt. Brigitte muss bereits am 6. Juni 2019 in Spanien sein. Es muss genau geplant werden, wie die beiden Kinder versorgt werden können, da ihr Mann sie nach Spanien begleiten wird. Außerdem muss für die Wochen nach der Operation eine zusätzliche Begleitperson gefunden werden. Ein großer Organisationsaufwand, der mit ihren gesundheitlichen Einschränkungen kaum zu bewältigen ist. Das größte Problem stellt jedoch das Auftreiben der erforderlichen finanziellen Mittel dar. Es geht um insgesamt 83.000 €, Mittel, die der Familie allein nicht zur Verfügung stehen. Brigittes Mann initiiert daher ein Co-Founding. Plötzlich wird Brigittes Gen-Befund angezweifelt. Sie versteht die Welt nicht mehr. Es wirkt, als ginge immer eine Tür zu, sobald sich eine andere auch nur ein bisschen geöffnet hatte. Die Entscheidung, sich in Spanien operieren zu lassen, wirft wieder Angst und Zweifel auf. Brigitte möchte nicht sterben, aber in dem aktuellen Zustand läuft das Leben ja auch an ihr vorbei. Eine ausweglose Situation!

Am 30. Mai 2019 – Brigitte ist weiterhin im Krankenhaus – erhält sie von einem Orthopäden die Auskunft, es gebe nichts zu operieren. Sie solle nach Hause und zum Psychologen gehen. Der vorliegende Befund des Spezialisten aus Spanien wird teilweise ignoriert. Diese unfassbare Ignoranz ihres Zustandes macht sprachlos. Die folgende Durchführung einer transcraniellen Hirnstimulation zeigt ein Ergebnis „an den Grenzen der Norm", jedoch sind bereits Schädigungen in der Pyramidenbahn zu erkennen. Brigittes linke Bein ist betroffen. Dennoch bekommt sie immer wieder gesagt, sie habe nichts. Anstatt sich einzugestehen, dass man mit der Komplexität des Krankheitsbildes überfordert ist, unterstellt man Brigitte lieber psychische Gründe für ihre Beschwerden.

Am 31. Mai 2019 gibt es einen unerwarteten Meinungsumschwung: ein Orthopäde spricht nun doch von einer Listese (Wirbelgleiten) in der mittleren Halswirbelsäule. Eine Operation wird wieder in Erwägung gezogen. Ein ewiges Auf und Ab. Brigitte muss wieder warten. Sie ist hin und her gerissen zwischen allem und jedem. Sie braucht eine immense Kraft, um das alles durchzustehen und muss dazu noch lebenswichtige Entscheidungen treffen. Ein Albtraum! Brigitte bekommt Ratschläge von allen Seiten, aber das macht ihre Situation und ihre Entscheidungsfindung noch schwerer. Am 1. Juni 2019 wird das Gefühl, am Ende zu sein, immer stärker und stärker.

Für den 3. Juni 2019 ist ein Gespräch mit einem weiteren Arzt vor Ort vorgesehen. Allerdings ist für Donnerstag, den 6. Juni 2019 bereits der Flug nach Spanien geplant. Brigitte ist hin und her gerissen. Wie soll sie bloß die richtige Entscheidung treffen? Außerdem wurden bereits 18.000 € für die Operation in Spanien angezahlt. Trotz des Gedankens, dass sie bei dem Experten in Spanien in guten Händen sein wird, weiß sie nicht, ob dies die richtige Entscheidung ist. Sie hat große Angst, ihre geliebte Familie alleine zu lassen mit dem Schmerz und den Schulden. Das Gespräch mit dem Arzt, der sich ehrlich um Brigitte bemüht, findet am 3. Juni 2019 wie geplant statt. Dieser bestätigt noch einmal, dass eine Operation in Österreich nicht möglich und der Weg nach Spanien wahrscheinlich der einzige sei, um eine Operation zu ermöglichen. Der Arzt setzt sich ein und schreibt Brigitte einen Brief der aussagt, dass in Österreich und in Deutschland diese Operation aufgrund der geringen Erfahrung nicht durchgeführt werden kann. Zumindest hat sie jetzt etwas Schriftliches.

Am nächsten Tag steht viel Organisation an. Die Kinder müssen versorgt werden; Brigittes jüngerer Sohn kann glücklicherweise in der Zeit des Spanienaufenthaltes bei einem Schulfreund untergebracht werden. Flug, Aufenthalt und Pflege müssen bezahlt werden. Um den Transport zu ermöglichen, muss ein Businessclass-Ticket gebucht werden, da Brigitte nicht aufrecht sitzen kann. Sie betont an diesem 4. Juni 2019 noch einmal, wie wichtig es ihr ist, Bewusstsein dafür zu schaffen, dass EDS-Patienten ernst genommen werden, und dass es wichtig ist – für uns und unsere Kinder – etwas zu verändern. Brigitte möchte ihrer Leidensgeschichte einen Sinn geben. Sie fühlt sich ein klein wenig emotionaler gestärkt, weil eine konkrete Hilfe im Raum steht. Sie beschreibt Erfahrungen, die sie für den Rest ihres Lebens prägen. Sie sagt: „Niemand sollte so etwas erleben müssen." Es macht ihr sehr zu schaffen, dass sie die Altersvorsorge ihrer Schwester dazu verwenden musste, um die Operation zu bezahlen.

Der 5. und 6. Juni 2019 sind emotional sehr anstrengend. Brigitte sagt: „Es kann mich das Leben kosten, und ich war schon ein paarmal knapp dran. Niemand kann sich vorstellen, was da in einem bricht." Am Nachmittag des 6. Juni 2019 kommt sie mit ihrem Mann in Spanien an.

Am 7. Juni 2019 findet das Gespräch mit den Operateur statt. Er erklärt, dass Brigittes Situation weitaus schlimmer ist, als gedacht. Ihr Hirnstamm wurde komprimiert. Der Hirnstamm bildet die Schnittstelle zwischen dem übrigen Gehirn und dem Rückenmark und ist für die essentiellen Lebensfunktionen zuständig. Er steuert die Herzfrequenz, den Blutdruck, den Schlaf. Das Risiko, an der geplanten Operation zu sterben, liegt mit EDS-Typ IV bei 50 %. Aber welche Optionen gibt es, wenn man so auch nicht mehr leben kann? Brigitte und ihr Mann müssen erklären, dass sie das Risiko eingehen wollen, das Ganze wird auf Video aufgezeichnet. 50% Risk of death! Das ist grausam. Weil das Risiko zu groß ist, wird nicht der ganze Eingriff geplant, sondern „nur" die Fusion von C0 bis T1.

8. bis 10. Juni 2019 ist Pfingstwochenende. Das Warten im Hotelzimmer ist unerträglich. Ein kleiner Ausflug am Morgen und am Abend, mehr gibt es nicht. Das Gespräch mit dem Operateur war

unglaublich belastend und beängstigend. Die Wahrheit, wie schlecht es um Brigitte steht, war furchteinflößend. Die Gedanken drehen sich. Es muss an eine Versicherung gedacht werden, die Brigittes „Körper" wieder nach Österreich bringt, falls die Operation nicht gut verläuft. Sie verzweifelt an der Planung ihres Lebens bzw. Ablebens. Es ist eine unbeschreiblich schwere Situation für sie und ihre Familie. Brigitte geht es gar nicht gut, sie fühlt sich schwach und völlig ausgelaugt. Sie kann inzwischen nur noch wenig essen und trinken und hat bereits 15 kg abgenommen.

Es ist der 11. Juni 2019, zwei Tage vor der Operation. Brigittes Familie braucht finanzielle Hilfe, es werden mehrere Initiativen angefragt. Es ist ihr unglaublich wichtig, ihre Familie versorgt zu wissen. Nicht bei ihren Kindern sein zu können, quält sie sehr. Am 12. Juni 2019 – ein Tag vor der Operation – bereitet sich Brigitte auf ihren „Tag der Hoffnung und zugleich Verzweiflung" vor. Sie hat Angst, ist aber nie alleine auf ihrem Weg, ihr Mann betreut und unterstützt sie in jedem Moment.

Der Tag der Operation ist gekommen. Am 13. Juni 2019 um 7:00 Uhr geht die Vorbereitung los, um 9:00 Uhr wird es ernst. Um 15:30 Uhr der erlösende Anruf: alles gut gegangen. Am nächsten Tag, dem 14. Juni 2019, wird Brigitte nach vorheriger Abklärung auf die normale Station verlegt. Um 23:00 Uhr schläft sie ein.

15. Juni 2019: Brigitte wacht nicht mehr auf. Sie ist friedlich eingeschlafen. Sie ist innerlich verblutet. Sie hat den Kampf verloren.

Im August 2019 erhält Brigittes 18-jähriger Sohn die Diagnose, dass er ebenfalls an EDS leidet. Der Verdacht, dass ihr 16-jähriger Sohn ebenfalls betroffen ist, wird noch genauer abgeklärt.

Der Ehemann von Brigitte Fricke-Pertiller

11. Wie der Vagus-Nerv mein Leben zerstörte!

Ich bin Ingenieur, Mitte fünfzig, und lebe in Ostösterreich. Nach einer Karriere als international tätiger Geschäftsführer, führe ich heute nur mehr ein zurückgezogenes, von meinen seltsamen Symptomen bestimmtes, stark eingeschränktes Leben. Jede kleinste Anstrengung, wie Schuhe binden, Stiegen steigen usw., bereitet mir Ohrenschmerzen, Schwindel, Augenflimmern, verschlagene Ohren, Depressionsschübe, noch stärkeres Rauschen im Kopf und Pfeifen im Ohr usw. Unter Menschen bekomme ich Angstzustände mit Magenkrämpfen, Konzentrationsstörungen, Verwirrtheit und vieles mehr. Ich habe durch meine Erkrankung nicht nur meine berufliche, sondern auch meine private Arbeitsfähigkeit und inzwischen deshalb einen sehr gut bezahlten Job verloren, sondern auch die Fähigkeit, meine ehemals vielfältigen Hobbys auszuüben, wodurch über die Jahre damit auch alle privaten Kontakte zusammengebrochen sind. Mein Leben besteht nur noch aus unerträglichen Symptomen, hunderten Arztterminen, Existenzangst und Einsamkeit.

Nachdem mich die Chefärzte der österreichischen Pensionsversicherungsanstalt (PVA) nun bereits zum dritten Mal als „Hysteriker" oder „Hypochonder" diagnostiziert haben, der neurologische Gutachter des anschließenden ersten Gerichtsverfahrens wieder nur eine psychiatrische Grunduntersuchung durchgeführt hat, kein Gutachten abgegeben und nicht vor Gericht erschienen ist, außerdem der Orthopäde vor Gericht die Unwahrheit gesagt hat, beendete der Richter die Verhandlung mit den Worten: „Dass Sie schwer krank sind, ist unbestritten, aber ich kann Ihnen aufgrund der Gutachten keine Berufsunfähigkeitspension zuerkennen." Als Konsequenz lehnte der Staat jegliche finanzielle Sozialversicherungsleistung an mich komplett ab. Nach 34 Versicherungsjahren bin ich inzwischen 11 Monate vollkommen einkommenslos gewesen. Hätten nicht am Ende der vorletzten Regierungsperiode alle, bis auf die Regierungspartei, ein neues Gesetz beschlossen, das die Höhe des

Gatteneinkommens nicht mehr bei Sozialleistungen berücksichtigt, hätte ich bereits mein Haus verkaufen müssen.

Was ist passiert? Ab dem Jahr 2007 wurde ich zunehmend missmutig, launisch und reizbar. Wegen eines seltsamen schwarzen Fadens vor dem linken Auge war ich bei einer Augenärztin, die es als „altersbedingt" diagnostizierte. Ich hatte wenig später meine Anstellung als Geschäftsführer deswegen nach einem Streit mit dem Firmenbesitzer verloren und ab 2009 dann eine gehobene, gut bezahlte Position als Handelsvertreter ausgeübt mit gut 7.000km Autofahren pro Monat. Im Oktober 2012 wurden mir das erste Mal krankhafte Symptome bewusst, als ich nach 7 Stunden durchgehender Autofahrt nach Hause kam und einen Burn-Out ähnlichen Zustand hatte. Ich legte mich aufs Sofa, machte die Lichter aus, die Vorhänge zu und wollte keinen Menschen mehr sehen. Von da an war ich endgültig nicht mehr der aktive, tatkräftige Mensch wie zuvor. 2013 versuchte ich noch durch Traumurlaube und Schonung zu genesen, doch die Konzentrationsstörungen, die unerklärbare Erregtheit, die leichte Verwirrtheit, die unerträgliche Unsicherheit unter Menschen, die zunehmende handwerkliche Ungeschicktheit - davor habe ich mein halbes Haus selbst gebaut - und die Abnahme der körperlichen und allgemeinen Leistungsfähigkeit ließen sich im Beruf und privat nicht mehr verbergen. Ich arbeitete aber unverändert weiter und ging Mitte Januar 2014 das erste Mal zu meinem Hausarzt, der eine „vorübergehende Belastungsstörung" diagnostizierte und mir ein Psychopharmakon namens „Cipralex" verschrieb. Zehn Tage danach, während einer meiner üblichen mehrstündigen Autofahrten, stellte sich plötzlich ein Rauschen und Pfeifen im Hinterkopf, im rechten Ohr Schmerzen wie bei einer Mittelohrentzündung, sowie ein „Kratzen" im Hals ein. Nun begann meine Odyssee durch den Ärztedschungel. Mehrere HNO-Ambulanzen und HNO-Ärzte behandelten eine Ohren- und Halsentzündung, den Schwindel mit Reisetabletten, die Magenkrämpfe mit anderen Pulvern, und die Schmerzen in der geschwollenen, leicht tauben linken Hand überhaupt nicht. Ein Psychologe stellte einen Burn-Out mit somatoformen Störungen, Angststörungen und Depressionen fest, worauf ich natürlich weiter Psychopharmaka bekam.

Bis Ende April 2014 arbeitete ich unter starken Ohrenschmerzen und seltsamen Angstzuständen unter Menschen leidend noch unverändert weiter. Blutuntersuchung und Belastungs-EKG ergaben keine Befunde, die auf Röntgen- und MRT-Aufnahmen von Schädel und Halswirbelsäule erkennbaren Verknöcherungen und Bandscheibenschäden der Halswirbel C3/4 - 5/6 wurden von jedem Arzt als „harmlos" erklärt. Unvergesslich aus dieser Zeit ist mir die Diagnose einer Psychiaterin: „Wollen Sie mich verarschen? Machen Sie Psychotherapie, und ich wünsche Ihnen, dass Sie keinen Therapeuten finden, der Sie auf Krankenkasse behandelt". Sie selbst bekam aber für diese „Behandlung" von der Krankenkasse 74,89 € überwiesen. Im Juni 2014 schickte mich ein psychiatrisches Krankenhaus in die Interne Station, Abteilung für Psychosomatik, wo ich für vier Wochen mit der Diagnose Burn-Out, Depressionen und Cervikalsyndrom aufgenommen wurde. Mein Zustand besserte sich im Spital, doch bereits am ersten Tag nach der Entlassung bekam ich wieder eine unerträgliche Panikattacke unter Menschen, Schweißausbrüche, laute Erregung und den Drang nach Hilfe zu rufen. Danach machte ich sechs Wochen eine Psycho-Rehabilitation für Burn-Out und ging, zu 80% wiederhergestellt, ab Mitte September wieder arbeiten, bis nach wenigen Arbeitstagen alle Schmerzen und psychischen Zustände schlimmer noch als vor dem Spitalsaufenthalt waren. Ab Jänner 2015 konnte ich die durch die Arbeit ins unerträgliche steigernden Schmerzen in Ohr, linker Hand und Unterarm sowie die psychischen Symptome einfach nicht mehr ertragen und wurde vom inzwischen zweiten Hausarzt endgültig krankgeschrieben. Die bis dahin absolvierten Psycho- und Physiotherapien brachten keinen Erfolg, ebenso wie inzwischen fünf weitere Psychopharmaka.

Als mich ein Krankenkassen-Oberarzt Ende Juli 2015 erstmals als „arbeitsfähig" bezeichnete und den Einspruch dagegen selbst ablehnte, weshalb ich mich an die Volksanwaltschaft gewandt hatte, diese aber von der Gebietskrankenkasse (GKK) nur eine abschweifende Antwort erhielt, begann ich selbst zu recherchieren. Bereits nach kurzer Zeit hatte ich anhand der MRT-Diagnose und meiner vielfältigen Symptome das von der Halswirbelsäule ausgehende „Barré-Lieou-Syndrom" auch „Zerviko-Zephal-Syndrom" ICD-10: 53.0 identifiziert. Meine offizielle Diagnose war aber noch immer "BurnOut mit somatischen Symptomen". Ich bekam noch mehr Psychopharmaka und von der Schmerzambulanz sogar bis hin zum künstlichen Opiat, was alles nichts half und mich auf meinem Sofa nur sinnlos sedierte. Außerdem machte ich in Höhe von mehreren tausend Euro brav meine Psycho- und Physiotherapien, was weiterhin nichts nützte, in nicht wenigen Fällen sogar verschlechterte. Allein jede einzelne Anfahrt zu den inzwischen 600 Arzt-, Therapie- und Behördenterminen bereitete mir immer nur unendliche Qualen!

Für meinen Bandscheibenschaden in C5/6 wurde ich unter Live-CT infiltriert und machte im Juni 2016 auf Veranlassung eines Orthopäden eine Kur im Pilotprojekt „Gesundheitsvorsorge Aktiv", was im Nachklang nur alles verschlimmerte, vor allem die Wackeldackel-Übungen! Die Kur hatte aber doch etwas Gutes, denn beim allerletzten Behandlungstermin erzählte ich einem Physiotherapeuten von meinen Magenkrämpfen, da fiel das erste Mal das Wort Vagusnerv. Ich recherchierte. Nun waren die psychischen Symptome endlich erklärbar. Beim Recherchieren kommt man schnell vom Vagusnerv auf den Atlaswirbel C1, und auf der Seite eines Schweizer Physiotherapie-Institutes zum Buch einer Schweizer Juristin, die ihren Kampf um Anerkennung ihrer Krankheit nach einem Auffahrunfall bei Ärzten und vor Gerichten schildert. Ich kaufte mir das Buch sofort und verstand jetzt erstmals, dass meine ganze Geschichte durch einen längst vergessenen Autounfall im Jahr 2007 ausgelöst wurde!

Wie ist meine Krankheit nun tatsächlich entstanden? Bei diesem unverschuldeten Auffahrunfall mit gut 70 km/h haben sich offenbar der Atlaswirbel C1 und der Axis C2 zueinander leicht verschoben, da ich im Augenblick des Aufpralls von hinten, meinen Kopf zur Beifahrerin um 90 Grad nach rechts gedreht hatte. Das hatte eine Verletzung der kleinen Nackenmuskulatur zur Folge, was auf den wichtigsten Parasympathikus-Nerv Vagus drückte und ihn an seiner entspannenden Funktion hinderte, wodurch sich sehr bald diese seltsamen psychischen Veränderungen und Angstzustände einstellten. Das Gewicht meines Kopfes hat durch das übertrieben viele berufliche Autofahren, das ohnehin schon verschobene Kopfgelenk weiter „zusammengebacken", bis im Jänner 2014 - fast auf den Tag genau - nach 7 Jahren der Vagus- und andere der zwölf Hirnnerven so sehr beeinträchtigt waren, dass sich die Schmerzen an den Endpunkten seiner Verzweigungen (Ohr, Kehlkopf, Zwerchfell bzw. Magen, Herz) einstellten. Durch diese Störung des wichtigsten Entspannungsnervs ist das Gleichgewicht des autonomen oder vegetativen Nervensystems gestört, die mangelnde Erregungskontrolle, unerklärliche Aggression, Burn-Out-Symptome und irrationalen Angstzustände unter Menschen rühren daher. Der Schwindel, das Ohrensausen und Pfeifen, das Augenflimmern, die Bewegungseinschränkungen, Muskelverspannungen im Rücken, Kopfschmerzen sowie die zunehmenden kognitiven Mängel (Gedächtnisschwäche, Verwirrtheit, Abstandskontrolle usw.) sind als typische Begleiterscheinungen folgend.

Weiter hat sich das Gewicht des Schädels auf dem „verrutschten" Kopfgelenk negativ auf die darunter liegenden Wirbel ausgewirkt, die „Multisegmental degenerierten Bandscheibenschäden C4 bis C6 mit zarten Protrusionen" sowie die „Einengung der Neuroforamina, also des Nervendurchgangslochs, in Höhe C4/5 rechts und C5/6 links in Ante- und besonders Retroflexion" resultieren daraus. Diese Verletzungen erzeugen die Schmerzen, Schwellung und Taubheit in meiner linken Hand. Ein Arzt in der von mir besuchten Schmerzambulanz nannte dies Zerviko-Brachial-Syndrom ICD-10: M53.1.

Womit sich einzelne Symptome gemildert haben: Im Sommer 2016 ließ ich eine, in Österreich nicht anerkannte, Atlaskorrektur durchführen. Außer Haltungsverbesserung kamen nun aber leider noch stichartige Schmerzen in der Herzgegend, Schmerzen beim Liegen oder Sitzen im rechten Hoden, kleine Blutbröckchen aus der Nase, Zuckungen der Beinmuskulatur und eine weitere Verschlechterung der Beweglichkeit zu meiner Symptome-Liste dazu. Bei Kopfgelenksinstabilität wird von einer Atlaskorrektur meist abgeraten, doch diesen Begriff kannte ich zu diesem Zeitpunkt noch gar nicht.

Ein deutscher Orthopäde ließ mich aber, noch vor der seitens der Pensionsversicherung zugeteilten Gesundheitsvorsorge-Kur, gegen den Bandscheibenschaden bei C5/6 eine computerunterstützte mechanische Dekompression der HWS, namens SpineMed, machen, wodurch schon nach der 2. von 7 Sitzungen die 3 Jahre lang unerträglichen Angstzustände unter Menschen zu 80% wie weggeblasen wurden. Wie ich mit diesen Angstzuständen die Orthopädie-Kur hätte bewältigen sollen, war bis dahin ungewiss.

Gegen die Schmerzen, Schwellung und Taubheit in der linken Hand half eine über vier Monate dauernde Permanent-Akupunktur in der Schmerzambulanz eines Krankenhauses. Schon während der ersten Sitzung spürte ich eine Besserung, drei Monate nach dieser Kur waren die schmerzhaften Beschwerden in der linken Hand zu 80%, zumindest bis heute, gemildert. Ein gewisse Linderung bringt das fallweise Tragen einer Halskrause beim Autofahren, Staubsaugen und bei Kopfschmerzen, die ich mir allerdings erst selbst „verordnen" musste, von 95% aller besuchten Ärzte aber nur schlecht gemacht wird.

Im April 2017 fand ich endlich einen Krankenhaus-Neurologen, der mir gegen die Vagusneuralgie mit den Worten, „für den Trigeminus, den 5. Hirnnerv approbiert, für den Vagus, den 10. Hirnnerv, können wir es einmal probieren", das Medikament „Pregabalin" verschrieb. Damit sind für einige Stunden meine Erregungs- und Angstzustände unter Menschen, Schweißausbrüche, Schwindel, Schlaflosigkeit, Augenflimmern, Ohrenschmerzen, Magenkrämpfe usw. bei zusätzlicher körperlicher Schonung zu einem erträglichen Zustand eingedämmt. Die anderen inzwischen 35 verschiedenen Psychopharmaka und Schmerzmittel, darunter auch Opiate, nehme ich seit Ende 2015 nicht mehr. Sie wirkten nicht, zielten auf die falsche Erkrankung, ich litt daher nur unter den fallweise unerträglichen Nebenwirkungen, wie z.B. Suizidgedanken durch eines der Präparate. Das auf das vegetative Nervensystem wirkende „Pregabalin" werde ich wohl bis zum Lebensende nehmen müssen.

Inzwischen hat sich ein gewisser Grundmix der Hauptsymptome eingependelt, auf dem Sofa bin ich einigermaßen schmerzfrei, doch sobald ich aufstehe und der Kopf wieder auf die beiden obersten Wirbel Atlas und Axis drückt, beginnen die Symptome sofort wieder anzuschwellen. Ich muss auf jede noch so kleine Bewegung achten, um nicht den Kopf aus dem Gleichgewicht zu bringen, weil sonst die Ohren verschlagen, das Rauschen noch lauter wird, ein Pfeifen im Ohr dazukommt. Schon die kleinste Tätigkeit erschöpft mich so sehr, dass ich gegen die resultierenden Zustände dann wieder das Sofa aufsuchen muss. Ich bekomme zusehend stärkere Wortfindungsprobleme, bin peinlich vergesslich und verwirrt, sowie handwerklich selbst bei Kleinigkeiten extrem ungeschickt geworden, kann kaum mehr Kopfrechnen und bin allein schon mit der Koordination meiner vielen Arzt und Therapietermine völlig überfordert. Und die „Kreissäge" in meinem Kopf läuft seit vier Jahren 24 Stunden am Tag durchgehend, sie lässt sich für mein ganzes Leben nicht mehr abschalten. Mein Zustand fühlt sich an, als hätte ich am Vorabend den schlimmsten Rausch meines Lebens gehabt, hätte bis 5 Uhr früh gesoffen und wäre dann um 7 Uhr geweckt worden. Dann ist einem auch schwindlig, man hat einen Kopf wie ein Ballon, es rauscht im Kopf, man kann kaum klar denken und sprechen, hat Wortfindungsstörungen, will keinen sehen und nurmehr zurück ins Bett.

Mit dieser Erkrankung geht es jedem Patienten gleich. Mitte 2017 entdeckte ich vier weitere Bücher, in denen von Kopfgelenksinstabilität (aus den unterschiedlichsten Ursachen) betroffene Patientinnen ihren Leidensweg zur ärztlichen Diagnose und dem aus moralischer Sicht unakzeptablen Verhalten von Versicherungen, Gutachtern und Gerichten schildern. Ich habe in diesen Büchern die Parallelen zu meinen Symptomen und Erfahrungen mit Ärzten und Behörden mit Leuchtstift markiert, es gibt praktisch keine einzige weiße Seite. Offenbar geht es jedem Betroffenen gleich, und das gibt mir Kraft für meinem weiteren „Kampf" um korrekte Befunde und gerechter Leistung durch die Sozialversicherung. Ich bin nicht allein, ich bin nicht verrückt geworden! Auch wenn man das durch das absurde Theater mit Medizin und Behörden schon ohne Erkrankung werden könnte.

Durch die erwähnten Bücher habe ich auch den Begriff der Kopfgelenksinstabilität verstanden und endlich ein Upright-MRT in sitzender Position mit geneigtem Kopf machen lassen. Die Diagnose lautete: „Auffällig ist eine geringe Verschiebung des Dens Axis nach rechts, geringe Seitendifferenz im Abstand zum Atlas, der rechts geringer ausfällt als links, eine Bandverletzung direkt jedoch nicht nachweisbar." Ein Intensivmediziner hat kurz danach dann allerdings schon auch eine Bandverletzung durch Ausmessen am Computer nachweisen können.

Dieser unübersehbare Gleichklang in allen Patientenberichten, bestätigt mir auch, dass die, in inzwischen über 200, unvorstellbar anstrengenden, ambulanten Arztbesuchen bei über 100 verschiedenen Ärzten und dazu über 200 ambulanten Therapieterminen recherchierte Diagnose Barré-Lieou-Syndrom M53.0 durch Atlas/Axis-Dislokation und resultierend Vagusneuralgie G52.2 mit chronischen Schmerzsymptomen tatsächlich die korrekte Erklärung meiner Erkrankung ist. Ein in der Fachwelt hoch anerkannter Professor für Intensivmedizin, mein inzwischen achter Orthopäde, der bereits dritte Hausarzt, zwei Neurologen und meine inzwischen siebte Psychotherapeutin bestätigen dies. Alle anderen Ärzte, auch die während meiner bislang 88 stationären Tage, haben aber, sofern sie nicht wie in 90% der Fälle nur vorherige Befunde ihrer Kollegen abgeschrieben haben, vier Jahre lang rund 40 verschiedene falsche Diagnosen und Therapievorschläge abgegeben!

Denn genau das Gegenteil der meisten ärztlichen Diagnosen also ist richtig. Nicht die mir angedichteten psychischen Belastungen produzieren die körperlichen Schmerzen, sondern körperliche Verletzungen mehrerer Stellen meiner Halswirbelsäule erzeugen diese unterschiedlichen Schmerzen und die psychischen Symptome durch eine Störung des Vagusnervs, der gerne auch als Ruhe-Nerv bezeichnet wird. Diese Störung des Gleichgewichts meines Spannungs- bzw. Entspannungs-Systems (Sympathikus/Parasympathikus) erklärt die seltsamen Angstzustände unter Menschen (Agoraphobie) und meine mangelnde Emotionskontrolle. Ich werde aber schon bei der kleinsten Überlastung nicht nur innerlich zornig wie übermüdetes Kind, sondern ich falle auch gerne mal wildfremden Menschen um den Hals. Der Vagusnerv steuert die autonomen Gefühlsregungen; wer das nicht erlebt hat, kann sich die bei Störungen entstehenden Qualen unmöglich vorstellen!

Der erwähnte Intensivmediziner erklärt meine Erkrankung in seinem Befund mit der Diagnose Barré-Lieou-Syndrom so: „Morphologischer Hintergrund der Beschwerden ist eine Bedrängung vegetativer Ganglien im Bereich der Halswirbelsäule durch instabilitätsbedingtes Abgleiten von Wirbelgelenken der obersten Anteile der Halswirbel (Atlanto-axiale Instabilität). Das Krankheitsbild wird oft missgedeutet und teilweise als atypische Migräne oder Hypochondrie diagnostiziert, obwohl ausreichend Literatur vorhanden ist."

Meine Liste über die von Ärzten teilweise äußerst kuriosen, diagnostizierten Krankheiten ist, ebenso wie die Listen meiner physischen und psychischen Symptome, der verschriebenen Medikamente und meiner aktuell 600 Termine im Zusammenhang mit meiner Erkrankung für jemanden, der es nicht selbst erleben musste, unvorstellbar. Die Liste mit den Symptomen habe ich auf 30 gekürzt, um sie noch irgendwie übersichtlich zu halten. Und ein weiterer teuflischer Aspekt der Krankheit ist, dass man mir fast nichts ansieht, mein Gegenüber also nie ahnen kann, wie sehr ich soeben unter den Symptomen leide. Einige davon treten ja sogar erst danach - wenn ich mich wieder entspanne - auf, zum Beispiel die Magenkrämpfe und die oft tagelang nachwirkende Erschöpfung.

Nur dass ich endlich weiß, wie und wodurch meine Krankheit entstand, hilft mir jetzt beim Umgang mit den Schmerzen. Und endlich erklärt sich auch meine permanente Erschöpfung durch die Bedrängung vegetativer Ganglien. Der vegetative Stress erzeugt im Körper Stickstoffmonoxyd, das die Mitochondrien an der Produktion der Körperenergie, des Adenosintriphosphat (ATP), behindert. Für mich selbst ist es so wichtig, zu wissen, was mein bisheriges Leben so zerstört hat, wodurch ich diese extreme Einschränkung meiner Arbeits- und Lebensfähigkeit erlitten habe. Auch gegenüber meiner Familie fühle ich Verantwortung, ich kann es aber trotz aller mit Schmerzen verbundenen Anstrengung einfach nicht ändern, dass aus einem einst beruflich wie privat super-aktiven Menschen plötzlich ein auf dem Sofa liegender Schwerbehinderter wurde. Das gilt auch im privaten Bereich, so musste meine Frau bereits das fünfte Jahr in Folge mit einer Freundin, anstelle mit mir zum Urlaub ans Meer fahren, da ich laut Gesetzeslage im Krankenstand bzw. als

Arbeitsloser das Land nur dann verlassen darf, wenn ich für diesen Zeitraum auf das Kranken- bzw. Arbeitslosengeld verzichten würde, was ich natürlich nicht kann.

Rechnet man meine bisherigen Tage in Spital, Reha und Kur sowie Arzt-, Therapie-, Coaching- und Behörden-Termine zusammen, feiere ich soeben meinen 600. Termin seit Beginn meiner Schmerzen im Jänner 2014! Dieses sogenannte „Ärzte-Shopping" ist für Patienten mit zervikozephalem Syndrom nichts Ungewöhnliches. Bei allem Respekt, aber ich erlebe dies vielmehr als „Ärzte-Lotto", unter zehn sind neun Nieten dabei. Und den wenigen Ärzten, die mich ernst nehmen, bin ich unendlich dankbar!

Das Verhalten der staatlichen Institutionen und ihrer Gutachter: Nach insgesamt 11 Monaten Krankenstand lud mich die Gebietskrankenkasse (GKK) im Juli 2015 in die Zentrale zu einem Neurologen, und obwohl die Anfahrt zu diesem Termin und der Aufenthalt im Wartesaal für mich schon wieder die blanke Symptome-Hölle war, erklärte mich der Oberarzt für arbeitsfähig. Einen Einspruch mit einem Befund meines Neurologen – „nicht arbeitsfähig" - lehnte derselbe Oberarzt gleich selbst auf dem Gang in 3 Minuten ab, worauf ich die Volksanwaltschaft anrief. Nach 2 Monaten kam bloß eine ausweichende Antwort von der Krankenkasse.

Nach 14 Monaten Krankenstand hat mich meine Firma dann entlassen. Es folgte ein monatelanges Hin- und Herschieben zwischen Arbeitsmarktservice (AMS) und Gebietskrankenkasse und in der Folge ein sechsmonatiger Rechtsstreit bis zum Verwaltungsgericht. Auf zwölf Seiten wird die Ablehnung von AMS-Leistungen begründet. Dabei wird Bezug genommen auf ein Urteil des Bundesverwaltungsgerichts Österreich, wonach AMS- und GKK-Mitarbeiter nicht für falsche Informationen haftbar zu machen sind. Leider wird die Existenz einer schriftlichen Terminvereinbarung und die Anweisungen des AMS, an die ich mich pünktlich gehalten habe, mit keinem

Wort erwähnt. In nächster Instanz hätte ich dann zum Verfassungsgericht gehen müssen, habe mir dies in Hinsicht auf die finanzielle und neuerliche psychische Belastung aber nicht mehr angetan.

Vom AMS dazu aufgefordert, stellte ich Anfang 2016 meinen ersten Antrag auf Berufsunfähigkeitspension. Von einem Psychiater und einer Internistin untersucht, kam zwei Monate später eine Ablehnung meines Antrages, mit der Diagnose Konversionsstörung F44.0, die auch mit dem verständlicheren Begriff „Hysterie" bezeichnet wird. Nachdem ich einen 32-seitigen Brief ans Ministerium geschrieben habe, empfahl man mir einen Verschlimmerungsantrag zu stellen, was ich Anfang 2017 auch tat. Dieser wurde direkt vom Ministerium an die Pensionsversicherungsanstalt (PVA) weitergeleitet. Doch bei diesen Untersuchungen zu meinem zweiten Antrag ging es äußerst mysteriös zu.

Nach wenigen Tagen kam ein Brief der PVA mit den Worten, „ich möge mich gedulden, die Ausfertigung des Bescheids dauert einige Zeit". Das klingt nicht nach Untersuchungsterminen. Zwei Wochen später kam dann aber doch wieder einmal ein Antragsformular und eine Einladung zur Untersuchung durch einen Psychiater. Die PVA-Psychiaterin begrüßte mich mit den Worten „Ich soll Sie untersuchen, ob sie Rehageld beziehen sollen", obwohl das laut mehrerer Rechtsauskünfte für meinen Geburtsjahrgang gar nicht gilt. Sie schreibt jedes Wort mit, erklärt sich nach Befundlage für „nicht zuständig" und verweist auf Orthopäden und Neurologen. Der dann aufgesuchte Orthopäde diktierte „Schleudertrauma" und stellte fest, dass Antragsformular und Befunde zehn Tage nach dem Termin bei der Psychiaterin aus meinem Akt verschwunden waren. Ebenso hatte mich die PVA zwischenzeitlich per Brief aufgefordert, ein Antragsformular auszufüllen, obwohl ich dieses beim ersten Termin bereits abgegeben habe. Das war inzwischen das Dritte. Obwohl die Psychiaterin sich für „nicht zuständig" erklärt hatte, werde ich wieder mit der gleichen psychiatrischen Diagnose

„Konversionsstörung" wie schon 2016, und diesmal noch dazu „Differenzialdiagnose: Hypochondrie", abgelehnt, noch bevor es zu der angekündigten neurologischen Untersuchung überhaupt gekommen war. Das Untersuchungsergebnis des PVA-Orthopäden, der seiner Assistentin „Schleudertrauma" diktiert hatte (als bis zu diesem Zeitpunkt erster Arzt überhaupt), wird im Bescheid gar nicht angeführt. Laut internem Protokoll will auch der Orthopäde meine Hysterie oder Hypochondrie „diagnostiziert" haben. 2016, obwohl damals gar nicht orthopädisch untersucht, stand noch zusätzlich „Cervikalsyndrom" im ablehnenden Bescheid, das man diesmal aber nicht mehr festgestellt haben wollte.

Alles mysteriös: Vielleicht aber bin ich einer Racheaktion wegen der Einschaltung der Volksanwaltschaft gegen den GKK-Gutachter, der den Einspruch gegen sein Urteil gleich selbst abgelehnt hatte, zum Opfer gefallen? Der Oberarzt der Krankenkasse hat jedenfalls den gleichen Familiennamen wie ein hoher Funktionär der Pensionsversicherung. Bin ich Opfer einer privaten Rache oder dem ministeriellen Auftrag zur Senkung des Pensionsantrittsalters geworden? Mit rechten Dingen jedenfalls, ist es bei diesen Untersuchungen der PVA in keinem Fall zugegangen!

Ein Einspruch gegen den erneuten negativen Bescheid der PVA bewirkte einen Prozess vor dem Sozialgericht und vorangehende medizinische Gutachten. Der eigentlich „neurologische" Gutachter hat wieder nur eine psychiatrische Untersuchung vorgenommen („Welches Auto fahren Sie?", „Wie heizen Sie?", „Sind Ihre Zähne saniert?"), mir wie einem Pferd in den Mund gesehen und mit dem Hammer auf die Knie geklopft. Von meiner Erkrankung Barré-Lieou-Syndrom durch Kopfgelenksinstabilität mit Vagusneuralgie war nie die Rede. Verabschiedet hat er mich mit den Worten: „Ihre Krankheit wird vor Gericht nicht anerkannt (damit hat er wohl die von der PVA festgestellte Hysterie gemeint), Hypochondrie aber schon", und mich zu einem Psychologen überwiesen, der folgerichtig nichts gefunden hat und meine vielen Fehler bei den Reaktionstests in seinem Gutachten als „Resignation" bezeichnete. Von den in sechs vorangegangenen psychologischen Befunden unisono diagnostizierten, durch die Störung des Vagus-Nervs ausgelösten mittelgradigen Depressionen, Angstzuständen, der Soziophobie und den kognitiven Beeinträchtigungen hat dieser Psychologe absolut nichts bemerkt. Ein Gutachten dieses Neurologen lag dem Gericht gar nicht vor, er erschien auch nicht zur Verhandlung. Dem orthopädischen Gutachter stand bei seiner Untersuchung das Upright-MRT mit der Axis-Verschiebung noch nicht zur Verfügung, so untersuchte er zielgenau die Bewegungen, zu denen ich halbwegs fähig bin, und erklärte mich „arbeitsfähig mit der Einschränkung auf Über-Kopf-Arbeiten" (obwohl er genau dies - durch Kopf in den Nacken legen - nicht untersuchte). Auf meine Symptome hat er nicht reagiert und daher eine Kopfgelenksinstabilität gar nicht untersucht. Vor Gericht dann mit der Diagnose Barré-Lieou-Syndrom und Atlas/Axis-Dislokation konfrontiert, erwiderte er erst, „dass das nicht sein könne, weil das wie beim Erhängen zum Tod führe", hielt mit mir dann aber ein Fachgespräch über Therapiemöglichkeiten. An seinem Urteil „arbeitsfähig" änderte er aber nichts und verließ den Gerichtssaal vorzeitig. Der Richter, sichtlich von meinen Befunden beeindruckt, beendete die Verhandlung mit den Worten: „Dass Sie schwer krank sind ist unbestreitbar, aber ich kann Ihnen aufgrund der vorliegenden Gutachten keine Berufsunfähigkeitspension zuerkennen", wodurch ich bis auf Weiteres vollkommen einkommenslos war!

Die PVA behauptet nun, „das Gericht hat die Einschätzung der PVA-Psychiater bestätigt", was natürlich nicht stimmt. Der Richter hat ausdrücklich gesagt: „Die Diagnose (Hysterie oder Hypochondrie) des PVA-Psychiaters ist nicht Gegenstand der Verhandlung". Kein einziger der anderen über 100 Ärzte hat jemals Hysterie oder Hypochondrie diagnostiziert. Das Gericht hat nur bestätigt, dass die drei Gutachter, ebenso wie Ihre Kollegen zuvor, an der Erkennung meiner seltenen Krankheit gescheitert sind. Was bei diesen Untersuchungsmethoden aber auch nicht verwunderlich ist. Und wenn ich mich nicht um die vom AMS vorgeschlagenen Stelle bei einer bekannten Leiharbeitsfirma als Assistent der Abteilungsleitung beworben hätte, was für meine Leistungsfähigkeit allein schon eine kaum zu bewältigende Herausforderung darstellte, bzw. ausreichend Eigeninitiative nachweise, hätte man mir zusätzlich zur finanziellen Unterstützung auch noch die Sozialversicherung gestrichen. Dabei habe ich doch meine letzte, sehr gut bezahlte Stelle erst aufgrund meiner Krankheit mit unvorhersehbarer Aussicht verloren und Anfragen von Headhuntern schon vor Jahren wegen meiner Krankheit absagen müssen.

Mir stellt sich die Frage, ob die vielen Ärzte und vor allem die Gutachter der PVA wirklich so schlecht ausgebildet sind, dass sie meine wahre Krankheit und die Schwere meiner Behinderung nicht erkennen - was ihnen aber auch nicht das Recht gibt, mich für blöd zu halten, zu beschimpfen und zu verleumden - oder behaupten sie einfach vorsätzlich, ich sei ein Hysteriker und Hypochonder mit neurotischen Symptomen? In jedem Fall aber kassieren diese Ärzte für diese „Leistung" ihr Honorar auch aus meinen eigenen Sozialversicherungsbeiträgen, treiben damit aber zusätzlich zu meiner Erkrankung, auch noch meine ganze Familie in den finanziellen Ruin. Wie können Ärzte, die doch einst studiert haben, um Menschen zu helfen, es sich selbst gegenüber verantworten, so viel Schuld auf sich zu laden?

Vollkommen jedes Verständnis fehlt mir dafür, dass beim - die Zukunft meiner Familie entscheidenden - Gerichtstermin gegen den negativen Bescheid der PVA de facto ich als verdächtiger Sozialleistungsbetrüger vor Gericht stand und nicht die PVA-Gutachter, die einen solchen groben Unfug (Hysterie oder Hypochondrie) behaupten. Obendrein hat der PVA-Psychiater, der die Hysterie oder Hypochondrie ursprünglich im Februar 2016 an mir festgestellt hat, diese aus nur einem einzigen Befund - noch dazu dem ältesten von inzwischen über 100 - „herausgelesen". Als ein am Barré-Lieou-Syndrom (bzw. Kopfgelenksinstabilität und Vagusneuralgie) Erkrankter, saß ich also im Dezember 2017 vor Gericht, um gegen einen allein auf dem ältesten psychologischen Befund vom Jänner 2014 basierenden Bescheid zu verhandeln.

Beim dritten Antrag auf Berufsunfähigkeitspension im Jahr 2018 wurde ich, obwohl vom AMS mit „Barré-Lieou-Syndrom zur PVA geschickt, dort nur von einer Allgemeinmedizinerin untersucht. Erfreulicherweise hat diese meine Krankheit ganz genau verstanden, wir haben sogar festgestellt, beim gleichen Atlastherapeuten gewesen zu sein. Am Schluss hat sie fünf Befunde eingesammelt und mitgenommen. Im Protokoll des Chefarztes steht später aber, die Allgemeinmedizinerin habe in die Befunde eingesehen und diese zurückgegeben. Eine glatte Lüge, aber so kann man die Existenz eindeutiger Befunde eines Schleudertraumas elegant verleugnen und mir wieder einmal die absurde Hysterie andichten. Der Rest des Protokolls wurde vom damals 4,5 Jahre alten Spitalsbericht abgeschrieben, die Erwähnung eines mich nur im Spital behandelnden, und seither nie mehr gesehenen Arztes, beweist dies. Zum Glück sind die Manipulationen der PVA-Chefärzte teilweise so schlampig, dass wichtige Hinweise übersehen und die Manipulationen damit schwarz auf weiß beweisbar sind.

Ich überlegte tatsächlich eine Strafanzeige bei der Staatsanwaltschaft wegen Amtshaftung bzw. -missbrauch, übler Nachrede, Betrug, Verleumdung, entgangenem Verdienst, falscher Zeugenaussage, Kreditschädigung oder Ähnlichem. Mein aktueller Anwalt sagte mir allerdings, dass man gegen die eigentlichen Täter gar nicht klagen kann, sondern nur gegen die Republik Österreich, und die Chancen einen Staatsanwalt dafür zu finden praktisch null sind. Dabei habe ich doch gar nichts gegen mein Land, ich will von den lügenden Psychiatern Gerechtigkeit und Entschädigung, es wird ja wohl nicht die Republik Österreich gewesen sein, die mich hier so betrügt. Wie werde ich den Makel der von PVA-Psychiatern angedichteten psychiatrischen Erkrankung je wieder los? Muss man sich als redlicher Staatsbürger nach einem unverschuldeten Auffahrunfall von Psychiatern als Hysteriker und Idioten, der seinen Tagesablauf nicht bewältigen kann, verleumden lassen? Ich habe in meiner Karriere drei internationale Firmen in Österreich aufgebaut und 50 Mitarbeiter geführt; ausgerechnet Organisation ist meine Stärke. Es müssten doch auch vor PVA- und Gerichtsgutachtern die Menschenrechte in Bezug auf Wahrheit und Ehrlichkeit gelten, oder nicht?

Meine inzwischen extreme Beweglichkeitseinschränkung, meine Schmerzen und die verzweifelte Lebenssituation durch diese absurden Qualen kann ich nur mit viel Humor und Witz bewältigen. Einer der schlechtesten Witze davon: „Ausgerechnet die PVA-Psychiater, die mir aufgrund ihres fachlichen Unvermögens eine psychiatrische Krankheit andichten, leiden selbst unter einer solchen, nämlich der fixen Idee falscher Tatsachen". Und noch einer: „Vor Gericht empfahl mir der orthopädische Gutachter eine deutsche Spezialklinik (von der ich natürlich schon gehört hatte), bedachte aber nicht, dass ich das Land gar nicht verlassen darf, mir solch lange Autofahrten absolut unmöglich sind und ich mir - dank seines Gutachtens ohne Einkommen - eine solche Behandlung gar nicht leisten kann. Und dass er damit gleichzeitig die Diagnose Hysterie oder Hypochondrie der PVA-Psychiater ad absurdum geführt hat, war ihm damit gar nicht bewusst."

Auch hilft mir meine Erfahrung aus meinem Jahrzehnte zurückliegenden Zivildienst an einem Psychiatrischen Krankenhaus, durch die ich bereits vorgewarnt war, dass die Meinung eines Patienten nichts, die eines Psychiaters - so falsch sie auch immer sein mag - immer als richtig gilt. Bisher habe ich noch keine Stelle gefunden, die mich gegen von Psychiatern ausgeübtes Unrecht vertreten kann.

Selbst Amnesty International haben die Menschrechtsverletzungen an mir in einem kürzlich geführten Telefonat nicht interessiert.

Glauben die PVA-Psychiater ihre Behauptungen selbst, dann sollten sie sich nachschulen lassen und in jedem Fall ab sofort nie wieder auf unschuldige Menschen losgelassen werden. Oder handeln sie in höherem Auftrag, haben diese Schreibtischtäter mit ihrer absurden Fehldiagnose nur ihre Pflicht erfüllt? In jedem Krieg stirbt die Wahrheit zuerst, warum sollte es im herrschenden Sozialkrieg anders sein? Wie viele solcher blanker Frechheiten, wie viel psychisches Leid, wie viel finanziellen Schaden dürfen solche Unmenschen unschuldigen Staatsbürgern noch antun, nur weil sie selbst ihren Job nicht können, nämlich meine Krankheit richtig zu diagnostizieren? Wie komme ich überhaupt in die Fänge von PVA-Psychiatern, und aus diesen je wieder heraus?

Als ehemals internationaler Geschäftsführer, der für seine Einsatzfreude und Ehrlichkeit allgemein geschätzt wurde, muss ich mich heute von rund 95 aus über 100 Ärzten als psychisch gestörter Simulant beschimpfen, ständig für blöd gehalten, oder sonst wie denunzieren lassen, nur weil sie selbst meine Krankheit nicht kennen. Ich will doch nicht, schon gar nicht in meinem Zustand, 95 Ärzte anklagen, weil sie in ihrem Beruf versagt haben, und das würde auch gar nicht meinem Naturell entsprechen. Die Patientenanwaltschaft und die Ärztekammer sagen: „Und gegen die Ärzte der GKK und PVA haben wir gar keine Handhabe". Egal wie falsch die Diagnose, wie sinnlos die verschriebene Therapie oder Medikation, Ärzte kassieren ihr Honorar von der GKK (und dazu von mir privat aktuell bisher 11.621,99 €), während mir die Sozialversicherung wegen dieser ärztlichen Fehlleistungen jegliche finanzielle Zuwendung entzieht. Nach 34 Beitragsjahren bekam ich inzwischen 11 Monate lang deshalb keinen einzigen Cent.

Während der Unfallverursacher von 2007, auf den ich keinen Gram habe (das kann passieren, er hat mir mein Leben ja nicht absichtlich zerstört), keine Ahnung haben kann, welch familienzerstörendes Leid er sieben Jahre nach dem Unfall durch seine kurze Unachtsamkeit ausgelöst hat, werde ich als Unfallopfer wie ein Verbrecher im Land eingesperrt und bin de facto rechtlos jeglicher Tortur staatlicher Psychiater wehrlos ausgeliefert. Aber die Menschen, die mein Leben nur wegen ein paar tausend Euro pro Jahr mit vollster und bösester Absicht zerstören, könnte an der nächsten Kreuzung bereits selbst ein unachtsamer Autofahrer erwischen. Die daraus entstehenden Schmerzen und Lebenseinschränkung bilden sie sich dann nur ein, ein Aufenthalt in einem psychiatrischen Krankenhaus macht das wieder gut....Anstatt als anerkannter Behinderter in Frieden meine grauenhafte Krankheit ertragen zu dürfen, fühle ich mich als „Staatsfeind Nr.1" gejagt. Seit Jahren gibt es keine Nachrichtensendung in Österreich mehr, in der nicht eine neue Kampfansage der Herrschenden an die Schwächsten der Gesellschaft, die chronisch kranken Langzeitarbeitslosen über 50, verkündet wird. Worte wie Sozialversicherung, Gesundheitssystem, Gutachter, Rechtssicherheit, Generationenvertrag, Arztvertrauen, Wahrheit oder ärztliche Kunst klingen für mich nach diesen Erfahrungen nur noch nach Hohn. Keiner meiner ehemaligen Freunde, Mitarbeiter, Kollegen oder Chefs kann sich vorstellen, dass man als ehemals verdienter Mensch, nach einem vermeintlich harmlosen Autounfall völlig unverschuldet eine solche Hölle durchleben muss.

So wie mich kann es jeden ebenso völlig unschuldig treffen, bereits an der nächsten Kreuzung könnte für jeden dieses Tor zur Hölle schon aufgehen!

Herbert T. *

* Name wurde auf Wunsch des Autors geändert

12. Schwachstelle Nacken; Mein Leben mit dem Ehlers-Danlos-Syndrom und einer HWS-Instabilität

Rückblickend betrachtet, zeigten sich schon im Kindesalter die ersten Anzeichen einer Erkrankung. Da diese jedoch unspezifisch waren und nicht erkannt wurden, gehörten diese schnell zu meinem „normalen" Alltag. Seit meinem zehnten Lebensjahr begleiteten mich täglich Muskel- und Gelenkschmerzen, insbesondere in den Knien und im unteren Rücken sowie im Nacken. Laut den Ärzten handelte es sich hierbei um Wachstumsschmerzen, an denen jedes Kind litt; meine Eltern sollten sich keine Sorgen machen. Blaue Flecken gehörten zum Alltag, begleitet von Nasenbluten unbekannter Ursache. Zudem plagten mich immer wieder starke Bauchschmerzen mit Übelkeit. Später folgten dann Kopfschmerzen, die in meiner Jugend ausschließlich als Migräne gedeutet wurden.

Immer mehr Probleme folgten, jedoch wurde keine Ursache gefunden. Trotz Koordinationsproblemen und häufigen Stürzen habe ich in meiner Kindheit sehr gerne Sport gemacht. Ganze Nachmittage habe ich mit meinen Freunden im Freien verbracht und Fußball gespielt oder bin mit ihnen schwimmen gewesen und war insgesamt sehr aktiv. Dies änderte sich mit Zunahme der Beschwerden in meiner Jugend; die Muskel- und Gelenkschmerzen wurden so schlimm, dass ich nicht mehr am Schulsport teilnahm. Aufgrund meiner Rückenschmerzen und häufiger „verknackster" Wirbel im unteren Rücken ging ich oft zum Orthopäden. Dieser renkte mir dann den Rücken ein, verschrieb mir Ibuprofen und meinte „das wird schon wieder". Diese Zeit war für mich schon sehr frustrierend. Ich wusste nicht, wieso die Beschwerden sich kontinuierlich verschlimmern und wieso meine Leistungsfähigkeit immer mehr abnahm.

Generell fühlte ich mich schon damals von den Ärzten nicht ernst genommen. Laut dem einen Orthopäden lag es an meiner fehlenden sportlichen Betätigung, die ich aufgrund der Schmerzen nicht mehr ausüben konnte. Als sich dann häufige Bänderdehnungen und Sehnenscheidenentzündungen entwickelten, rieten mir die Ärzte plötzlich zu mehr Entlastung, da ich wohl zu viel Belastung hätte. Weiterhin gingen die Ärzte davon aus, dass ich nur unter Wachstumsschmerzen litte, die konventionellen MRT-Aufnahmen waren schließlich immer unauffällig. Ab und zu verschrieb mir ein Orthopäde ein Rezept für Physiotherapie oder versuchte es mit Akupunktur, allerdings haben die Maßnahmen nie dauerhaft geholfen. Schließlich gelangte man zu dem Schluss, dass ich wahrscheinlich zu viel Stress hätte. Diese Zeit war für meine Familie, Freunde und mich sehr frustrierend. Ich fühlte mich unverstanden von den Ärzten, während meine Familie sich fragte, wieso keine Ursache für meine Beschwerden gefunden wurde. Ich machte mir zusätzlich Stress, da mir vonseiten der Ärzte das Gefühl gegeben wurde, ich wäre an meinem Zustand selbst schuld, da ich nicht genügend Sport oder Eigenübungen absolviere.

Die Magenschmerzen und die Übelkeit wurden während meiner Jugend so schlimm, dass ich phasenweise kaum etwas essen konnte. Zusätzlich litt ich unter den Muskel- und Gelenkschmerzen und hatte täglich „ausgerenkte" Wirbel, welche wiederum für Rücken- und Nackenschmerzen sorgten. Ich litt unter dauerhafter Müdigkeit und Erschöpfung, hatte ständig blaue Flecken und phasenweise kribbelnde Missempfindungen in Armen und Beinen. Durch die Vielzahl meiner Symptome wurde ich an die verschiedensten Fachärzte verwiesen und bekam einen ersten Eindruck davon, wie überfordert einige Ärzte auf nicht alltägliche Krankheitsbilder reagierten. Dies sollte kein Einzelfall bleiben sondern eher die Regel. Kurz vor meinem Abitur empfahl mir dann einer meiner behandelnden Ärzte, mit den Symptomen „leben zu lernen", da die Probleme zwar vorhanden seien, er und seine Kollegen mir jedoch nicht helfen könnten und keine Ursache fänden. Überbeweglich zu sein hätte doch Vorteile, besser als an „steifen" Gelenken zu leiden. Da ich es mittlerweile leid war, ohne Antwort von Arzt zu Arzt verwiesen zu werden, setzte ich 2013 einen Schnitt und versuchte, meine Symptome so gut es geht zu ignorieren. Ich machte mein Abitur und begann eine Ausbildung zur Einzelhandelskauffrau. Aus heutiger Sicht betrachtet war die Entscheidung, die Symptome ignorieren zu wollen, grundlegend falsch und stellte endgültig den Beginn der bleibenden Verschlechterung dar.

Beginn der Ärzte-Odyssee: Im ersten Jahr meiner Ausbildung lief alles zu meiner Zufriedenheit: Die Arbeit machte mir Spaß, ich hatte freundliche Kollegen und lernte viel auf den umfangreichen Fortbildungen. In der Berufsschule habe ich viele neue Bekanntschaften geschlossen, mit denen ich viel Spaß hatte und von denen einige zu meinen Freunden geworden sind. Kurz nach Beginn meines zweiten Ausbildungsjahres erlitt ich 2014 mit 20 Jahren einen Arbeitsunfall. Auf der Arbeit stürzte ich auf eine Palette und renkte mir die Kniescheibe aus; zusätzlich zeigten sich eine Impressionsfraktur der Kniescheibe und ein zweifacher Riss des medialen patellofemoralen Ligaments, eines stabilisierenden Bandes an der Kniescheibe. Dieser Unfall stellte ein einschneidendes Erlebnis und den Beginn einer seit vier Jahren andauernden Ärzteodyssee dar, in dessen Verlauf ich endlich einige Diagnosen und Ursachen für meinen heutigen Zustand bekam. Es folgten zwei Operationen und eine mehrmonatige Rehabilitation nach meiner Knieverletzung.

Gleichzeitig verschlimmerten sich erneut meine anderen Beschwerden; zuerst vermutete ich dies aufgrund der ungewohnten Belastung mit den Unterarmgehstützen. Als sich die Unfallchirurgen jedoch über den schlechten Muskelaufbau, die extrem langsame Wundheilung und die langsamen Fortschritte in der Genesung wunderten, kamen mir die ersten Zweifel, ob hinter meinen Beschwerden nicht doch noch mehr steckte. Von Seiten der behandelnden Ärzte bekam ich weiterhin nur mäßige Unterstützung; diese rätselten weiter und sahen die Ursache meiner Probleme weiterhin in zu viel Stress, zu wenig Mitarbeit meinerseits während der Rehabilitation, einer psychosomatische Erkrankung oder vermuteten, dass die Schmerzen „gar nicht so schlimm sein könnten". Hier stellte ich schon fest, dass man häufig viel zu früh auf eine psychische Diagnose verwiesen wird. Diese Erklärung wollte ich jedoch nicht glauben, da einerseits viele meiner Beschwerden körperlich noch gar nicht richtig abgeklärt wurden und ich definitiv einen Zusammenhang zwischen meinen Beschwerden erkannte: Immer wenn ich mir den Nacken oder die Wirbelsäule „verknackst" hatte, verschlimmerten sich die Kopfschmerzen ebenso wie die kognitiven Einschränkungen. Ich litt dann unter verstärkten Konzentrationsproblemen, Vergesslichkeit, stärkeren Sehproblemen in Form einer verschlimmerten Kurzsichtigkeit und Hörproblemen auf meinem rechten Ohr, sodass ich nur dumpf und wie durch Watte hören konnte. Zudem verstärkten sich Schwindel und Koordinationsprobleme, so dass ich häufig stolperte, gegen Türrahmen lief oder an Ecken und Kanten hängen blieb. Ebenso verschlimmerten sich die kribbelnden Missempfindungen und die Taubheitsgefühle in Armen und Beinen. War nicht nur der Nacken sondern auch der Lendenwirbelsäulenbereich betroffen, hatte ich vermehrt Schmerzen in meinem linken Knie und „humpelte" und stolperte öfters. Da aufgrund des Humpelns die Statik des gesamten Körpers nicht mehr stimmte, verschlimmerten sich somit die Beschwerden in meinen oberen Extremitäten. Also begann ich in der Zwischenzeit, selbst in Fachliteratur zu recherchieren und mich zu informieren, ob es einen Zusammenhang zwischen all diesen unterschiedlichen Symptomen geben könnte.

Nach neunmonatiger Rehabilitation ging ich – bedingt durch den Druck der Berufsgenossenschaft - wieder arbeiten, obwohl ich das Gefühl hatte, dass mein Knie noch nicht ausgeheilt war. Sechs Monate lief trotz anhaltender Kniebeschwerden alles wieder in gewohnten Bahnen, bis ich aufgrund der anhaltenden Schmerzen und Einschränkungen 2015 im November eine Treppe hinunterstürzte und mir das Außenband am linken Sprunggelenk riss. Dies bedeutete eine erneute Krankschreibung, Schonung, das Tragen einer Schiene sowie das Einnehmen von Ibuprofen. Ich rechnete mit der Ausheilung nach 6 Wochen und einem Arbeitseinstieg nach Weihnachten. Allerdings kam wieder alles anders als gedacht. Die Schmerzen im linken Sprunggelenk wurden immer schlimmer statt besser. Das Sprunggelenk war stark geschwollen, die Hautfarbe und die Temperatur veränderten sich. Der Fuß war entweder knallrot und warm oder blau und kalt. Zudem war die Beweglichkeit eingeschränkt, da ich das Sprunggelenk kaum noch beugen und strecken konnte. Die Kraft war vermindert, unter anderem auch durch eine Schmerzhaftigkeit unter Bewegung. Die vorhandenen Schmerzen waren permanent spürbar und verstärkten sich immer mehr, mittlerweile sogar durch äußere Einflüsse wie das kalte Winterwetter. Der Fuß wurde berührungsempfindlich, sodass schon das Tragen von Socken schmerzte.

Diese Zeit war sehr beunruhigend für mich. Schmerzen in diesem Ausmaß hatte ich bisher nicht erlebt. Herkömmliche Schmerzmittel wie Ibuprofen reichten nicht aus, jede Bewegung oder Berührung verursachte schon massivste Schmerzen, die ich nicht wirklich beeinflussen konnte. Im Januar erhielt ich dann die niederschmetternde Diagnose: Komplexes regionales Schmerzsyndrom (CRPS). Das CRPS ist eine der am stärksten bekannten Schmerzerkrankungen. Sie kann in Folge von Traumata auftreten und zeigt sich als eine Konstellation von Schmerzen, entzündlichen Symptomen, reduzierter Beweglichkeit und Kraft, sowie Störungen der Sensibilität. Die Ursache liegt wahrscheinlich in einer Kombination von entzündlichen und neurogenen (vom Nerv stammenden) Prozessen sowie Veränderungen im Bereich des Gehirns und Rückenmarks. Realistische Therapieziele sind Schmerzkontrolle und weitgehende Wiedererlangung der Funktion. Allerdings bleibt häufig eine

Restsymptomatik oder verminderte Belastbarkeit, was die Wieder-eingliederung vor allem in körperlich anstrengende Berufe erschwert. In 75% der Fälle heilt das CRPS spontan innerhalb des ersten Jahres aus, in 25% der Fälle chronifiziert sich die Symptomatik. Da sich das CRPS bei mir chronifizierte, war ich somit bis zum Ende meiner Ausbildung im Jahr 2016 krankgeschrieben und konnte nicht mehr als Einzelhandelskauffrau arbeiten. Weil ich meine Ausbildung aber beenden wollte, nahm ich weiterhin an den Fortbildungen und dem Berufsschulunterricht teil. Trotz der Probleme durch das CRPS konnte ich somit an meiner Ausbildungsprüfung teilnehmen und mit Auszeichnung abschließen.

Zusätzlich zum CRPS plagten mich weiterhin meine anderen Symptome mit Muskel- und Gelenkschmerzen, Kopf- und Rückenschmerzen und damit einhergehenden neurologischen Symptomen wie Schwindel, Koordinationsproblemen beim Gehen, Seh- und Hörproblemen. Weiterhin bauten sich Muskeln ab; ich litt unter Gefühlsstörungen und Taubheitsgefühlen in Armen und Beinen. Zudem knackte und knirschte es weiterhin in allen Gelenken, insbesondere im Halswirbelsäulenbereich. Aufgrund der anhaltenden und sich verschlimmernden Problematik wurde ich wieder von Arzt zu Arzt und von Klinik zu Klinik geschickt, ohne dass einer der Ärzte auf eine Idee kam, was mir fehlen könnte. Zwar waren sich alle Ärzte einig, dass die Symptome vorhanden sind, jedoch konnte keiner eine Diagnose stellen, die erklären würde, woher meine Probleme kommen und wieso diese schlimmer wurden statt besser. Da ich trotz meiner Erkrankungen und meiner Probleme ein produktives Leben führen und nicht einsehen wollte, dass die Erkrankung mich immer mehr in meinem Leben einschränkt, begann ich im Oktober 2016 mein Studium der Rechtswissenschaften. Parallel dazu versuchte ich weiterhin, eine Diagnose zu erhalten.

Der Weg zur Diagnose: Es sollte bis Juni 2018 dauern, bis einem Kardiologen in einer Spezialsprechstunde in Köln die wegweisende

Idee kam: Ich könnte an einer Erkrankung leiden, die unter die Ehlers-Danlos-Syndrome (EDS) fällt. Von dieser Erkrankung hatte ich – mittlerweile 24 Jahre alt – bisher noch nie in meinem Leben gehört und wusste nichts damit anzufangen. Der Arzt meinte jedoch, eine genauere Diagnose sei nicht vonnöten, da die Therapie sich nicht sonderlich von meiner bisherigen unterscheiden würde. Dies sah ich natürlich anders, nachdem ich jahrelang mit sich verschlimmernden Symptomen zu kämpfen hatte. Also informierte ich mich privat in Fachliteratur sowie im Internet, um die entsprechenden Experten – Ärzte und andere Betroffene - für diese Erkrankung zu finden. Was ich hier gelesen hatte, überraschte mich sehr: Die Ehlers-Danlos-Syndrome sind eine Gruppe angeborener Bindegewebserkrankungen, ausgelöst durch Veränderungen verschiedener Gene, welche den Kollagenaufbau beeinflussen. Gemeinsam haben alle Subtypen eine Überbeweglichkeit (Hypermobilität) der Gelenke, Hautabnormität und Gewebebrüchigkeit. Da es sich hierbei um eine Multisystemerkrankung handelt, können Probleme in den Gelenken, Sehnen, Muskeln, Organen, Haut und Gefäßen, also in fast jedem Bereich des Körpers auftreten. Hierunter fallen orthopädische Komplikationen wie z.B. die frühzeitige Degeneration der Gelenke, neurologische Probleme wie Wirbelsäuleninstabilitäten, kardiovaskuläre Beschwerden, chronische Schmerzen und vieles mehr. Die EDS zählen in Deutschland zu den seltenen Erkrankungen. Durch die Vielfalt der Symptome und die unterschiedliche Krankheitsausprägung selbst bei gleichen Typen des EDS stellt die Diagnostik, ebenso wie die Behandlung, für viele Ärzte eine Herausforderung dar. Es gibt bisher nur eine symptomatische Therapie der EDS, welche aus konservativer physikalischer Therapie wie z.B. Physiotherapie, einer Schmerztherapie, der Nutzung diverser Hilfsmittel wie Orthesen, Operationen und der Behandlung aller komorbiden Faktoren besteht, um eine angemessene Lebensqualität zu gewährleisten. Die Krankheitsausprägung kann von leichter Gelenküberbeweglichkeit bis zu schwerer körperlicher Behinderung reichen.

Als ich diese Fakten gelesen habe, wusste ich zuerst nicht, ob ich Erleichterung oder Unglaube empfinden sollte. Ich musste erst mal schwer schlucken, da ich mich genau in diesen Beschreibungen wiederfinden konnte. Viele Symptome, die hierbei angegeben wurden, habe ich bisher nicht mal als solche wahrgenommen, da ich schon seit der Geburt bzw. seit dem Kleinkindalter damit zu tun und diese für mich immer als „normal" empfunden habe. Meine nächste Reaktion war Enttäuschung und Wut, da ich mich daran erinnerte, dass schon im Jahr 2012, also ganze sechs Jahre vor diesem Verdacht, in einer Universitätsklinik der Verdacht auf eine Bindegewebserkrankung aufkam. Es handelte sich zwar um eine andere Bindegewebserkrankung, jedoch kam nie die Sprache auf die Ehlers-Danlos-Syndrome. Nach einer negativen genetischen Untersuchung hieß es damals, ich würde generell an keiner solchen Bindegewebserkrankung leiden. Aufgrund der fortschreitenden Symptomatik wandte ich mich 2018 erneut an die damalige Universitätsklinik, um erneut abzuklären, ob es sich nicht doch um eine Bindegewebserkrankung wie EDS handeln könnte. Eine körperliche Untersuchung hat hier nicht stattgefunden, nur ein erneuter Gentest – jedoch nur auf die Erkrankung, welche 2012 schon vermutet wurde. Als dieser Gentest negativ ausgefallen ist, wurde mir mitgeteilt, man könne ausschließen, dass ich an einer irgendwie gearteten Bindegewebserkrankung leide. Hätte man die Symptome 2012 weiterverfolgt und mich auf andere Bindegewebserkrankungen hin untersucht, wäre ich ggfs. schon früher mit der symptomatischen Therapie versorgt worden und die Verschlechterung eventuell langsamer fortgeschritten.

Nach weiterer Recherche stellte ich fest, dass dies ganz typisch für die EDS ist. Aufgrund des komplexen Erscheinungsbildes und der unterschiedlichen Verlaufsformen der EDS sind Fehldiagnosen häufig. Im Schnitt vergehen bei der Hälfte der Betroffenen 14 – 22 Jahre bis zur Diagnosestellung, je nachdem, ob es zu einer psychischen Fehldiagnose gekommen ist. Nachdem ich nun endlich eine mögliche Diagnose für meine Beschwerden gefunden hatte, musste ich einen Arzt oder eine Klinik finden, die sich mit der Diagnose der EDS auskennt. Ich fand heraus, dass es einen Bundesverband gibt und informierte mich bei anderen Betroffenen über die Erkrankung. Dies stellte sich als lohnenswerte Idee heraus, da ich viele Tipps für die Diagnosestellung, benötigte Untersuchungen sowie ärztliche Empfehlungen erhielt.

Die wegweisende Diagnostik: Mir wurde eine Humangenetikerin in Köln empfohlen, welche eine Spezialsprechstunde für EDS anbietet. Als ich im Oktober 2018 endlich zu meinem Termin durfte, platzte ich fast vor Aufregung und Nervosität, da ich hoffte, endlich eine Ärztin gefunden zu haben, die sich mit dieser Erkrankung auskennt. Bei meinem Termin wurde ich auch nicht enttäuscht. Die Ärztin verfügt über viel Fachwissen und gab mir das Gefühl, endlich ernst genommen zu werden. Schon bei der Anamnese und der Durchsicht meiner Befunde teilte sie mir mit, dass viele klinische Kriterien für die Diagnose des hEDS (hypermobilen EDS) erfüllt seien und veranlasste einen Gentest, um einen der anderen Subtypen ausschließen zu können.

Parallel dazu setzte ich eine weitere Diagnosemöglichkeit um, von der ich bei anderen Betroffenen gelesen habe: Ich bemühte mich um eine Untersuchung meiner Hals-, Brust- sowie Lendenwirbelsäule in einem „Upright-MRT". Anders als in einem herkömmlichen MRT liegt man nicht mehr in einer engen Röhre, sondern in einem vollkommen offenen System und kann im Stehen oder Sitzen untersucht werden und somit unter der natürlichen Gewichtsbelastung des Körpers. Viele krankhafte Veränderungen lassen sich oft nur unter der natürlichen Gewichtsbelastung des Körpers nachweisen, da die Wirbelsäule im Liegen kein Gewicht, im Stehen oder Sitzen jedoch das ganze Körpergewicht tragen muss. Dies ermöglicht somit in vielen Fällen eine aussagekräftigere Diagnostik, die so mit konventionellen, ausschließlich liegend durchgeführten Kernspintomographie-Untersuchungen nicht erreicht werden kann. Im

konventionellen MRT könnte die Wirbelsäule also „gesund" aussehen, während im Upright-MRT die belastungsabhängigen Veränderungen nachgewiesen werden. Da in meinen bisherigen konventionellen MRTs der Wirbelsäule immer „alles in Ordnung" schien – obwohl ich u.a. unter anhaltenden Kopfschmerzen, Schwindel, Seh-
und Hörstörungen sowie Taubheitsgefühlen in den Armen und Beinen litt – erschien mir ein Upright-MRT sinnvoll.

Allerdings stand ich vor dem Problem, dass Upright-MRT-Pra-
xen privat sind und die gesetzlichen Krankenkassen die Kosten nur
nach vorherigem Antrag auf Kostenübernahme erstatten. Ich benötigte drei Untersuchungen auf einen Schlag und rechnete nicht damit, dass die Krankenkasse überhaupt eine der angeforderten Untersuchungen bezahlen würde. Ich ging also zu meiner Orthopädin
und reichte anschließend einen Antrag mit einer Bescheinigung für
den Grund der Untersuchung bei meiner Krankenkasse ein. Sehr positiv ist hier zu vermerken, dass ich innerhalb einer Woche alle drei
eingereichten Anträge auf Übernahme der Upright-MRTs bewilligt
bekommen habe. Und das ohne Widerspruch einlegen zu müssen!
Somit konnte mein Kernspintomographie-Marathon beginnen, da
ich an drei aufeinanderfolgenden Tagen zu den Untersuchungen
musste. Dies war anstrengender als gedacht, weil die Praxis 120 min
von mir entfernt lag. Zusätzlich waren die Untersuchungen sehr anstrengend, da man für die Funktionsaufnahmen seinen Kopf so weit
wie möglich nach vorne, hinten sowie seitwärts neigen und fixieren
lassen musste, um in dieser Position verbleiben zu können.

Sowohl das Personal als auch die Ärztin waren sehr freundlich
und kompetent, so dass der Aufenthalt trotz der Strapazen gut zu
überstehen war. Schon am ersten Tag nach den Aufnahmen kam die
Ärztin überrascht auf mich zu und teilte mir mit, dass sie sich nicht
wundere, dass ich solche Probleme hätte, da meine Halswirbelsäule
sehr überbeweglich sei. Nach dem dritten Tag erfolgte dann die
komplette Befundbesprechung: Die Halswirbelsäule zeigt eine

ausgeprägte Hypermobilität, insbesondere bei der Kopfneigung nach vorne. Ebenso zeigten sich segmentale Gefügelockerungen bei positionsabhängigen Bewegungen der Halswirbelkörper 2, 3, 4 und 5. Gefügelockerungen bedeuten, dass Gelenke an der Wirbelsäule beweglicher sind als normal und die Wirbelsäule dadurch nicht mehr so stabil ist. Da die einzelnen Halswirbelsäulenkörper mehrere Millimeter Spielraum in alle Richtungen aufweisen, also bei der Vorwärts-, Seitwärts- sowie der Rückwärtsbewegung, erkennt man eine ausgeprägte Instabilität der Halswirbelsäule. Bei meiner Upright-Untersuchung erkannte man zusätzlich eine diskrete Fehlrotation des Atlas, dem ersten Halswirbel, gegenüber dem Axis, dem zweiten Halswirbel, nach links. Schon eine diskrete Atlasverschiebung kann für Probleme sorgen, da der Atlaswirbel ein neuralgischer Bestandteil eines komplexen Funktionssystems ist. Bereits geringe Abweichungen der Atlasposition von ihrer anatomisch-physiologisch vorgesehenen Position können zu gravierenden Auswirkungen auf das Skelett, den Muskelapparat, das Kreislaufsystem, das neurovegetative (parasympathische) System und generell auf den ganzen Körper führen. Es kommt unter anderem zu statischen Fehlhaltungen, wobei häufig eine Körperhälfte mehr belastet wird als die andere. Dies erklärt, wieso ich oft mehr Schmerzen in einer Körperhälfte empfinde.

Zudem zeigte sich bei mir eine Einengung des trennenden Liquorpolsters zwischen Medulla oblongata und den ventral (zur Vorderseite) angrenzenden Strukturen atlantodental (im Bereich des ersten Halswirbels und des zweiten Halswirbels). In der Medulla oblongata geht das Rückenmark langsam in den Hirnstamm über und wird daher auch als verlängertes Rückenmark bezeichnet. Die Medulla oblongata ist ein lebenswichtiges Regulationszentrum für die Atmung und den Blutkreislauf sowie ein Reflexzentrum für den Schluck-, Husten-, Nies- und Würgereflex sowie für das Brechzentrum. Je nachdem wie ich also meinen Kopf bewege, können diese Strukturen eingeklemmt bzw. beeinträchtigt werden. Dies erklärt, wieso ich nachts unter unerklärlichen Hustenattacken leide, bei denen es sich anhört, als würde ich ersticken und von denen ich nicht wach werde.

Das MRT meiner Lendenwirbelsäule zeigte ebenfalls Schädigungen: Eine deutliche LWS-Fehlstatik bei linkskonvexer Lumbalskoliose mit begleitendem Beckenschiefstand. Zudem zeigen sich eine anguläre Instabilität des Lendenwirbelkörpers 2/3, also eine segmentale Mehrbeweglichkeit. Ebenso wurden diskrete Bandscheibenprotrusionen an den Lendenwirbelkörpern 4/5 und Lendenwirbelkörper 5/Sakralwirbelkörper 1 bei LWS-Fehlstatik sowie beginnender Degeneration der Facettengelenke ersichtlich. Eine foraminale Affektion, also eine Einengung der Wurzel L5 links, ist möglich. Dies bedeutet, dass ich unter stark einschießenden Schmerzen im Bein leide, die oft mit einem Taubheitsgefühl sowie einer Schwäche einhergehen können. Natürlich war ich von diesen Befunden einerseits geschockt, andererseits jedoch erleichtert; haben die konventionellen MRT-Aufnahmen nie gezeigt was meine Beschwerden verursacht, habe ich jetzt auf einen Schlag die Antwort dafür bekommen. Die Radiologin teilte mir auch sofort mit, dass mir klar sein müsse, dass ich mit diesen Beschwerden leben muss und es keine Heilung hierfür gibt. Wirklich schocken konnten mich diese Worte nicht mehr, habe ich doch schon lange befürchtet, dass an meiner Wirbelsäule mehr Schäden vorhanden sind statt „Wachstumsschmerzen" oder zu wenig Sport. Nachdem ich also jahrelang erfolglos nach einer Ursache geforscht und keine Antworten erhalten habe, spürte ich Erleichterung über diesen Befund, zeigte er mir nämlich, dass ich mit meiner Vermutung richtig gelegen habe und mir die Beschwerden nicht einbildete.

Eine weitere Überlegung meinerseits war, dass die Befunde dafür sorgen müssten, endlich von meinen behandelnden Ärzten ernst genommen zu werden sowie einen Beweis für Begutachtungen und

Versicherungsträger in den Händen zu halten. Dass diese Annahme fehlerhaft war, stellte sich leider schnell heraus.

Zweifelnde Ärzte und Gutachter: Nach einigen Monaten erhielt ich das Ergebnis der genetischen Untersuchung: negativ. Damit hatte ich schon gerechnet, wusste ich ja, dass man die genetische Ursache für die hEDS noch nicht gefunden hat. Nun hatte ich jedoch wieder mit Ärzten und Kliniken zu kämpfen. Die genetische Untersuchung war negativ, also leide ich laut ihnen nicht an hEDS. Ich konnte es kaum glauben; klinisch passen die Symptome exakt zu meinen Beschwerden. Das hEDS erklärt meine orthopädischen Symptome in Form von einer Hypermobilität, die chronischen Gelenk- und Muskelschmerzen, meine (Sub-)Luxationen – also (Teil-) Ausrenkungen – einzelner Gelenke, die Skoliose, den Beinlängenunterschied sowie die Degeneration der Bandscheiben. Ebenso erklärbar sind meine kardiologischen Symptome in Form eines Mitral- und Trikuspidalklappenprolapses, die dünne Haut mit der leichten Verletzbarkeit, die verzögerte Wundheilung, die häufigen blauen Flecken, die so langsam abheilen, und die verzögerte Blutgerinnung, die schnelle Ermüdbarkeit, meine Magen- und Darmprobleme, die Kopfschmerzen, die Wirbelsäuleninstabilitäten, die Koordinations- und Balanceprobleme sowie meine Schlafstörung. Und dies alles sei nicht durch das hEDS erklärbar?

Eines der Probleme bei solchen seltenen Erkrankungen besteht darin, dass viele Ärzte sich kaum damit auskennen. Die Ursache liegt darin, dass das EDS eine komplexe Erkrankung mit vielen unspezifischen Symptomen ist, die mehrere Fachbereiche betrifft, wie z.B. Orthopädie, Neurologie, Kardiologie usw. Geht man nun mit den ersten Symptomen zu einem Arzt, sieht dieser Facharzt nur die Symptome, die in seinen Fachbereich fallen; man wird untersucht und ggfs. therapiert. Treten nun allerdings weitere oder andere Symptome aus einem anderen Fachbereich auf, überweist dieser Arzt dich an den nächsten Facharzt, welcher wiederum auch nur die

Symptome aus seinem Fachbereich beachtet. Zusätzlich verstärkt wird dies durch den Zeitmangel; ich hatte sehr viele Facharzt- sowie Kliniktermine, auf die ich monatelang warten musste und im Gespräch nur einen Bruchteil ansprechen konnte, bevor ich nach spätestens 10 min wieder aus dem Behandlungsraum gekommen bin.

Weiterhin problematisch ist, dass Ärzte während ihres Studiums den Leitspruch „Wenn du Hufgetrappel hörst, denk an Pferde, nicht an Zebras" beigebracht bekommen. Das Pferd steht hierbei für die Erkrankung, die die wahrscheinlichste Ursache der Symptome darstellt. Die wahrscheinlichste Erklärung ist eben oftmals die richtige. Wenn es vermeintlich nach einem Bandscheibenvorfall aussieht, dann ist es einer. Bei mir bestand seit dem 14. Lebensjahr immer wieder der Verdacht auf einen Bandscheibenvorfall aufgrund meiner Symptome im Wirbelsäulenbereich. Also wurde jedes Mal erneut ein konventionelles MRT veranlasst und Schmerzmittel gegeben. Als beim MRT nichts herauskam, lag die Ursache an „Wachstumsschmerzen", „fehlender sportlicher Betätigung" oder „falscher Belastung". Leider hat sich keiner der Ärzte die Mühe gemacht, sich zu wundern, wieso ich mit 14 Jahren schon solch merkwürdige Symptome habe. Hätte man mich damals schon eher an einen passenden Spezialisten überwiesen, hätte ich eventuell früher eine passende Diagnose erhalten. Es kommt eben auch vor, dass es sich um ein Zebra, also eine seltene Erkrankung, handeln kann. Man bekommt leider oft das Gefühl, dass die Ärzte nur nach der wahrscheinlichsten Ursache gehen und die seltenen Erkrankungen oft genug übergehen oder sich nicht ausreichend damit beschäftigen, da diese im Berufsalltag unter Umständen weniger häufiger vorkommen.

Zudem wird leider oft der Patient selbst übergangen. Hat man sich selbst informiert, wird man als anstrengend empfunden, da man seine Informationen nur über „Dr. Google" beziehen würde. Dass ich als Patient fühle, dass etwas nicht stimmt und ich selbst feststellen konnte, dass die Symptome schlimmer wurden, wenn ich mir wieder die Halswirbel „verknackst" habe, wurde leider ignoriert. Der Meinung des Patienten wird wenig Wert beigemessen, und sie wird selten in die Diagnosefindung mit einbezogen. Zusätzlich besteht eine große Problematik bei Fehldiagnosen. Hat man erst mal eine Diagnose erhalten, halten die anderen Ärzte an dieser fest, so falsch sie auch sein mag. Wieso sollte man auch weiter untersuchen, wenn doch schon eine Diagnose vorliegt. Ich erwarte nicht, dass jeder Arzt alle Erkrankungen im Detail kennen muss. Ebenso wird kein EDS-Patient erwarten, dass ein Arzt sofort alle Fakten über diese seltene Erkrankung parat hat. Was ich mir jedoch wünsche, ist ein Arzt, der offen gegenüber seltenen Erkrankungen ist und der Verständnis dafür hat, dass ich als Patient schon schlechte Erfahrungen mit Kollegen gemacht habe und mich deswegen umfangreich im Vorfeld über Therapien etc. informiere,. Jemanden, der mir mit Verständnis und Interesse begegnet und respektvoll mit meinem Problem umgeht, das ist wünschenswert. Dann bin ich auch offen für Vorschläge jeglicher Art. Da ich in den letzten Jahren schon viele Therapien ausprobiert habe, weiß ich, was mir am besten hilft. Oft fehlt es an der Würdigung erkrankter Menschen, und die Haltung ihnen gegenüber lässt oftmals Respekt, Achtung und Wertschätzung vermissen. Es wäre wünschenswert, wenn der Arzt bei fehlerhafter Kommunikation auch nach eigenen Unzulänglichkeiten oder Fehleinschätzungen schauen würde, statt sich hinter den fachlichen Konzepten zu verschanzen. Mir ist ein Arzt lieber, der direkt zugibt, dass er sich nicht mit EDS auskennt, solange er offen für Vorschläge und bereit ist, sich in die Thematik einzuarbeiten - anders als die Kollegen, die sich damit zwar nicht auskennen, aber sofort die besten Vorschläge zur Therapie bereit haben.

Dass es auch anders geht, zeigen einige positive Beispiele, die ich mit meinen behandelnden Ärzten erleben durfte: In den vergangenen Jahren habe ich neben vielen unschönen Arzterlebnissen auch einige sehr kompetente und interessierte Ärzte und Fachkliniken kennen gelernt. Darunter sind insbesondere einige Neurologen, mein Neurochirurg, eine Radiologin sowie ein Allgemeinmediziner aus Bonn zu nennen, welcher sich auf seltene Erkrankungen spezialisiert hat. Diese Ärzte sind motiviert, interessiert und verfügen über eine hohe Fachkompetenz. Sie begegnen ihren Patienten auf Augenhöhe und nehmen sie ernst, was einem bei dem Umgang mit der Erkrankung schon viel hilft. Es ist sehr wichtig, sich Ärzte zu suchen, die einen ernst nehmen und auf Augenhöhe begegnen; dafür muss man teilweise durch halb Deutschland fahren. Viele meiner Fachärzte sind mittlerweile in anderen Städten. Natürlich strengt die Fahrerei an, allerdings möchte ich nach den vielen negativen Erfahrungen nun von den Ärzten betreut werden, die sich wenigstens etwas mit meinen seltenen Erkrankungen auskennen und mir symptomatische Therapien vorschlagen können. Wenn man merkt, dass die behandelnden Ärzte „um die Ecke" nicht weiter kommen, sollte man nicht aufgeben oder sich einreden lassen, man müsse mit den Symptomen leben.

Ein weiterer problematischer Punkt bei seltenen Erkrankungen sind Gutachten. Aufgrund der Erkrankung benötige ich lebenslang Therapie und verschiedene Leistungen. Und hier kommt man dann in Kontakt mit dem Begutachtungssystem der Versicherungsträger. Ich musste in meinem Leben schon zu vielen Begutachtungen – bei der Berufsgenossenschaft, zur Krankenkasse, zum Schwerbehindertenamt sowie der Rentenversicherung – und jedes Mal gab es Probleme. Die Gutachter kennen sich ebenfalls kaum oder gar nicht mit den Erkrankungen aus. Ebenso sind die Termine meist so kurz, dass man nach wenigen Minuten wieder hinauskomplimentiert wird und sich der Gutachter in solch einer kurzen Zeit wohl kein umfangreiches Bild von der Krankensituation machen konnte. Zudem landet man des Öfteren bei Ärzten aus falschen Fachbereichen. Bisher wurde ich meist durchweg von orthopädischen statt von neurologischen Gutachtern beurteilt. Dies ist ein häufiges Problem. Aufgrund der vorherigen fehlerhaften Diagnosen der anderen Ärzte werden die Beschwerden oft als psychosomatisch eingestuft. Hierüber erhält man dann eine Diagnose. Viele Gutachter beziehen sich dann ausschließlich auf diese Diagnose und beachten die körperlichen Erkrankungen nicht mehr. Somit werden dann alle Leistungen, die extra beantragt werden müssen, abgelehnt, da die Ursache „rein psychisch" bedingt ist. Zudem erfolgen viele Begutachtungen im ersten Schritt ausschließlich nach Aktenlage. Bei der Beantragung einer Schwerbehinderung prüfte eine Internistin meine Akte und kam zu dem Schluss, sie könne angemessen beurteilen, dass meine orthopädisch-neurologischen Symptome nicht so schwerwiegend seien und ich meine Symptome übertreiben würde.

Ich kann mich u.a. seit mehreren Jahren ausschließlich mit Unterarmgehstützen und mehreren Orthesen fortbewegen, meinen rechten Arm kann ich aufgrund einer Atrophie (Muskelschwund) des Schultergürtels komplett nicht mehr heben, ich nehme 24 Tabletten für die Schmerztherapie am Tag zu mir und mehrere meiner behandelnden Ärzte haben mir empfohlen, Erwerbsminderungsrente zu beantragen da mich die Probleme mittlerweile massiv einschränken. In solchen Situationen frage ich mich, was im Gesundheitssystem nicht stimmt, wenn ein Gutachter nur nach Sichtung der Akten zu wissen glaubt, ich würde es mit meinen Symptomen übertreiben. Besonders in Erinnerung geblieben ist mir eine Prüfung durch den medizinischen Dienst (MDK) meiner Krankenkasse, als ich eine Dauerverordnung für Physiotherapie und Krankengymnastik beantragen wollte. Der MDK stellte fest, dass „Die Einschränkungen vorhanden sind und mit der Schwere vergleichbar, jedoch nicht einschränkend genug sind". Man muss sich vorstellen, dass man alle Befunde und eine Liste mit Einschränkungen eingereicht hat; der MDK stellt auch fest, dass die Schwere der Beschwerden vergleichbar ist, jedoch schränken diese Beschwerden angeblich nicht ein. Ich empfehle definitiv jedem Betroffenen, hartnäckig bei den Versicherungsträgern zu bleiben und sich nicht alles gefallen zu lassen. Bei negativen Bescheiden auf jeden Fall Widerspruch einlegen und ggfs.

mit einem Anwalt sein Recht durchsetzen. Ich musste alleine über zwei Jahre die Berufsgenossenschaft verklagen; diese Zeit war sehr anstrengend und frustrierend, jedoch hat es sich gelohnt.

Was in diesem Zusammenhang außerdem problematisch ist, ist der Umgang vieler – nicht aller – Ärzte mit erkrankten Menschen. Als chronisch kranker Mensch gewinnt man den Eindruck, dass das Bewusstsein für einen würdevollen Umgang miteinander fehlt. Ein würdevoller Umgang zeigt sich in einem respektvollen und achtsamen Umgang mit dem Gegenüber. Ich erlebe im täglichen Umgang mit Ärzten, dass diese mich nicht ausreden lassen, mir über den Mund fahren, meine persönliche Meinung als „subjektiv" einstufen oder über mich reden, als sei ich ein „Behandlungsgegenstand". Mir als Patient wird wenig Gewicht und Kompetenz in der Erfahrung mit meiner Erkrankung beigemessen, obwohl die Ärzte teilweise selbst kaum Informationen über meine Erkrankungen haben. Auf vielfältige Weise kann sich die Differenz im Fachwissen im zwischenmenschlichen Umgang zeigen: in verschlossener Körperhaltung, belehrendem Unterton, kommentierender Mimik und Gestik, Ungeduld, Zurechtweisungen, Unfreundlichkeit, Arroganz, Besserwisserei usw. Diese Art von „professionellem Narzissmus", trifft man bei Ärzten, Psychologen und anderen Therapeuten. Verletzende Situationen entstehen auch durch Gedankenlosigkeit, falsch verstandenen Humor oder auch Arroganz gegenüber der erkrankten Person. Als Patient erlebt man bei Arztterminen, in Krankenhäusern oder in der Reha etliche irritierende Momente. In Erinnerung geblieben ist mir z.B. der Kommentar einer Orthopädin, dass ich mir nach der Subluxation meines Fingers und einer zurückgebliebenen Schwellung am Gelenk anhören durfte, „ich solle mir keine Sorgen machen, ich sei ja schließlich überbeweglich und hätte jetzt einen Finger der normal beweglich sei" und dabei lachte, da sie die Situation anscheinend als lustig empfunden hat. Ebenso gab es schon einige Termine in deren Verlauf ich damit begrüßt wurde, ich sei ja der „Ehlers-Danlos-Patient und ob ich mal vorführen könne, wie beweglich ich sei", so dass mir das Gefühl gegeben wurde, ich sei die Hauptattraktion in einer Zirkusvorstellung. Auf meine Rückfrage, ob man mir denn auch helfen könnte, hieß es dann „nein, aber schön dass Sie da waren, sowas kennt man ja oft nur aus Fachbüchern und jetzt habe ich es mal live gesehen". Würdelos wird es, wenn die Personen, welche sich über mich lustig machen, nicht mit mir, sondern über mich lachen.

Aber es gibt auch positive Beispiele, wie der Umgang mit Humor zwischen mir und meiner Physiotherapeutin. Durch die mehrmonatige Zusammenarbeit ist hier ein Vertrauensverhältnis entstanden. Ich schätze ihren warmherzigen und gleichzeitig direkten und ironischen Umgang. Unser Humor ist ähnlich. Durch unser Vertrauensverhältnis kann sie wiederum einschätzen, worüber ich lachen kann. Und ich vertraue darauf, dass sie mit mir lacht und nicht über mich. Humor kann heilsam sein. Um mit einem Betroffenen über seine Einschränkungen Lachen zu können, muss man wissen, worüber er lachen kann und worüber nicht. Für alle Situationen im Umgang mit kranken oder beeinträchtigten Menschen gilt: Die grundlegendste Würdigung besteht in der Wahrnehmung und Ansprache als gleichberechtigter, entscheidungsfähiger Mensch. Würdigung bedeutet, dass ich ihn in seinen Bedürfnissen, in seiner Persönlichkeit und mit seinen aktuellen Fähigkeiten achte.

Akzeptanz und Umgang mit Erkrankung: Nachdem sich die Symptome kontinuierlich verschlimmerten, und ich die ersten Erkrankungen diagnostiziert bekam, stellte ich fest, dass viele zuvor als selbstverständlich hingenommenen Fähigkeiten verloren gingen und ich in vielen Lebensbereichen eingeschränkt bin. Neben den krankheitsbedingten Symptomen wie Schmerz, Erschöpfung und Müdigkeit sowie Taubheitsgefühle in den Extremitäten musste ich täglich mein Nicht-Können, die Abhängigkeit von anderen sowie das Angewiesensein auf fremde Hilfe aushalten und akzeptieren lernen. Wenn ich verglichen habe, was ich vor der Verschlimmerung der Erkrankungen und danach kann, befällt mich zuweilen eine Wut und Hilflosigkeit. Diese auszuhalten und einen Krankheitsumgang zu finden, ist eine große Herausforderung, der ich mich bis heute zuweilen noch stellen muss. Die Erkrankung riss mich aus meinem Alltag, meinen Gewohnheiten und meinen Verpflichtungen und nahm mir das Selbstvertrauen in meine Fähigkeiten. Vor der Erkrankung als selbstverständlich erlebte Fähigkeiten besaß ich teilweise nicht mehr. Die Bewältigung des Alltags kostet deswegen erheblich mehr an Kraft, denn die Routinen im Alltag geben Halt und entlasten, wenn man nicht ständig darüber nachdenken muss, wie etwas zu erledigen ist. Einige behandelnde Ärzte und Bekannte meinten zu mir, dass ich meine Einschränkungen nicht so schwer nehmen und akzeptieren sollte. Dies ist natürlich nicht so einfach. Ich war mit dem Verlust oder einer Einschränkung mir als selbstverständlich erscheinender Fähigkeiten konfrontiert, die ebenfalls für viele Menschen selbstverständlich sind: auf unebenem Gelände oder Steigungen aufwärts laufen, selbständig einkaufen, arbeiten oder studieren gehen, den Haushalt führen, rennen, mich länger konzentrieren etc. Es geht für mich um den Verlust von Fähigkeiten in jungen Jahren – schließlich begann es im Alter von 20 Jahren – und in relativ kurzer Zeit. Anders als im hohen Alter, hatte ich weder die Möglichkeit, mich allmählich darauf einzustellen, noch diese Tatsache als etwas – wenn auch unangenehm – so doch als altersentsprechend anzunehmen. Natürlich empfinde ich dies auch heute noch als ungerecht. Die anfangs ungewohnte Erfahrung des Nicht-Könnens verunsicherte mich so stark, da ich mich an meiner Leistungs- und selbstständigen Lebensfähigkeit vor der Erkrankung orientierte. Die Ärzte gaben mir zudem das Gefühl, dass keine Besserung eintreten könne, da ich im Genesungsprozess nicht genug leiste oder mitarbeite. Dies verstärkte das Gefühl, dass ich nur über begrenzte Handlungsmöglichkeiten verfüge.

Mittlerweile weiß ich, dass ich damals und heute viele Handlungsmöglichkeiten hatte, die ich wahrgenommen habe; denn jede

Nutzung eines Therapieangebots, nach Wegen für die Krankheits-bewältigung zu suchen oder Kompensationsstrategien für fehlende Fähigkeiten zu entwickeln, war Handeln. Das bewusste Wahrneh-men von Handlungs- und Gestaltungsmöglichkeiten und mich trotz der Einschränkungen als handlungsfähig zu erleben, hätte mir wahrscheinlich besser im Krankheitsumgang geholfen, denn es nimmt das Gefühl des Ausgeliefertseins an die Krankheit oder die Einschränkungen. Das Erleben von Handlungsfähigkeit stärkt, er-mutigt und gibt die Gewissheit der eigenen Gestaltungsmöglichkeit des Lebens zurück. Aus diesem Grunde ist es wichtig, kranken Men-schen Entscheidungen zu überlassen und sie handeln zu lassen, so-bald sie dazu (wieder) in der Lage sind – und ihnen vor allem be-wusst zu machen, dass sie wieder Entscheidungen treffen können.

Behandlungsmöglichkeiten sowie die richtige Therapeuten-wahl: Ein weiterer sehr wichtiger Punkt bei seltenen Erkrankungen sind die passenden Behandlungsmöglichkeiten. Diese sind leider sehr eingeschränkt; umso wichtiger ist es für den Patienten, dass er alle Möglichkeiten erhält. Wichtig bei chronischen Schmerzen ist eine adäquate Schmerztherapie: Auch wenn die Opioide teilweise starke Nebenwirkungen verursachen, helfen diese, dass ich mor-gens überhaupt aus dem Bett komme. Ebenso wichtig ist die Versor-gung mit Orthesen und Bandagen. Natürlich sollte man diese nor-malerweise so wenig wie möglich tragen, allerdings helfen sie gegen die (Sub-)Luxationen der Gelenke, reduzieren Schmerzen und erhal-ten das natürliche Bewegungsausmaß. Ein weiterer sehr wichtiger Punkt ist die Versorgung mit physikalischer Therapie in Form von Physiotherapie und Ergotherapie. Hier steht man direkt wieder vor demselben Problem, eine Fachperson zu finden, die sich mit selte-nen Erkrankungen auskennt bzw. bereit ist, sich mit diesen ausei-nander zu setzen. Was eine falsche Therapie auslösen kann, durfte ich im April 2019 feststellen: Aufgrund einer Urlaubsvertretung bin ich bei einer Physiotherapeutin gelandet, welche sich mit meinen Er-krankungen nicht auskannte. Anstatt auf mein Gefühl zu hören und die Therapie an dieser Stelle abzubrechen, habe ich gedacht, dass ich ihr eine Chance gebe, zumal sie versicherte, vorsichtig zu sein. Während der Therapie wurde ich dann manuell an der Halswirbelsäule behandelt. Bevor ich reagieren konnte, gab es zwei falsche Bewegungen. Die Retoure habe ich direkt nach der Therapie bekommen. Am Nachmittag nach der Behandlung setzten sofort die ersten verstärkten Beschwerden ein: mäßige bis starke Kopf- und Nackenschmerzen, Drehschwindel, Knacken und Knirschen im HWS-Bereich, Taubheitsgefühle in den Armen, Druckgefühl im Hals mit Schluckbeschwerden, einem dumpfen Hörgefühl auf dem rechten Ohr, Konzentrationsprobleme, Vergesslichkeit sowie Wortfindungsstörungen. Ich hatte einen Puls von mind. 110/min. in Verbindung mit Präsynkopen mit Übelkeit, Kaltschweißigkeit, Druckgefühl im Hals, Brustschmerzen, Blässe, Verschwommensehen, Schwarzwerden vor den Augen. Die Beschwerden wurden schlimmer beim Hinsetzen, Aufstehen oder unter Bewegung. Ebenso litt ich unter extremer Müdigkeit. Zusätzlich hatte ich ein Instabilitätsgefühl von Kopf und Nacken; das Gefühl, der Kopf würde nicht mehr richtig auf dem Hals sitzen. Ich ging davon aus, dass die Beschwerden durch die Behandlung verursacht wurden und wartete, ob diese sich in einigen Tagen legen würden. Da die Beschwerden sich jedoch immer mehr verschlimmerten, suchte ich meine Internistin auf. Diese stellte eine Sinustachykardie mit einem Puls von 114/min. fest und verschrieb mir Betablocker. Nachdem ich in den folgenden Tagen zweimal ohnmächtig geworden bin, verbrachte ich zweimal mehrere Tage stationär im Krankenhaus. In dieser Zeit wurde alles ausgeschlossen, was die Beschwerden hätte verursachen können – eine Lungenembolie, eine kardiologische Ursache oder ein Riss der Hauptschlagader.

Da ich selbst die Ursache in einer Verschlimmerung der Instabilität der HWS vermutete, beantragte ich ein erneutes Upright-MRT bei meiner Krankenkasse, welches auch bewilligt wurde. Im Juni 2019 bekam ich dann die Diagnose: eine neu aufgetretene

Insuffizienz des Ligamentum alare rechtsseitig bei Dezentrierung des Dens axis aus der Mittelposition bei Kopfneigung nach rechts.

Somit habe ich also durch einen unbedachten Handgriff seit April 2019 auch mit einer Kopfgelenksinstabilität zu tun. Die oben genannten Symptome sind immer noch vorhanden. Seitdem haben sich die Kopfschmerzen massiv verstärkt; zusätzlich zum mäßigen Dauerkopfschmerz sind nun einschießende starke, brennend-stechende Kopfschmerzattacken hinzugekommen, welche für Minuten bis Stunden an der Rückseite des Kopfes, dem oberen Nacken und hinter dem rechten Auge vorhanden sind. Zusätzlich tränt mein rechtes Auge dabei. Nachdem ich mich erneut bei meinem behandelnden Neurochirurgen vorgestellt habe, teilte er mir mit, dass ich unter einer trigemino-autonomen Kopfschmerzerkrankung mit einer Beteiligung einer Okzipitalneuralgie leiden würde. Trigemino-autonome Kopfschmerzerkrankungen sind eine Gruppe von attackenartigen, einseitigen Kopfschmerzen im Bereich des Trigeminusnervs, die mit autonomen (nicht beeinflussbaren) parasympathischen Symptomen im Kopfbereich, wie z. B. Augentränen oder laufender Nase, einhergehen. Unter einer Okzipitalneuralgie versteht man Nervenschmerzen der drei Okzipitalnerven, der Hinterhauptnerven. Die Okzipitalneuralgie äußert sich durch stechende, anfallsartig auftretende Schmerzen, die am Hinterkopf bis hin zum Scheitel auftreten. Die Schmerzen können aber auch dem Verlauf der Nerven folgen und sich in Richtung Stirn, Schädelseite und Schläfenbereich ausbreiten. Typischerweise treten sie einseitig auf, seltener auch beidseitig. Die betroffenen Stellen können außerdem Druckschmerz oder Parästhesien (nicht schmerzhafte Empfindung ohne physikalischen Reiz) aufweisen. Oftmals ist die Beweglichkeit des Kopfes schmerzbedingt eingeschränkt. Die Schmerzen im Bereich des Trigeminus zählen zu den stärksten Schmerzen überhaupt. Wenn ich eine dieser rechtsseitigen Schmerzattacken habe, möchte ich am liebsten meinen Kopf gegen die Wand schlagen, da nichts dagegen hilft.

Aufgrund einer symptomatischen Therapie durch den Neurochirurgen sind die Attacken weniger häufig und intensiv geworden, jedoch immer noch vorhanden. Zum Glück habe ich mittlerweile eine sehr fähige, neurophysiologisch arbeitende Physiotherapeutin gefunden, die sich um meine Beschwerden kümmert. Diese begegnet mir auf Augenhöhe, ist empathisch, erkennt und akzeptiert meine körperlichen Grenzen und arbeitet sich in mein komplexes Beschwerdebild hinein. Wenn es Tage gibt, an denen ich nicht aktiv arbeiten kann, dann wird das so hingenommen und nicht hinterfragt. Persönliche Empfehlungen für Therapien werden nicht als Angriff auf die Person oder das Fachwissen gewertet. Ich fühle mich ernst genommen und darf meine Therapie mitgestalten. Ich werde einfach als Mensch wahrgenommen und nicht als spannende medizinische Sensation mit Erkrankungen, die manche Ärzte bisher nur aus dem Lehrbuch oder dem Studium kannten. Hilfreich sind hierbei die PNF-Therapie sowie die Stärkung der Tiefenmuskulatur mit auf mich abgestimmten Übungen und das Training der Propriozeption (Tiefensensibilität). Es hilft schon enorm, wenn die Therapeuten einem auf Augenhöhe begegnen und nicht die Schuld geben, man habe sich nicht genug angestrengt, wenn ein Therapieansatz nicht funktioniert. Zusätzlich wird es akzeptiert, wenn ich Therapien ablehne, die ich schon testen musste und die im Nachhinein mehr geschadet als genutzt haben. Das wichtigste Mittel auch hier ist Kommunikation. Nichts ist schlimmer als ein Therapeut, der dir sagt, er kennt deine Erkrankungen nicht, „kann aber mal ein wenig ausprobieren". Gerade dieses Ausprobieren kann weitere dauerhafte Einschränkungen und Schäden verursachen. Bei solchen Sätzen nehme ich mittlerweile Abstand. Meist findet man schnell im Gespräch heraus, ob der Therapeut offen dafür ist, dass der Patient der Spezialist für seine Erkrankung ist und „in seinem Körper steckt". Ebenso verhält es sich mit der Bereitstellung von Fachliteratur. Ist der Physiooder Ergotherapeut offen für Fachliteratur und möchte sich einlesen, ist er bereit sich das nötige Fachwissen anzueignen. Für Behandlungserfolge – die Vermeidung von Sekundärschäden und die

Verhinderung einer Verschlechterung – sollte man sich also einen Therapeuten suchen, bei dem man ein gutes Gefühl hat und gerade hier keine Abstriche machen. Am Ende muss man selber mit den dauerhaften Einschränkungen leben und nicht das Gegenüber.

Neben der Diagnose des EDS habe ich auch eine Ursache für die Magen- und Darmbeschwerden gefunden. Eine der Komorbiditäten beim EDS ist das sog. Mastzellaktivierungssyndrom (MCAS). Einen klaren Zusammenhang zwischen EDS und MCAS konnte man bisher nicht nachweisen, jedoch kommen beide Krankheiten zusammen gehäuft vor. Beim MCAS handelt es sich um eine immunologische Erkrankung, bei der Mastzellen unangemessen und übermäßig Mediatoren freisetzen, was zu chronischen und allergieähnlichen Symptomen führt, die bis zum anaphylaktischen Schock führen können. Das MCAS ist eine systemische Erkrankung, betrifft also mehrere Organsysteme, wobei sich die Beschwerden meist entzündlich äußern, und umfasst neurologische, kardiovaskuläre, dermatologische, gastrointestinale sowie die Atemwege betreffende Symptome. Häufige Symptome zeigen sich in Hautrötungen und Hautausschlägen, Neigung zu Blutergüssen, Juckreiz, Benommenheit, Schwindel, Durchfall, Krämpfen und Unwohlsein, Übelkeit und Erbrechen, Muskel- und Nervenschmerzen, Kopfschmerzen, Wortfindungsstörungen, juckenden und tränenden Augen sowie einer verstopften Nase und Asthma. Einheitliche Diagnosekriterien für die MCAS gibt es derzeit nicht. Jedoch sprechen eine klinische Symptomatik und die erhöhten Mastzellmediatoren im Blut, wie z.B. Tryptase, sowie das Ansprechen auf Antihistaminika für ein MCAS. Therapeutisch kann man nur mit der Vermeidung von Triggern, einer Ernährungsumstellung (histaminarm) sowie der Einnahme von Antihistaminika und Mastzellstabilisatoren dagegen vorgehen. Da seit meiner Kindheit immer wieder ein Großteil dieser Symptome aufgetreten ist, und ich oft einen Zusammenhang zu bestimmten Nahrungsmitteln und anderen Triggern herstellen konnte, wollte ich die Möglichkeit einer Erkrankung des MCAS abklären lassen.

Nach viel Recherche und herumtelefonieren konnte ich in Berlin an einem dreimonatigen Studienprogramm teilnehmen. In diesem Verlauf zeigte sich, dass ich sowohl die passenden Symptome, als auch eine signifikante Erhöhung des Tryptase- Wertes in meinem Blut während der Beschwerden um mehr als 20% im Vergleich zum Normalwert hatte und auch auf die symptomatische Antimediator-Therapie durch die Medikamente ansprach. Durch die Diagnose war ich insoweit erleichtert, dass ich endlich eine Erklärung für die seit 25 Jahren immer wiederkehrenden Symptome gefunden habe. Selbst wenn die Erkrankung nur symptomatisch behandelbar ist und ich trotz Reduzierung der Trigger sowie histaminarmer Ernährung immer noch Beschwerden habe, so haben sich diese leicht reduziert, und ich kann dagegen vorgehen.

Ansonsten sind die Therapiemöglichkeiten bei EDS-Patienten eingeschränkt. Hilfreich sind Therapien mit geringer Belastung der Gelenke wie z.B. Bewegungsbad oder isometrische Übungen zur Stabilisierung der instabilen Gelenke. Orthesen werden genutzt, um eine passive Stabilisierung herbeizuführen und (Sub-)Luxationen zu vermeiden. Unterarmgehstützen können ebenfalls nötig werden. Um die Propriozeption im Alltag zu verbessern, wird das Tragen von Kompressionskleidung empfohlen. Ebenso wichtig sind Vorsorgeuntersuchungen für Herz, Gefäße und Augen, um frühzeitig mögliche Komplikationen behandeln zu können. Zudem sollte – sofern nötig – eine Anpassung des Haushalts erfolgen, um im täglichen Leben mit den Einschränkungen besser klar zu kommen. Bei chronischen Schmerzen sollte unbedingt eine adäquate Schmerztherapie erfolgen. Von Operationen sollte man sich solange es geht fern halten, das ist zumindest meine Meinung. Gerade im Bereich der Halswirbelsäule kann es oft zu Anschlussinstabilitäten kommen. Am besten helfen mir Orthesen zur Gelenkstabilisierung, Physiotherapie zur Stärkung der Tiefenwahrnehmung sowie die umfassende Schmerztherapie. Ganz wichtig ist ebenfalls, seine Grenzen zu kennen. Oft mutet man sich mehr zu, als man aushalten kann, da man sich nicht noch mehr im Alltag und in der Freizeit einschränken will. Dies endet jedoch meist ganz schnell mit der Verschlimmerung der Beschwerden. Es nützt nichts, einen Tag komplett „durchzupowern", wenn man dann mindestens eine Woche zur Regeneration benötigt. Man sollte also genügend Zeit und Pausen mit einbauen.

Familie und Freunde: Wenn nach einer Erkrankung oder einem Unfall gesundheitliche Beeinträchtigungen oder Behinderungen zurückbleiben, müssen sich die Betroffenen und ebenso die Familie oder Freunde mit der neuen Situation arrangieren. Familie und enge Freunde sind durch die Erkrankung eines Betroffenen ebenfalls belastet, wie z.B. die Sorge um den Erkrankten, veränderte Rollen in der Familie und im Freundeskreis, zusätzliche Belastungen oder die Angst vor der Zukunft. Neben den eigenen Problemen im Alltag und der Überforderung durch die neue Situation wollen Angehörige dem Kranken eine Stütze sein. Zusätzlich kommt die emotionale Belastung hinzu. Für meine Familie und meine Freunde ist die Situation ebenfalls schwierig. Gerade auch am Beginn der Erkrankung, als kein Arzt eine Ursache für die komplexen Symptome gefunden hat, gab es die unterschiedlichsten Reaktionen. Ich war frustriert, weil ich nicht wusste, wieso es mir immer schlechter ging, und mein Umfeld gab mir Ratschläge, ich solle mich nicht hängen lassen, und es müsse doch endlich eine Ursache gefunden werden. Ebenso gab es Therapieempfehlungen („das hat meiner Freundin auch geholfen"), Vorwürfe („du strengst dich nicht genug an") genauso wie genervte Kommentare („Ich will nicht immer nur was von deinen Erkrankungen hören"). Genauso genervt war ich teilweise von meinem Umfeld, da ich ja selber nicht wusste, was mir fehlt, und mir die Tipps teilweise auf die Nerven gegangen sind. Ich musste lernen, die Erkrankungen und Einschränkungen in mein Leben und das meines Umfeldes zu integrieren. Der Alltag muss neu strukturiert werden; ich musste nach Beendigung meiner Ausbildung meinen Beruf aufgeben, oft neue Hilfsmittel beantragen, meine Ernährung umstellen etc. Je nach Art und Ausmaß der Einschränkungen und auch abhängig von den Lebensbedingungen des Erkrankten ist die Bewältigung dieser konkreten Aufgaben individuell sehr verschieden. Ich musste lernen, meine Frustration nicht an denen auszulassen, die nichts an der Situation ändern können. Zumal ich selbst schwer akzeptieren kann, dass sich die Symptome verschlechtern und ich bei immer mehr Aufgaben, über die ich vorher gar nicht nachdenken musste, Hilfe benötige. Dabei handelt es sich um banale Alltagsaktivitäten wie waschen, spülen, Essen zubereiten, putzen, Einkaufen gehen etc. Ich musste lernen, dass mir diese Aufgaben schwer fallen und ich um Hilfe bitten muss. Niemand gibt gern seine Selbständigkeit auf, und trotz Erkrankung versuche ich mir diese zu erhalten. Trotzdem habe ich gelernt, nach Hilfe zu fragen wenn ich diese benötige, und dass ich mich nicht dafür schämen muss. Ganz abstellen kann man das vermutlich nie.

Es bewahrheitete sich, dass sich in der Not echte Freunde erweisen. Menschen, die mir bis zu diesem Zeitpunkt nicht sehr nahe waren, unterstützten mich über einen langen Zeitraum und tun es bis heute. Andere, die ich bis dahin zu meinem engen Freundeskreis zählte, zogen sich zurück. Das war ebenso überraschend wie bitter. Ich vermute, dies hängt zusammen mit ihren begrenzten Fähigkeiten oder der fehlenden Bereitschaft, sich auf mich als kranken Menschen einzulassen, mir beizustehen und für mich da zu sein. Man muss akzeptieren, dass man sich mit Fortschritt der Erkrankung verändert; früher konnte ich alle Aktivitäten normal mitmachen, mittlerweile bin ich eingeschränkt und kann nicht mehr so „spontan" auf gewisse Dinge reagieren wie früher. Ebenso muss ich teilweise für Termine vorplanen und je nach Tageskonstitution auch mal Aktivitäten absagen. Ebenso ändern sich Einstellung und Meinungen. Erscheint dieser Aspekt als schwer akzeptabel, so hat er doch seine guten Seiten. Die Freunde, die mich so akzeptieren wie ich bin und auch in den schwierigen Zeiten für mich da sind, haben gezeigt, dass sie wahre Freunde sind und unsere Freundschaft wertschätzen. Zählt man den Kontakt zu anderen Betroffenen und den Austausch dahinter dazu, so habe ich sogar neue Bekannte und Freunde kennen gelernt.

Für Familie und Freunde stellt das Gefühl der Hilflosigkeit ein großes Problem dar. Diese resultierte aus der Situation, meiner Erkrankung nichts oder nicht genug entgegensetzen zu können, sowie der Unsicherheit, was man für mich tun könnte oder sollte. So ist es verständlich, dass meine Familie und Freunde nach Auswegen suchen, die zu einer Verbesserung des Gesundheitszustandes führen könnten. Oft war ich darüber verärgert, dass der andere zu wissen glaubte, was gut und hilfreich für mich sei. Ich nehme die Situation aus meiner Perspektive des Erkrankten wahr, während der Gesunde nur auf mich als Erkrankten schaut. Selbst wenn mein Gegenüber an denselben Erkrankungen leiden würde, so wäre doch das persönliche Empfinden jeweils individuell. Man kann sich als Begleitender bemühen, sich in die Perspektive des anderen einzufühlen, jedoch ist das Krankheitserlebnis für jeden anders. Da meine Erkrankung schließlich chronisch und schon länger anhaltend ist, habe ich schon viele Verfahren ausprobiert und verfüge über eine hohe Patientenkompetenz. Das wissen auch meine Angehörigen und verstehen, dass gut gemeinte Ratschläge nicht immer gut ankommen, da ich die Verfahren eventuell schon ausprobiert habe. Aber natürlich bin ich dankbar, wenn sich meine Freunde und Familie Gedanken darum machen, wie sie mir helfen können. Über Tipps bin ich zudem dankbar, da ich aus meiner Innenperspektive vielleicht etwas übersehe, was dem anderen mit Blick von außen andere Möglichkeiten bietet.

Ich erachte es als besonders wichtig, dass in der Freundschaft nicht nur meine Erkrankung das Thema jedes Gespräches ist. Freunde und Familie sollen mir auch von ihren Sorgen erzählen. Oft berichten mir Freunde, dass sie mich nicht mit ihren Problemen belasten wollen, da ich doch selbst schon genug Probleme hätte. Dies ist gut gemeint, jedoch fühle ich mich dann ausgeschlossen und gesondert behandelt. Da eine Freundschaft nicht einseitig funktioniert, möchte ich aber natürlich wissen, was meine Freunde belastet und mit welchen Problemen sie zu kämpfen haben. Zudem kommt der Aspekt dazu, dass ich mich „normal" fühle und nicht möchte, dass mir aus ständiger Rücksichtnahme auf meine Erkrankung die Probleme meiner Freunde entgehen. Da mich meine Einschränkungen schon oft genug an gemeinsamen Aktivitäten hindern, möchte ich so für meine Freunde da sein und an ihrem Leben, ihren Erlebnissen und Plänen, aber auch an ihren Sorgen und Problemen zum Beispiel auf der Arbeitsstelle teilhaben.

Nur weil ich krank bin, bedeutet es nicht, dass ich an keinen Aktivitäten mehr teilnehmen kann, ich muss nur anders planen oder eine Alternative finden. Wenn ich bei – gerade sportlichen – Aktivitäten nicht mehr teilnehmen kann, heißt es nicht, dass meine Freunde diese nicht mehr machen sollen. Entweder treffe ich mich danach mit ihnen oder ich setze mich z.B. bei sportlichen Aktivitäten an den Rand. Es gibt immer Aktivitäten, die wir alle zusammen machen können; inwieweit man belastbar ist, muss man selbst herausfinden. Der eine kann kleine Spaziergänge machen, der andere lieber Aktivitäten im Sitzen, wie eine Tasse Kaffee trinken. Ebenso sollte man erklären, wieso man häufiger absagen muss. Es ist wichtig mitzuteilen, dass man gern weiterhin eingeladen werden will und wieso man manchmal spontan absagen muss. Mit Beginn der Erkrankung und später mit dem Fortschreiten der Verschlimmerung erhielt ich Unterstützung durch meine wunderbare Mutter und großartige Freunde, durch meine engagierte Physiotherapeutin, durch meinen geduldigen ambulanten Neurologen und meine Hausärztin, um nur einige zu nennen. Ich bin dankbar für ihre ausdauernde Bereitschaft, mir ihre Kraft und ihr Wissen für meinen Krankheitsweg zur Verfügung zu stellen, der ohne sie nicht möglich gewesen wäre.

Was ich aus meiner Erkrankung gelernt habe: Es kann ein langer und immer wieder frustrierender Prozess sein, eine Balance zu finden zwischen dem Wollen, wieder mehr am Leben teilzuhaben, und dem Können, das zum Beispiel durch eine geringe Belastbarkeit oder dem Fehlen ehemaliger Fähigkeiten noch stark eingeschränkt ist. Gesundheitliche Beschwerden müssen weiterhin kompensiert werden, was eine zusätzliche Anstrengung im Alltag bedeutet. Die eigenen begrenzen Möglichkeiten einzugestehen, vielleicht „nein" zu sagen oder um Hilfe zu bitten, sind kein Eingeständnis von Schwäche, sondern Ausdruck von Selbstfürsorge, Stärke und Mut. Ist man krank oder muss mit dauerhaften gesundheitlichen Einschränkungen leben, kann man sich in der Regel darauf verlassen, dass man Unterstützung bekommt. Das beginnt im familiären Umfeld und im Freundeskreis und geht über die medizinische Versorgung bis zu Vergünstigungen für schwerbehinderte Menschen.

Ich habe zwar eine Krankheit, doch ich habe ebenso Talente, Fähigkeiten, Schwächen, Hobbies und Träume: Ich bin nicht meine Krankheit, ich bin so viel mehr. Daher ist es wichtig, sich eine Tätigkeit zu suchen, die einem Spaß macht und Erfüllung und Freude gibt. Zudem ist es wichtig, sich ein Netzwerk an engagierten Ärzten, Kliniken, Therapeuten, Betroffenen etc. anzulegen. Außerdem habe ich gelernt, nicht aufzugeben, auf mich selbst zu hören, immer weiter zu kämpfen und mir nichts einreden zu lassen.

Julia Fleischhauer

13. Ich fand das jetzt gar nicht lustig!

Bei mir gibt es ein Datum, das sich in mein Gedächtnis eingebrannt hat, da es mein Leben mit einem Schlag gravierend
verändert hat – der 04.05.2011. An diesem Tag sollte bei mir
ein Routineeingriff durchgeführt werden, eine Spiegelung des Knie-
gelenkes und eventuell die Behandlung des vorderen Kreuzbandes,
falls dieses angerissen sein sollte.

Ich wurde in den Vorraum des OP-Saals gebracht, bereits reichlich benebelt von dem Beruhigungssaft, den ich auf der Station erhalten hatte. Von früheren Operationen weiß ich, dass ich mich - entgegen der Aussagen der OP-Schwestern - daran erinnere, was bis
zum Einsetzen der Wirkung der Vollnarkose passiert. Ich wurde in
den OP-Saal geschoben und dort auf den OP-Tisch gehoben. Plötzlich sagte eine Schwester zur anderen Schwester: „Du, das ist doch
schief" und schaute mich von der Seite an. In meiner Vorstellung
dachte ich - wie gesagt, benebelt im Kopf - dass die ganze OP-Tisch-
platte schief sei und konnte mir das gar nicht vorstellen. Die andere
Schwester sagte: „Du hast recht" und trat hinter mich, ohne mit mir
zu kommunizieren. Ich hörte ein Geräusch hinter mir, und plötzlich
„krachte" der OP-Tisch (das Kopfteil des Tisches, wie ich heute
weiß) mit Wucht nach unten. Ich lag sediert da, konnte also meine
Muskeln nicht gegenspannen, zudem lag mein Kopf auch nicht völlig gerade ausgerichtet da. Sofort schossen mir die Tränen in die Augen, und ich empfand heftige Schmerzen im Hinterkopf, die bis zum
Hals vorzogen. Zudem musste ich unkontrollierbar Schluchzen. Ich
hörte: „Huch, was ist denn das" und „Das hätte aber nicht passieren
dürfen". Ich weiß noch, dass ich völlig irritiert war, dass mir auch
vorne der Hals weh tat, wo ich doch hinten aufgeprallt war. Das
Team um mich herum arbeitete routiniert weiter, um die Einleitung
der Narkose vorzubereiten. Die Anästhesistin streichelte mir kurz
zur Beruhigung über die Wange. Ich fragte nach einem Tuch, damit
sie mir die Tränen abwischte und nuschelte, „ich finde das gar nicht

lustig", dann wurde die Narkose eingeleitet. Dass dabei mein Nacken überstreckt wurde, kann ich nur vermuten.

Als ich von der Narkose auf dem Zimmer aufwachte, war mir sehr schlecht, schwindlig, und ich hatte starke Schmerzen am Hinterkopf. Dass ich tatsächlich einen vorderen Kreuzbandanriss gehabt hatte, nahm ich am Rande war. Ich musste mich mehrfach an diesem Tag übergeben, was auf die Narkose geschoben wurde (dies war meine fünfte OP unter Vollnarkose, und mir war es zuvor noch nie danach schlecht geworden). Jedes Mal, wenn ich den Kopf vom Bett abhob, wurde mir schwindlig. Ich fühlte mich elend. Ich teilte dies am gleichen Abend einem Assistenzarzt mit und erzählte von dem Vorfall im OP. Er meinte, er würde sich sofort darum kümmern und weitere Untersuchungen einleiten. Nichts geschah. Schließlich erzählte ich es am nächsten Tag einer Schwester und fragte nach. Daraufhin kam der Oberarzt zu mir - jener, der Monate zuvor, als ich mit meinen Knieproblemen kam und im MRT nichts gefunden wurde, meinte, ich solle über mein Schmerzverhalten nachdenken. Dann fügte er damals noch hinzu, dass ich doch bestimmt enttäuscht sei, dass das MRT keinen Befund ergeben habe (ein Kollege äußerte Monate später den Verdacht auf einen vorderen Kreuzbandanriss). Dementsprechend wurde ich auch jetzt wieder von oben herab behandelt, aber immerhin zum Röntgen der Halswirbelsäule geschickt. Ich wurde im Bett zum Röntgen ins Erdgeschoss runtergefahren, und mir wurde bei Beginn der Bewegung des Bettes sofort wieder schwindlig. Das Röntgen ergab keinen Befund, was mich nicht weiter verwunderte, da ich nicht den Eindruck hatte, einen Knochenbruch erlitten zu haben. Mehr wurde nicht untersucht.

Auch am zweiten Tag war ich noch nicht weiter als bis zum Bad gegangen. Meine Haare sollten gewaschen werden, indem ich meinen Kopf nach hinten übers Waschbecken überstrecken sollte. Dies ging gar nicht, weil mir sofort wieder schwindlig wurde. Also steckte ich den Kopf kurzerhand unters Waschbecken, was etwas besser ging. Die Mobilisierung erfolgte erst am dritten Tag. Es hatte lange gedauert, Achselstützen aufzutreiben, da ich mit den üblichen Gehhilfen aufgrund eines Handgelenksbinnenschadens auf der linken Seite meiner Hand diese nicht belasten kann. Es war sehr mühsam, ich konnte kaum meinen Kopf aufrecht halten und schlurfte wie eine alte Frau über den Flur. Am dritten Tag sollte ich dann auch entlassen werde – dies verweigerte ich, da ich mit den Gehstützen noch nicht ausreichend laufen konnte und es mir immer noch hundeelend ging. Daraufhin wurde ich aus meinem Zimmer heraus zu zwei sehr alten Damen verlegt; eine davon versuchte jede Nacht mehrfach aus dem Bett zu steigen, so dass ich keine Nachtruhe hatte, mehrfach nach der Schwester klingeln musste und mir aufgrund des unruhigen Schlafes meiner anderen Zimmergenossin die ganze Nacht über auf meinem MP3-Player Hörbücher anhörte. Das wurde in der Dokumentation der Schwestern negativ angemerkt – ich konnte dies später in den Unterlagen nachlesen. Immer noch schlich ich wie eine Schildkröte mit vorgeneigtem Kopf an meinen Gehstützen über den Flur - eine Physiotherapeutin meinte, ich müsse aufrecht gehen. Ich erwiderte nur, dass das nicht ginge. Meine Mutter fuhr mit mir im Rollstuhl am dritten Tag in die Cafeteria im Erdgeschoss, wieder wurde mir schwindlig, der Rollstuhl wackelte unter mir, und es drehte sich nach rechts. Den Muttertag verbrachte ich im Krankenhaus, meine Tochter war an diesem Tag bei ihrer Kindergartenfreundin, die mich dann zusammen mit deren Eltern besuchte. Ein Albtraum jeder Mutter, nicht für ihre Kinder und Familie da sein zu können. Eine Sozialarbeiterin kam zu mir, weil es mir so schlecht ging, ich mir Sorgen machte und nicht wusste, wie es mit mir nach dem Krankenhausaufenthalt weitergehen sollte. Sie saß auf meiner linken Seite, und mir wurde mehrfach schwindlig, wenn ich konzentriert zu ihr schaute, und das Bett drehte sich mit mir nach rechts.

Nach fünf Tagen wurde ich entlassen. Da wir in der vierten Etage wohnten, bot mir meine Mutter an, dass ich die ersten Tage bei ihr wohnen könnte. Meinem Knie ging es den Umständen entsprechend gut – aber sonst ging fast nichts. Am Tage nach der Entlassung fuhr mich mein Mann zu meiner damaligen Hausärztin, und diese überwies mich an einen Orthopäden. Dieser fragte mich als erstes, ob ich gegen die Klinik klagen wolle - ein Gedanke, der mir bis dahin gar nicht in den Sinn gekommen war. Er verordnete mir sofort Physiotherapie und gab mir Spritzen gegen die Schmerzen. Da ich mich damals außerstande fühlte, zu meinem langjährigen Physiotherapeuten zu gehen (er war mit der Straßenbahn in einer halben Stunde zu erreichen), ging ich zu der vom Orthopäden empfohlenen Physiotherapie, die einen knappen Kilometer von mir entfernt lag. Da ich zu diesem Zeitpunkt nicht in der Lage war, öffentliche Verkehrsmittel, vor allem die Straßenbahn, zu nutzen, weil mir sofort schwindlig wurde, fuhr ich immer mit dem Taxi zur Behandlung. Anfangs täglich, dann zwei- bis dreimal in der Woche. Ich musste aufrecht sitzen, weil mir wieder sofort schwindlig wurde, wenn ich etwas nach hinten gelehnt saß. Ich bevorzuge es auch heute noch, aufrecht zu sitzen, was mir früher nicht im Traum eingefallen wäre. Die Physiotherapeutin behandelte sowohl mein Knie - der eigentliche Grund für die OP – als auch meinen Nacken. Mehrfach überdehnte sie mir diesen am Ende der Behandlung, in dem sie an meinem Kopf zog, was mir nicht bekam. Bei einer anderen Kollegin ging es mir besser, ich konnte mich mehr entspannen. Diese fragte mich, wie ich mir denn das mit meiner HWS vorstellen würde, sie kenne viele Patienten, die dauerhafte Schmerzen und Probleme hätten. Der Satz prägte sich mir ein. Ich wusste damals allerdings nicht, was ich ihr antworten soll, es klang fast so, als ob ich das mit Absicht machen würde und eine Lösung dafür hätte. Hatte ich jedoch nicht, wusste ich doch selbst nicht, was da los war, geschweige denn, dass ich die Konsequenzen daraus erahnen konnte.

Eine gute Woche nach dem Vorfall im OP begann der Kirchentag in unserer Stadt, worauf ich mich sehr gefreut hatte. Ich war bei genau einer Veranstaltung – der Weg dorthin war der reinste Horror.

Mein Mann hatte einen Rollstuhl organisiert, in dem er mich zu einer Veranstaltung bringen wollte. Wir wollten in einer Straßenbahn mitfahren, die bereits sehr voll war. Es war zwar eine moderne Niederflurbahn, trotzdem musste mein Mann den Rollstuhl sehr nach hinten kippen, um ihn reinfahren zu können, da die Haltestelle noch nicht rollstuhlfreundlich ausgelegt war. Ich weiß nur noch, dass ich aufschrie, weil ich Panik bekam und mir schwindlig wurde und ich mich deshalb entsetzlich geschämt habe. Ich glaube, wir fuhren dann mit einer anderen Bahn, das habe ich mir nicht gemerkt. Es machte mich sehr traurig, dass ich vom Kirchentag fast nichts mitbekam. Wir wollten auch mit der ganzen Familie zu einem Open-Air-Konzert – das fand dann ohne mich statt.

Wochenlang fühlte ich mich wie in Watte, nicht ganz da, konnte nichts im Haushalt bewältigen, obwohl es meinem Knie irgendwann deutlich besser ging. Das Sofa und der Fernseher wurden meine täglichen Begleiter, was zuvor nicht mein Fall war. Da es mir nach einigen Wochen immer noch nicht besser ging, überwies mich mein Orthopäde zum Neurologen, um abzuklären, ob es auf diesem Gebiet eine Schädigung gäbe. In einem Medizinischem Versorgungszentrum (MVZ) bekam ich am schnellsten einen Termin – heute weiß ich, dass ich lieber noch etwas hätte warten sollen, bis in einer Arztpraxis ein Termin frei gewesen wäre. Ich schilderte dem Neurologen meine Beschwerden, vor allem den Schwindel und fühlte mich in der Art, wie er nachfragte, nicht ernstgenommen. Er meinte, dass er ein MRT der HWS anfertigen lassen würde (das war schon wenige Wochen zuvor geschehen) und einen Ultraschall der Halsgefäße. Wenn dort nichts gefunden würde, wäre es psychosomatisch. Eine Ärztin mit russischem Akzent schallte meine Gefäße, meinte, dass nichts zu sehen wäre und untersuchte mich nochmals neurologisch. Dabei ließ sie mich zur Seite fallen und beobachtete dabei meine Augen. Dann meinte sie, dass der Schwindel eindeutig von der HWS käme. Das MRT ergab nichts Neues, außer einer leichten Bandscheibenvorwölbung zwischen 6. und 7. Halswirbel, die nie thematisiert wurde. Der Bericht der Ärztin erschien nirgends. Der Neurologe, mit dem ich im MVZ zuerst sprach, meinte, dass meine sämtlichen Beschwerden psychosomatisch seien und er nichts tun könne.

Nach ca. 6 Wochen ging ich wieder zu meinem alten Physiotherapeuten. Dieser war entsetzt und meinte, dass sich im HWS- und Nackenbereich alles verschlimmert und verschlechtert hätte (ich hatte auch früher dort schon leichte Probleme durch Verspannungen und berufsbedingte Überlastung), und warum ich nicht gleich zu ihm gekommen wäre. Ich erwiderte müde, dass ich körperlich dazu einfach nicht in der Lage gewesen sei. Es ging mir immer noch sehr schlecht. Ich nahm über zwei Monate Novalgintropfen hochdosiert ein und ließ diese dann langsam ausschleichen. Ich hatte Nackenschmerzen, Schwindel, konnte nicht nach oben schauen (z.B. zur Kirchturmuhr) und fühlte mich sehr schlapp. Ich hatte Probleme mit dem Schlucken, Wortfindungsstörungen, Klingeln in den Ohren und fühlte mich meistens „völlig neben der Spur". Irgendwann fiel mir auf, dass sich meine Nasenspitze seltsam anfühlte, als ob dort ein Haar oder eine Spinnwebe wäre. Wenn ich dieses Gefühl hatte, erschienen auch immer rote Punkte an der Nase, die dann wieder verschwanden. Ich hatte Gesichtsschmerzen, mein Physiotherapeut klärte mich darüber auf, dass es der Trigeminusnerv wäre. Die Augen taten mir weh, ich sah plötzlich nicht mehr richtig, mal war es scharf, dann wieder nicht, mal passte die Brillenstärke, dann wieder nicht. Vieles davon kristallisierte sich erst nach und nach heraus.

Zwischenzeitlich hatte ich mit dem Verband der Kriegsversehrten, kurz vdk, telefoniert, dort wurde mir von dem zuständigen Rechtsanwalt mitgeteilt, dass sich eine Klage kaum lohne und ich höchstens 500,00 € Schmerzensgeld erwarten dürfte, wenn überhaupt. Daraufhin suchte ich einen anderen Anwalt auf, um meine Rechte geltend zu machen. Er verhandelte für mich mit der Klinik und deren Rechtsvertretung und mir wurden zumindest 1.500,00 € Aufwandsentschädigung zugestanden. Das war's. Immerhin, andere bekamen laut vdk gar nichts oder weniger. Für mehr Kämpfen reichte weder die Energie, noch hatte ich genug Hintergrundwissen. Heute würde ich die Sache anders angehen. Jedoch hatte ich dadurch die Arztunterlagen und eine Kopie der Schwesterndokumentation. In meinem Entlassungsbericht stand, dass ich angegeben hätte, dass der Tisch beim Befahren des OP´s stark vibriert hätte und ich daraufhin Kopfschmerzen bekommen hätte. Mein Anwalt erreichte immerhin, dass dies richtiggestellt wurde - fortan war von einem ruckartigen Absenken des OP-Tisches die Rede. Was im Grunde genommen auch immer noch gelogen war, aber besser als zuvor war.

Im August 2011 bekam ich eine Nierenbeckenentzündung, die aber nie so richtig bestätigt werden konnte. Die Ärztin in der Notaufnahme nahm mich wegen Schmerzen in der Nierengegend, Unwohlsein, extremer Schwäche stationär auf, weil ich in einem elenden Allgemeinzustand war. Es war wohlgemerkt die Klinik, wo wenige Monate zuvor der Vorfall im OP passiert war. Alle wussten dort irgendwie Bescheid, wenn sie meinen Namen hörten. Zu diesem Zeitpunkt war mein Mann zur Reha, und ich hatte drei minderjährige Kinder zu Hause. Nur dem Einsatz zweier lieben Freunde der Familie und lieber Nachbarn, die alles neben ihrer eigenen Berufstätigkeit stemmten, war es möglich, dass mein Mann in der Reha und ich unbesorgt in der Klinik bleiben konnten - und meine Kinder zu Hause bleiben durften. In einem Gespräch mit der Sozialarbeiterin wurde rasch klar, dass die Alternative ein vorübergehender Aufenthalt in einer Einrichtung des Kinder- und Jugendnotdienstes gewesen wäre. Mir wird heute noch ganz anders bei der Vorstellung, was dies mit meinen Kindern gemacht hätte, und ich bin den Menschen, die uns geholfen und unterstützt haben bis heute aus tiefstem Herzen dankbar. Nach fünf Tagen wurde ich aus der Klinik entlassen mit der Diagnose einer Cadmium- und Bleivergiftung, versehen mit dem Hinweis, dass meine Nierenprobleme vielleicht davon herrühren würden, und ich mir unbedingt einen Arzt zum Entgiften suchen sollte. Meine damalige Hausärztin wusste tatsächlich jemanden in der näheren Umgebung, der mit den öffentlichen Verkehrsmitteln zu erreichen ist. Ich weiß nicht mehr genau, wie das ganze vonstattenging, aber es half. Ich hatte auch während einer Sitzung bei der empfohlenen Therapeutin eine heftige Blasenentzündung und sie meinte, dass es kein Wunder sei, dass es mir immer wieder so schlecht ginge. Danach suchte ich dann auch regelmäßig zur Kontrolle einen Urologen auf, nachdem zuvor ein Nephrologe meine Nierenwerte geprüft und für unbedenklich eingestuft hatte. Mit einfachen Tipps lernte ich, die Blase gründlich zu entleeren, um weitere Entzündungen zu vermeiden, und ich gehe seither regelmäßig zur Kontrolle. Ich kann nur ahnen, was dies mit meinen Kindern und meinem Mann gemacht hat, da sie aus nächster Nähe mitbekommen haben, dass ich in vielen Dingen im Alltag nicht mehr funktionierte, ständig neue körperliche Probleme bekam, einfach nicht mehr so belastbar war, und dass ich eine Schmerzpatientin geworden war mit immer wiederkehrenden heftigen Schmerzattacken, die mich bei der Arbeit zuhause und erst recht im Beruf behinderten. Besonders für meinen Mann muss es öfters eine große Herausforderung gewesen sein, mit den Veränderungen an mir umzugehen. Das ist es eigentlich bis heute, aber wir haben gelernt, damit umzugehen, ich habe vor allem gelernt, mitzuteilen, welches die Probleme sind, wo ich mittlerweile Unterstützung und Hilfe brauche und was einfach auch nicht mehr geht (z.B. schwere Sachen heben).

Eine Freundin von mir bekam mit, in welch elendem Zustand ich war und empfahl mir eine Ärztin in Wohnortnähe, die sich mit Schleudertraumata auskennt. Im Januar 2012 war es dann soweit. Der erste Mediziner bzw. Medizinerin, die mich mit meinen subjektiven Wahrnehmungen und Beschwerden ernst nahm. Sie untersuchte mich ganz vorsichtig, meinte, dass es eine Beteiligung der Kopfgelenke geben könnte und ich definitiv ein HWS-Trauma, vermutlichen mit Spätfolgen hätte. Sie empfahl mir die LOGI-Diät (von Low Glycemic Index, also eine kohlenhydratreduziert

Ernährungsform), da sie der Auffassung war, dass sich das Ganze auch auf meinen Stoffwechsel ausgewirkt haben könnte und ich evtl. an einer Mitochondriopathie leiden würde. Zudem sagte sie, dass mir übel mitgespielt worden wäre und ich vermutlich an verschiedenen Spätfolgen leiden würde, die noch gar nicht alle bekannt wären. Sie legte mir sehr ans Herz, mich zu einem Spezialisten in Mecklenburg-Vorpommern zu begeben, der sich mit instabilen Kopfgelenken, Stoffwechselstörungen und Mitochondriopathie auskennen würde – aber leider ein Privatarzt sei. Mir ging es immer noch schlecht, so dass ich gerne bereit war, Geld dafür auszugeben und die lange Anfahrt auf mich zu nehmen.

Zu diesem Zeitpunkt litt ich an folgenden Symptomen:
- Morgens eine lange Anlaufzeit, verbunden mit chronischer Müdigkeit
- Allgemeiner Energiemangel, schnelle Erschöpfung, wenig Ausdauer
- Schluckstörungen
- Anstoßneigung, Schwindel - es war und ist mir bis heute nicht mehr möglich Rad zu fahren oder mich auf rüttelnde Geräte, Fahrgeschäfte etc. zu begeben. Bis heute brauche ich bei Auto-, Zug- und Straßenbahnfahrten eine Cervikalstütze
- Kopfschmerzen, meist an Nacken/Hinterhaupt beginnend. Ein bestimmter Kopfschmerz trat zu diesem Zeitpunkt noch sehr gehäuft auf - durch meinen Physiotherapeuten, der mich craniosacral-osteopathisch behandelte, erfuhr ich, dass sich dann immer Liquor meist im dritten Ventrikel staut, seltener im vierten. Schmerztechnisch war und ist es egal, es sind mit die fiesesten Schmerzen, die ich kenne.
- Muskelschmerzen im Nacken, aber nicht nur dort
- Muskelschwäche
- Gelenk- und Rückenschmerzen

- Schlafstörungen, oft nach 10 Minuten heftiges Zusammenzucken im Schlaf, wodurch ich wach werde
- Zuschwellen der Nase über Nacht
- Tinnitus
- Unterzuckerung und häufiges Hungergefühl
- Konzentrationsstörungen, Wortfindungsstörungen, schnelle Erschöpfung bei konzentriertem Arbeiten am Bildschirm (vor allem bei eintönigen Arbeiten wie z.B. Daten eingeben)
- Sehstörungen, Lichtempfindlichkeit
- Beginnende Schwerhörigkeit bzw. das nicht Hören/Wahrnehmen und Verstehen von einzeln Worten und Sätzen - besonders ausgeprägt bei lauten Hintergrundgeräuschen
- Erhöhte Empfindlichkeit gegen Lärm und Licht, kein Vertragen von Hektik
- Missempfindungen an verschiedenen Körperstellen (heiß werden, Kribbeln, Taubheitsgefühl)
- Häufiges zur Toilette flitzen, in Schüben wiederkehrende Schmerzen in der Nierengegend, Blut und Eiweiß im Urin
- Das Gefühl, rapide gealtert zu sein - plötzlich hatte ich das Gefühl, wie ein alter Mensch wahrzunehmen und zu funktionieren (bzw. eben plötzlich nicht mehr)

Das alles waren noch sehr diffuse Wahrnehmungen, die sich allmählich im Laufe der Zeit immer mehr herauskristallierten und dadurch auch mehr Platz in meinem Leben einnahmen.

Ich stellte 2012 einen Antrag auf Teilerwerbsminderungsrente und sollte nun zu einem Neurologen zur Begutachtung - was ich sehr bedenklich fand, ich fühlte mich schon wieder als psychosomatische Patientin behandelt. Dieser schrieb das Gutachten nicht zu meinen Gunsten und sah auch keinerlei Beschwerdeproblematik, die auf körperliche Ursachen zurückzuführen wäre. Zu diesem Zeitpunkt hatte ich auch keinerlei medizinische Nachweise, dass bei mir körperliche Ursachen für meine Beschwerden vorliegen. Da ich mit meinem Krankengeld im Herbst 2012 ausgesteuert wurde und mir keine andere finanzielle Unterstützung vonseiten des Staates zustand, musste ich mir wieder eine Stelle als Erzieherin suchen. Ich fand eine Springerstelle im Hort für 20 Stunden in der Woche. Ich teilte mit, dass ich manches körperlich nicht tun könnte und war nun der täglichen stressigen Belastung ausgesetzt, immer neue Kinder aus unterschiedlichen Klassen zu betreuen. Es war sehr anstrengend, ich kam öfter an meine körperlichen Grenzen, und nach drei Monaten bekam ich eine schwere Lungenentzündung, deren Ausheilung sich wochenlang hinzog. Anschließend wurde mir gekündigt, da ich noch in der Probezeit war. Während meiner Erkrankung war ich auch im Krankenhaus, da es mir so schlecht ging und ich sehr schlapp war. Ein Nebendiagnose war Diabetes, obwohl ich darauf hingewiesen hatte, dass ich Kortisontabletten (Prednisolon) für zehn Tage vom Pulmologen (Lungenfacharzt) verordnet bekommen hatte. Diese hatten sowohl meine Glukosewerte erhöht, als auch eine erhöhte Proteinausscheidung im Urin zur Folge. Mittlerweile weiß ich, dass ich Kortison nicht vertrage und sich diese Werte immer dann erhöhen, wenn ich es einnehme. Im Krankenhaus hätten sie mir am liebsten gleich ein Medikament gegen Diabetes verordnet - dagegen wehrte ich mich erfolgreich. Nach dem Absetzen des Kortisons waren auch alle Werte wieder im „grünen Bereich".

Mit meinem oben genannten „Beschwerdepaket" im Gepäck fuhr ich 2013 zu dem besagten Spezialisten. Ich hatte an zwei Tagen Termine. Am ersten Tag wurde ich eine Stunde lang in sehr schnellem Tempo ohne Pause zu meinen Beschwerden und Verletzungen in meiner Lebensgeschichte befragt. Am Schluss hatte ich das Gefühl, vor lauter Anstrengung einzuschlafen, und ich konnte mich gar nicht mehr auf den Gesprächsinhalt bzw. die Beantwortung der Fragen konzentrieren. Der Arzt fragte mich, ob ich erschöpft sei. Als ich dies bejahte, schickte er mich an die Anmeldung mit dem Auftrag, mir von dort ein Stück Schokolade zu holen, und er fragte mich, ob wir eine Pause machen sollten. Als ich dies bejahte, ordnete er eine zehnminütige Pause zur Erholung an. Anschließend wurde ich gefragt, ob es nun besser sei, was ich bejahen konnte. Dann wurde mir mitgeteilt, dass er damit rausfinden wollte, ob sich bestätigen würde, dass ich bei starker Konzentration und geistiger Anforderung einen schnellen Energieabfall zu verzeichnen hätte, denn das würde auf eine Mitochondriopathie hinweisen. Und meine Reaktion wäre typisch dafür gewesen. Ich wurde noch weiter zu meiner Krankengeschichte befragt, und anschließend wurde mir Blut abgenommen, um den M2PK-Wert zu messen. (Pyruvatkinase (PK) ist ein Schlüsselenzym des Glucosestoffwechsels). Am nächsten Tag sollte ich wiederkommen, um das Ergebnis des Bluttests zu erfahren und den daraus resultierenden Verordnungsplan.

Als ich am nächsten Tag wieder vorstellig wurde, wurde mir mitgeteilt, dass mein M2PK-Wert sehr hoch sei (54,2), normal wäre bis 12. Dies würde auf eine stark ausgeprägte Mitochondriopathie hinweisen. Ich bekam nochmals die LOGI-Diät verordnet. Dann wurden mir verschiedene Mikronährstoffe verordnet, die ich zum Großteil in einer österreichischen Apotheke bestellen könnte, da diese in einer sehr guten Qualität preisgünstig zu beziehen wären. Ich könnte noch mehr Mikronährstoffe einnehmen, was aber aufgrund meines geringen Budgets vermutlich nur schwer zu realisieren wäre. Am wichtigsten wäre das Vitamin B12, da dies sehr wichtig für Nerven und Konzentration wäre. Hinzu kamen Antistresskapseln (welche vor allem hochdosiert Vitamin C beinhalten) und ein 4-B-Komplex mit verschiedenen B-Vitaminen. Drei spezielle Übungen, 30 Minuten flottes Gehen (haha – bis heute ein Ding der Unmöglichkeit bzw. bin ich danach zu nichts mehr zu gebrauchen, da eine völlige Erschöpfung eintritt), die Einnahme eines Spätstücks (ein Stückchen Brot dick mit Butter bestrichen) sollte ich täglich durchführen. Bedingt durch meine Vergesslichkeit dachte ich natürlich nicht jeden Tag daran - es fällt mir bis heute schwer, daran zu denken. Zudem wurden mir verschiedene Untersuchungen ans

Herz gelegt, um für die Sozialversicherung in Bezug auf eine eventuell spätere Erwerbsunfähigkeitsrente, die sogenannte EU-Rente, „etwas in der Hand zu haben" und um generell vor Ärzten einen Nachweis zu haben. Dies waren Untersuchungen beim Neurootologen/HNO-Arzt, um speziell die Schwerhörigkeit, bzw. Probleme beim Hören und Verstehen, und die Gleichgewichtsprobleme abklären zu lassen, und die Anfertigung eines Upright-MRT´s der Kopfgelenke, um eine Kopfgelenksschädigung nachzuweisen. Außerdem wurde mir erklärt, dass der Unfall im OP der Hauptauslöser für meine Beschwerden sei, dieser jedoch nur ein - zugegeben riesiger - Tropfen in meinem Fass an Verletzungen und Vorfällen (z.B. drei leichte Schleudertraumata) während meines Lebens vor dem 04.05.2011 sei, der dieses so heftig zum Überlaufen gebracht hat. Ohne diesen Unfall im OP würde es mir heute nicht so schlecht gehen.

Erst langsam begann ich zu begreifen, was mit mir geschehen war, was eine Mitochondriopathie ist und welche Auswirkungen und Symptome sie haben kann. Ich bestellte mir die Mikronährstoffe und vereinbarte Untersuchungstermine bei diversen Ärzten. Nach der Untersuchung im Upright-MRT ging es mir sehr schlecht (Schwindel, Schwäche – mir liefen vor Erschöpfung die Tränen übers Gesicht), so dass ich mich erst mal hinlegen musste. Der Arzt erklärte mir anschließend den Befund. Es gab Hinweise darauf, dass die Bänder um die Densspitze herum überdehnt worden waren, es des Weiteren bei einer Lageveränderung des Kopfes zur Einengung des Spinalkanals kommt und insgesamt von instabilen Kopfgelenken ausgegangen werden muss. Meine linke Halsschlagader wird durch eine Verengung minderdurchblutet, auch das könnte auf die Unfallfolgen zurückzuführen sein. Zudem erklärte mir der Arzt, dass die HWS in sich verdreht wäre und somit immer wieder die Hirnnerven, die im Spinalkanal durchlaufen würden, zwischendurch von der HWS berührt und durch den Reiz getriggert werden würden. Das würde auch erklären, warum ich immer wieder

Blasenreizungen, einen auffälligen Nierenbefund, Darmbeschwerden usw. hätte, je nachdem, welcher Hirnnerv gerade betroffen ist. Eine für mich in sich stimmige Erklärung.

Der HNO-Arzt stellte bei mir eine Gleichgewichtsstörung fest, welche ihre Ursache sowohl im Kleinhirn, als auch im Innenohr (beide Mal eine Verarbeitungsstörung) hat und ursächlich mit dem Unfall im OP zusammenhängen würde. Zudem hätte ich eine Hörverarbeitungsstörung, welche ebenfalls mit dem Unfall zusammenhängen würde. Die Untersuchungen waren sehr anstrengend und belastend. Von da an nahm ich noch ein Gingkopräparat ein, welches gut für die Gedächtnisleistung und Durchblutung ist. Er legte mir eine PET-Untersuchung ans Herz, bei der festgestellt werden könnte, ob das Gehirn ausreichend mit Sauerstoff/Nährstoffen versorgt wird, eine Untersuchung, die nicht von den Krankenkassen übernommen wird und sehr teuer wäre. Darüber hinaus empfal er in diesem Zusammenhang dringend eine Untersuchung meiner Gedächtnisleistung. Dies sollte sich als sehr schwierig erweisen. Meine Ärztin zuhause unterstützte dies sofort, es stellte sich jedoch sehr bald als schwierig heraus, eine geeignete Stelle dafür zu finden. Einzig die Gedächtnisambulanz für Demenzkranke konnten wir ausfindig machen. Wenigstens dafür wurden die Kosten von der Krankenkasse übernommen. Ein aufgeschlossener Professor hört sich meine Geschichte an, führte einige Tests mit mir durch und danach wusste ich immerhin, dass ich nicht dement bin. Ich hatte einige Auffälligkeiten, für die er aber keine Vergleichsgruppe in meinem Alter hatte. Somit empfahl er mir eine Psychologin, die sich auf diese Untersuchungen spezialisiert hatte – leider alles selbst zu bezahlen. Auch bei den beiden anderen Ärzten zahlte ich die Untersuchungen selbst, nur beim HNO-Arzt wurden die Kosten anteilig für Untersuchungen von der Krankenkasse übernommen.

Ich schilderte der Psychologin meine Problematik, vor allem meinen Einbruch der kognitiven Leistungsfähigkeit während der

Mittagszeit und meine schnelle Erschöpfung bei anstrengender „Kopfarbeit". Es wurden verschiedene Tests durchgeführt und nachdem ich meine schnelle Erschöpfung mit langer Anlaufzeit bis zur Besserung und mein extremes Mittagstief geschildert hatte, bestellte sie mich ein zweites Mal zur ausführlichen Testung ein. Es war sehr ermüdend, da das meiste vor dem Bildschirm stattfand und entweder für Augen oder Ohren eine Herausforderung darstellte. Am eindrücklichsten ist mir eine Untersuchung im Gedächtnis geblieben, bei der ich immer bei einer bestimmten Tonfolge (und nur dann!) einen Knopf drücken musste. Meine Konzentrationsfähigkeit ließ so rasch nach, dass ich zwischendurch mehrmals für ein, zwei Sekunden weggenickt bin – eine sehr unangenehme Erfahrung. Früher wäre mir das nicht passiert, da war ich in solchen Dingen ganz gut, konnte mich lange konzentrieren und habe dabei eher den Ehrgeiz entwickelt, möglichst viel fehlerfrei zu schaffen und habe es auch geschafft.

Ich stellte einen Wiedereingliederungsantrag bei der Rentenversicherung, denn mir war mittlerweile klar geworden, dass ich körperlich nicht mehr in der Lage war, als Erzieherin zu arbeiten. Ich hatte mich für einen Studienplatz für Soziale Arbeit beworben und bekam im Juni 2013 die Zusage. Da es ein Glückstreffer ist, an dieser Hochschule genommen zu werden, da es immer wesentlich mehr Bewerber als Studienplätze gibt, war für mich klar, dass ich meinen Studienplatz (mit mittlerweile 43 Jahren) auf jeden Fall annehmen würde. Zu diesem Zeitpunkt wurde mir auch von der Rentenversicherung mitgeteilt, dass meinem Antrag auf Teilhabe am Arbeitsleben stattgegeben worden wäre. Dies galt natürlich nicht für ein Studium. Im Gespräch vor Ort legte ich dar, dass ich mein Studium beginnen würde. Die Mitarbeiterin dort meinte, dass ich aufgrund meiner geringen körperlichen Belastbarkeit ja nach dem Studium einen Antrag auf eine Teilerwerbsminderungsrente stellen könnte, da es mir ja sonst zum Nachteil gereichen würde, wenn ich nicht voll verdienen könnte. Diesen Satz merkte ich mir für später.

Im April 2013 feierte mein ältester Sohn Konfirmation und wir hatten zwei Tage intensiv mit Vorbereiten und Feiern zu tun. Ich kann mich noch eindrücklich daran erinnern, dass ich bei der Verabschiedung von Freunden zitternde Beine hatte und eine unglaubliche Schwäche im ganzen Körper verspürte. Dies sollte nicht das letzte Mal der Fall gewesen sein. Mittlerweile weiß ich, dass es bei körperlicher Anstrengung dazu kommt oder/und wenn ich Stress mit wenig Ruhephasen habe oder die Nahrung zu wenig Energie gibt bzw. ich zu wenig/unregelmäßig esse.

Im September 2013 begann ich mit meinem Studium an einer FH. Ich fühlte mich damals sehr, sehr klein, hatte Minderwertigkeitsgefühle und fühlte mich fast erdrückt von meinen vitalen, jungen Kommilitonen. Ich war allerdings – und das möchte ich betonen - nicht die einzige ältere Studentin. Meine erste Präsentation war mies, ich war total aufgeregt und hatte Probleme, mich zu konzentrieren. Anfangs fühlte ich mich fast erschlagen von den Prüfungsleistungen, die im Laufe des Studiums erfolgen sollten – insbesondere die Präsentationen machten mir gedanklich zu schaffen. Aber ich arbeitete mich da irgendwie rein und hatte zum Glück viele nette Kommilitonen, die mir halfen. Mir war von Anfang an klar, dass ich sehr strukturiert vorgehen musste, was mit Familie im Hintergrund viel Energie kostete. So war ich jeden Tag eine dreiviertel Stunde vor Seminarbeginn da, damit ich meinen bevorzugten Platz (ganz hinten, mittig links) einnehmen konnte und wegen meiner langen Anlaufzeit am Morgen überhaupt bis zu Beginn des Seminars ganz da war. Diesen Platz verteidigte ich, erklärte mich gefühlt 100 Mal warum, weshalb und wieso (damit ich keine starken Nackenschmerzen bekam) und legte mich auch mit Dozenten an, die meinten, mich zu einer anderen Sitzordnung zwingen zu können. Ich berief mich dabei immer auf meinen Nachteilsausgleich. Einige begriffen es trotzdem nicht und es gab einige unschöne Situationen, in denen ich mich auch immer wieder hilflos fühlte. Immerhin eine Dozentin entschuldigte sich bei mir, da ihr das nicht ganz klar gewesen war. Ich stelle einen Antrag auf Nachteilsausgleich, sprach mit den zuständigen Dozierenden und versuchte, mir sämtliche Erleichterungen zu verschaffen im Hinblick auf Inklusion. Dem Antrag wurde stattgegeben, so dass ich z.B. keine Klausuren schreiben musste (dieses Wissen abrufen unter Stress hätte mich überfordert), sondern stattdessen Hausarbeiten geschrieben habe. Auch darin unterstützte mich meine Ärztin mit einem dementsprechenden Attest.

Ich musste mich auch völlig neu in das Arbeiten am PC einfinden, da ich meine ganzen Hausarbeiten daran schrieb und erst im Laufe der Zeit einen sicheren Umgang damit erwarb. Ganz zu schweigen von den Methoden des wissenschaftlichen Arbeitens und deren Umsetzung! Aber im Laufe der Semester gewann ich immer mehr an Selbstsicherheit, das Studium war genau mein Ding, und ich lernte auch viel für mich dazu. In dieser Zeit fing ich auch an, viele Sudokus zu lösen und Solitär am Computer zu spielen, einfach, um meine Konzentrationsfähigkeit zu erhöhen. Als Nebeneffekt stellte sich heraus, dass ich dadurch genau mitbekam, was für einen Tag ich gerade hatte und wie groß meine Leistungsfähigkeit ist. Dadurch trainierte ich mein Gedächtnis auch insofern, dass es mir wieder leichter fiel, mir Nummern zu merken. Nach dem Unfall passierte es mir mehrmals, dass ich vorm PC saß und nichts mehr wusste. Ich vergaß dann meinen Net-Key für das Onlinebanking, Passwörter usw. Dieses Training verbesserte mir auch das konzentrierte Lesen für das Studium.

Ich glaube, es war 2015, als ich nochmals versuchte in die Gedächtnisambulanz zu kommen, wegen der PET-Untersuchung, die mittlerweile auch kostenlos bzw. als Kassenleistung durchgeführt werden konnte, wenn man stationär aufgenommen war und vom Krankenhaus aus dorthin überwiesen wurde. Der Gedächtnisambulanz wäre es möglich gewesen, mich stationär einzuweisen, was ich zwei Jahre zuvor mit dem Professor vereinbart hatte. Meine Ärztin musste schließlich nachhelfen, dass ich überhaupt einen Termin bekam. Leider kam ich nicht zu dem Professor, sondern zu einer relativ jungen Ärztin, bei der ich vom ersten Moment an das Gefühl hatte, dass sie mich nicht ernst nahm, eine Erfahrung, die ich seit 2011 sehr oft gemacht hatte. Sie machte einfachste Tests mit mir (mit eigenem Namen, Adresse, Wochentag benennen und simplen „Kreuzchentests"...), die ich hervorragend bestand (das war noch nie mein Problem). Dass ich ihr schilderte, wie die Tests aussehen müssten und worin mein Problem eigentlich bestand, interessierte sie nicht. Sie meinte am Ende nur, dass sie mich gerne in die psychosomatische Abteilung überweisen würde. Ich lehnte dankend ab. In mir machte sich ein Gefühl der Ohnmacht, Hilflosigkeit und Wut breit. Ich ging jedoch mit hoch erhobenem Kopf (sofern dies als Wackelköpfchen geht – an guten Tagen gelingt mir das) hinaus.

Nach zwei Jahren Studium hielt ich meine erste große Präsentation und merkte, dass ich es wieder kann und dass es mir auch Spaß bereitete. Vor dem Unfallereignis hatte ich damit keine Probleme. Stück für Stück eroberte ich mein altes Selbst zurück. Das ging ganz gut, bis ich meine Bachelorarbeit schrieb. Leider beinhaltete der Nachteilsausgleich nicht mehr Zeit bei dem Abgabetermin der Bachelorarbeit. Man konnte zwar verlängern, hatte aber in jedem Semester einen Fixpunkt, wann die Arbeit spätestens abgegeben sein musste. Um mit meiner Arbeit rechtzeitig fertig zu werden, arbeitete ich teilweise bis zu 10 Stunden in der Bibliothek am PC (also von der Öffnung bis zur Schließzeit), mein Nacken schmerzte und summte, meine linke Schulter tat immer mehr weh. Mein 12. Brustwirbel, an dem ich eine Aplasie - also eine Nichtausbildung - des Dornfortsatzes habe, schmerzte. Ich biss die Zähne zusammen und zog es irgendwie durch. Gefühlt war ich in dieser Zeit kaum Zuhause und für die Belange meiner Familie da. Damit meine Konzentration durchhielt, trank ich jeden Tag mindestens einen Club Mate Cola (praktischerweise eine Etage tiefer in der Mensa zu beziehen) und verputzte mindestens einen Schokoladenriegel täglich. Manchmal auch Coca-Cola; ich spürte bei beiden Getränken immer, wie der

Zucker direkt in die Gehirnzellen rauschte und mir Energie zum Weitermachen gab. Da ich insgesamt acht Semester studiert habe und viele Energieschübe brauchte nahm ich sehr an Gewicht zu – zu viel. Ich konnte es nicht verringern, da ich ja immer auf Energiezufuhr angewiesen bin (besonders in solchen Extremsituationen) und mein Körper nicht in der Lage war, auf die Fettdepots zuzugreifen und diese abzubauen.

Leider gab es zusätzliche Stresssituationen während des Schreibens an der Arbeit, da mein begleitender Dozent, mein Thema und die Fragestellung wechselten und ich nicht so begleitet wurde, wie ich es gewünscht und gebraucht hätte, und zusätzlich noch eine unfaire Zweitgutachterin bei der Bewertung meiner Arbeit. Gefühlt gab es einige Ungerechtigkeiten, was mir sehr nach hing und es mir schwer machte, die immer noch befriedigende Gesamtbewertung von 2,6 anzunehmen. Es „haute" ganz schön rein, nach der vielen Energie, die ich in die Arbeit gesteckt hatte.

Im September 2017 fing ich als Schulbegleiterin an. Dabei wurde mir viel verschwiegen, auch dass das von mir zu begleitende Kind sehr aggressiv und der Job körperlich anstrengend ist. Ich hatte von meinen instabilen Kopfgelenken berichtet, was ich aus diesem Grund alles nicht tun kann und was bei mir nicht geht (z.B. großer körperlichen Einsatz, reißen am Arm, Belastung der Schulter). Das Kind forderte mich körperlich und auch mental sehr, ich kam immer wieder an meine körperlichen Grenzen. Die Arbeit als Schulbegleiterin war sehr stressig und kräftezehrend. Nach zwei Monaten wurde ich von dem von mir zu begleitenden Kind in die Leiste getreten, was eine längere Krankschreibung bis zum Ende des Jahres zur Folge hatte. Ich hätte natürlich auch schon zuvor diese Stelle kündigen können, aber dann hätte ich noch keinen Anspruch auf Arbeitslosengeld gehabt und das geht bei einer Familie mit drei Kindern einfach nicht. Also „Augen zu und durch"

Im Januar 2018 bekam ich eine heftige Erkältung, die sich festsetzte und eine erneute Krankschreibung zur Folge hatte. Im Februar bekam ich diffuse Halsschmerzen vorne, die in die Seitenstränge und bis zum Schultergürtel ausstrahlten. Ich dachte zuerst, es wäre eine neue Form der Schmerzen von der HWS her. Mein Arzt diagnostizierte aber eine berührungsempfindliche Schilddrüse, hinzu kamen Fieber und stark erhöhte Entzündungswerte. Ich bekam zuerst die Diagnosen einer Seitenstrangangina, die sich allerdings in meiner Erinnerung 27 Jahre zuvor ganz anders angefühlt hatte und begann daher selbst zu recherchieren. Meine Schilddrüsenwerte waren zu diesem Zeitpunkt noch normal. Doch ich stieß schnell auf die Erkrankung der Subakuten Schilddrüsenentzündung de Quervain - was sich dann auch bestätigte - welche mit Fieber (und das bekomme ich äußerst selten) und erhöhten Entzündungswerten einhergeht. Hinzu kommen höllische Schmerzen in der Schilddrüse. Diese wurden auch relativ schnell unerträglich und für mich begann mal wieder die Sofazeit vor dem Fernseher. Ab 17.00 Uhr wurden die Schmerzen immer unerträglicher, dies hielt bis zum Morgen an, danach schwächten sie sich etwas ab. Ich nahm rapide ab (6 kg innerhalb von sechs Wochen), nach ein paar Tagen waren dann auch die Schilddrüsenwerte erhöht. Bei der Schilddrüsenentzündung de Quervain sieht man zuerst eine Überfunktion (die entzündete Schilddrüse „ballert" alles an Hormonen raus, was sie zur Verfügung hat), dann gibt es einen kurzen Stillstand und es beginnt die Unterfunktion. Das Ganze kann bis zu einem Jahr und länger gehen, schwächt den Körper, raubt Energie, und die Schmerzen können immer wieder aufflammen. Es kann letztendlich auch die Schilddrüse dauerhaft schädigen, so dass man sein Leben lang Hormone zu sich nehmen muss. Zum Glück konnte ich Linderung ohne Kortison erfahren, was bei mir ansonsten wieder eine Proteinurie (Eiweiß im Urin) und Diabetes ausgelöst hätte. Es war langwierig, und ich nehme nun seit Mai 2018 L-Thyroxin, da meine Schilddrüse mittlerweile in einer dauerhaften Unterfunktion ist. Begonnen habe ich mit wenigen 25 mg, mittlerweile bin ich bei 62,5 mg - aber ich nehme es gerne, weil es mir damit wesentlich besser geht. Diesen November werde ich auch zu einem Schilddrüsenspezialisten gehen, da mein Arzt in Mecklenburg-Vorpommern meinte, dass es nicht untypisch ist, dass ich diese Erkrankung in meiner Stresssituation bekommen habe und sie mit meiner Mitochondriopathie und dem dadurch veränderten Stoffwechsel zu tun hat.

Langsam fange ich erst an zu begreifen, wie das alles zusammenhängt und welche Folgen es für den Körper hat, wenn ein Zahnrädchen im Stoffwechsel nicht mehr richtig greift. Ab Januar 2018 war ich dauerhaft krankgeschrieben, wieder eine belastende Situation, welche Stress für den Körper bedeutete. Es gab einen „positiven" Effekt durch die Schilddrüsenentzündung: aufgrund des schnellen Gewichtsverlusts griff mein Körper endlich mal auf meine Fettpolster zu und ich nahm sichtbar ab. Bis heute kann ich mein Gewicht dank Ernährungsumstellung in einem Bereich halten, in welchem ich mich wohlfühle. Zudem führte die akute Erkrankung dazu, dass ich nicht zu den Gutachterterminen für die Rentenversicherung musste - diesmal Orthopäde und Neurologe - da ich gesundheitlich dazu nicht in der Lage war. Mittlerweile waren 6 Monate Krankenstand ins Land gegangen, und meine Krankenkasse ordnete an, dass ich eine Reha über die Rentenversicherung wahrnehmen müsse. Diese wurde bewilligt, und im Januar 2019 ging ich für drei Wochen zu einer orthopädischen Reha. Mein Antrag auf Rente lief immer noch parallel dazu.

Zuvor war ich im Jahr 2018 zweimal in einer Schmerzklinik in Süddeutschland. Das erste Mal ging es mir dort super, da die Ärzte dort sowohl etwas mit der Mitochondriopathie, als auch mit instabilen Kopfgelenken anfangen konnten und dementsprechend vorsichtig die Therapie ansetzten. Zudem war meinem behandelnden Arzt die selten auftretende Schilddrüsenentzündung de Quervain bekannt. Es bedeutete eine große Erleichterung für mich, und ich fühlte mich dort sehr gut aufgehoben. Der Schmerzarzt betonte, dass an meiner HWS nicht manipuliert werden dürfte, gerade bei meiner Diagnose der instabilen Kopfgelenke. Umso schockierender war es für mich, dass sich bei meinem zweiten Aufenthalt drei Monate später derselbe Arzt hinter mich stellte, meinen Kopf packte und radikal nach links bis zum Anschlag drehte. Ich konnte nur noch rufen: „Nicht, mir wird schwindlig", dann fiel ich nach links auf die Liege, und mir war anschließend „hundeelend" zumute, ich war kraftlos und erschöpft. Die Reaktion war nur ein: „Ach, das tolerieren Sie nicht?" Es ging mir danach sehr schlecht, ich hatte das Gefühl, mich hat jemand bis auf die Nerven bloßgelegt und ich bin unendlich verletzbar. Mich überkamen große Schmerzen im Bereich Nacken/HWS und eine große körperliche Schwäche, die auch noch Wochen nach dem Klinikaufenthalt anhielt. Auch meine Nackenschmerzen treten seit der Manipulation häufiger und intensiver auf, hinzu kommen immer wiederkehrende starke Schmerzen im Bereich der HWS - was ich zuvor nicht hatte. Das Schlimme war, dass ich das Gefühl hatte, die meisten Schwestern und Therapeuten in der Klinik schieben mich in die „Psychosomatische Ecke" und nehmen mich mit meinen Symptomen nicht ernst. Einzig der Oberarzt, bei dem ich mich schon beim ersten Mal gut aufgehoben gefühlt hatte, zeigte vollstes Verständnis für mich und ging einfühlsam auf mich ein. Er nahm mich mit meinen Symptomen ernst. Er erzählte mir nach Rücksprache mit dem Schmerzarzt auch, dass dieser mir einfach mal hatte zeigen wollen, dass ich über meine körperlichen Grenzen gehen kann – hinsichtlich so viel Selbstüberschätzung und Arroganz seitens des Arztes fehlten mir einfach nur die Worte. Selbstredend, dass er sich nicht bei mir entschuldigt hat! Nach meiner Erfahrung tun Ärzte das generell nicht, wenn sie Mist gebaut haben. Mein Physiotherapeut, der mich bereits jahrelang behandelt hatte, war entsetzt, als er mich das erste Mal nach der Manipulation sah. Er sagte wörtlich: „Wir waren nach Ihrem Unfall so weit und jetzt fangen wir fast wieder bei Null an".

Ich hatte bereits vor dem Klinikaufenthalt manchmal Schmerzen in der linken Schulter, die sich jetzt allerdings manifestierten. Das Ameisenlaufen verstärkte sich, ebenso die Schmerzen. Im Oktober bekam ich plötzlich merkwürdig unangenehme, ungewohnte Schmerzen / Kribbeln im linken Ellenbogen. Zwei Tage lang hatte ich meine Schultern und Arme bei Küchenarbeiten etwas überlastet und bekam in der Folge heftige Schmerzen zuerst in der Schulter und dann verstärkt im linken Ellenbogen, welche sich immer weiter steigerten und bis zum Nacken gingen. Es waren, wie ich heute weiß, Nervenschmerzen. Keiner konnte mir so richtig sagen, was es ist. Nach fünf Tagen war es so schlimm, dass ich abends um 20.00 Uhr in die Notaufnahme ging. Der geäußerte Verdacht auf einen Bandscheibenvorfall wurde erst mal nicht bestätigt, aber auch nicht ganz entkräftet. Mir half jedoch ein Attest meiner behandelnden Ärztin, worin steht, dass ich instabile Kopfgelenke habe, deren Folgen und was man mit mir machen darf und was vor allem nicht. Dieses Attest hatte ich mir nach dem zweiten Aufenthalt in der Schmerzklinik ausstellen lassen und lege es jeden neuen Arzt vor. Dementsprechend vorsichtig fand die Untersuchung statt. Ich bekam eine Empfehlung, mich in der Wirbelsäulensprechstunde vorzustellen, wenn es schlimmer werden würde, dort war ich bis heute (noch) nicht. Ich schleppte mich tagelang mit massiven Schmerzen durch die Gegend, jede Bewegung tat weh, liegen auf der linken Seite war mir nicht möglich und oft wusste ich gar nicht, wie ich den linken Arm halten soll, weil er so stark schmerzte. Ich nahm Novaminsulfon in der Höchstdosis über drei Wochen ein und muss sehr elend ausgesehen haben. Auf einer Feier wurde ich von einer Bekannten darauf angesprochen. Ich schilderte ihr meine Beschwerden und sie erzählte mir von einem sogenannten „Flor Essence Indianertee", einem Kräutertee, der ihr bei ähnlichen Beschwerden geholfen hatte. Ich bestellte mir den Tee im Internet und nach einer Woche der Einnahme ging es mir bereits deutlich besser. Wieder machte ich die Erfahrung, dass weniger oft mehr ist und alternative Medizin und Heilmethoden zwar länger brauchen, aber auf sanftere Weise auch zum Erfolg führen können. Mein Physiotherapeut und mein Schmerzarzt in der Schmerzambulanz hier vor Ort gehen beide davon aus, dass meine verstärkten Beschwerden auf die Manipulation am Nacken zurückzuführen sind. Der Spezialist für instabile Kopfgelenke, den ich dieses Jahr im September aufgesucht habe, wurde sehr ärgerlich auf den Arzt, als er von der Manipulation hörte. Er erzählte mir von einer Frau mit einer ähnlichen Vorgeschichte wie meiner, die nach solch einer Manipulation nun im Rollstuhl sitze. Zudem meinte er, dass der Schmerzarzt das Risiko hätte sehen müssen, da ja auch meine linke Halsschlagader vermindert durchblutet ist. Ich habe also großes Glück gehabt. Und wieder kam zugleich eine große Wut und Ohnmacht in mir hoch. Mir ist klar, dass ich eigentlich den Arzt wegen Körperverletzung hätte anzeigen sollen bzw. müssen, aber ich habe nicht die Kraft und Energie dazu, und im Zweifel geht es positiv für den Arzt aus. Mein Vertrauen in die Klinik ist jedenfalls weg, ich möchte dort nicht mehr hin. Zumindest nicht, solange dieser Arzt dort ist.

Die Reha im Januar 2019 habe ich als meinen körperlichen Tiefpunkt in Erinnerung. Es ging fast nichts mehr. Mit sanften Übungen wurde ich wieder in Bewegung gebracht. Warme Sandbäder für meine Finger, Bienenwachswickel und Essenzbäder für meinen Nacken halfen mir zur Ruhe zu kommen und weniger Schmerzen zu haben. Anfangs ging ich wie eine alte Frau, hatte gar keine Energie und war morgens zur Erheiterung meiner Tischnachbarn völlig verpeilt. Ich hatte eine extrem lange Anlaufzeit, vergaß den Kaffee, den Zucker, den Löffel und vieles mehr. Es empfiehlt sich sehr, dann über sich selbst zu lachen, auch wenn es eigentlich nervig und frustrierend ist. Das erleichtert die Sache ungemein. Eine Mitpatientin, die ebenfalls schwer erkrankt ist, meinte, sie würde mit mir und meiner Situation nicht tauschen wollen. Das gab mir sehr zu denken, ich hätte umgekehrt ihre Erkrankung nicht haben wollen.

Nach drei Wochen der intensiven Ruhe und Beschäftigung mit meiner Lebenssituation, ging es mir langsam besser, ich ging aufrechter und spürte wieder mehr Lebenskraft und Lebensmut in mir. Einen großen „Bammel" hatte ich vor dem Ergebnis der Untersuchung des Orthopäden – zu oft habe ich negative Erfahrungen mit Ärzten gemacht, die mich, meine Geschichte und die Diagnosen nicht kannten. Es war jedoch ein sehr netter Arzt, der als erstes meinte, dass ich eine starke Schädigung an der HWS erlitten hätte mit weitreichenden gravierenden Folgen. Als nächstes fragte er mich, ob ich mir wirklich noch vorstellen könnte, mehr als 15 Stunden in der Woche bzw. überhaupt zu arbeiten. Ich sagte ihm ganz ehrlich, dass ich nicht davon ausgehe, da ich gar nicht die Kraft dazu hätte und zu starke Einschränkungen. Er sah dies genauso und so wurde es auch in der Beurteilung für die Rentenversicherung eingetragen, denn es ging ja immer noch um meine Arbeitsfähigkeit bzw. den Antrag auf EU-Rente. Es dauerte Monate, bis ich im Mai 2019 endlich den Rentenbescheid bekam, da Unterlagen fehlten, etwas nachgereicht werden musste. Dann kam mein Bescheid und ich konnte es kaum fassen. Endlich lief mal etwas positiv für mich. Ich bin als EU-Rentnerin eingestuft worden – unbegrenzt - und erhalte sogar die volle Erwerbsminderungsrente, was ich lange nicht für möglich gehalten hätte. Es ist für mich bis heute ein kleines Wunder, dass ich keinen Widerspruch einlegen musste. Und es ist so eine Entlastung, nicht mehr unter Druck zu stehen, sich vielleicht doch noch um eine Stelle bewerben zu müssen, wenn man genau spürt, dass die Kraft dafür nicht reicht. Es ist aber auch hart, zu realisieren, dass man für den ersten Arbeitsmarkt nicht mehr zur Verfügung steht.

Im Juli dieses Jahres wurden ein Upright-MRT und ein MRT meiner HWS angefertigt, da ich selbst die Vermutung hatte, vielleicht doch einen Bandscheibenvorfall zu haben. Meine Ärztin war derselben Meinung und stellte den Überweisungsschein für ein MRT aus. Privat vereinbarte ich einen Termin für das Upright-MRT, da ich vermutete, dass die Ergebnisse der beiden Untersuchungen unterschiedlich ausfallen würden. Die Kosten trug ich selbst. Mein Verdacht hat sich bestätigt: im MRT habe ich eine Bandscheibenvorwölbung, im Upright-MRT sieht man eindeutig den Bandscheibenvorfall. Im Moment versuche ich, die Kosten für das Upright-MRT von der Kasse erstattet zu bekommen, allerdings ist der Ausgang ungewiss.

Ich bin immer noch dabei, die Geschehnisse der letzten Jahre zu verarbeiten. Es ist schwer anzunehmen und zu begreifen, dass man von einem relativ gesunden plötzlich zu einem schwerbehinderten Menschen wird. Es ist schwer nachzuvollziehen, was sich körperlich alles verändert, was die Spätfolgen in der Konsequenz wirklich bedeuten. Ich begreife und lerne diesbezüglich bis heute dazu. Ich habe mir mein Netzwerk aufgebaut mit der für mich bestmöglichen therapeutischen und medizinischen Versorgung. In der Schmerzklinik wurde mir bei meinem ersten Aufenthalt gesagt, dass ich erstaunlich gut diagnostiziert sei, was in Deutschland generell sehr selten vorkomme. Ich erwiderte nur trocken, dass das alles auf meinem Mist gewachsen sei, mich niemand dazu beraten und unterstützt habe (gerade am Anfang) und ich die meisten Untersuchungen auf eigene Kosten finanziert habe. Ich habe mir selbst geholfen, diese Erkenntnis gab und gibt mir Mut, weiterzumachen und die Hoffnung nicht aufzugeben. Selbst dann, wenn es Tage sind, an denen ich vor Schmerzen nur noch als ein Häufchen Elend durch den Tag krieche und man mir schon von Weitem ansieht, dass es mir schlecht geht. Ansonsten ist es eher das Gegenteil - ich sehe jünger aus, als ich bin und meistens wie das blühende Leben, obwohl es mir mies geht. Manchmal habe ich Angst vor dem Altwerden, bzw. -sein und dem Leben in einem Pflegeheim. Ob ich dann noch die nötige Rundumversorgung, angefangen von der Ernährung, den Mikronährstoffen bis hin zur Therapie erhalte, und mir dies auch leisten kann. Dann spüre ich jedoch meistens meinen starken Willen verbunden mit einem kleinen Sturschädel, der mich bisher gut durch die letzten Jahre mitsamt allen Widrigkeiten und negativen

Erlebnissen getragen hat, und ich hoffe, dass mich unser Garten mit der anfallenden Gartenarbeit lange fit hält, also mit der Arbeit, die ich körperlich leisten kann. Mein langjähriger Physiotherapeut ist in den Ruhestand gegangen und es ist schwer, einen adäquaten Nachfolger zu finden. Erst jetzt merke ich, welch eine große Stütze er die ganze Zeit für mich war und wie gut mir seine Behandlung, aber auch seine Erklärungen getan haben. Durch ihn habe ich erst so richtig verstanden, was damals 2011 in meinem Körper geschehen ist, und warum ich an manchen Stellen Schmerzen und Beschwerden habe, die ich so nicht vermutet hätte. Im Laufe der Zeit sind die Beschwerden nicht weniger geworden, es sind eher mehr dazugekommen. Therapien und Medizin inklusive Mikronährstoffe können nur lindern, nicht heilen, und mit viel Glück eine weitere Verschlechterung verhindern.

Da es vielleicht anderen Menschen mit ähnlichen Beschwerden eine Hilfestellung sein kann, möchte ich aufzählen, welche Probleme ich zum heutigen Zeitpunkt als Folge des HWS-Traumas habe:

Gleichgewichtsprobleme, Drehschwindel: Ausrichten des Kopfes beim Sitzen in Reihen, Sitzkreisen, an Tischen, im Kino, Theater, bei Power-Point-Präsentationen – wichtig ist die Blickrichtung, den Kopf nicht drehen zu müssen, sondern geradeaus schauen zu können; Radfahren nicht mehr möglich, da sonst Gleichgewichtsprobleme und Schwindel auftreten; Keine Anwendung von „Rüttelgeräten" in Physiotherapie möglich; Autofahren (Beifahrer), Straßenbahn-, Bus-, S-Bahn- und Zugfahren nur mit Cervicalstütze möglich, welche HWS und Nacken stabilisiert und stützt, da sonst extremer Schwindel ausgelöst wird. Gleichgewichthalten bei unebenem bzw. steinigem Grund nur schwer möglich, da große Gleichgewichtsprobleme auftreten; Im Dunklen laufen und zurechtfinden nur erschwert möglich (Nachtblindheit), Dämmerungssehen ist eingeschränkt, da Gleichgewichtsprobleme und große

Gangunsicherheiten auftreten; Immer wieder Anstoß-, Stolperneigung, Drall beim Gehen, Kurve schlecht kriegen.

Konzentrationsprobleme: Bei Stress vermehrt Konzentrationsprobleme, ebenso bei längerem ununterbrochenem Arbeiten: erster Leistungsabfall nach 1-2 Stunden, Konzentrationsprobleme wie Wortfindungsstörungen, Störungen der Artikulation bei erhöhtem Stress ohne Pausen. Ohne Nahrungs- bzw. Glukoseaufnahme deutlich schneller erhöhter Stress; schnell auftretender Leistungsabfall, plötzlich einsetzende rasche Ermüdung und Erschöpfung – unabhängig davon kann jederzeit aus heiterem Himmel eine plötzliche Ermüdung und Erschöpfung einsetzen, bei der der Körper mindestens eine Pause, noch besser Schlaf benötigt. Erhöhte Vergesslichkeit bei leichten „Schüben", wenn der Nacken besonders starke Probleme macht.

Kopf- und Nackenschmerzen: Äußern sich häufig im Voraus bereits durch morgendliche Beschwerden wie Benommenheit, Kopfleere, lange Anlaufzeit; Schmerzen im Nackenbereich, die bis hinter und in die Augen ausstrahlen können. Extreme Nacken- und Hinterhauptschmerzen, sporadisch auftretend (meist ausgelöst durch Liquorstau), Liegen auf dem Rücken dann extrem schmerzhaft. Nach längerem Lesen sind Schmerzen im Augapfel möglich, welche auch in den Kopf ausstrahlen. Gesichtsschmerzen (Trigeminusnerv) ausstrahlend in Zähne, Augen, Nase, Lippen.

Peripheres Nervensystem: Häufig auftretende Taubheit in Gesicht, Armen, Händen, Fingern, Beinen. Teilweise Gefühllosigkeit in Bauch, Oberschenkeln, Händen, Gesicht (insbes. an der Nase).

Ohren: Häufig Druckgefühl im Ohr, eingeschränktes Hören bei Hintergrundgeräuschen. Teilweise heftig einschießende Ohrenschmerzen. Klingeln im Ohr, bereits zweimal für je 1- 2 Tage schlecht hören können (wie durch Watte), gesteigerte Empfindlichkeit gegenüber Lärm (auffälliges Ergebnis bei Hörakustiker), immer wieder, besonders bei Schüben, die mit großer Erschöpfung und starken Schmerzen im Nacken einhergehen, blutiges Ohrenschmalz in großen Mengen.

Bewegungsapparat: Auftretende Ischialgien; Erschütterungsbeschwerden (treppab, Pkw-, Bahnfahrten); häufig auftretende Muskelschmerzen, HWS-Schmerzen; Kraftminderung bei Belastungen mit langen Erholungsphasen; LWS- und Sakralschmerzen, Muskelschwäche, Kraftverlust, Nacken-, Hinterhaupt-, Schulterschmerzen; häufig auftretende Schmerzen in Schultern, Ellenbogen, Knie, Hüfte, Schulter-Hand-Arm-Syndrom. Gelenkschmerzen, vor allem in den Fingerendgelenken, Händen, Ellenbogen, Hüften und Knien. Muskelschmerzen, schnelle Muskelermüdung, Berührungsempfindlichkeit.

Energieabfall/Schwäche: Immer häufiger auftretende Schwächegefühle, teilweise in die Beine ausstrahlend (Verschlechterung seit Schilddrüsenentzündung). Regelmäßiges Essen und vor allem gutes Frühstück wichtig, um kraftvoller in den Tag starten zu können. Einstecken von Traubenzucker, Schokolade, einem Stück glutenfreiem Brot wichtig, um bei Unterzuckerung rasch etwas einnehmen zu können.

Magen-Darm-Beschwerden: Reizdarmbeschwerden, häufiges Hungergefühl, Glutenunverträglichkeit, generelle Darmbeschwerden, Neigung zu einer gestörten Darmflora (speziell nach Antibiotikaeinnahme dauert es lange, die Darmflora wiederaufzubauen).

Weitere Einschränkungen:
- Auf dem Bauch liegen nicht möglich
- Nur noch maximal 2 Stunden täglich arbeiten möglich, sonst erfolgt völlige Erschöpfung und Konzentrationslosigkeit

- Schnell abfallende Energie (verringerte Funktion der Mitochondrien), schnelle Einnahme von Glukose/Schokolade nötig
- Chronische Müdigkeit
- Beim Lesen, Handarbeiten, Fernsehen, Autofahren (Beifahrer, da selbst Autofahren nicht mehr möglich ist) muss ich öfter eine Pause einlegen
- Keine abrupten Drehbewegungen des Kopfes – sonst starke Schmerzen
- Zugluft am unbedeckten Hals vermeiden – tragen eines Tuchs immer notwendig
- Über Kopfhöhe arbeiten nicht möglich, sonst starke Schmerzen und Schwindel
- Es ist nicht möglich, in den ersten Reihen im Theater oder Kino zu sitzen, da sonst sofort Nackenbeschwerden auftreten, die mehre Tage anhalten können
- Trinken aus der Dose oder aus der Flasche nur mit Strohhalm möglich
- Haare nur im Stehen unter der Dusche waschen, nicht im Waschbecken (Kopf nicht nach hinten beugen, sonst wird extrem starker Schwindel ausgelöst)
- Tragen von Rucksäcken, bei denen das Gewicht über beide Schultern verteilt ist, ist nicht mehr möglich, da sonst sofort massive Schmerzen auftreten, die bis in die Ellenbogen und in die HWS ausstrahlen. Nur noch das Tragen von kleinen Rucksäcken ist möglich, wenn deren Träger nur über die rechte Schulter läuft, noch besser ist das Tragen einer Bauchtasche über der rechten Schulter. Insgesamt nur ein geringes Gewicht tragen, da sonst sofort wieder starke Schmerzen im Nacken- Schulter-, Ellenbogenbereich auftreten und sich rasch verstärken können.
- Immer wiederkehrende Blasenreizungen, Darmbeschwerden, Nierenfunktionsstörungen

- Null Toleranz gegenüber Stress – schnelle Erschöpfung ist das Mindeste, was folgt

Ich nehme verschiedene Mikronährstoffe ein, unter anderem Ubiquinol (Q10), Asthaxanthin (ein natürliches Antioxidans, das aus Algen gewonnen wird), Vitamin B12 hochdosiert und milgamma protect (Vitamin B1). Zumindest letztgenanntes kann mir meine Ärztin verschreiben. Seit vier Monaten nehme ich CBD-Kapseln ein und schlafe seither bedeutend besser und vor allem länger durch. Im Moment nehme ich Novaminsulfon, je 1 Tablette morgen und abends, und bei Bedarf Thomapyrin ein (letztgenanntes hilft himmlisch, wenn die Schmerzen wirklich von den Kopfgelenken herkommen). Ich bin in der Schmerzambulanz und erfahre dort eine gute Begleitung. Regelmäßig gehe ich zur Ergo- und Physiotherapie und versuche täglich in Bewegung zu bleiben.

Ich bin mir dessen bewusst, dass ich trotz allem Glück gehabt habe und gut begleitet werde. Ich habe meinen Humor behalten, ruhe meist in mir und kann über mich selbst und meine Missgeschicke immer noch lachen. Ich habe gelernt zu kompensieren – und dabei auch schmerzlich erfahren müssen, dass nicht alles geht und sich irgendwann der Körper rächt, wenn ihm zu viel zugemutet wird (wie bei meinem Studium und besonders während des Schreibens meiner Bachelorarbeit). Meine Familie hält zu mir, auch wenn der Weg nicht einfach war und ist. Aber dieser Rückhalt und die Liebe meiner Kinder und meines Mannes geben mir Kraft und Mut, weiter zu machen, meine Frau zu stehen. Ich weiß, dass es schlechte Tage gibt, die mich auch manchmal in meinem kleinen dunklen Loch sitzen lassen, wenn es mir vor Schmerzen und Unwohlsein mal wieder richtig schlecht geht oder mir die Tragweite der Folgeerscheinungen schmerzlich im Alltag aufgezeigt wird. Aber ich weiß auch, dass dies vorbeigeht und mein Optimismus, gepaart mit Selbstironie, mich aus dem Loch rausholt und weitermachen lässt. Ich habe gelernt, vor Ärzten zu sagen, was ich habe, was geht und was nicht geht, was ich brauche, will und nicht will und dass ich nicht in die psychosomatische Schublade geschoben werden will (selbst, wenn ich hinterher ob dieser Kraftanstrengung heule). Ich bin Expertin meiner Selbst, kenne mich selbst am besten und habe Selbstfürsorge für mich absolut verinnerlicht und setze dies konsequent um, solange es mir irgendwie möglich ist! „Ich lasse mich nicht unterkriegen!" ist zu meiner Lebensmaxime geworden.

Alexandra Zimmermann*

*Name auf Wunsch der Autorin geändert

14. Ein Trainingsplan fürs Leben!

2012: endlich hatte ich das Abitur in der Tasche. Damit war ein Traum in Erfüllung gegangen, auf den ich all die Jahre hin gearbeitet hatte. Um ehrlich zu sein, war Schule noch nie meine oberste Priorität gewesen. Ich hatte schon immer meine Stärken woanders. Anstatt zu lernen, habe ich mich schon immer lieber mit Freunden getroffen, war feiern, habe diverse Sportarten ausgeübt oder mit anderen musiziert. Lernen hat mir einfach noch nie Spaß gemacht. Da ich wusste, dass mir andere Sachen mehr Freude bereiteten, war ich auch umso erleichterter, als das Kapitel Schule endlich ein Ende nahm. Verstehen Sie mich nicht falsch. Ich hatte eine wundervolle Kindheit und Jugend. Meine Eltern haben mich in allem unterstützt, was wichtig war. Bildung, Sport, Reisen, Musik… Nicht nur finanziell. Auch als Eltern waren sie immer für mich da. Ich kann also, wenn ich mich jetzt an die Zeit zurückerinnere, fast nur Positives berichten.

Auch nach meinem Abitur war das mit meinen Eltern nicht anders. Mein großer Traum war es jetzt, in die USA zu gehen, meine Englischkenntnisse zu verbessern und währenddessen so viel Spaß zu haben, wie es eben nur geht. Auch bei diesem Vorhaben unterstützten sie mich. Ich fühlte mich blendend. Davon hatte ich so lange geträumt: Acht Monate Kalifornien mit ganz vielen verschiedenen Menschen unterschiedlicher Nationalitäten! Es war die Belohnung, für den ganzen Abi-Stress in den letzten Monaten. Schon seit ich denken kann, liebte ich Reisen, andere Länder und die unterschiedlichsten Kulturen. Ja, ich habe die acht Monate in Kalifornien wirklich genossen. Voller Vitalität und Lebensfreude wurden die wildesten Partys veranstaltet, der Pacific Coast Highway mit einem fast kaputten Auto bewältigt, in dem natürlich auch geschlafen wurde, San Francisco und Las Vegas unsicher gemacht. Es war einfach nur ein Traum. In mir war eine Leichtigkeit zu spüren, die mir, wenn ich heute darüber nachdenke, immer noch Gänsehaut beschert. Als sich die acht Monate zum Ende neigten, stellte sich mir natürlich auch die Frage, was ich denn nun mit meinem Leben anfangen wollte. Ich entschied mich, es mit einer Bewerbung für den Bachelor Studiengang Psychologie in Hamburg zu versuchen. Wieder zurück in Deutschland bekam ich hierfür eine Zusage. Ich freute mich riesig, wenngleich ich natürlich auch etwas Respekt hatte vor dem Umfang des Studienfaches. Ich zog also nach Hamburg, vom fast südlichsten Punkt Deutschlands, zum fast nördlichsten Punkt. Über 750 km lagen nun zwischen meiner Familie, meinen Freunden und mir. Aber ich hatte Lust darauf. Endlich in einer WG wohnen, ein interessantes Fach studieren, eine neue Stadt und neue Menschen kennen lernen. Genau so stellte ich es mir vor, das Studentenleben. Auch wenn ich gleich im ersten Semester einiges für die Uni lernen musste, hatte ich immer noch genügend Zeit, feiern zu gehen. Zwischenzeitig bestand mein Leben in Hamburg nur aus lernen und feiern gehen. Wobei fast, denn regelmäßig Sport zu treiben begleitete mich auch schon seit Anfang der Oberstufe. Hier war Joggen der Sport meiner Wahl. Ich liebte es, mich so regelmäßig zu bewegen. Ich fühlte mich nach einer Jogging-Einheit schon immer in 100 % der Fälle besser als davor. Es war wie ein natürliches Doping für mich, das mein Leben bereicherte. Auch wenn ich hin und wieder Heimweh hatte, war ich doch sehr glücklich mit meiner Entscheidung, sowohl nach Hamburg gezogen zu sein, als auch mich für das Studienfach Psychologie entschieden zu haben. Es lief alles perfekt.

Eines Abends, als ich gerade auf dem Heimweg war, nahm das Unheil seinen Lauf. Ich stand in der U-Bahn, als mich wie aus dem Nichts eine übelste Schwindelattacke überkam. Ich klammerte mich an eine Stange im Zug, um nicht umzufallen. So etwas hatte ich noch nie erlebt. Ich bekam es mit der Angst zu tun und setzte mich vorsichtshalber auf einen nahegelegenen Platz. Dieser Spuk dauerte nicht lange. Vielleicht höchstens ein bis zwei Minuten. Trotzdem versuchte ich die Sache einzuordnen, zumal diese Schwindelattacken in den nächsten Wochen noch öfter auftraten. War ich krank?

War es Stress? Ich wusste es nicht. Ich versuchte weiter zu machen. Es würde schon wieder vergehen. Solche Zustände haben ja schließlich einige Menschen. Meist steckt ja keine ernsthafte Erkrankung dahinter, beruhigte ich mich. Ich versuchte also, mein Studium weiter zu führen und mir mein bisheriges Sicherheitsgefühl meinem Leben gegenüber zu bewahren. Eines Nachmittags, ein paar Wochen nachdem die Schwindelattacken begonnen hatten, passierte dann die nächste Katastrophe. Ich war in der Nacht zuvor feiern gewesen, hatte ausgeschlafen und lag auf meinem Sofa, als plötzlich, wie aus dem Nichts, mein Herz anfing zu rasen. Ich versuchte mich zu beruhigen: Sicherlich gleich vorüber! Doch es wurde immer schlimmer. Ich verlor Stück für Stück die Kontrolle über meinen Körper und dachte mir: „So das war's jetzt…". Ich griff zu meinem Handy und drückte die Notruftaste. Die Sanitäter brachten mich zur Überwachung ins nächstgelegene Krankenhaus, wo zum Glück nichts Außergewöhnliches festgestellt werden konnte. Die Ärzte tippten auf eine Panikattacke. Ich nahm das erst mal so hin. Ich war einfach nur froh, dass ich in den Augen der Ärzten gesund war. Aber woher kam das? Habe ich zu viel gefeiert? Zu viel gelernt? Mich übernommen? Eigentlich kannte ich meinen Körper sehr gut! Im Vergleich zu anderen Menschen würde ich sagen, sogar sehr gut. Deswegen verstand ich es einfach nicht.

Diese plötzlichen Tachykardien, mit Einweisung ins Krankenhaus wiederholten sich in den folgenden Wochen noch drei Mal. Jedes Mal wurde mir versichert, es sei alles in Ordnung. Danach wusste ich, dass mir das Krankenhaus in diesen Situationen auch nicht helfen konnte. Da musste ich alleine durch. Nur: Was war mit mir los? Ich konnte nur reflektieren, dass mit meinem vegetativen Nervensystem, also dem autonomen Nervensystem, das normalerweise unbewusst, automatisch ablaufende, innerkörperliche Vorgänge, wie zum Beispiel Herzschlag, Verdauung, Pupillengröße etc. anpasst und reguliert, irgendetwas nicht stimmte.

Eines Nachmittags, Ende des ersten Semesters, kamen dann neue Symptome dazu. Ich saß in einer Statistik-Vorlesung. Den ganzen Tag war mir schon sehr unwohl. Ich bemerkte, dass ich, seitdem ich aufgestanden war, irgendwie schlechter sah als sonst. Sehen war plötzlich extrem anstrengend geworden. Das merkte ich vor allem gerade jetzt in der Vorlesung. Als wenn es mir schwer fallen würde, Objekte scharf zu stellen. Auch das Bild, das ich sah, war ganz unruhig. Als wenn die Koordination meiner Augen gestört wäre. Am Ende der Vorlesung gesellte sich dann noch ein Symptom dazu, das mich die kommenden Jahre lang begleiten sollte. Ich merkte es sofort, erst leicht, dann immer stärker. Ganz langsam entstand ein grauenhaftes Druck-, beziehungsweise Klammergefühl um meine Augen, Stirn, Gesicht. Es fühlte sich so an, als wenn die genannten Stellen in einen Schraubstock eingeklemmt worden seien, der immer fester zudrückte. Es war ein Albtraum. Noch auf dem Heimweg spürte ich, dass etwas mit mir ganz und gar nicht stimmte. Ich stand wie neben mir. Alles fühlte sich ganz surreal an. Ich fühlte mich wie benommen. Der Lärm der Straße wurde unerträglich, dazu die Sehstörungen und dieses schreckliche Druck- und Klammergefühl... Ein Albtraum hatte begonnen.

Inzwischen war ich natürlich auch bei mehreren Ärzten vorstellig geworden. Mein Hausarzt machte ein EKG und untersuchte mich von oben bis unten. Er konnte aber nichts Außergewöhnliches feststellen. Ein MRT vom Schädel brachte auch keine neuen Erkenntnisse. Die intensiven Untersuchungen beim Augenarzt bescheinigten mir außerdem eine perfekte visuelle Leistung. Niemand konnte sich meine katastrophalen Symptome erklären. Meine Merk- und Konzentrationsfähigkeit war mittlerweile so eingeschränkt, dass ich mich oft an die einfachsten, alltäglichen Dinge nicht mehr erinnern konnte. Ich klammerte mich, wann immer es nur ging, an Notizzettel und Listen, um in meinem Studentenalltag funktionieren zu können. Jeder einzelne Tag kostete mich immer mehr Kraft. Es kamen immer mehr Symptome hinzu, die sich in ihrer Intensität allerdings von Tag zu Tag auch mal veränderten. Ich wusste zu 100 %, dass irgendetwas mit mir nicht stimmte. Irgendwann kam der Punkt, an dem mein Hausarzt mir vorschlug, ich solle doch auch mal schauen, ob nicht etwas Psychisches dahinter steckt. Da ich Psychologie studierte, war ich natürlich einverstanden damit. Ich dachte mir, dass ich nichts zu verlieren hätte und machte einen Termin beim Psychotherapeuten aus. Tief im Inneren wusste ich aber, dass diese Symptome keine psychische Ursache hatten. Mir ging es mittlerweile körperlich schon so schlecht, dass ich Probleme hatte, mein Studium regulär weiterzuführen. Ich dachte mir: „Entweder Psychotherapie hilft, oder eben nicht." Ich wollte alles ausprobieren. Nach ein paar Wochen war sich mein Therapeut ganz sicher. Er sagte mir, dass er sich sicher sei, dass diese Symptome nicht durch meine Psyche ausgelöst werden. Er bestätigte mir also das, was ich sowieso schon wusste. Außerdem wurden die Symptome durch die Sitzungen auch leider kein Stück besser.

Inzwischen kannte ich meinen einzigartigen Symptomkomplex sehr gut. Es gab tagtäglich nur ein Mittel, das half und die Symptome erträglicher machte. Das Mittel hieß Sport. Vorzugsweise moderaten Ausdauersport, wie ich ihn schon lange ausübte. Ich ging so oft joggen, wie ich konnte, meistens mehrmals pro Woche. Seltsamerweise waren meine Symptome nach einer Einheit immer deutlich reduziert. Daran klammerte ich mich. Insbesondere in Prüfungsphasen, in denen ich wochenlang, täglich mehrere Stunden am Schreibtisch verbrachte, waren sie unverzichtbar. Ich kämpfte mich durch jeden Tag und fragte mich, wie lange ich diesen Albtraum noch durchhalten würde.

Irgendwann stand dann das Praxissemester an. Ich hatte mich für die Personalentwicklung entschieden. Ich freute mich, da ich auch hoffte, durch eine vorübergehende Änderung meiner Arbeitssituation etwas Symptomlinderung zu verspüren. Doch es kam alles ganz anders. Meine Arbeit ließ sich vom ersten Tag an überwiegend am

PC ausüben. Die Tätigkeiten waren eigentlich relativ simpel. Es war eigentlich nichts dabei, dass ich nicht hätte problemlos bewältigen können. Nur hatte ich ja nach wie vor meine ganzen Symptome. Von Woche zu Woche wurden sie stärker. Ich merkte relativ schnell, dass Bildschirmarbeit mein größter Feind war. Aus irgendeinem Grund verschlimmerten sich meine Symptome hier ganz drastisch. Nach und nach wurde das Druck- und Klammergefühl um meinen Kopf/Augen so schlimm, dass ich nur noch - teils völlig apathisch - vor dem PC saß und meine Umwelt kaum mehr wahrnehmen konnte. Ich bekam einen Tunnelblick, der mich jeden Tag begleitete. Langsam aber stetig verkleinerte sich mein visuelles Wahrnehmungsfeld. Meine Augen wurden so schlecht, dass ich irgendwann fast nicht mehr lesen konnte, was auf dem Bildschirm oder auf einem Blatt Papier stand. Jeden Tag betete ich, den nächsten Tag zu überstehen. Es war die Hölle. Hatte das alles vielleicht etwas mit meinen Augen zu tun?

Irgendwann konnte ich nicht mehr. Niemand wusste, was mit mir los war. Ich kämpfte darum ernst genommen zu werden. Nicht nur auf der Arbeit, auch bei meinen Freunden und meiner Familie. Egal mit wem ich sprach, niemand hatte so etwas jemals erlebt beziehungsweise von diesen Symptomen gehört. Auch kein Arzt. Ich hatte aber immer noch so viel Vertrauen in mich, dass ich wusste, dass ich unmöglich der Einzige damit sein konnte.

Ich entschied mich dafür, einen mir bekannten Optiker auf meine visuellen Störungen anzusprechen. Als ich anfing, meine Symptome zu beschreiben, wurde ich zum ersten Mal seit langem ernst genommen. Ich erfuhr, dass es tatsächlich Störungen des visuellen Systems gibt, die diese Beschwerden auslösen können. Da diesen Störungen aber meist ein binokulares Problem zu Grunde liegt, werden sie beim Augenarzt oft nicht erkannt. Augenärzte überprüfen meistens nur die Sehfähigkeit beziehungsweise die Gesundheit eines Auges einzeln, also monokular. Um binokulare Störungen zu erkennen, muss man aber das Zusammenspiel beider Augen überprüfen. In den nachfolgenden Wochen konnten bei mir Störungen des binokularen Sehens nachgewiesen werden. Ich dachte, dass ich nun den Ursprung meiner Beschwerden beziehungsweise meiner Symptome entdeckt hatte. Es begannen experimentierfreudige Monate mit diversen Prismenbrillen, die meine binokularen Fehlfunktionen ausgleichen sollten. Ab und zu dachte ich, es gebe eine Verbesserung meiner Beschwerden, dann wurde ich aber immer wieder auf den Boden der Tatsachen geholt. Die Prismenbrillen, die ich bekam, halfen absolut gar nicht. Im Gegenteil! Sie verschlimmerten meine visuellen Beschwerden ins Unermessliche. Ich war fix und fertig, konnte so irgendwann mein Studium nicht mehr fortführen und war einfach nur verzweifelt. Kein Symptom wurde je weniger in den letzten Jahren. Ich verlor langsam aber stetig jegliches Körpergefühl. Ich legte ein Urlaubssemester ein, in dem ich mich ganz auf mich konzentrieren wollte. Ich wusste, dass das mit Abstand offensichtlichste Defizit in meinem visuellen System lag. Darauf wollte ich mich konzentrieren. Denn ohne meine visuellen Beschwerden in den Griff zu bekommen, konnte ich unmöglich mein Studium abschließen. Mittlerweile hatte ich eine derart eingeschränkte Tiefenwahrnehmung, dass ich Abstände nicht mehr richtig abschätzen konnte. Daraus resultierte eine immer stärker werdende Unsicherheit, wenn ich mich bewegte. Außerdem waren meine Augen so rot, dass mich immer mehr Menschen aus meinem Umfeld ansprachen, was denn mit mir los sei. Meine Augen tränten unaufhaltsam, brannten, ich hatte Fokussierungsstörungen sowie Koordinationsstörungen und war so lichtempfindlich, dass ich sogar bei bewölktem Wetter eine Sonnenbrille tragen musste. Bildschirmarbeit ging überhaupt nicht mehr. Wenn ich länger als 5 Minuten am Bildschirm saß, hatte ich sofort das Gefühl, ich würde gleich kollabieren. So konnte es nicht mehr weitergehen. Nach ein paar Monaten entdeckte ich dann aber etwas, womit ich nach wie vor meine visuellen Störungen im Griff habe. Ich erfuhr von einem so genannten „Visualtraining". Bei dieser speziellen Art von Sehtraining lernt man über einen Zeitraum von mehreren Monaten beziehungsweise Jahren, wieder richtig zu sehen. Das Gehirn lernt wieder, die Augen richtig anzusteuern, visuelle Beschwerden nehmen ab und verschwinden oft sogar ganz. Ich bekam von meinem Visualtrainer verschiedene, wechselnde Übungen mit nach Hause, die ich täglich immer noch durchführe. Langsam aber stetig verbesserte sich meine visuelle Leistungsfähigkeit wieder, bis ich schlussendlich sogar mein Studium abschließen konnte. Ich muss sagen, dass ich unendlich dankbar bin, das Visualtraining entdeckt zu haben. Ohne dieses hätte ich nicht wieder so Sehen gelernt, wie ich es jetzt wieder kann. Ich habe immer noch visuelle Beschwerden und Symptome, aber sie sind dank regelmäßigem Training, auf ein Minimum reduziert.

Ich glaubte nun also, den Ursprung meiner Symptome erkannt zu haben. Nachdem ich meinen Bachelor gerade noch so geschafft hatte, stellte sich für mich nun die Frage, was ich denn in Anbetracht meines Gesundheitszustandes am besten machen konnte. Ich wollte erst einmal nicht mehr so viel sitzen und lesen. Das war mir ziemlich schnell klar. Ein Masterstudium kam also erst einmal nicht in Frage. Aber ich verkörperte ja noch immer meine Freude an Sport und Bewegung. Eine Berufsgruppe, die ich schon immer sehr sympathisch fand, waren Physiotherapeuten. Eigentlich passten Sport, Bewegung und Physiotherapie ganz gut zusammen. Es passte zu mir. Damit konnte ich mich identifizieren. Gesagt, getan. Ich meldete mich an einer Schule für Physiotherapie in Berlin an. Nach 5 Jahren Hamburg hatte ich Lust auf eine neue Stadt. Ich erhoffte mir auch insgeheim, dass mir ein Neustart mit neuer Berufsperspektive und einem ganz neuen Umfeld auch gesundheitlich gut tun würde. Meine Augen wurden ganz langsam besser. Das tägliche Visualtraining zeigte seine Wirkung. Ich wunderte mich aber trotzdem irgendwann, wieso meine Augen besser wurden, meine anderen Symptome aber nach wie vor vorhanden waren. Ich wusste nur, dass meine Symptome, insbesondere dieses Druck- und Klammergefühl um meine Augen beziehungsweise Stirn herum, schlimmer wurden, wenn ich zu lange am Schreibtisch saß beziehungsweise statische Tätigkeiten verrichten musste. Auf der anderen Seite ging es mir so viel besser, wenn ich mich bewegte beziehungsweise eine Sporteinheit hinter mir hatte. Langsam hatte ich wieder das Gefühl, dass der Ursprung meiner Symptome und Beschwerden doch irgendwo anders liegen musste. Aber wo? Mittlerweile waren fast sechs Jahre vergangen, seitdem die ersten Symptome angefangen hatten, und es wurden immer mehr, nicht weniger. Was sich aber mit den Jahren veränderte, war die Qualität der Symptome. Bis auf meine visuellen Beschwerden verbesserte sich davon praktisch nichts.

Irgendwann, Ende meines ersten Halbjahres der Physiotherapieausbildung, eskalierten meine Symptome dann völlig. Ich hatte irgendwann das Gefühl, meinen Kopf nicht mehr halten zu können. Es fühlte sich so an, als wenn er 30 kg schwer geworden wäre. Jede Bewegung fühlte sich extrem anstrengend an. Hinzu kam ein andauernder Tremor im Unterkiefer, meine visuellen Beschwerden verschlimmerten sich erneut, wobei ich sie durch das Visualtraining gerade noch so im Griff hatte, mein Gesicht fing an zu kribbeln, und das schlimmste Symptom von allen: ich bekam impulsartige Nervenreizungen, wie Stromschläge, die sich von meinem kraniozervikalen Übergang aus nach unten ausbreiteten. Langsam wurde mir so einiges klar. Meine ganzen Symptome mussten etwas mit meiner Halswirbelsäule zu tun haben. Ich hatte hier die letzten Jahre immer wieder mit Verspannungen zu tun. Ich bin nur nie darauf gekommen, da sich hier die ganze Zeit über nicht meine Hauptbeschwerden äußerten. Erst jetzt, gute sechs Jahre nach Beginn der ersten Symptome, fühlte sich hier an meiner Halswirbelsäule definitiv etwas nicht so an wie es sein sollte. Über ausgiebige Internetrecherchen stieß ich schlussendlich auf das Thema Kopfgelenksinstabilität. Immer wieder wurde von Fachleuten beschrieben, dass sich die Symptome einer Kopfgelenksinstabilität sehr oft erst ziemlich spät an der Halswirbelsäule selbst äußern. Patienten haben mit dieser Erkrankung häufig über Jahre diffuse Beschwerden, oft im ganzen

Körper und kommen vielfach erst nach Jahren dem Problem beziehungsweise dem Ursprung auf die Schliche.

Jetzt war es also für mich an der Zeit, irgendwie meine Kopfgelenksinstabilität zu beweisen. Da man das Problem in den üblichen, im Liegen durchgeführten MRT-Aufnahmen, meist nicht erkennen kann, werden hierfür nach internationalen Standards Funktionsaufnahmen bevorzugt. Es gibt mehrere Möglichkeiten, Funktionsaufnahmen zu erstellen. Eine international anerkannte Möglichkeit der Bildgebung sind Funktionsaufnahmen in einem Upright MRT. Hierbei sitzt der Patient 1. aufrecht (neutral), 2. den Kopf nach vorne gebeugt (Flexion), 3. den Kopf zurück gebeugt (Extension), 4. den Kopf jeweils nach rechts und links geneigt (Lateralflexion), sowie 5. den Kopf jeweils nach rechts und links rotiert (Rotation) im MRT. In jeder dieser Positionen wird dann ein MRT-Bild angefertigt. Diese Aufnahmen sind am aussagekräftigsten und können vorhandene Instabilitäten gut darstellen. Das einzige Problem ist die Tatsache, dass Aufnahmen in einem Upright MRT von den gesetzlichen Krankenkassen meist nicht übernommen werden. Ich musste hier also eine ganze Stange Geld investieren. Aber es hat sich gelohnt. Der zuständige Radiologe diagnostizierte bei mir: „Eine atlanto-axiale Instabilität, bei erheblich verschmälerter Subarachnoidaler Pufferzone in Neutralstellung, mit funktionell vollständigem Aufbrauchen der Subarachnoidalen Pufferzone im Rahmen der beiden Rotationsuntersuchungen, mit zusätzlich funktionellem Myelonkontakt bei Rechtsdrehung und bei Linksdrehung". Endlich hatte ich es schwarz auf weiß.

Um bei meiner Diagnose nicht nur auf einen Facharzt zu vertrauen, schickte ich meine MRT-Aufnahmen an zwei internationale Spezialisten auf diesem Fachgebiet. Beide Neurochirurgen diagnostizierten bei mir ebenfalls eine atlanto-axiale Instabilität, zusätzlich aber noch eine kraniozervikale Instabilität. Ein weiterer Neurochirurg aus Berlin bestätigte ebenfalls meine atlanto-axiale Instabilität.

Von zwei nicht auf den kraniozervikalen Übergang spezialisierten Neurochirurgen erhielt ich die Aussage, alles wäre in Ordnung. Bei diesen beiden Fachärzten erlebte ich Gespräche, die mich hoch traumatisiert haben. Mir wurde gesagt, dass ich völlig gesund sei, meine Beschwerden gar nicht von einer Kopfgelenksinstabilität ausgelöst werden können und ich doch mal einen Termin in einer psychosomatischen Klinik vereinbaren solle. Bei beiden Gesprächen wurde ich fast schon „fertiggemacht" und, ohne überhaupt den Mund aufgemacht zu haben, in die psychosomatische Schublade gesteckt. Es war schrecklich. Durch diese beiden Termine habe ich einiges gelernt. Ich werde bezüglich meiner Kopfgelenksinstabilität nur noch Fachärzte konsultieren, die genau auf dieses kleine Feld spezialisiert sind. Wenn man das nicht macht, erlebt man Dinge, die einen noch Jahre lang begleiten. Das haben mich meine zwei Termine gelehrt.

Jetzt wollte ich zu guter Letzt noch meine, mit der Kopfgelenksinstabilität in Zusammenhang stehenden, Sinnesstörungen objektivieren. Hierfür machte ich einen Termin in der Neurootologie aus. Objektive Messungen bescheinigten mir hier, dass ein Großteil meiner Gleichgewichtsstörungen und auch meiner visuellen Störungen, in direktem Zusammenhang mit meiner Kopfgelenksinstabilität stehen. Nun hatte ich all das objektiviert, was objektiviert werden konnte. Meine Liste an Symptomen, die direkt auf die Kopfgelenksinstabilität bezogen werden können, ist aber natürlich um einiges länger:

- Extremes Druck- und Klammergefühl in Kopf, Gesicht und Stirn
- Vegetative Symptome: Plötzliche Tachykardien, erhöhter Ruhepuls, stark atemabhängige Variabilität der Herzfrequenz
- Schwindelattacken
- Benommenheitsgefühl
- Verspannungen um die/hinter den Augen

- visuelle Störungen: Akkommodationsstörungen, unruhiges Bild, extreme Lichtempfindlichkeit, schlechte visuelle Informationsverarbeitung
- Tinnitus
- extreme Konzentrationsstörungen
- Gedächtnis- und Merkfähigkeitsstörungen
- Heiserkeit, belegte Stimme, extrem trockener Mund
- auditive Störungen: wie dumpfes Hören, Geräuschempfindlichkeit
- Gustatorische- und Olfaktorische Störungen: Reduzierte Geruchs- und Geschmacksempfindung
- Verspannungen und Schmerzen im Kopfbereich, Nacken
- Parästhesien insbesondere im Gesicht, Stirn, Nacken
- Tremor Unterkiefer
- starke Übelkeit im Sitzen und in Bewegung mit Erbrechen
- Kopf fühlt sich unglaublich schwer an
- impulsartige Nervenreizungen vom kraniozervikalen Übergang ausgehend

Diese ganzen Symptome treten nicht täglich alle gleichzeitig auf. Sie wechseln sich oft ab, treten phasenweise auf und verändern manchmal ihren Charakter. Ich habe aber seit nun sieben Jahren täglich mit einigen dieser Symptome zu kämpfen.

Nachdem ich im letzten Jahr weitere Beschwerden in anderen Gelenken bekommen habe, realisierte ich irgendwann, dass selbst die Kopfgelenksinstabilität nicht meine Grunderkrankung sein konnte. Sie tritt sehr häufig in Kombination mit anderen Erkrankungen auf. Nach weiteren Monaten der Suche und weiteren unzähligen Arztbesuchen sowie einem Klinikaufenthalt, wurde ich erst vor kurzem offiziell mit dem Ehlers-Danlos-Syndrom diagnostiziert. Bei dieser Bindegewebserkrankung wird Kollagen vom Körper nicht richtig beziehungsweise falsch produziert. Die Folgen sind vielfältig und höchst individuell. Eines der Hauptcharakteristika ist aber die Tatsache, dass insbesondere die Haut sowie Sehnen und Bänder, also die passiven Stabilisierungseinheiten des Körpers, immer elastischer beziehungsweise lockerer werden. Ich bin also endlich, nach sieben Jahren, auf meine Grunderkrankung beziehungsweise auch auf die Ursache meiner Kopfgelenksinstabilität gestoßen. Ich bin immer noch etwas geschockt, versuche jetzt aber, das Beste daraus zu machen. Da ich jetzt endlich meine Grunderkrankung kenne, kann ich mich voll und ganz auf die Therapie konzentrieren. Sowohl für meine Kopfgelenke als auch für alle anderen Gelenke in meinem Körper gilt: Ich muss ab sofort die Muskulatur rund um meine Gelenke aufbauen und fit halten. Sowohl die oberflächliche als auch die Tiefenmuskulatur ist hier gefragt. Nur so habe ich eine realistische Chance, meinen Zustand langfristig zu verbessern. Auf meine Kopfgelenke beziehungsweise Halswirbelsäule bezogen bedeutet das: zweimal pro Woche isometrische Stabilisationsübungen (Flexion/Extension, Lateralflexion, Rotation), sowie zweimal pro Woche FPZ-Training der Halswirbelsäule an Geräten einer dafür spezialisierten Firma (Flexion/Extension, Lateralflexion, Rotation). Sowohl bei den isometrischen Übungen als auch bei den Halswirbelsäulen-Geräten im FPZ-Studio gilt: Mit sehr, sehr wenig Widerstand beziehungsweise Gewicht starten und beides nur ganz langsam aber kontinuierlich steigern. Hierbei ist Kontinuität das Allerwichtigste, und man muss geduldig sein. Um erste Erfolge verzeichnen zu können, muss man mindestens sechs Monate trainieren, und man muss das Training sein Leben lang fortführen. Sinnvoll ist es, auch bei Kopfgelenksinstabilitäten zusätzlich seinen ganzen Körper fit zu halten. Entweder in Form von beispielsweise regelmäßigem Schwimmen, Ganzkörper- Muskelaufbautraining und/oder Ganzkörper-Stabilisationstraining durch Training der Tiefenmuskulatur. Durch meine spezielle Grunderkrankung habe ich mich für eine Kombination aus allem entschieden. Mein Trainingsplan sieht folgendermaßen aus:

Montag:	Ganzkörper-Stabilisationstraining (inklusive der Halswirbelsäule (isometrisch))
Dienstag:	FPZ-Training (Ganzkörper-Muskelaufbautraining an Geräten, inklusive der Halswirbelsäule)
Mittwoch:	Frei
Donnerstag:	Ganzkörper-Stabilisationstraining (inklusive der Halswirbelsäule (isometrisch))
Freitag:	FPZ-Training (Ganzkörper-Muskelaufbautraining an Geräten, inklusive der Halswirbelsäule)
Samstag:	Rückenschwimmen
Sonntag:	Frei

Bevor man ein solches Trainingsprogramm beginnt, ist es überaus wichtig, einen Arzt zu konsultieren. Dieser muss das Training unbedingt davor absegnen. Bitte bedenken Sie außerdem, dass dies mein ganz persönlicher Trainingsplan ist. Jeder muss sich seinen eigenen Plan erstellen, angepasst an sein eigenes, individuelles Leistungsniveau. Vor allem beim Training des zervikalen Muskelapparates gilt: Mit ganz wenig Gewicht starten, um die Halswirbelsäule nicht zu überlasten.

Ich hoffe, ich konnte irgendjemandem mit meiner Geschichte helfen. Wenn ich damit nur einer Person, die Ähnliches durchmacht, sagen kann, dass sie mit diffusen Symptomen, teilweise überwältigenden Symptomen, nicht alleine ist, würde mich das schon freuen. Ich kann jedem Menschen mit einer Kopfgelenksinstabilität, egal wie schlimm die Symptome sind, nur raten: Fangt an zu trainieren!

Dann werden die Symptome auch ganz langsam besser. Bleibt dran und haltet durch!

Was mir ganz besonders am Herzen liegt und ich noch sagen möchte: Vielen Dank an meine Familie, Freundinnen und Freunde, dass ihr mich in dieser schwierigen Zeit so unterstützt habt. Ich bin euch unendlich dankbar!

Martin N.

15. Schnitzeljagd mit Langzeitfolgen

Ich war 16 Jahre alt, und wie es in diesem Alter so ist, möchte man gerne Dinge tun, die sonst nur den Erwachsenen erlaubt sind, zum Beispiel bis spät nachts weggehen. Normalerweise musste ich um 22 Uhr zu Hause sein. Als Mitglied im Rock 'n' Roll Club trainierte ich mit meinem Tanzpartner für Turniertanz, und unser Verein hatte zu einer „Schnitzeljagd" in Form einer Auto-Rallye eingeladen. Die Abschlussveranstaltung sollte bis deutlich nach Mitternacht stattfinden. Bitte verstehen Sie es nicht falsch, es war kein Autorennen um Geschwindigkeit, sondern es ging um die Erfüllung von Aufgaben und das Abfahren der herausgefundenen Lösungen. So, nun musste nur noch meine Mutter überredet werden, dass ich viel später als sonst nach Hause kommen würde. Mein vier Jahre älterer Bruder setzte sich sogar für mich ein, und das half enorm weiter, ich durfte teilnehmen. Am frühen Nachmittag des 15. Mai 1982 trafen wir uns auf dem Parkplatz der Grundschule, in der wir immer trainierten. Als alle PKW mit Fahrer und Beifahrer bestückt waren, blieben nur ein Vereinskamerad und ich übrig. Er hatte allerdings seiner Mutter versprochen, nicht selbst zu fahren, da er erst seit drei Wochen den Führerschein besaß. Er war mit deren Renault 4 zum Treffpunkt gekommen, in der Annahme, dass auch er irgendwo mitfahren könne. Nach kurzem Überlegen entschied er sich, den Wagen selbst zu lenken, holte aber im Vorbeifahren die elterliche Genehmigung ein.

Nun ging es weiter mit der Schnitzeljagd. Wir erfüllten einige Aufgaben, und es war ca. 16 Uhr, als wir eine Landstraße befuhren. Uns voraus wollte ein PKW links in die Einfahrt eines Badesees abbiegen. Mein Vereinskamerad fuhr und fuhr, ohne Anstalten zu machen, aufs Bremspedal zu treten oder irgendeine Reaktion zu zeigen. Im letzten Moment schrie ich: „Achtung, da vorne!" Er riss das Lenkrad nach rechts herum, doch es war zu spät. Wir donnerten ungebremst mit der Fahrerseite in den stehenden PKW und überschlugen uns. Das Auto blieb auf dem Dach liegen. Ich bekam den Unfall bei vollem Bewusstsein mit. Glück oder Unglück für meinen Vereinskameraden, er war bewusstlos und konnte sich im Nachhinein an nichts mehr erinnern. Ich hing mit dem Kopf nach unten im Sicherheitsgurt und mit den Füßen zum Auto raus, denn die Türen waren abgerissen.

Helfer waren schnell zur Stelle, da der Badesee auch über eine Sanitätsstation verfügte. Irgendwie schaffte ich es, den Gurt zu öffnen, und man half mir aus dem Unfallauto. Das einzige was ich bemerkte, war zunächst mein angeschwollener linker Fuß und dass ich nicht mehr laufen konnte. Ich kam mit dem Krankenwagen ins Krankenhaus - mein Vereinskamerad hingegen wurde mit dem Helikopter abtransportiert. Wie ich am nächsten Tag erfuhr, fragte sich die Polizei, wie wir aus diesem Fahrzeug lebend herausgekommen seien, und sie war der Meinung, dass wir unseren zweiten Geburtstag feiern könnten. Nach der ambulanten Versorgung im Krankenhaus wurde ich noch am selben Tag entlassen, am nächsten Tag stellten sich viele Beschwerden ein: Ich hatte Kopfschmerzen, Übelkeit, der ganze Körper schmerzte, und überall entstanden blaue Flecken. Der Fuß tat weh, und ich konnte nur mit Krücken laufen. Nach ein paar Tagen zu Hause ging ich mit Krücken wieder zur Schule, da der Schulabschluss kurz bevorstand. Drei Wochen später folgte dann ein Gehgips, und nach ca. 6 Wochen nahm ich das Rock 'n' Roll Training wieder auf. Ich begann im Sommer meine Ausbildung als Erzieherin. Im selben Jahr hatte ich im Oktober noch einmal einen Unfall als Beifahrerin. Der Unfallverursacher hatte „rechts vor links" nicht beachtet, es kam zum Seitenaufprall in meine Beifahrerseite. Danach hatte ich abermals Schwindel, Kopf- und Nackenschmerzen.

Am 01.08.1983 wechselte ich meinen Ausbildungsberuf, ich hatte mich doch für die Ausbildung zur Arzthelferin entschieden und erreichte 1985 meinen Abschluss. Es sollte noch ein Sturz auf den Kopf bei einer Akrobatikfigur im Training folgen, und last but not least

„schrottete" ich im Juli 1987 das Auto meiner Mutter auf einer Landstraße, als mir ein PKW ungebremst am Stauende ins Heck fuhr. Meine HWS hatte damit echt viel zu verkraften. Ein Wunder, dass der Kopf noch da sitzt, wo er hingehört. Damals trug man nach Unfällen mit Schleudertrauma eine sogenannte Schanz'sche Halskrawatte. Auf diese hatte ich aber nach zwei Tagen keine Lust mehr, da mich bei der Arbeit alle Patienten fragten, was ich denn gemacht hätte. Eine Krankmeldung erhielt ich damals nicht, denn welcher Arzt schreibt schon gerne das Personal von Kollegen krank? In der Folge hatte ich oft Verspannungen und Rückenschmerzen, die ich zunächst nur bedingt im Zusammenhang mit den Unfällen sah. Mein Chef, der zu dieser Zeit mein Hausarzt war, verordnete mir Massagen und Fango, und manchmal akupunktierte er mich.

Im Sommer 1988 lernte ich meinen Mann kennen, im Jahr darauf zog ich von zu Hause aus und wechselte auch gleichzeitig meinen Arbeitsplatz. Dort kam ich vom Regen in die Traufe, sodass ich nach neun Monaten abermals wechselte. Im Juli 1990 war die „Weiße-Kittel-Zeit" für mich vorbei, ich begann meine Tätigkeit als Sachbearbeiterin bei einer privaten Krankenversicherung. Bei dieser bin ich bis heute beschäftigt. Rückblickend merkte ich damals schon, dass mir der Wechsel zur PC-Arbeit Probleme bereitete. Ich bemerkte Sehprobleme, obwohl die Brille ausreichend war. Die überwiegend sitzende Tätigkeit tat mir nicht gut, und ich hatte Konzentrationsstörungen. Wir gingen regelmäßig ins Fitnessstudio, das Rock 'n' Roll Training hatte ich aufgegeben. Stattdessen frischten wir unsere Tanzkenntnisse auf und sorgten auch an den Wochenenden für Bewegung. Da ich gerne nähte, besuchte ich einen Nähkurs. Das Arbeiten an der Nähmaschine machte mir Schwierigkeiten, da ich in gebeugter Kopfhaltung arbeitete - Kopfschmerzen und Verspannungen waren die Folge. Im Jahr 1991 zog mein Mann zu mir und 1993 folgte die Hochzeit. Vor dem Altar schworen wir uns: „In guten wie in schlechten Zeiten…" Mein Mann sollte die guten bekommen, ich die schlechten… 1994 kündigte sich unsere erste Tochter an, wir freuten uns riesig. Nachdem die Zeit der Schwangerschaftsübelkeit vorbei war, stellten sich immer mehr Kopfschmerzen ein, die ich nicht mehr loswurde. In Folge dessen wurde ich öfter krankgeschrieben. Als dann unsere Tochter im Mai 1995 geboren wurde, waren wir sehr glücklich, doch mich erschöpfte vieles schnell. Als sie sieben Wochen alt war, zogen wir in eine größere Wohnung. Sie war relativ unkompliziert, trank gut, schlief gut und füllte gut die Windeln. Irgendwann wurde mir klar, dass die Beschwerden von meiner HWS stammen mussten, doch ich kannte die Zusammenhänge nicht, und Google gab es damals auch noch nicht. Ich erhielt Verordnungen über Krankengymnastik und Manuelle Therapie, belegte einen Rückenschulkurs bei meiner Physiotherapeutin. Ich brachte sogar unser Auto mit, damit mir gezeigt wurde, wie man rückengerecht im Auto fährt, sowie ein- und aussteigt. Dies linderte die Beschwerden. Mein neuer Hausarzt renkte mich häufig ein, er sagte, dass meine HWS bei den vielen Unfällen wohl einen Knacks abbekommen hätte. Doch was sollte ich damit anfangen, es gab ja nicht wirklich eine Lösung dafür. Wenn ich mich heute mit meinen langjährigen Freundinnen unterhalte, sagen diese, dass sie mich aus dieser Zeit schon mit HWS Beschwerden kennen. 1997 renkte sich bei einer Zahnersatzbehandlung durch die lange erforderliche Mundöffnung mein Kiefergelenk aus. Mein Zahnarzt renkte den Kiefer ein. Super, das auch noch! Er fragte mich, ob ich Unfälle gehabt hätte, weil mein linkes Kiefergelenk so knirsche. Ich bekam eine Aufbissschiene für nachts und erhielt den Rat, nach Möglichkeit weite Mundöffnungen, z. B. das Beißen in einen Apfel und auch Kaugummi kauen zu vermeiden. Ging eh nicht mehr! Lange Mundöffnungen beim Zahnarzt waren von jetzt an schwierig. Außer der Diagnose „HWS-Syndrom" hatte ich auch noch eine „Craniomandibuläre Dysfunktion" (kurz: CMD). Diese Erkrankung des Kiefergelenks war damals noch nicht besonders bekannt. Irgendwann erhielt ich Physiotherapie für den Kiefer.

Im Mai 1998 kam unsere große Tochter in den Kindergarten, und ich nahm wieder meine Tätigkeit als Sachbearbeiterin auf, arbeitete 20 Stunden pro Woche. Wir planten den Hausbau, und da damit die finanzielle Belastung steigen würde, bat ich um die Erhöhung meiner Arbeitszeit ab November 1998 auf 25 Stunden. Während der Bauphase verschlimmerten sich meine Beschwerden, ich bekam jetzt auch noch am rechten Arm eine Sehnenscheidenentzündung und war 9 Wochen arbeitsunfähig. Aber wie sollte ich ein kleines Kind versorgen? Eine Putzfrau musste vorübergehend her, das erleichterte vieles. Irgendwann war ich total erschöpft und begab mich mit unserer Tochter im Januar 2000 in eine Mutter-Kind-Kur. Dort musste ich zum ersten Mal kämpfen, da mir meine Beschwerden nicht geglaubt wurden. War ich doch erst 34 Jahre alt und in gutem Trainingszustand, mit Fitnesstraining hatte ich nie aufgehört. Ich kam mir vor wie ein Hypochonder..., wurde dann aber in eine benachbarte orthopädische Klinik gefahren und dort von einem Orthopäden untersucht, dem ich auch von den Unfällen berichtete. Plötzlich erhielt ich jede Menge physikalische Anwendungen, und es ging mir nach dem Aufenthalt deutlich besser. Im Juli 2000 zogen wir ins eigene Haus ein, und im Oktober 2000 kündigte sich zu unserer Freude unsere zweite Tochter an. Mir ging es in der Schwangerschaft wesentlich schlechter als bei der ersten. Ich litt an Übelkeit, erbrach viel und musste deswegen sogar ins Krankenhaus. Meine Kollegen hatten schon gar nicht mehr damit gerechnet, dass ich in der Schwangerschaft noch mal arbeiten würde.

Ab März 2001 wechselte mein Mann in den Außendienst. Dies bedeutete, dass er manchmal von zu Hause aus arbeitete, aber er würde öfter von zu Hause weg sein, auch über Nacht. Ich würde also mit den Kindern häufig alleine sein. Ende Mai 2001 wurde unsere zweite Tochter geboren. Nach der Entbindung hatte ich das Gefühl, dass ich das alles nicht hinbekäme, obwohl ich eigentlich schon eine Anpackerin bin. Es gab Stillprobleme, ich war nur noch erschöpft, was ja nicht unbedingt unnormal ist. Die Kleine trank sehr schlecht, wurde nicht satt, spuckte viel und schlief schlecht. Nach 6 Wochen entschieden wir uns schweren Herzens abzustillen, da ich vollständig entkräftet war. Zudem war es Juli, sehr heiß, und ich litt unter meinem Heuschnupfen. Wegen des Stillens konnte ich keine Medikamente nehmen. Es lief mit dem Fläschchen tatsächlich besser. Im Sommer kam die Große in die Grundschule. Ab dieser Zeit hatte ich sehr viele Spannungskopfschmerzen, die HWS war dauerblockiert. Ich versorgte manchmal total benommen den Haushalt und die Kinder. Das Tragen des Babys fiel mir schwer, ich setzte mich dann eher hin und nahm sie auf den Schoß. Da es zu familiären Spannungen kam, suchte ich 2002 eine Psychologin auf. Im gleichen Jahr ging ich auch zum ersten Mal zu einem Schmerzarzt, der diagnostizierte, dass ich einen sehr hohen Muskeltonus hätte, der vielleicht mit den Unfällen in Verbindung stehen könnte. Er konnte mir das aber auch nicht erklären und empfahl mir bei Bedarf das Präparat Katadolon (Wirkstoff: Flupirtinmaleat, Schmerzmittel mit Muskelrelaxans) einzunehmen. Es machte mich erstmal müde, aber ich nahm es bei Bedarf, mir ging es damit besser. Die Familie musste ja versorgt werden. Ich konnte machen was ich wollte, die Muskulatur ließ sich durch nichts entspannen. Ich war schnell gereizt und schimpfte oft mit den Kindern. Zu dieser Zeit hatte ich auch viele Zahnarztbesuche, denn ich hatte mit Wurzelentzündungen zu kämpfen. Mein Zahnarzt meinte, dass dies von der Schwangerschaft käme, da sei die Immunabwehr herabgesetzt. Der Zahn 16 musste entfernt werden, und ich erhielt eine Brücke als Zahnersatz. Die Psychotherapie brachte auch nicht viel, sie raubte mir meine ohnehin knappe Zeit, war doch mein Hauptproblem die Spannung im Kopf.

2003 suchte ich einen anderen Orthopäden auf, der mich häufig einrenkte und auch gelegentlich neuraltherapeutisch behandelte. Er diagnostizierte zusätzlich einen Beckenschiefstand mit leichter Beinlängendifferenz und eine leichte Skoliose. Irgendwann kam dann ein Senk-Spreiz-Knick-Fuß dazu. Ich trug dann auch fleißig Einlagen. Als unsere Kleine im September 2003 in einen privaten

Kindergarten kam, nahm ich die Arbeit mit 20 Wochenstunden wieder auf. Am Arbeitsplatz bekam ich eine andere Tätigkeit als vor der Schwangerschaft, die mir aber nicht so gut lag. Das bereitete mir zusätzlichen Stress. Wenn eines der Kinder krank war, sprang meine Mutter ein, damit ich arbeiten konnte. Da mein Mann mit den Kindern privat krankenversichert war, standen mir die Krankschreibungstage für Erkrankungen der Kinder, wie es bei der gesetzlichen Krankenversicherung möglich ist, nicht zur Verfügung. Viel erzählt habe ich in der Familie nicht von meinen gesundheitlichen Beschwerden, denn ich hätte mir dann Bemerkungen wie „du machst dir zu viel Stress" anhören können. So suchte ich manchmal die Schuld für meine Beschwerden bei mir selbst. Ist natürlich paradox, zumal die Unfälle ja bekannt waren, doch es gab halt keine Diagnostik, aus denen man die Beschwerden ableiten konnte. Eigentlich ging ich gerne arbeiten, doch es bereitete mir Probleme, beruflich dran zu bleiben. In Teilzeit alles aufzunehmen, zudem vieles neu zu lernen, wofür Vollzeitkräfte den ganzen Tag Zeit haben, war sehr viel. Das Konzentrieren funktionierte immer schlechter, zudem hatte ich auch weniger Schlaf, da unsere kleine Tochter oft krank war, und dadurch die Nächte häufig kurz wurden. Meistens wurden die Kinder gerade dann krank, wenn mein Mann geschäftlich unterwegs war, da konnte ich die Uhr nach stellen. Am Wochenende massierte sich mein Mann an meiner knallharten Nacken- und Schultermuskulatur die Finger wund. Er versuchte mich nach allen Kräften zu unterstützen.

2005/2006 bekam ich Trigeminusschmerzen, Gesichtsschmerzen, Nebenhöhlenbeschwerden, Schwindel - der Kopf wollte nicht mehr mitmachen. Röntgen der Nebenhöhlen brachte kein Ergebnis, und die Zähne waren angeblich auch in Ordnung. Das MRT des Gehirns ergab, dass ich eines hatte, mehr aber nicht. Mein Hausarzt verschrieb mir Gabapentin (ein Medikament für Epilepsie), doch das vertrug ich nicht und entschied mich weiterhin Katadolon zu nehmen, damit kam ich klar. Im Februar 2007 wechselte mein Mann wieder vom Außendienst in den Innendienst zurück. Für die Familie war es von Vorteil, dass der Papa jetzt geregelte Arbeitszeiten hatte. Im Mai 2007 wurde mir der rechte Eierstock wegen einer Zyste entfernt. Die Operation dauerte zwei Stunden und hatte mich total geschafft. Ich hatte das Gefühl, mein Gehirn sei gleich mit entfernt worden. So brauchte ich sechs Wochen, um wieder arbeitsfähig zu werden. Irgendwann kam dann noch ein Tinnitus hinzu. Im Sommer wurde dann unsere kleine Tochter eingeschult. Unsere große Tochter war mittlerweile in der 6. Klasse des Gymnasiums. Die nachmittäglichen Hausaufgaben der beiden Kinder empfand ich immer als sehr anstrengend. Beide lernten nicht besonders gerne, und ich war nach der Arbeit immer erledigt. Ich konnte mich dann auch nur noch schlecht konzentrieren und verlor dann schnell die Geduld beim Erklären. Da wir zwei vermietete kleine Eigentumswohnungen besaßen, mussten diese auch öfter renoviert werden, insbesondere da es Mieter gab, die die Wohnungen bei Auszug im verwahrlosten Zustand hinterließen. Gelegentlich konnte auch die Miete nicht bezahlt werden. Diese Sachverhalte trugen auch nicht gerade zur Entspannung bei. Wir trennten uns endlich im Jahr 2017 von diesen Wohnungen. Ich beantragte wieder eine Mutter-Kind-Kur und trat diese im April 2008 völlig erschöpft mit unserer Kleinen an. Die Klinik war hervorragend, die Physiotherapeuten hatten goldene Hände, und die Ärzte behandelten mich dort ganzheitlich. Ich erholte mich gut, beherzigte die Ratschläge zum Rückentraining, und sogar mein Tinnitus verschwand. Allerdings sollte ich vor Ablauf von drei Jahren wieder eine Kur beantragen, so die Empfehlung. Dies ließ sich zeitlich leider nicht realisieren. Wegen der chronischen Schmerzen stellte ich einen Antrag auf Schwerbehinderung, bekam aber nur Schweregrad 20.

Kommt man nun als Mutter mit total neuen Eindrücken und Veränderungswillen aus einer solchen Klinik zurück, wird man schnell auf den Boden der Tatsachen zurückgeholt, denn die Daheimgebliebenen haben keinen Bock auf Veränderung. So ist man schnell wieder im alten Trott und funktioniert wie vorher. Ich machte allerdings mehr Rückentraining, ging in die VHS zum Rückenfitnesskurs, doch ich erhielt keine Erleichterung der Beschwerden. Am Arbeitsplatz stieg der Druck, ich schaffte das Pensum einfach nicht. So bekam ich von meiner Chefin bei einem Mitarbeitergespräch zu hören: „Die anderen schaffen das auch." Ich antwortete: „Ich bin aber nicht die anderen!" Zusätzlich kam die Bemerkung von ihr: „Das ist Ihre letzte Chance." Daraufhin fragte ich, was dann wäre, erhielt aber keine Antwort. Ich arbeite immer noch dort. Da die HWS Beschwerden sich weiter verstärkten, wurde ein MRT durchgeführt. Außer einer Steilstellung der HWS und leichten Vorwölbungen war nichts zusehen. 2011 erhielt ich eine Krone an Zahn 36 (Bissveränderung) und im November 2011 wieder eine Wurzelspitzenresektion an Zahn 46. Vermutlich dadurch hatte ich im Jahr 2012 abermals eine Erschöpfung. Es ging wieder einmal nichts. Ich war acht Wochen arbeitsunfähig, hatte zu diesem Zeitpunkt wieder Gesichtsschmerzen, der Trigeminus machte sich bemerkbar. Erneute Psychotherapie zur Stressbewältigung, doch mein Hauptstress waren die Schmerzen, die mich fertig machten. Ohne die Tabletten des damaligen Schmerzarztes hätte ich die ganzen Jahre nicht durchgehalten. Das Präparat ist seit 2018 leider vom Markt - Danke liebe Leber, dass du es so gut vertragen hast. Antidepressiva bekam ich auch, die nutzten aber nichts, die Stimmung wurde auch nicht besser. Nach meiner Rückkehr an den Arbeitsplatz hatte meine Chefin ein Einsehen, und ich bekam eine andere Tätigkeit und es lief erst einmal gut für mich. Stressig war es trotzdem. Horror sind für mich allerdings Schulungen und Seminare. Meistens sind die Stühle schlecht, und es bereitet mir Probleme, lange nach rechts oder nach links zu schauen und vor allem den ganzen Tag zu sitzen.

Zu Hause hing der Haussegen dann noch öfter schief, als unsere große Tochter in die Pubertät kam und unsere jüngere in die weiterführende Schule. Jeder zusätzliche Stress belastete mich noch mehr. Unsere Älteste machte dann den Führerschein mit 17. Da ich das

Auto am meisten nutze, mein Mann fährt mit der S-Bahn zur Arbeit, wurde es schwierig, da ich eine schlechte Beifahrerin bin - Sie kennen ja meine Vorgeschichte. Ich habe halt lieber das Gas- und Bremspedal selbst unter dem Fuß. Sie tat mir schon sehr leid, wir fuhren nicht sehr oft gemeinsam. Es war dann für uns beide ein Segen, als sie 18 wurde und alleine fahren durfte.

Im Frühjahr 2013 erkrankte ich abermals an einer Sehnenscheidenentzündung, aber diesmal links. Ich hatte noch gar nicht erwähnt, dass die linke Körperhälfte mir die meisten Beschwerden bereitet. Erneut war ich 10 Wochen arbeitsunfähig, bedingt durch die Hartnäckigkeit der Entzündung. Eine beantragte Reha wurde abgelehnt. Ende 2013 bot man uns Teilzeitkräften eine Arbeitszeiterhöhung an, die ich wahrnahm und die wöchentliche Arbeitszeit auf 24 Stunden erhöhte. Da unsere große Tochter studieren wollte, konnten wir das zusätzliche Geld ganz gut gebrauchen. Ich bat meine Familie darum, mich ein wenig bei der Hausarbeit zu unterstützen. Die Belastung zu Hause blieb aber gleich. Wegen meines Heuschnupfens entschied ich mich im Januar 2014 noch einmal eine Desensibilisierung mit dem Präparat Oralair zu beginnen. Dies sind Tabletten, die man zunächst beim Hautarzt oral einnimmt und 30 Minuten wartet, ob es körperliche Reaktionen gibt. Die Tablettenmenge sollte ich dann selbst in den nächsten Tagen steigern. Für Februar war dann eine ambulante Krampfaderoperation geplant. Da ich immer Kribbeln im Mund nach der Einnahme des Medikaments verspürte, nahm ich zusätzlich Allergietabletten ein, was nicht ungewöhnlich ist bei einer Desensibilisierung. Allerdings vergaß ich zwei Mal die Allergietabletten und hatte plötzlich eine allergische Reaktion in Form von Pusteln an den Beinen und im Gesicht. Oh Mann, schon wieder was Neues, dachte ich. Das war zwei Tage vor der geplanten OP. Ich wurde mit Kortison und Allergietabletten behandelt, meine Hautärztin behauptete, das sei nicht vom Oralair, ich hätte bestimmt irgendetwas Unverträgliches gegessen. Ja klar, danach sieht man so aus, ich habe keine Nahrungsmittelunverträglichkeiten. Ich könne aber operiert werden.

Nach der OP wieder zu Hause, bemerkte ich Herzbeschwerden. Mein Mann telefonierte mit dem Chirurgen, der aber der Meinung war, ich hätte wohl Angst vor der OP gehabt, sollte etwas sein, so könnten wir den Notarztwagen rufen. Das taten wir nicht, am nächsten Tag war die Nachuntersuchung, da ging es mir besser. Natürlich hatte ich keine Angst gehabt, war ja nicht meine erste OP. Meine Hautprobleme ließen nicht nach, ich hatte Schmerzen und Schwellungen in den Beinen, konnte die Treppe nicht mehr rauf gehen, grippeähnliche Symptome. Nach einer Biopsie stellte sich heraus, dass ich ein seltenes Erythema nodosum (sog. Knotenrose, akut-entzündliche Hauterkrankung der Unterhaut) auf Grund der Desensibilisierung bekommen hatte. Angeblich europaweit der erste Fall, laut der Pharmareferentin. Soviel zum Thema etwas Falsches gegessen zu haben. Der Venenchirurg sagte mir sechs Wochen später, dass er mich nicht operiert hätte, wenn er gewusst hätte, dass ich ein Erythema nodosum habe. Im März hatte ich dann wieder Herzstolpern, sodass wir ein nahe gelegenes Krankenhaus aufsuchten. In der Notaufnahme wurde ein EKG geschrieben, das unauffällig war. Ich könne nach Hause, weil kein Bett frei war, doch bei Verschlechterung solle ich sofort wiederkommen, ansonsten am Montag zur eingehenden Untersuchung. Den Spruch des jungen Arztes vergesse ich nie: „Krankheiten kommen schleichend." Er sollte Recht behalten. Montags wurde beim Herzultraschall eine leichte Herzbeutelentzündung festgestellt, also doch keine Einbildung, mein Herzstolpern. Ich wurde stationär aufgenommen und vier Tage durchgecheckt. Es sollte 5 Monate dauern, bis meine Beine nicht mehr geschwollen waren und die Rötung verschwunden war. Desensibilisiert werden darf ich nicht mehr. 2014 fuhren wir mit unserer Jüngsten in den Urlaub an die Ostsee. Auch dort hielt ich es vor Nacken- und Schulter-Beschwerden mal wieder nicht aus und suchte, wie schon öfter im Urlaub, eine Physiotherapeutin auf. Urlaube sind bei mir immer schwierig. Ich fahre gern in Urlaub, aber ich würde gerne mein Bett mitnehmen. Ich hatte dort auch zum ersten Mal mit Schweißausbrüchen zu kämpfen. Sind das etwa schon die Wechseljahre, dachte ich mir? Der Urlaub brachte wenig Erholung.

Zu Hause bat ich meinen Hausarzt dann um die Verordnung von Physiotherapie, da ich schließlich nicht alles durch Sport kompensieren könne. Ich bin gesetzlich krankenversichert, da sind die Ärzte sparsam mit den Verordnungen. Sehr häufig finanzierte ich Osteopathie, Massagen, Akupunktur selbst, um irgendwie Linderung der Beschwerden zu bekommen. Zum späteren Zeitpunkt auch Hypnosebehandlung, Amalgamausleitung und Atlaskorrektur.

Im Oktober 2014 flogen wir mit unserer Jüngsten noch einmal in Urlaub, nach Lanzarote. Mir ging es nicht gut, ich hatte sehr starke Probleme mit der Wärme, die Laune war nur noch im Keller. Wieder die Wechseljahre? „Da musst du irgendwie durch", dachte ich. Ist aber komisch, keiner meiner Freundinnen ging es so bescheiden wie mir. Ende 2014 nahmen die Schulterschmerzen links zu. Den Arm konnte ich nur noch schwer heben. Ich machte gezielt Schultertraining, wir hatten uns das Trainingsgerät „Schulterhilfe" angeschafft. Im Fitnessstudio konnte ich vieles nicht mehr mitmachen, da es mich mehr belastete als guttat. Im Februar 2015 wurde ich in den linken Arm geimpft. Es stand die Diphterie-Tetanus- Pertussis-Impfung an. Ich bekam danach Fieber für drei Tage und der Arm machte noch mehr Probleme, zudem hatte ich Kopf- und Gliederschmerzen. „Naja", dachte ich, „so ging es meinen beiden Mädels auch nach jeder Impfung im Kindesalter. Jetzt siehst du mal, wie es den armen Babys geht!" Den Arm konnte ich weiterhin nicht richtig bewegen. Ich suchte mal wieder meinen Orthopäden auf. Praktisch, dass dort meine ehemalige Schulkameradin arbeitete. So erhielt ich immer schnell einen Termin und musste nicht so lange warten. Das Röntgen der Schulter ergab die Diagnose Impingementsyndrom (Engpasssyndrom), das haben viele in diesem Alter, so der Arzt. Na bravo, da kommen ja immer mehr Punkte dazu, das ist ja wie bei Payback. Mir fiel ein, dass ich schon nach der Mutter-Kind-Kur im Jahr 2008 Schulterprobleme hatte. Ich sollte nun drei Kortisonspritzen im Abstand von drei Wochen in die Schulter bekommen und zusätzlich Physiotherapie. Krankschreiben ließ ich mich nicht, arbeitete manchmal nur mit der rechten Hand, da ich starke Schmerzen hatte. Diese zogen an der linken Halsseite bis zum Ohr hinauf, manchmal musste ich die Zähne zusammen beißen vor Schmerzen. „Wenn sich die Beschwerden nicht bessern, muss die Schulter operiert werden", so mein Orthopäde. „Nee", dachte ich mir, „meine Physiotherapeutin ist der Meinung, dass wir das so hinkriegen. Im Juli habe ich 25-jähriges Betriebsjubiläum, das will ich mit den Kollegen feiern, das ziehe ich durch!" Und die Kollegen halfen mir dabei, da sie wussten, dass es mir nicht gut ging. Auch mein Mann half bei den Vorbereitungen. Es war eine schöne Feier. Die Kortisonspritzen brachten nicht den erhofften Erfolg. Ich gab mir Zeit: „Vielleicht geht es mit der Physio und gutem Schultertraining ja doch noch weg." Manchmal mussten mir meine Mädels helfen, das Shirt über den Kopf zu ziehen.

Der Sommer kam, ich hatte solche Hitzewallungen und zusätzlich Schlafstörungen, es brannte mir im Gesicht. „Mist, Wechseljahre -Homöopathie muss her!" Das half nur geringfügig. Im August bekam ich nach einem Besuch am Badesee einen Ausschlag unter der Brust und am Bauch. Wir fuhren aber erst einmal in den Urlaub nach Oberbayern auf unseren Lieblingsbauernhof, wieder mit unserer jüngeren Tochter. Der Sommer 2015 war sehr heiß, es hatte monatelang nicht geregnet. Mir bereitete die Hitze große Probleme. Erst einen Tag bevor wir in Urlaub fahren wollten regnete es. Auf dem Bauernhof ist es im Sommer immer sehr angenehm, da er sich mitten im Wald in Einzellage befindet. Da ist es nachts kühler, und man kann gut schlafen. Wir zählen dort zu den Stammgästen und hatten über die Jahre sehr schöne Urlaube, da die Kinder immer gut beschäftigt waren. Auch unsere Jüngste hatte plötzlich nach dem

Badeseeaufenthalt einen Hautausschlag an den Oberschenkeln. Wir suchten daher am Urlaubsort eine Hautarztpraxis auf, aber nur, um unsere Tochter behandeln zu lassen, da es sich um eine Privatpraxis handelte. Ich bin ja, wie erwähnt, gesetzlich krankenversichert. Irgendetwas musste im Badesee gewesen sein, wahrscheinlich weil es so lange nicht geregnet hatte. Es wurde für sie eine Salbe angefertigt, die ich dann einfach auch mitbenutzte. Bei ihr half sie, bei mir wurde der Ausschlag schlimmer.

Nach dem Urlaub suchte ich meine Hautärztin auf, sie hatte keine Ahnung, was das sein könnte. Ich cremte mit verschiedenen Salben, es half nichts. Irgendwann war die Ärztin im Urlaub, und ich ging zur Urlaubsvertretung. Der Arzt sprach einen Verdacht aus und machte eine Biopsie, die seinen Verdacht bestätigte. Ich hatte die seltene Hauterkrankung Morbus Grover. Diese bekommen in der Regel eher Männer, doch ich hatte mal wieder „hier!" geschrien. Mein Hausarzt sagte dazu: „Was denn noch alles?" Das Blöde ist, es hilft nichts wirklich. Mich hat das wieder viel Beschäftigung und damit Zeit gekostet, denn eigentlich hatte ich mit meinen Schulterbeschwerden genug zu tun. Aber es sollte noch mehr kommen, man glaubt es kaum, schlimmer geht immer. Meine Schulterschmerzen wurden nicht weniger, trotz Kortison. So überwies mich mein Orthopäde an einen Schulterspezialisten zwecks eventueller OP. Es war Herbst und im Januar sollte mein 50. Geburtstag gefeiert werden. Zudem hatte unsere Älteste angekündigt, dass sie eine WG mit einem Freund gründen wolle und Anfang Dezember ausziehen würde. Der Schulterspezialist stellte fest, dass meine Schultermuskulatur bretthart war. „Solche Leute wie sie bekomme ich nicht hin, doch sie haben keine andere Chance, ich operiere sie", sagte der Arzt. Nach dem Motto: „Du hast keine Chance, nutze sie". Ich stand vor ihm und hatte Tränen in den Augen, wollte ich doch endlich diese furchtbaren Schmerzen loswerden. Schlafen konnte ich deswegen ja auch nicht mehr. Mein Orthopäde sagte zu dieser Bemerkung: "Ich kenne den Arzt gut, das wird schon." Jetzt kam aber erstmal der Auszug der Tochter dran, und dann sollte der 50. Geburtstag im Januar gefeiert werden, danach fände sich schon ein Termin zur OP. Naja, Weihnachten stand auch noch vor der Tür, sowie die Renovierung des Jugendzimmers unserer Großen nach deren Auszug. Außerdem wollte unsere Jüngste dann beide Zimmer haben, und deshalb sollten diese nach ihren Vorstellungen renoviert werden. Das haben wir mit Hilfe unseres Malers auch hinbekommen. Die Jüngste war happy. Wir feierten mit 50 Personen meinen 50. Geburtstag und den meines Mannes gleich mit, da er im Vorjahr 50 geworden war, zusammen also den 100. Ich hatte mir den 16. März für die Schulter-OP ausgesucht. Schnell ging es 5 Tage davor noch zu einem Konzert nach München, für das unsere Mädels Karten hatten. Die beiden waren beim Konzert, und mein Mann und ich machten uns einen schönen Abend in München.

Am 16. März 2016 war dann die ambulante Schulter OP: Aus der Narkose bin ich schlecht erwacht, ich fror und zitterte vor Schmerzen. Es musste ein Heizgebläse benutzt werden, um mich irgendwie zu wärmen. Sollte ich doch schnell die Praxis verlassen, da es schon Abend war und das meiste Personal schon Feierabend hatte – es gab bei den OPs der Patienten vor mir unendliche Verzögerungen. Irgendwie schaffte mein Mann mich nach Hause. Die kommenden Wochen waren bescheiden, denn nach einer solchen OP kann man die täglichen Verrichtungen nicht gut durchführen. Ich war nur schlecht drauf. Meine Muskulatur blieb trotz Physio und Gymnastik im schlechten Zustand und bretthart. Der Chirurg hatte Recht behalten. „OP gelungen, Patient tot", bzw. die Beschwerden verschwanden nicht. Ich hatte nachts totale Schmerzen, Schweißausbrüche und Herzrasen kamen auch wieder dazu. Ich schrie nachts sogar unbewusst vor Schmerzen. Wieder einmal 10 Wochen arbeitsunfähig. Danach ging ich wieder arbeiten, obwohl es mir noch nicht gut ging. Aber wann ging es mir schon gut? Freunde hatten auch Schulteroperationen gehabt, denen ging es nicht so schlecht wie mir, die waren schnell wieder fit. Verzweifelt suchte ich nach Lösungen. Ich hatte keine Kraft mehr, alles ging sehr schwer, morgens waren meine Beine so wackelig, dass ich gar nicht wusste, wie ich zur Arbeit gehen sollte. Mein Orthopäde sagte: „Das hat alles zu lange gedauert, die Schmerzen sind somatoform, also psychisch." Eine Schmerzärztin wurde aufgesucht, deren Bericht man nicht wirklich lesen will, natürlich sei alles psychisch, und ich solle in eine Schmerzklinik und am besten Amitriptylin (Psychopharmakon) einnehmen. Mit mir könne man aber auch alles machen, so die Ärztin, weil ich schon so lange Schmerzen hatte. „Also ab jetzt ist alles psychisch, ich bilde mir die Beschwerden ein, die Schulter ist ja okay. Den Arm bekomme ich trotzdem nicht hoch, zusätzlich kann ich nicht mehr schlafen, und Schweißausbrüche habe ich auch...", waren meine Gedanken. Bei der Arbeit hatte ich Konzentrationsstörungen und verstand nur noch Bahnhof. Morgens hatte ich Panikattacken, wackelige Beine, Schmerzen und Brennen im Gesicht und einen Dröhnschädel, als wäre mir nachts ein LKW über den Kopf gefahren. Kann man sich das einbilden? Über chronische Schmerzen hatte ich ja schon viel gelesen. Allerdings auch, dass ein Schmerzarzt in seiner Ausbildung vom Chefarzt gelernt hatte, dass Schmerzen so lange psychogen seien, so lange man nicht richtig nach der Ursache geforscht habe. Der Chefarzt war mir echt sympathisch. Mein Hausarzt schickte mich zu einem anderen Schmerzarzt/ Anästhesisten. Der meinte, ich hätte eine schlechte Körperwahrnehmung und ich solle Feldenkrais machen. Also das verstand mein Hausarzt auch nicht, zumal ich doch sehr sportlich unterwegs bin. Also jetzt auch noch Feldenkrais - Yoga hatte schon keine Verbesserung gebracht. Raten Sie einmal, was mir Feldenkrais brachte…Nichts, richtig.

Da bei der Arbeit im damaligen Bereich nichts mehr richtig zu klappen schien, bewarb ich mich um eine andere Stelle in der Firma und somit kam ich auch in ein anderes Team. Ich begann dort im November 2016, nachdem ich noch zuvor eine erneute Krampfader-OP mit Vollnarkose hatte. Wegen der Schulterbeschwerden beantragte ich eine Rehamaßnahme, im Antrag hatte ich auch die

Diagnosen CMD und HWS-Syndrom vermerkt. Doch zunächst suchte ich nochmal einen anderen Schulterspezialisten auf. Der sagte dann, nachdem ein MRT gemacht wurde, ich solle erst einmal in die Reha gehen, und er würde dann noch einmal eine Arthroskopie machen, aber die Schulter sei eigentlich in Ordnung. Eine erneute OP der Schulter sollte es nicht geben, die erste hätte ich sowieso nie gebraucht, weiß ich heute. Die Reha wurde genehmigt, aber was hatte mein Orthopäde in den Bericht geschrieben? „Chronisches HWS-Syndrom, Zustand nach Schulter-OP links, somatoforme Schmerzstörung". Anfang Februar 2017 ging es dann in die Reha nach Oberbayern. Ich hatte vier Wochen genehmigt bekommen. Ich liebe ja Oberbayern, hatten wir doch dort mit den Kindern immer schöne Urlaube gehabt. Es war eine Klinik mit Schwerpunkt Rheumatologie und Wirbelsäulenerkrankung. Schon bei der Aufnahmeuntersuchung merkte ich, hier wird dir mal wieder nicht geglaubt. Die Physiotherapie war sehr dürftig verordnet und die Physiotherapeutin fehlte häufig. Obwohl ich darauf hinwies, dass ich Massageöl nicht vertrage, wurde dies ignoriert, und ich hatte 20 Minuten nach der Massage am ganzen Rücken einen Hautausschlag. Andere Lotionen durften sie nicht verwenden. So wurde mir Hydrojet verordnet, das ist eine Art Wasserbett, bei dem ein Wasserstrahl den Rücken massieren soll. Blöd nur, wenn man klein ist und schlank, da erwischt einen der Strahl nicht richtig. Das Durchrütteln tat mir nicht gut. Kohlensäurebäder gab es auch, sollten Entspannung bringen, kannte ich noch nicht. Man liegt in einer großen Wanne, die mit Wasser gefüllt ist, das mit Kohlensäure angereichert ist. Naja, darauf kann man auch verzichten. So muss es sein, wenn man in Mineralwasser oder vielleicht in Champagner badet. Kribbelt halt. Die Schulter- und Nackenschmerzen gehen davon aber nicht weg. Es gab natürlich auch Wirbelsäulengymnastik. Ich trainierte aber auch selbst im Gymnastikraum. Die Informationsveranstaltung über Schmerzen war „sehr interessant", lernten wir dort doch, dass chronische Schmerzen in der Regel somatoform wären, also psychische Ursachen hätten. Worauf meine Sitznachbarin erwähnte: „Ich habe halt einen Morbus Bechterew und die Schmerzen bilde ich mir ein." Kurzum, die Reha brachte mir nichts, meine Schmerzen nahmen dort zu. Auch Gespräche mit den Ärzten brachten mich nicht weiter, es blieb bei „psychisch". Nachts im Bett merkte ich plötzlich, dass meine Zähne nicht mehr richtig aufeinander passten. Da ich so verspannt war und auch Schluckbeschwerden bekam, suchte ich am Ort eine Physiotherapeutische Praxis auf und ließ mich dort zweimal einrenken. Das krachte gewaltig, aber mir ging es etwas besser. Die Reha beendete ich nach drei Wochen, es reichte einfach. Über den Entlassungsbericht habe ich mich echt aufgeregt.

Zu Hause wieder angekommen, bekam ich nach 4 Wochen einen Hörsturz auf beiden Ohren, ich hatte 30% weniger Hörleistung. Der Kopf brummte, ich fühlte mich wie dauerhaft besoffen. Die linke Körperhälfte zitterte, in den Beinen kribbelte es, ich hatte Probleme beim Laufen, Schwindel, Kopfschmerzen, Schluckbeschwerden, die Gesichtsmuskulatur krampfte, und Probleme beim Sprechen und Kauen hatte ich auch… Die Spitze des Eisberges war bei mir erreicht. Kortisoninfusionen wollte ich nicht, da ich der Meinung war, dass die Beschwerden wohl mit der HWS zusammenhingen. Ich suchte einen anderen Zahnarzt auf, da ich auch vermutete, dass der Kiefer Probleme machte. Dieser verpasste mir eine neue Schiene und verstand auch nicht, warum die Okklusion (Bisslage) nicht passte. Nach zwei Wochen ging ich wieder arbeiten. Mein Chef wunderte sich, dass ich so schnell wieder arbeiten konnte, da so ein Hörsturz in der Regel länger dauert. Mir ging es sehr schlecht. „Das wünscht man seinem Erzfeind nicht", dachte ich. Der Tinnitus war mal weg und kam dann mit unheimlicher Lautstärke zurück. Der war echt lauter als die Flugzeuge über unserem Haus. Die Nerven lagen nur noch blank, ich hätte meinen Kopf am liebsten an die Wand gedonnert. „Jetzt ist alles aus, der Arbeitsplatz ist in Gefahr, ich schaffe es nicht mehr auf die Beine zu kommen." Ich hatte solche Gesichtsschmerzen, dass mir der Schweiß aus dem Gesicht tropfte, wenn man mich nur ansah. Der neue Kollege meines damaligen Hausarztes diagnostizierte eine psychische Überlagerung und sagte: „Gegen Bruxismus hilft Botox" und verordnete Tavor zum Schlafen. Ich saß vor ihm, die linke Körperhälfte zitterte innerlich, wie elektrisiert. Ich hatte das Gefühl in einem Motorboot zu sitzen. Das kann man natürlich keinem Arzt sagen, sonst wird man eingewiesen, bevor man ins Wasser springen kann.

Im Mai ließ ich mir zwei Amalgamfüllungen entfernen, danach konnte ich den Mund nicht mehr richtig öffnen. Mir zuckte die linke Gesichtshälfte, die linke Kopfseite fühlte sich taub an, der Trigeminus flippte komplett aus und ich auch. Ich konnte den Kopf kaum noch halten, und der Körper wollte auch nicht mehr. Ich kam mir vor, als würde ich gefoltert. Mein Hausarzt wies mich 2 Tage vor unserer geplanten Urlaubreise in die Psychiatrie ein, da ich mittlerweile Suizidgedanken hatte. Unsere jüngere Tochter bekam den zunehmend schlechten Zustand von mir mit, und ich kann es heute sehr gut verstehen, dass sie dachte: „Die Mama ist total bekloppt geworden." In der Psychiatrie blieb ich nicht, die Patienten waren dort sediert, und es waren entwürdigende Zustände. Da ich im Besitz meiner vollen geistigen Kräfte war und zeitlich und örtlich orientiert, allerdings total erschöpft, verstand der nette Psychiater, dass ich lieber nach Hause wollte. Ich musste ihm aber versprechen, dass ich mich nicht umbringen würde. Ich schaffte es dann irgendwie die Koffer zu packen, und wir flogen eine Woche nach Mallorca. Dort ging es mir ein bisschen besser, ich hatte von meinem Zahnarzt eine neue Schiene bekommen. Die Kollegin meines Mannes empfahl uns ihren Hausarzt (der inzwischen auch meiner ist). Er akupunktierte mich und behandelte mich mit Neuraltherapie. Er schien die Zusammenhänge zu verstehen und erklärte mir, dass dies vegetative Störungen seien und ob ich denn glaubte, beim richtigen Zahnarzt für CMD zu sein. Ich glaubte das damals schon. Ein Neurologe, bei dem ich wegen der Trigeminusbeschwerden und der Taubheitsgefühle im Körper vorstellig wurde, sagte mir, dass es die Beschwerden, die ich schilderte, gar nicht geben würde. Ich würde mir zu viele Sorgen um meine Gesundheit machen und solle mal Psychopharmaka nehmen.

Okay, ich war total fertig, dann ist es wohl so, wenn man langsam wahnsinnig wird. Mein Mann erwähnte, dass ich lauter komische Sachen machte, und ich merkte es nicht, so sehr stand ich neben mir. Im Juli schickte mich mein Zahnarzt zum MRT der Kiefergelenke, der Radiologe rief mich am nächsten Tag an und fragte nach meinen Beschwerden. Er teilte mit, dass klar sei, warum es mir so schlecht ginge. Der Discus (Gelenkscheibe) sei nach links verlagert und das Kiefergelenk entzündet, „Das braucht sie total auf." Ich würde eine Schiene für den Kiefer benötigen, die nach den MRT- Vermessungen angefertigt werden soll. Außerdem wäre es ratsam, noch ein Funktions-MRT der HWS zu machen, da ich so viele Unfälle hatte. Ab 1. August 2017 war ich dann arbeitsunfähig. Mir ging es so schlecht, dass ich mich entschied, Ende August in einer Klinik eine Kieferspülung durchführen zu lassen. Meine Mundöffnung betrug noch 2 cm. Ich konnte nicht mal in eine Banane beißen. „Mist, schon die dritte Vollnarkose in kurzer Zeit", dachte ich. Der Prof. für Mund-Kiefer-Gesichtschirurgie offenbarte mir, dass zwei neue Kiefergelenke anstünden, wenn sich nichts bessern sollte. Können sie sich vorstellen, wie es jemandem geht, der gesagt bekommt, dass man das Gesicht aufschneiden und zwei neue Kiefergelenke einsetzen würde? Noch mehr Schmerzen, Horror… Mir ging es mehr als bescheiden nach der ambulanten Kieferspülung. Aus der Narkose wollte ich nicht aufstehen, man ließ mich zunächst liegen. Da ich ja im Krankenhaus war, ging das. Aber irgendwann musste ich nach Hause. Am nächsten Tag konnte ich nicht mehr aufstehen, den Kopf nicht mehr heben und hatte unendliche Schmerzen. Herzrasen und Schweißausbrüche kamen auch dazu. Mein Mann rief den ärztlichen Notdienst und dieser den Rettungswagen. In der Notaufnahme ging es mir so schlecht, dass ich auf der Stelle sterben wollte, ich hätte aber für die Schmerzen auch töten können. Ich informierte darüber, dass bei mir der

Verdacht einer Kopfgelenkstörung besteht. Die Ärztin sagte dazu: „Na ja, Kopfschmerzen hatten Sie ja schon immer", verabreichte mir eine Infusion, die mich zu dröhnte, und die herbeizitierte Psychiaterin sagte: „Solche Leute wie Sie gehören in eine Burnout Klinik." Nach der Infusion sollte ich nach Hause gehen, es war mitten in der Nacht. Eine Ärztin gab mir Tavor, das könne ich ruhig nehmen, es seien gute Tabletten. Wahrscheinlich nahm die Ärztin diese ständig, daher ging es ihr so gut? Wir fuhren nach Hause. Eine Woche später, bei der Nachuntersuchung, teilte mir der Prof. mit, dass er nicht nachvollziehen könne, dass es mir so schlecht geht und man dies wohl neuro-psychiatrisch abklären solle. „Wieder Psycho, doch bekloppt, stell' dich nicht so an, du bildest dir das alles ein...", dachte ich mir. Ich hatte mich mittlerweile sowieso um eine Psychologin bemüht, die mich aktuell noch begleitet. Sie pflegt zu sagen: „Sie haben keine psychiatrische Erkrankung, sondern sind durch die Erkrankung über die Jahre extrem psychisch belastet." Vielen Dank an sie!

Das Funktions-MRT im September 2018 ergab, dass ich eine Steilstellung der HWS habe und diese ab C3 abwärts in Links-Seitneigung mehrsegmental blockiert ist. Außerdem eine Blockierung des unteren Kopfgelenkes in Linksrotation. Mein Kiefer blockiere die HWS, so wurde mir erklärt. Freunde empfohlen eine Wirbelsäulenklinik, ich machte einen Termin aus und ließ mich dorthin einweisen. Dort verstand man meinen schlechten Zustand. Die Diagnose lautete: „Oberes und unteres linksbetontes HWS-Syndrom bei Kopfgelenkstörung, craniomandibulärer Dysfunktion. Zustand nach OP der linken Schulter und Zustand nach dreimaliger Beschleunigungsverletzung im Rahmen einer konstitutionellen Hypermobilität und psychovegetativen Irritationen, sensible Hemisymptomatik." Ich wurde sehr zielgerecht behandelt. Wenn ich dem netten Oberarzt meine vielen Beschwerden schilderte, so sagte er immer in seinem rheinländischen Akzent: „Dat macht dat". Soll so viel heißen wie: „Das kommt alles davon" (HWS, Kiefer). Im

Abschlussgespräch sagte er: „Sie haben einen langen Weg vor sich." Und ich hatte keine Ahnung davon, wie der aussehen sollte, denn arbeitsfähig fühlte ich mich nicht. So wurde eine ambulante Reha durch die Klinik beantragt.

Ich musste mir nach dem Aufenthalt dort noch einige Bemerkungen anhören: Eine Osteopathin sagte, weil ich nicht arbeitsfähig war: „Vielleicht wollen Sie ja gar nicht arbeiten gehen." Und Tschüss - das Geld hätte ich sparen können. Ein Neurologe: „Hören Sie auch Stimmen?" Darauf ich: „Nein, nur Ihre, Herr Doktor!" und „Sie hatten vielleicht eine schlechte Kindheit?" Ich konterte: „Die hatten wir alle, Herr Doktor." Worauf er erwiderte: „Wie wär´s denn mal mit Psychopharmaka?" Ich habe mich dann freundlich verabschiedet und bin gegangen. Wenn ich die Psychopharmaka, die ich angeboten bekam, alle genommen hätte, würde ich heute rosa Elefanten sehen. Die beantragte Reha-Maßnahme wurde abgelehnt, ich legte Widerspruch ein. Dann wurde eine stationäre Reha kurz vor Weihnachten 2017 befürwortet. Erneuter Widerspruch - Umstellung auf eine ambulante Reha. Mein Gesundheitszustand verschlechterte sich. Teilweise lag ich nur zu Hause rum und konnte nicht mehr aufstehen. Am 02.01.2018 sollte ich dann die ambulante Reha beginnen. Diese überforderte mich bereits am ersten Tag so sehr, dass ich sie am nächsten Tag nicht mehr fortsetzen konnte. Jetzt machte meine gesetzliche Krankenversicherung Probleme, da die Krankschreibung so lange dauerte. Sie wollten mich in die Erwerbsunfähigkeit schicken, um Krankengeld zu sparen. Daher zogen wir eine Anwältin für Sozialrecht hinzu. Bei dem Gespräch nannte sie den Namen eines Zahnarztes, zu dem sie mich aber nicht zur Behandlung schicken könne, da sie ihn als Gutachter für mich benötige, sonst wäre er befangen.

Mein Zahnarzt wusste keinen Rat, essen konnte ich nur sehr schlecht, beim Kauen fing der Körper an zu zittern. In meiner Verzweiflung rief ich den Radiologen an, der meine MRTs befundet hatte. Er bestellte mich für den nächsten Tag zum erneuten MRT des Kiefers ein und war darüber sauer, dass die Schiene, die ich trug nicht nach seinen Vorgaben gefertigt worden war und mir sogar verschiedene Schienen gefertigt wurden, die mein Nervensystem durcheinander brachten. Zudem hatte sich die Gelenklage noch verschlechtert und die Entzündung zugenommen. Super, ich war also von meinem Zahnarzt neun Monate falsch behandelt worden. Ein Zahnarzt mit Schwerpunkt CMD, der von der Behandlung einer CMD keine Ahnung hat. Jetzt war also klar, warum es mir immer schlechter ging, keine Einbildung. Na und die Neurologen und Psychiater schieben alles auf die Psyche und verschreiben ihre bunten Smarties. Dieser Berufsgruppe wünsche ich, dass sie auch nur einen Tag solche Beschwerden aushalten muss, denn Schmerzen können wahnsinnig machen. Wissen Sie, was das Schlimmste ist? Wenn einem nicht geglaubt wird. Der Radiologe überlegte mit uns, wie es weiter gehen könnte. Er kannte den Gutachter der Anwältin sehr gut, und wir entschlossen uns, ihn aufzusuchen. Seine Praxis befindet sich 100 km entfernt von unserem Wohnort. Innerhalb einer Woche hatte ich dort einen Termin. Der Zahnarzt, den ich an dieser Stelle Prof. Dr. Dr. Kiefergut nennen möchte, erklärte uns sehr ausführlich, warum es mir so schlecht ging, und dass ein künstliches Kiefergelenk ein lebenslanges Desaster bedeuten würde. Zudem könne ich so viel turnen, wie ich wollte, das würde nicht helfen. Hier seine Diagnose: „Bei der Patientin besteht eine ausgeprägte dekompensierte craniomandibuläre Dysfunktion, bei Vorliegen eines dorsokranialen, verlagerten Zwangsbisses. Im linken Kiefergelenk liegt eine anteriore Diskusverlagerung ohne Reposition vor. Auf Grund des dorsokranialen Zwangsbisses ist es zu massiven Zahnabrasionen im Seitenzahnbereich mit weiterer Bissabsenkung und einem extremen Tinnitus gekommen. Auf Grund der stomatognathen Dysfunktionen hat sich ebenfalls eine Dysfunktion der Halswirbelsäule mit rezidivierenden Blockierungen der oberen Kopfgelenke entwickelt." Das Ganze in verständlich: Ich hatte Bandscheibenvorfälle im Kiefergelenk, und diese waren entzündet. „Aua", sagt da jeder. Wer schon einmal einen Bandscheibenvorfall in der HWS hatte, weiß, dass dort Nerven eingeklemmt werden. So ist das im Kiefergelenk auch, aber dieses befindet sich im Kopf, und in diesem Bereich gibt es jede Menge Nerven, weil dort unsere Schaltzentrale sitzt. Der Vagusnerv ist auch betroffen (unser Beruhigungsnerv). Ebenso der Hirnstamm, und das lässt einen im wahrsten Sinne des Wortes wahnsinnig werden. Die Behandlung ist langwierig. Jetzt weiß ich, was der Oberarzt in der Wirbelsäulenklinik meinte, als er sagte: „Sie haben einen langen Weg vor sich."

Ich wurde 9 Monate mit Schienentherapie behandelt, was bedeutete, dass ich am Anfang einmal, manchmal auch zweimal pro Woche zu Prof. Dr. Dr. Kiefergut fuhr. Er nahm sich immer viel Zeit und beantwortete alle meine Fragen. Am Anfang verfluchte ich die Schiene und schmiss sie aus Wut sogar einmal an die Wand. Im September 2018 hatte ich mit Wiedereingliederung am Arbeitsplatz begonnen, habe nach dem Schwerbehindertengesetz Grad 40 erhalten und bin vom Arbeitsamt mit 50% gleichgestellt worden. Im Oktober 2018 wurde die Bisslage angepasst, da sich die Kiefergelenke jetzt in der richtigen Position befanden, genauso wie der Atlas nach Korrektur. Dies hat uns einen Mittelklassewagen gekostet, denn es mussten 28 Zähne komplett mit neuem Zahnersatz versorgt werden. Immer wieder wurde die Okklusion überprüft, denn kleinste Unstimmigkeiten können das gesamte System wieder ins Wanken bringen.

Es ist jetzt Oktober 2019, ich habe immer noch viele Beschwerden. Die HWS weist Instabilitäten auf, und diese würde ich nicht loswerden, so mein Physiotherapeut kürzlich, da es nach HWS-Traumata immer Langzeitfolgen gäbe. Viele Therapien werden nicht von der gesetzlichen Krankenkasse übernommen. Aktuell soll noch ein Upright-MRT der HWS durchgeführt werden. Der Kostenvoranschlag hierzu liegt meiner Krankenkasse zur Prüfung vor, wir hoffen, dass diese die Kosten übernimmt. Wir haben ja schon den größten Teil der Kosten dafür getragen, dass ich wieder arbeitsfähig wurde und in dieses Sozialsystem fleißig weiter einbezahlen kann. Die Krankenkasse hat den gesetzlichen Anteil (Regelversorgung) zur Zahnersatzmaßnahme bezuschusst. Meine Zusatzversicherung hat die Kosten der Zahnbehandlung zu einem Teil getragen. Auch wenn diese zufällig mein Arbeitgeber ist, so musste auch mein schwerer Fall alle Prüfungsverfahren durchlaufen. Dies bedeutete auch die Prüfung durch einen Zahnarzt und die Vorstellung bei einem Gutachter für Neurologie. Letzterem wurde ganz anders, als ich ihm meine Beschwerden erläuterte. Doch die Leistungen sind Bestandteil meines Versicherungsschutzes.

Seit März 2018 bin ich bei einer verständnisvollen Orthopädin in Behandlung, der ich sehr dankbar bin. Sie erlebte mich in einem schlechten Zustand und sagte damals: „Wie haben Sie das die ganzen Jahre ausgehalten, Ihr Schmerzalarmsystem hat die ganzen Jahre funktioniert?" „Ausgehalten" war das richtige Wort, hinzufügen kann man noch „durchgehalten". „Es bleibt bei Ihnen spannend", so mein Hausarzt vor kurzem, dem ich sehr dankbar bin, weil er alle Procain Vorräte Deutschlands für mich verwendet. Danke auch an meine Physiotherapeuten und alle, die versuchen mich gerade zu biegen.

Lieben Dank an meine Schwester, Freundinnen und Kolleginnen, die mich anriefen und wussten, dass es mir schlecht ging. Die mir ihre Ohren liehen und mich aufmunterten, auch wenn sie nicht so recht wussten, was mit mir los war/ ist. An meinen Friseur: Auch wenn ich deine einzige Kundin bin, die die Polsterung für das Kopfwaschbecken braucht, daran wird sich nichts ändern.

Riesengroßen Dank an Herrn Prof. Dr. Dr. Kiefergut und an sein tolles, freundliches Team für den funktionierenden Kiefer und die schönen Zähne, mit denen ich sogar essen kann. Auch wenn ich leider nicht beschwerdefrei bin, was Sie sich für mich wünschen, so haben Sie den größten Anteil daran, dass ich wieder Lebensqualität gewinne.

Mein lieber Schatz, du bist immer für mich da, hast mich zu Ärzten begleitet, im Internet recherchiert, und du hast immer an mich geglaubt. Danke, ich liebe dich!

An meine beiden Mädels: Ich liebe euch sehr!

Leider kein Happy End, aber da ich nicht gestorben bin, so lebe ich noch heute...

Karolin Welther*

* Name auf Wunsch der Autorin geändert

16. Selbsthilfe gegen ärztliche Ignoranz!

Im Alter von etwa drei Jahren begann ich zu voltigieren und zwei Jahre später zu reiten. Stürze waren zu Beginn nahezu an der Tagesordnung, und so landete ich des Öfteren mit dem Kopf voran auf Reithallenböden, Wiesen und Straßen. Zu einem Arzt ging ich bis dato nie, denn außer kurzzeitigem Schwindel und Schmerzen hatte ich keine Symptome. Im Grundschulalter folgten einige Autounfälle. Ab meinem zehnten Lebensjahr hatte ich dauerhafte Schmerzen, die linksseitig vom Nacken bis in die Schulter gingen. Mein damaliger Hausarzt nahm das Ganze nicht ernst, obwohl sogar eine Schwellung tastbar war. In den darauf folgenden Jahren bekam ich zudem Schmerzen in der Lendenwirbelsäule, welche besonders schlimm waren, wenn ich in Bauchlage ein Buch gelesen hatte. Das Voltigieren stellte ich mit 12 Jahren endgültig ein und beschränkte mich fortan auf das Reiten; mit steigender Erfahrung wurden die Stürze weniger.

Mit 15 Jahren ging ich zum ersten Mal zu einem Orthopäden. Die Schmerzen an der Halswirbelsäule mitsamt der Schwellung wurden vom Arzt ignoriert, die Lendenwirbelsäule abgetastet und ohne Vorwarnung unter Schmerzen chiropraktisch eingerenkt. Eine Besserung trat nicht ein, und nach dieser Erfahrung verging ein Jahr bevor ich es wagte, einen anderen Orthopäden aufzusuchen. Inzwischen hatte ich links im Schultergelenk ebenfalls starke Schmerzen, und bei verschiedenen Bewegungen war ein lautes, schmerzhaftes Knacken provozierbar. Ein Ultraschall der Schulter zeigte eine Entzündung. Um die Halswirbelsäule machte auch der neue Arzt gekonnt einen Bogen, die Lendenwirbelsäule wurde geröntgt und ein Gleitwirbel attestiert. Zudem zeigten die Aufnahmen eine krumme Wirbelsäule und stark abgenutzte Bandscheiben. Ich bekam erstmals Physiotherapie verschrieben und die Anordnung, meine Schulter zu schonen. Da ich eine Ausbildung zur Zerspanungsmechanikerin machte, war dies allerdings nur bedingt möglich. Leider hatte ich nicht besonders viel Glück mit den Physiotherapeuten. Zu jedem Termin war ein anderer am Werk, der für etwa zehn Minuten an meiner Lendenwirbelsäule herumstocherte oder mit gedankenverlorenem Blick aus dem Fenster meinen Rücken massierte. Schließlich begann ich meinen Nacken „knacksen" zu lassen, da sich linksseitig ein starker Druck aufbaute und ich den Kopf andernfalls nicht mehr drehen konnte. Jahrelang quälte ich mich irgendwie durch, ließ mir in unregelmäßigen Abständen Physiotherapie verschreiben und hoffte, es würde etwas bringen. Hunderte Euros investierte ich außerdem in Thai-Massagen, diese lockerten zumindest im Ansatz meine brettharte, verspannte Muskulatur im Schulter- und Nackenbereich. Mit 19 Jahren bin ich nach vielen unfallfreien Jahren wieder vom Pferd gestürzt. Nachdem die Kopf- und Nackenschmerzen sowie der Drehschwindel und das Benommenheitsgefühl nicht verschwinden wollten, ging ich erstmals wegen eines Reitunfalls zum Arzt. Dieser schrieb mich ohne Untersuchung drei Tage krank, nach ein paar Tagen Schonen ging es mir langsam etwas besser. Die Schmerzen in der Hals- und Lendenwirbelsäule blieben allerdings. Ein Jahr später bezog ich meine erste, eigene Wohnung und stellte mich selbst vor die Wahl: Pferd oder Hund? Schließlich entschied ich mich für einen Hund, da ich diesen mit nach Hause nehmen konnte. Ein junger Rüde zog kurz darauf bei mir ein, und ich hing das Reiten an den Nagel.

Mit der neuen Aufgabe verlegte sich meine sportliche Betätigung vermehrt aufs Laufen. Ein weiteres Jahr verging, dann erfüllte ich mir den Wunsch vom Zweithund. Neben meinen Hunden hatte ich noch eine zweite Leidenschaft – das Fotografieren, ohne meine Spiegelreflexkamera traf man mich selten an. Die restliche Freizeit füllte ich meist mit dem Lesen von Fachbüchern zu verschiedenen Themen und am Computer. Ein Jahr darauf wurde ich als Beifahrerin bei meinen Großeltern in einen Autounfall verwickelt. Unter Schock stehend nahm ich die Schmerzen zunächst gar nicht wahr. Da meine Großeltern völlig aufgelöst waren, musste ich mich um die ganze

Angelegenheit mit der Polizei und der Versicherung kümmern – für eine Untersuchung blieb dabei keine Zeit. Zu allem Überfluss musste ich das demolierte Auto mit querstehendem Lenkrad nach Hause fahren. Ein wahrer Kraftakt über gute 20 Kilometer. Warum die Polizeibeamten damals darauf bestanden haben, ist mir bis heute ein Rätsel, denn erlaubt war das sicher nicht. Nach ein paar Stunden ließ der Schock nach und es folgten starke Schmerzen, sowie ein Benommenheitsgefühl. Ein paar Tage später verschwand die Benommenheit, und die Schmerzen pendelten sich zu einem gewohnten Dauerzustand ein.

Etwa ein halbes Jahr später kündigte ich meine Stelle als Zerspanungsmechanikerin und besuchte in Vollzeit eine einjährige Weiterbildung zur Industriemeisterin Metall. Um etwas besser über die Runden zu kommen, nahm ich einen Mini-Job im Baumarkt an und arbeitete dort samstags von 9-20 Uhr an der Kasse. Ich hielt knappe vier Monate durch und musste dann wegen starker Rückenschmerzen, begünstigt durch das lange Stehen, kündigen. Zum Ende meiner Weiterbildung fand ich eine Teilzeitstelle bei einer Drogeriekette, dort arbeitete ich fünf Stunden am Stück und machte alles von der Kasse bis hin zum Regale Auffüllen. Nachdem die Weiterbildung abgeschlossen war, blieb ich noch ein paar Monate dort, bis ich wieder eine Stelle als Zerspanungsmechanikerin in einer Sonderschicht annahm, je zwölf Stunden an den Wochenenden im wöchentlichen Wechsel Tag- und Nachtschicht. Ich arbeitete somit 24 Stunden am Wochenende und hatte den Rest der Woche frei. Für mich zu diesem Zeitpunkt optimal, denn so konnte ich mir ein kleines Häuschen kaufen und dieses unter der Woche renovieren. Zeitgleich zog eine junge Hündin ein und komplettierte das Rudel. Meine tägliche Laufleistung betrug nun mindestens 15 Kilometer am Tag. Dass mein Körper die zwölf Stunden Arbeit nicht gut weg steckte, merkte ich vor allem in den Nachtschichten, denn nach der zehnten Stunde fing ich an zu zittern und hatte größte Mühe durchzuhalten. Die Schlafenszeit nach einer Nachtschicht überschritt die vier Stunden nie, länger konnte ich einfach nicht schlafen.

Abgesehen von der langen Arbeitszeit waren die weiteren Arbeitsbedingungen auch nicht gerade das Beste für mich und meine Schmerzen, denn die meiste Zeit verbrachte ich gezwungenermaßen in Zwangshaltung. Da sich die Schmerzen abermals verschlimmerten, begab ich mich erneut in Physiotherapie und begann eifrig im Fitnessstudio zu trainieren, um meinen Rücken zu stärken. Im Sommer zog ich mir beim Verlegen des Rollrasens einen Hexenschuss zu und konnte plötzlich nicht mehr aus der gebeugten Haltung aufstehen, ich hatte unvorstellbare Schmerzen. Gekrümmt kämpfte ich mich ins Haus und versuchte mit Wärmekissen und Schmerzmitteln wieder auf die Beine zu kommen, denn der Rollrasen wollte fertig verlegt werden. Sobald die Schmerzmittel etwas wirkten, brachte ich noch die letzte Bahn an und verkroch mich für den Rest des Tages auf das Sofa. Die folgenden Tage konnte ich ausschließlich in Schonhaltung gebeugt gehen. Am Wochenende schaffte ich es trotzdem arbeiten zu gehen und hielt irgendwie durch. Das Vertrauen in Ärzte hatte ich zu dem Zeitpunkt bereits verloren, und so ließ ich mich dort erst dann blicken, wenn ich mir selbst nicht mehr zu helfen wusste.

Mit Mitte 20 lernte ich meinen zukünftigen Mann kennen. Da er in einem schwierigen Schichtsystem arbeitete, behielt ich meine Stelle bei der Wochenendschicht für insgesamt drei Jahre bei, damit wir uns wenigstens 1-2 Tage die Woche sehen konnten. Im Frühjahr desselben Jahres zog ich mir eine Entzündung an der linken Achillessehne zu und konnte über vier Wochen kaum laufen. Dazu kam ein zwei Wochen andauernder Drehschwindel, dessen Ursache nicht geklärt werden konnte. In unserem ersten gemeinsamen Sommer wollten wir die Hecke unseres Grundstückes stutzen. Wie wichtig es ist, eine Leiter besser zweimal zu kontrollieren, bemerkte ich einige Minuten später, als ich aus etwa zweieinhalb Metern Höhe stürzte, weil diese auseinander klappte. Ich landete mit den Beinen zwischen den Sprossen, und mir wurde schwarz vor Augen. Starr vor Schreck wurde ich von meinem Mann ins Haus getragen und aufs Sofa gelegt. Schwäche zu zeigen lag mir fern, daher nahm ich Schmerztabletten und Muskelrelaxans, die mir wenige Tage vor dem Sturz wegen starker Rückenschmerzen verschrieben worden waren. Ich schlief sofort ein, nach drei Stunden wachte ich wieder auf und stutzte den Rest der Hecke. Rückblickend war es sicher nicht die beste Entscheidung, so stur zu sein, aber ich kämpfte mich einfach durch. Etwa eine Woche nach dem Sturz konnte ich plötzlich nicht mehr ohne Schmerzen sitzen. Was schmerzhaft anfing, wurde nach und nach zu einer Tortur. Nach einem halben Jahr hielt ich es nicht mehr aus und suchte einen Orthopäden auf. Die Untersuchung ergab einen Steißbeinbruch, welcher aber schon verheilt und daher eigentlich nicht der Grund für die Schmerzen sein dürfte. Stattdessen äußerte der Arzt die Vermutung, dass sich bei dem Sturz mein Becken verschoben hatte und die Schmerzen von dort ausstrahlten. Eine Therapie sei nicht möglich und laut Aussage des Arztes müsse ich fortan damit leben. Niedergeschlagen ging ich meiner Wege und versuchte mit verschiedenen Kissen und Sitzpositionen das Ganze irgendwie erträglich zu gestalten.

Inzwischen sind vier Jahre vergangen und ich habe noch immer Schmerzen, welche sich aber glücklicherweise abgeschwächt haben. Im Dezember desselben Jahres heirateten wir standesamtlich im kleinen Kreis und schlossen das Jahr somit positiv ab. Im darauffolgenden Frühjahr bekam unsere Hündin Welpen, und eine spannende aber auch anstrengende Zeit begann. Rückblickend waren es die schönsten, aber auch forderndsten Wochen, die ich bisher erlebt hatte. Da mein Mann im September heimatnah versetzt werden sollte, beschlossen wir einen Welpen zu behalten. Eine Woche, bevor die anderen Welpen auszogen, bekam ich wieder Drehschwindel und hatte das Gefühl, abgeschnitten von der restlichen Welt wie unter einer Glaskuppel zu stehen. In der Auszugswoche wurde es dann deutlich schlimmer, und als ich den letzten Welpen in sein neues Zuhause abgegeben hatte, konnte ich kaum noch auf den Beinen stehen, sah verschwommen und zitterte. Da es sich nicht besserte und zudem Sonntag war, fuhren wir ins Krankenhaus. Dort angekommen musste ich auf der Stelle gehen und verschiedene andere Tests über mich ergehen lassen. Ich wurde gefragt, ob ich Stress hätte und bekam, wie so oft, die Anweisung mich zu schonen. Über mehrere Wochen wurde es nicht besser, und ich wurde zum Neurologen geschickt, dieser ordnete ein MRT an, um ein Aneurysma auszuschließen. Nach weiteren Tests sagte er, mein vegetatives Nervensystem würde nicht richtig arbeiten, daher kämen vermutlich auch die Magen-Darm Probleme, unter denen ich ebenfalls seit Jahren litt. Man könne da aber nichts machen und ich müsse damit leben. Ein paar Wochen nach diesem Termin war der Schwindel wieder weg, und im Sommer desselben Jahres - ein Jahr nach dem Sturz von der Leiter - knickte ich beim Laufen um und zog mir eine starke Prellung am linken Sprunggelenk zu. Ich hatte wahnsinnige Schmerzen, und jede Berührung war unerträglich. Um das Gelenk zu schonen bekam ich eine Schiene. Sobald ich diese abnahm, hatte ich das Gefühl, mein Fuß würde sofort umknicken. Nach einigen Tagen Ungewissheit bekam ich einen Termin fürs MRT, glücklicherweise war kein Band gerissen. Allerdings waren sehr starke Haarrisse am Sprunggelenk zu sehen. Ich solle mich schonen, war der Rat und wieder war ich von ärztlicher Seite auf mich alleine gestellt. Nervlich am Ende, da ich nun weder schmerzfrei sitzen, noch liegen oder stehen konnte, wurde ich zunehmend gereizter, was ich leider vor allem an meinem Mann ausließ. Da er durch seine Arbeit zum Teil tagelang gebunden war, musste ich an Krücken den Alltag mit den Hunden bestmöglich alleine meistern. Leider stellte es sich heraus, dass die Charaktere unserer vier Hunde nicht besonders gut zueinander passten. Die Rüden waren eher ruhig und die beiden Hündinnen sehr lebhaft. Durch das deutlich reduzierte Lauf- und Beschäftigungspensum erhöhte sich zunehmend die Unzufriedenheit der Einzelnen. Kleinere Streitereien waren an der Tagesordnung, und eine greifbare Spannung baute sich auf. Insgesamt musste ich sechs Wochen an Krücken gehen, und mit jedem Mal verschlimmerten sich meine Schmerzen im Halswirbelsäulen- und Schulterbereich.

Es war September, und mein Mann sollte nun heimatnah versetzt werden, aber nicht einmal 24 Stunden vor Arbeitsantritt wurde ihm die Versetzung entzogen. Das war ein Riesenschock, da wir all unsere Planungen über den Haufen werfen mussten und es mir immer schlechter ging. An diesem Tag brach unsere Welt zusammen, und wir spielten das erste Mal mit dem Gedanken ein neues Zuhause für die Hündinnen zu suchen, da ich es gesundheitlich nicht mehr schaffte, vier Hunden gerecht zu werden.

Ich hatte stets den Anspruch, alles so gut wie nur möglich zu machen, und die Hunde waren vollwertige Familienmitglieder. Für uns war es vorrangig wichtig, im Interesse der Hunde zu handeln. Im Herbst desselben Jahres litt ich erneut unter starkem Schwindelgefühl und bekam erstmals Tropfen dagegen verschrieben. Wie ich darauf reagierte, war verheerend! Ich konnte plötzlich kaum atmen, nur unter größter Kraftanstrengung reden, und meine Sprache war total verwaschen. Abgesehen von diesen starken Nebenwirkungen blieb ich auch vom Schwindel nicht verschont. Nach ein paar Wochen legte sich der Schwindel ohne weiteres Zutun wieder. Mein gesundheitlicher Zustand war nach wie vor alles andere als stabil, und nach vielen schlaflosen Nächten in denen Pro und Kontra diskutiert wurden, kamen wir unter Tränen zu dem Entschluss, die beiden Hündinnen abzugeben. Die Suche nach einem geeigneten Zuhause war seelisch kaum zu ertragen und kostete uns unheimlich viel Kraft. Mit der Hoffnung, das bestmögliche Zuhause gefunden zu haben, zog zuerst die Hündin aus und einen Monat später unser Welpe, der inzwischen zu einem stattlichen Junghund herangewachsen war. Es verging und vergeht auch bis heute kein Tag, an dem wir nicht an die beiden denken und uns die Tränen kommen. Immer wieder aufs Neue zerbreche ich mir den Kopf, was ich hätte anders machen sollen, auch wenn mir klar ist, dass ich nie zu einem Ergebnis kommen werde. Trotz der geringeren Belastung kam ich auch im Winter nicht so recht auf die Beine und stürzte mental in eine Krise.

Zum Jahresbeginn kam dann eine nicht geplante Überraschung ins Haus – ich war schwanger. Ich hatte Angst vor dem Neuen, ließ mich dann aber von der Vorfreude meines Mannes anstecken, und wir versuchten so positiv wie möglich zu denken, auch wenn ich die Bedenken wegen meines Arbeitsplatzes nicht so recht ablegen konnte. Wir zählten die Tage, bis wir an einem Donnerstag bei meiner Frauenärztin anriefen, um einen Termin für den ersten Ultraschall zu machen. Dieser sollte am Anfang der nächsten Woche stattfinden. Leider kam es nicht dazu. Wir gingen am selben Tag zusammen mit den Hunden spazieren, als ich plötzlich Bauchschmerzen bekam, die immer schlimmer wurden und schließlich in den Rücken und in die Beine ausstrahlten. Nach einigen Minuten konnte ich kaum noch gehen, und zu Hause angekommen, bemerkte ich eine nicht unerhebliche Menge Blut in meiner Unterwäsche. Wir riefen sofort beim Frauenarzt an. Eine halbe Stunde später fanden wir uns im Wartezimmer ein. Es dauerte ein paar Minuten, und nach der Untersuchung äußerte die Frauenärztin den Verdacht, dass ich gerade eine Fehlgeburt erlitten hätte. Die Blutabnahme, die zur Bestätigung folgte, bekam ich im Schockzustand kaum noch mit. Völlig aufgewühlt und erschöpft von den Schmerzen, die noch immer nicht aufhörten, fuhren wir nach Hause. Im Frühsommer kündigte ich und versuchte, mich von den Strapazen zu erholen; ich lief viel, machte Kraftsport und vermied so gut es ging negativen Stress. Da bei meinem Mann beruflich ein ständiges bergauf und bergab angesagt war, stellte sich letzteres allerdings als unmöglich dar. Diverse Vorkommnisse gab es immer wieder, und so war ich oft auf mich alleine gestellt und konnte mich weder schonen noch auskurieren. Ich musste einfach funktionieren, auch wenn sich die Schmerzen steigerten und die ungeklärten Schwindelanfälle häuften.

Beim Trainieren fiel mir auf, dass ich linksseitig nur noch stockende und keine fließenden Bewegungen ausführen konnte. Der Blick in den Spiegel zeigte deutlich, dass die Schulter links mehrere Zentimeter tiefer stand als rechts, genauso im Beckenbereich. Ich hatte mir unbewusst angewöhnt, den Hals etwas nach rechts zu wenden, um diesen Schiefstand auszugleichen. Mit dieser offensichtlichen Problematik begab ich mich zu meiner Hausärztin, welche mir erneut Physiotherapie verschrieb und zudem murrend sagte, ich müsse schon selber was tun, damit es besser werde. Das ich bereits hart trainierte, alles bretthart verspannt und die Schwellung links am Nacken noch größer geworden war, wurde ignoriert. Nachdem die Ärztin für eine Sekunde auf meine Schulter fasste, meinte sie, es sei doch alles in Ordnung. Ich nahm die verschriebene manuelle Therapie wahr und trainierte noch fokussierter den Nacken- und Schulterbereich. Ich verstand nicht, warum man die langjährigen Probleme nicht ernst nehmen und sich das Ganze mal vernünftig ansehen wollte.

Da mich die Arbeit mit Jagdhunden faszinierte, belegte ich Anfang 2018 mit meinem Mann und meinem Vater den Kurs zum Jagdschein. Es war ein lange gehegter Traum und diesen wollten wir uns gemeinsam erfüllen. Da zum Jagdschein auch das Schießen gehörte, ging es mehrmals zum Schießstand, um mit Büchse und Schrotflinte auf Zielscheiben zu schießen. Bereits nach dem ersten Übungsschießen hatte ich starke Schmerzen im Nacken- und Schulterbereich. Ich schob es auf den nicht zu unterschätzenden Rückstoß, den ein Schuss mit einer Waffe mit sich brachte, und dachte mir nichts weiter. Mit der Büchse konnte ich bereits nach wenigen Versuchen die ersten, sauberen Treffer erzielen. Die Schüsse mit der rückstoßstarken Schrotflinte gingen aber zuverlässig am Ziel vorbei. Ich hatte größte Mühe, die Waffe zu halten, und beschloss, im Fitnessstudio noch härter zu trainieren. Bis zum nächsten Übungsschießen waren einige Wochen vergangen, im Training hatte ich mich deutlich gesteigert, und das Halten der Waffe funktionierte nun endlich besser.

Die Schmerzen nach dem Schießen allerdings blieben, und es gesellte sich ein alter Bekannter dazu - der Benommenheitsschwindel - welcher mich für knappe zwei Wochen beeinträchtigte. Ich hatte zeitweise das Gefühl, nicht mehr im selben Raum zu sein, und so kam alles zeitversetzt bei mir an. Erstmals hatte ich das Gefühl der Schwindel würde „vom Genick her" kommen. Bei meiner Hausärztin äußerte ich den Verdacht und bekam wieder einmal Physiotherapie verschrieben, auch wenn sie mich ansah, als wäre ich verrückt. Tatsächlich wurde es nach dem zweiten Physiotermin etwas besser, und der Schwindel flachte ab. Zum Ausbildungsinhalt gehörte das Schießen mit der Schrotflinte auf 150 Wurftontauben, welches wir an einem Tag abarbeiteten. Danach fühlte ich mich wie überfahren, litt unter starkem Schwindel und konnte mich wegen der starken Schmerzen kaum bewegen. Zu diesem Zeitpunkt hatte ich das erste Mal das Gefühl, mein Hals könnte meinen Kopf nicht mehr tragen, dass sich meine Halswirbelsäule irgendwie instabil anfühlte. Inzwischen war es Sommer geworden, und wir steckten mitten in den Prüfungsvorbereitungen, da wir die Prüfung im September ablegen wollten. Das Schießen mit der Büchse ging mir routiniert von der Hand, nur mit der Schrotflinte wollte es einfach nicht gelingen. Die theoretische und mündlich-praktische Prüfung habe ich bestanden, das Schießen nicht. Es war knapp, aber knapp daneben ist leider auch vorbei. Ein Schrotschuss zu wenig war ins Ziel gegangen und damit erst mal aus der Traum vom Jagdschein. In Baden-Württemberg hat man insgesamt ein Jahr Zeit die nicht bestandene Prüfung zu wiederholen. Die nächsten drei Monate nahm ich mir eine Auszeit vom Schießen und konzentrierte mich wieder voll und ganz auf mein Training im Fitnessstudio sowie auf das Laufen mit den Hunden. Das Gefühl der Instabilität meiner Halswirbelsäule kam und ging.

Angekommen im Jahr 2019 hatte die „Auszeit" vom Job bereits sechs Monate angedauert, an eine Vollzeitstelle war noch nicht zu denken, und so nahm ich wieder eine Teilzeitstelle an, da mir so langsam die Decke auf den Kopf fiel und ich zumindest etwas zum Lebensunterhalt beitragen wollte. Mit einem Schwung Hoffnung wollte ich das Problem endlich in den Griff bekommen und wagte einen neuen Versuch bei meiner Hausärztin, ich bekam wieder manuelle Therapie verschrieben, und sie äußerte den Verdacht, das vermutlich alles schon chronisch sei und ich Psychotherapie in Betracht ziehen soll. Tatsächlich nahm ich bei zwei verschiedenen Therapeuten ein Kennenlerngespräch in Anspruch. Die erste Therapeutin fragte mich ziemlich unfreundlich, was ich bei ihr überhaupt wolle und was mein Problem sei, dann organisierte sie ihren Urlaub am Telefon. Nach diesem Gespräch suchte ich mir einen anderen Therapeuten, und dieser Termin lief sogar noch weitaus fragwürdiger ab. Damit hatte sich das Thema Psychotherapie für mich endgültig erledigt. Mit dem Rezept für manuelle Therapie machte ich mich auf den Weg zu einer neuen Physiotherapeutin. Dort fand ich erstmals Gehör und fühlte mich verstanden. Auf ihre Empfehlung hin suchte ich einen anderen Orthopäden auf, es folgte eine Untersuchung, Röntgen- und MRT-Aufnahmen wurden gemacht. Die Wirbelsäule war krumm und das Becken stand schief - das wusste ich bereits. Neu war ein Bandscheibenvorfall sowie die Erkenntnis, dass meine Halswirbelsäule viel zu steil stand und ich einen neuromuskulären Schiefhals hätte. Ich erzählte von dem zwanghaften Knacken meines Nackens, welchem er nicht weiter Beachtung schenkte. Auch das Gefühl der Instabilität – als würde mir der Kopf vom Hals fallen – hatte er überhört. Der Orthopäde wollte mich direkt in Reha schicken, was mir auf Grund der neuen Arbeitsstelle und der damit verbundenen Probezeit nicht möglich war. Ich bekam daher Physiotherapie verschrieben, um die nächsten Monate zu überbrücken. Bezüglich des Schießens hatte er keine Bedenken, und so begab ich mich wieder ins Schießtraining, denn da war noch eine Prüfung, die bestanden werden musste, um endlich den Jagdschein erhalten zu können.

Über einen Zeitraum von vier Monaten ging ich einmal in der Woche zur Physiotherapie und fast jeden Tag ins Fitnessstudio. Mittlerweile hatte ich ordentlich an Muskeln zugelegt und war alles in allem recht stabil. Deutlicher als je zuvor konnte man nun meine Dysbalance erkennen, insbesondere, wie unterschiedlich stark die Muskelpartien links und rechts im Vergleich zueinander ausgeprägt waren. Ins Schießtraining bin ich etwa alle zwei Wochen gegangen und hatte mal mehr mal weniger stark mit den Nachwehen zu kämpfen. Ich hatte mich mit meinem Jagdlehrer darauf geeinigt, die Prüfung im Juli anzutreten, da diese auf unserem Übungsstand stattfinden und ein Heimvorteil nicht schaden würde. Dass es so weit nicht kommen sollte, daran konnte damals noch niemand denken. Bis Anfang Juni ging alles verhältnismäßig gut voran, bis vom einen auf den anderen Tag ein wahrer Albtraum begann. Ich erinnere mich, als wäre es gestern gewesen. Die ganze Woche war toll gelaufen. Morgens bin ich früh raus und mit den Hunden gelaufen, von 6 Uhr bis 11 Uhr war ich arbeiten, und danach bin ich mit dem Fahrrad zum Fitnessstudio gefahren. Jeden Tag habe ich dort die Wiederholungen gesteigert, war stolz und super gelaunt. Nach dem Training habe ich entweder gelesen oder mir die Zeit am Computer vertrieben, bis die sommerlichen Temperaturen abgekühlt waren und ich mit den Hunden wieder hinaus konnte. Montag bis Freitag, das erste Mal seit langem eine gute Woche ohne Rückschläge. So könnte es ab jetzt immer laufen, dachte ich mir.

Am Samstag schlief ich aus und fuhr um 9 Uhr mit dem Fahrrad ins Fitnessstudio. Dort bemerkte ich nach einer halben Stunde, wie die Kräfte schwanden und es mir plötzlich schwindelig wurde, es dröhnte in meinen Ohren, und ich hatte das Gefühl, ohnmächtig zu werden. Ich brach das Training ab und setzte mich hin. Womöglich war es ein Schwächeanfall oder der Kreislauf dachte ich, schließlich war es heiß und ich hatte die ganze Woche hart trainiert. Da es nach einigen Minuten nicht besser wurde, rief ich meinen Mann an, der an diesem Tag zum Glück frei hatte und mich mit dem Auto abholen konnte. Ich zitterte am ganzen Körper und hatte Mühe, mich auf den Beinen zu halten. Zuhause angekommen legte ich mich erst mal hin. Im Anschluss wollten wir Essen gehen, damit ich wieder zu Kräften kam. Im Gasthaus angekommen, sahen wir uns die Karte an, bestellten und bekamen nach etwa zehn Minuten unsere Gerichte. Ich hatte gerade die Hälfte gegessen, als ich plötzlich das Gefühl hatte, irgendwas würde ganz und gar nicht mit mir stimmen. Es fiel mir schwer, mich auf den Beinen zu halten, eilte auf die Toilette und hatte starken Durchfall. Kalter Schweiß stand mir auf der Stirn, mein Herz raste, gefühlt war ich nah an der Ohnmacht. Nach etwa einer halben Stunde kam ich wieder an den Tisch zurück und musste erneut auf die Toilette spurten, um nochmals das Gleiche durchzumachen. Sichtlich erschöpft und aschfahl im Gesicht, bat ich darum umgehend zu bezahlen und nach Hause zu fahren.

Über die Jahre verteilt hatte ich dieses Phänomen seit meinem letzten Reitunfall immer wieder in unregelmäßigen Abständen und in etwa der Hälfte der Fälle mit tatsächlicher Ohnmacht die einige Minuten anhielt. Zeitweise lag ein halbes Jahr Ruhe dazwischen und dann erwischte es mich zweimal im Monat. Zuhause angekommen, verkroch ich mich direkt aufs Sofa. Mit Wärmekissen auf dem Bauch und einer Tasse Tee versuchte ich wieder zu Kräften zu kommen. Mit dem Gedanken, das Essen womöglich nicht vertragen haben, schlief ich ein.

Am nächsten Tag blieben wir länger im Bett und wollten gegen Nachmittag einen Ausflug zu einem nahegelegenen Wasserfall machen. Es war ein regnerischer Tag und von den Temperaturen her angenehm, etwas Bewegung würde mir sicher nicht schaden, dachte ich und da der Fußweg nur 1 Kilometer Strecke betrug, sollte das auf jeden Fall machbar sein. Wir gingen los, und nach etwa 500 Metern bekam ich wieder dieses Gefühl, dass etwas ganz gehörig nicht stimmte und Panik stieg in mir auf. Das konnte und durfte jetzt nicht wahr sein. Mit zittrigen Beinen stützte ich mich auf meinen Mann, und wir setzten uns auf die nächste Bank. Ein paar Schlucke Wasser später atmete ich tief durch, aber es wurde immer schlimmer, mein Herz raste, und ich bekam wieder ein Gefühl nahender Ohnmacht. Mit angstverzerrtem Blick schaute ich nach links und nach rechts, zu beiden Seiten ein steiler Abhang bewachsen mit Farnen und Laubbäumen. Zu allem Überfluss waren einfach überall Menschen. Es kostete mich viel Kraft, die wenigen Worte an meinen Mann zu richten, ehe ich mich vom Weg verabschiedete und in den Abhang kletterte; ich rutschte und hatte größte Mühe, nicht vollends abzudriften. Mein Mann blieb wenige Meter von mir entfernt stehen, um mich im Notfall vor einem Absturz bewahren zu können. Ich versuchte mich bestmöglich zu verstecken, um wenigstens nicht von allen Leuten gesehen zu werden, hockte mich hin und hatte wieder starken Durchfall, begleitet von einem kurzen Ohnmachtsgefühl, das mich glücklicherweise nicht von den Beinen holte. Nach etwa zehn Minuten stand ich auf, schaffte es bis zum Weg und musste direkt wieder umkehren und meinen Hockplatz einnehmen. Diesmal hielt es mich eine halbe Stunde dort, geplagt von Krämpfen, Durchfall, eiskaltem Schweiß auf der Stirn und Benommenheitsschwindel. Als ich eine ruhige Minute hatte, beschlossen wir, ohne Umwege nach Hause zu fahren. Ich sah und hörte kaum noch etwas. Mit gesenktem Blick und an meinen Mann gelehnt, ging es schnurstracks zum Auto. Das Gefühl, mein Kopf würde nicht mehr richtig auf meinem Hals sitzen, war nun präsenter als bisher, und noch nie kamen mir 500 Meter so unendlich lange vor. Die 30 Minuten Fahrt zogen sich wie Kaugummi. Zuhause angekommen legte ich mich aufs Sofa und versuchte wieder mit Wärme und Tee Kraft zu sammeln, vermutlich war ich einfach noch nicht ganz fit und hatte mich vom vorigen Tag noch nicht erholt. Der nächste Tag war ein Feiertag, und wir blieben den ganzen Tag zu Hause.

Wirklich besser ging es mir auch am folgenden Tag nicht. Da ich Gleitzeit hatte, schob ich meinen Arbeitsbeginn stundenweise nach hinten, doch es ging mir immer schlechter. Inzwischen war es kurz vor 11 Uhr, und alles ging ganz schnell, mir wurde schwarz vor Augen, ich bekam Herzrasen, starke Übelkeit und wieder dieses Gefühl irgendwas würde absolut nicht stimmen. In mir stieg Panik auf, und ich dachte, wenn ich mich jetzt hinlege, dann könne ich nicht mehr aufstehen. Ich bat meinen Mann, bei unserer Hausärztin anzurufen. Diese war allerdings im Urlaub, und der Vertretungsarzt würde erst um 15 Uhr wieder öffnen. Wir wägten ab und entschieden, dass mein Mann mich ins Krankenhaus fahren sollte, das war zeitlich gerade noch so drin, denn er hatte an diesem Tag Spätschicht. Dort angekommen, hing ich wie ein Häufchen Elend in der Ecke, blass um die Nase, zitternd und mit verschwommenem Blick konnte ich mich kaum auf den Beinen halten. Nach einiger Wartezeit kam ich dran und schilderte meine Symptome, bekam Blut abgenommen und die erste Infusion meines Lebens. Mein Mann ging und hatte vorab mit meinem Opa geklärt, dass dieser mich nach Hause fahren würde, sobald ich im Krankenhaus fertig war. Ich lag auf der Liege und hörte wie durch Watte, dass die Blutwerte okay wären, der Blutdruck etwas niedrig und ich warten solle bis die Infusion durchgelaufen sei. Alles halb so wild, ich wäre einfach nur geschwächt vom Durchfall, sagte man mir, und ich hoffte, die Ärzte würden recht behalten. Tatsächlich glaubte ich aber nicht daran, denn in meinen 27 Jahren habe ich schon so manche Magen-Darm-Geschichte durchgemacht und weiß, wie es sich anfühlt, wenn man nur etwas geschwächt ist. Hier war aber etwas ganz und gar Gewaltiges im Argen. Die Infusion schlug kaum an, und es ging mir nur stückchenweise besser. Als ich entlassen wurde, war ich nach wie vor besorgt um meinen Zustand und legte mich aufs Sofa, wo ich nach einigen Minuten erschöpft einschlief. Einen Termin beim Vertretungshausarzt bekam ich zwei Tagen später, und dieser verlief nicht besonders gut. Nach einem kurzen Wortwechsel war klar, dass der Arzt mir schlichtweg nicht zuhörte und mich nicht ernst nahm. Ich schilderte meine Symptome, und er meinte es sei nur der geschwächte Kreislauf, ich solle mal einen Schluck Cola oder Kaffee trinken, dann käme der wieder in Schwung. Dass ich den Verdacht hatte, es würde nicht nur am Kreislauf liegen, da ich mich deutlich schwächer und schlechter fühlte, ignorierte er. Natürlich wäre ich schwach, wenn ich aufgrund meiner Übelkeit den gewohnten Kaffee am Morgen nicht trinken würde. Dass ich überhaupt keinen Kaffee trank überhörte er gekonnt. Auf die Frage, was ich denn tun könnte, damit es mir wieder besser ginge, meinte er, ich solle Ausdauersport machen das wäre gut für den Kreislauf. Dass ich das bereits ausgiebig tat, fiel - wie so vieles - unter den Tisch. Er verschrieb mir Tabletten gegen die Übelkeit und Kohletabletten, die ich dreimal täglich einnehmen sollte; außerdem schrieb er mich die restliche Woche krank.

In der nächsten Woche stellte ich mich bei meiner Hausärztin vor die nun aus dem Urlaub zurück war. Mir ging es kein Stück besser. Drei Kilogramm leichter, und man sah schon von weitem, dass es mir elend ging. Meine Hausärztin war angesichts der Symptome ratlos, schrieb mich eine weitere Woche krank und vereinbarte mit mir einen weiteren Termin in einer Woche, falls es mir nicht besser gehen sollte. Es folgten einige Bluttests, die unauffällig ausfielen, und ich bekam eine Überweisung für die Kardiologie und Gastroenterologie mit. Am selben Tag begann die Suche nach dem schnellstmöglichen Termin. Für den Kardiologen waren es 18 Tage, für den Gastroenterologen satte sechs Wochen Wartezeit. Eine Woche später quälte ich mich zur Arbeit, eine reine Tortur, aber ich war gerade aus der Probezeit heraus und hatte nur noch drei Tage zu arbeiten, bevor ich zwei Wochen Urlaub hatte. Irgendwie hielt ich tatsächlich durch und ging am Ende der Woche wieder zu meiner Hausärztin, um mein momentanes Befinden zu schildern. Eine weitere Krankmeldung lehnte ich ab, da ich hoffte, im Urlaub endlich Erholung finden zu können. Sie äußerte wieder einmal, die Schmerzen seien vermutlich chronisch, und der Rest käme eventuell von der Psyche, denn so viele unterschiedliche Symptome konnten nicht sein. Ich empfinde es ehrlich gesagt als die falsche Art zu denken: „So viele verschiedene Symptome, die auf den ersten Blick nicht zusammenpassen – du musst dir das einbilden", anstatt zu sagen: „Das muss etwas Komplexeres sein oder einfach mehrere Sachen auf einmal". Über diesen Verdacht war ich ziemlich verärgert, da ich noch keinen einzigen Facharzttermin hatte wahrnehmen können und mir bereits unterstellt wurde, dass ich mir das Ganze einbilden würde.

In meinem kompletten Urlaub lag ich fast ausschließlich flach und fühlte mich wie in einem Delirium, denn jeder Tag lief ähnlich ab. Stark geschwächt konnte ich kaum stehen, geschweige denn laufen, und wegen andauernder Übelkeit musste ich mich zwingen etwas zu essen. Leider vertrug ich zu der Zeit fast nichts und hatte wenige Minuten nach dem Essen starke Bauchkrämpfe mit Durchfall. Der Benommenheitsschwindel war mein ständiger Begleiter, ebenso wie ein zuverlässiger Tinnitus und wiederkehrendes Herzrasen. Abends ging ich mit meinem Mann und den Hunden eine kleine Runde spazieren, gespickt mit vielen Pausen und stets am Straßenrand, damit man uns schnell finden konnte, sollte es mir plötzlich wieder schlechter gehen. Die Angst war immerzu präsent, da ich nicht wusste, was mit mir los war. Diese Ungewissheit nagte stark an mir, denn durch die Einschränkungen und Schmerzen war ich inzwischen auch sehr gereizt und schaffte es nicht immer diesen Gemütszustand für mich zu behalten. Ich hatte über sechs Kilogramm abgenommen, sehr deutlich konnte man nun die Muskeln, Sehnen und Knochen sehen. Meine Augen waren trüb, und ich verlor deutlich mehr Haare als sonst. So vereinbarte ich kurz vor Urlaubsende erneut einen Termin bei meiner Hausärztin. Inzwischen hatte ich noch stärkere Schmerzen, die sich vor allem auf die Hals- und Lendenwirbelsäule fokussierten und sich anfühlten, als ständen diese in Flammen. Die einfachsten Dinge fielen mir plötzlich sehr schwer, ich konnte mich kaum noch klar artikulieren, und Worte verschwanden aus meinem Kopf, ehe ich sie aussprechen konnte. Wenn ich sprach war es verwaschen und oftmals grob aus dem Zusammenhang gerissen. Ich hatte Schwierigkeiten mit dem Gehen und der Koordination, da ich zunehmend schlechter sah und Abstände nicht mehr einschätzen konnte. Mein Kurzzeitgedächtnis wurde immer bescheidener, und die Kraft reichte nicht einmal mehr, um eine Flasche zu öffnen. Die Instabilität der Halswirbelsäule war zum Teil so gravierend, dass ich meinen Kopf stützen musste und mir nur ein eng angelegter Schal das Gefühl von etwas mehr Stabilität gab.

Mit wachsendem Maß an Verzweiflung begann ich schließlich, mich im Internet zu informieren und etliche Artikel zu verschiedenen Themen quer zu lesen. Allerhand wilde Spekulationen musste ich durchkämmen, um dann irgendwann auf das Thema instabile Halswirbelsäule zu stoßen. Ich überflog die Symptome, sowie mögliche Ursachen und begann stutzig zu werden. Das alles sollte von einer instabilen Halswirbelsäule kommen können? Es klang zum Teil etwas weit her geholt, aber wenn man sich genauer damit befasste, machte das plötzlich sehr viel Sinn, und man fragt sich: Wie können manche Mediziner das heute noch leugnen? Während ich recherchierte, schickte ich auch meinem Mann verschiedene Artikel. Bereits beim zweiten Text bestätigte er die erschreckenden Parallelen. Auch er war sehr erstaunt. Ich behielt mir das Ganze zunächst als Verdacht im Hinterkopf und stolperte per Zufall über zwei Bücher von Karina Sturm, welche ich mir als PDF aufs Smartphone lud. Als ich gerade ein paar halbwegs gute Minuten hatte, begann ich zu lesen und bekam Gänsehaut wegen der erschreckenden Ähnlichkeiten. Angespornt, mir mehr Wissen über das Thema aneignen zu wollen, begann ich weiter zu recherchieren und bestellte mir unter anderem das Buch „Wackelköpfchen" von Simone Theisen-Diether. Im Internet suchte ich nach Betroffenen und stieß auf verschiedene „Selbsthilfegruppen". In einer dieser Gruppen fand ich einen Aufruf von Simone Theisen-Diether, welche Geschichten von Betroffenen sammeln wollte. Ich nahm mir vor, sollte sich bei mir der Verdacht bewahrheiten, so würde ich an dem Projekt teilhaben wollen, und aus diesem Grund lesen Sie meine Geschichte.

Da ich inzwischen auf meinem Kissen nicht mehr schlafen konnte, ließ ich dieses komplett weg, und es knirschte an meinem Hinterkopf, als wäre Sand im Getriebe. Das blieb über viele Nächte so. Etwa zeitgleich begann mein Kiefer bereits bei geringen Bewegungen laut zu knacksen. Kurzfristig bekam ich einen Termin bei meinem Orthopäden, und er besah sich mein Halswirbelsäule. Ich erzählte ihm von einer Schwellung mittig am Nacken, die erst seit kurzem dort war. Er meinte, sein Kollege - ein Spezialist auf diesem Gebiet - sei gerade hier und könne sich das ansehen. Sein Kollege kam und legte die Hände an meinen Nacken, drehte meinen Kopf nach links und nach rechts und nuschelte meinem Orthopäden etwas zu. Dann sagte er zu mir mein Atlaswirbel sei verschoben, und daher käme der Schwindel. Ohne ein weiteres Wort und ohne Vorwarnung drehte er meinen Kopf und zog ihn gleichzeitig nach oben. Hilflos und unter Schmerzen versuchte ich mitzugehen und ein Knacken ertönte. Danach sollte ich den Kopf wieder nach links und nach rechts drehen. Ich merkte, dass es kaum besser ging als zuvor, aber der Arzt war zufrieden und mein Orthopäde nickte anerkennend. Mit den Worten „Könnte heute Kopfweh geben, aber nach ein bis zwei Tagen sollte wieder alles gut sein" wurde ich verabschiedet. Ich war sauer, ohne Vorwarnung und Einverständnis eingerenkt worden zu sein, hoffte aber dennoch, es hätte etwas gebracht. Auf dem Weg nach Hause betastete ich die Schwellung am Nacken. Sie schien etwas zurück gegangen zu sein, und ich schöpfte ein wenig Hoffnung. Tatsächlich ging es mir am selben Tag schon etwas besser. Am Tag darauf hatte ich fast gar keinen Schwindel, aber zwei Tage nach der „Behandlung" ging es mir wieder so schlecht wie zuvor. Der Orthopäde war dann auch erst einmal für die nächsten Wochen im Urlaub. Da die Arzthelferin des Kardiologen darum gebeten hatte, alle bisherigen Unterlagen mitzubringen, bat ich meine Hausärztin darum eine Langzeitblutdruckmessung zu machen, damit der Kardiologe nicht bei Null anfangen müsse. Am Tag der Messung ging es mir wieder deutlich schlechter, und ich verbrachte den Tag überwiegend im Liegen – dementsprechend niedrig fiel mein

Blutdruck aus. Das versuchte ich dem Kardiologen zu erklären, der nach einem Blick auf die Messung direkt die Diagnose parat hatte. Ich hätte einen schwachen Kreislauf, das hätten viele schlanke Frauen in dem Alter, würde irgendwann von selber weggehen, man könne da nicht viel machen. Langes Stehen und Sitzen solle ich vermeiden und Ausdauersport machen. Beim Termin vor Ort wurde ein EKG gemacht, welches unauffällig war, ebenso ein kurzer Ultraschall vom Herzen. Er sagte, es sei alles in Ordnung und von den Werten her auch okay, ich würde mich so ja auch wohlfühlen, also würde es einfach nur am Kreislauf liegen. Dass es mir in diesem Moment alles andere als gut ging, konnte man mir eigentlich am blassen Gesicht ablesen, für eine Diskussion war ich aber einfach zu schwach. Als ich fragte, ob die Symptome von der Halswirbelsäule kommen könnten, lachte er mich aus und meinte „So ein Blödsinn, dass ist ausgeschlossen!"

Bei meinen Recherchen war ich auch über den Begriff CMD (Craniomandibuläre Dysfunktion) gestoßen, die zum Teil ähnliche Symptome mit sich bringt. Da meine Kiefermuskeln zudem rechts und links in der Höhe versetzt zueinander standen, zog ich auch das in Betracht. Als ich abends vor lauter Kieferknacken und Kopfschmerzen weder vor noch zurück wusste, suchte ich nach Spezialisten auf diesem Gebiet. Glücklicherweise fand ich eine Kieferorthopädin, bei der ich direkt online einen Termin für den nächsten Tag ausmachen konnte. Die Ärztin nahm sich viel Zeit, aber eine CMD konnte sie nicht feststellen. Auch bei ihr äußerte ich den Verdacht auf die Halswirbelsäule als Übeltäter, und sie meinte, dass das theoretisch möglich sei. Sie wollte eine Zahnschiene anfertigen lassen, da ich vermutlich nachts fest zubiss. Wegen meiner Kopfschmerzen verschrieb sie mir zudem Physiotherapie, und wir vereinbarten einen Folgetermin nach zwei Wochen zum Abholen der Schiene. Am darauffolgenden Tag besuchte ich meine Hausärztin, dort erzählte ich von den Terminen beim Kardiologen, Orthopäden und der Kieferorthopädin. Sie hörte aufmerksam zu, und ich hatte den Eindruck, sie würde mir jetzt endlich glauben. Am Ende schrieb sie mich noch ein paar Tage krank, wie ich später herausfand mit der unschönen Verdachtsdiagnose „Somatische Störung". Was das laut ICD-Code komplett aufgeschlüsselt hieß, erzürnte mich, da sie im Gespräch so getan hatte, als würde sie das, was ich sagte, in Betracht ziehen und einen interessierten und offenen Eindruck gemacht hatte. Ich fühlte mich ehrlich gesagt hintergangen.

Tags darauf war ich beim HNO-Arzt, um den Schwindel abklären zu lassen. Der Arzt schaute mir kurz links und rechts ins Ohr, hörte sich die Schwindelsymptomatik an und meinte, von den Ohren käme das ganz sicher nicht, klänge für ihn nach Stress. Ich sagte ihm, dass ich keinen übermäßigen Stress hätte, abgesehen davon, wie lange das Ganze jetzt schon ging, und fragte, ob so eine Art von Schwindel nicht von der Halswirbelsäule her kommen könnte. Er nickte und meinte das sei natürlich auch eine Möglichkeit. Eine Woche später stand der Termin beim Gastroenterologen an, da ich nach wie vor unter Übelkeit litt, einen starken Blähbauch hatte und zwischen Bauchkrämpfen mit Durchfall und Verstopfung wechselte. Der Arzt hörte sich einen Bruchteil der Symptome an und fragte, ob man bereits einen Ultraschall gemacht hatte, ich verneinte, und er sah auf seine Uhr. Er sagte, dafür hätte er heute keine Zeit mehr und ordnete einen weiteren Bluttest an. Stuhlproben sollten gebracht werden, und ich bekam einen Termin für den Ultraschall in vier Wochen sowie zur Magen- und Darmspiegelung, über deren Risiken er mich noch schnell aufklärte. Diese Termine nahm ich allerdings nicht wahr, da ich mich dort zum einen nicht gut aufgehoben fühlte und zum anderen die Beschwerden diesbezüglich etwas nachließen. Am nächsten Tag hatte ich einen Termin bei einem auf Wirbelsäulen spezialisierten Orthopäden, welcher nur Privatpatienten und Selbstzahler behandelte. In meiner Verzweiflung war ich froh, einen Termin bekommen zu haben und setzte in diesen große Hoffnungen. Er hörte sich an, was ich zu sagen hatte, besah sich im Schnellverfahren Röntgenbilder und Befunde und nahm sich Zeit die Halswirbelsäule abzutasten. Die Kopfgelenke seien blockiert, er würde die Blockaden beseitigen, und danach solle ich Sport machen wie bisher, um die Muskulatur wiederaufzubauen. Vorsichtig und mit Ansage beseitigte er die Blockaden und ich konnte mich tatsächlich ein bisschen besser bewegen, das war aber auch das Einzige was sich verändert hatte. An das frühere Sportpensum war absolut nicht zu denken, ich hatte, wann immer es mir einen Tag etwas besser ging, einen Versuch im Fitnessstudio gestartet und es ganz langsam angehen lassen, aber es ging einfach nicht. Ich begann unkoordiniert zu zittern, mir wurde schwindelig, und ich hatte das Gefühl zusammenzubrechen. Es folgte ein Kontrolltermin bei meiner Hausärztin und ich konfrontierte sie mit dem Verdacht auf Somatisierung, welchen sie auf meine Krankmeldung geschrieben hatte. Beschwichtigend meinte sie, es sei nur ein Verdacht und keine gesicherte Diagnose, aufgrund der Fülle an Symptomen bliebe ihr da keine Wahl. Sie würde mir dennoch glauben, dass ich mir das nicht einbilde und ich solle weiter dranbleiben, um die Ursache zu finden.

Knappe zwei Wochen später hatte ich einen Termin bei einer Neurologin, die auf Schmerzpatienten spezialisiert war. Ich erzählte ihr einen Bruchteil der Symptome, und plötzlich fragte sie mich nach dem Schal, den ich zu der Zeit eigentlich immer trug. Noch bevor ich etwas erwidern konnte sagte sie: „Den tragen Sie, weil es sich so stabiler anfühlt oder?" Ungläubig sah ich sie an und nickte, war da etwa jemand, der mich nicht für verrückt erklärte und für den das alles Sinn ergab? Sie besah sich meine Halswirbelsäule, und ich musste einige geführte Bewegungen machen, während sie diese betastete, um dann den Verdacht zu äußern: Instabile Halswirbelsäule. Was ich schon seit Wochen vermutete, nach den ersten Arztbesuchen aber kaum mehr zu äußern wagte, wurde mir nun im Verdacht bestätigt, ohne dass ich es explizit angesprochen hatte. Wir besprachen das weitere Vorgehen, und sie vereinbarte einen Termin für ein Upright-MRT in Funktionsstellung. Den Kostenübernahmeantrag leitete ich am selben Tag an meine Krankenkasse weiter, und einen

Tag vor Terminantritt teilte mir diese mit, der Antrag sei abgelehnt. Da ich nicht länger warten wollte und konnte, bestritt ich es auf eigene Kosten und wollte mich im Nachgang um einen Widerspruch bemühen. Eine Woche vor dem Termin des Upright-MRT war mein Orthopäde aus dem Urlaub zurück, und ich brachte ihn auf den aktuellen Stand. Er meinte: „Untersuchen ist ja schön und gut, aber man solle jetzt endlich etwas machen" und somit drängte er mich zum Rehaantrag. Ohne korrekten Befund hielt ich das allerdings für fragwürdig und hatte zudem die Befürchtung, dass es mehr schaden als nützen würde.

Nach knapp zweistündiger Fahrt kamen wir an der Privatpraxis an, die das Upright-MRT durchführen sollte. Die Untersuchung an sich dauerte eine ganze Stunde und wurde in Neutralstellung, Drehung nach links und rechts, sowie Beugung nach links und rechts durchgeführt. Kurze Zeit später erklärte mir der Radiologe, was auf den Aufnahmen zu sehen war. Der Atlaswirbel verschiebt sich bei Bewegung um bis zu 5 mm und meine Haltebänder (Ligamenta alaria) sind gelockert, vernarbt und verdickt, daher sei das Rückenmark zum Teil komprimiert. Zurückzuführen wäre das Ganze auf die Vielzahl von Unfällen, die ich bisher erlitten hatte. Leider konnte er mir nichts Weiteres dazu sagen, und so wartete ich auf den Termin bei meiner Neurologin, der eine Woche später stattfinden sollte.

Die Neurologin las sich den Befund durch, und ihre Miene verfinsterte sich. Das wäre so ziemlich der schlechtmöglichste Befund meinte sie, und da könne sie mir leider nicht helfen, weil ihr hierzu das Fachwissen fehle. Sie überlegte und zog einen Flyer aus der Schublade, eventuell könne der mir helfen meinte sie. Ein privat praktizierender Facharzt für Orthopädie, Unfallchirurgie, rehabilitative, physikalische und manuelle Medizin sowie Osteopathie. Er warb unter anderem damit, optimale Voraussetzungen für körperliche Heilung zu schaffen und machte auch sonst einen kompetenten Eindruck. Leider warb er nur damit und so wurde ich eine Woche später eines Besseren belehrt. Bevor ich überhaupt ein Wort mit dem Arzt wechseln konnte, drückte er mir ein Tablet in die Hand, um einen digitalen Fragebogen auszufüllen. Etwas ratlos nahm ich mich der Fragen an und diese schienen zunächst harmlos: Adresse, Versicherung und Beschwerden. Nach und nach wurden die Fragen seltsamer und spezieller. Wünschen Sie eine Ernährungsberatung, ein Mental-Coaching und Kinesiotapes? Am Ende spuckte mir das Gerät eine Rechnung von knappen 400 Euro aus. Ehrlich gesagt, hatte ich schon von der ersten Sekunde an ein schlechtes Bauchgefühl, und alles in mir war auf sofortigen Rückzug eingestellt. Darauf hätte ich hören sollen. Verwirrt brach ich das Programm ab und wollte direkt mit dem Arzt sprechen. Er hörte sich halbherzig an, was ich zu sagen hatte, und besah sich die Aufnahmen vom Upright-MRT, nachdem er den Befund überflogen hatte. „Röntgenaufnahmen wären besser gewesen", murrte er, und danach ging es in den Behandlungsraum. Er würde die Blockaden lösen, danach ginge es mir besser, hatte er gesagt und gefragt, ob ich etwas dagegen hätte. Ich bat ihn, vorsichtig zu sein und vorab zu erklären, was er machen wolle. Gesagt getan, ich legte mich auf die Liege, er tastete meine Halswirbelsäule und sagte, ich solle langsam meinen Kopf drehen, er würde sich das Ganze nur mal ansehen. Ohne ein weiteres Wort riss er meinen Kopf herum und damit begann der Albtraum, der mich am Ende knappe 200 Euro gekostet hatte. Ich wurde grob herumgewirbelt, und es knackte am laufenden Band. Ich hoffte inständig, ohne größeren Schaden davon zu kommen. In meinen Ohren dröhnte es, mir war schwindelig, und ich fühlte mich absolut miserabel. Es ärgerte mich wahnsinnig, dass ich nicht sofort gegangen bin oder wenigstens die Kraft hatte, das Prozedere verbal zu stoppen. Am Ende wurde ich zur Kasse gebeten, und ein Folgetermin sollte vereinbart werden. Zumindest das konnte ich erfolgreich verhindern. Mit zittrigen Beinen, geschwächt und mit starken Schmerzen verließ ich das Gebäude und ließ mich nach Hause fahren.

Eine Woche nach dem Termin befand ich mich wieder bei meiner Hausärztin und bat um eine weiche Halskrause, sowie ein Tensgerät für Reizstrom. Ich hatte weiterhin viel recherchiert und begann nun damit, auf eigene Faust auszuprobieren, was mir half und was nicht, denn kein Arzt fühlte sich bisher verantwortlich dafür oder hatte Ideen und Vorschläge.

Nach wie vor befinde ich mich auf diesem eingeschlagenen Weg der Selbsthilfe. Ich informiere mich und lese, wann immer die Kraft dazu da ist, Fachbücher und Artikel, versuche mich mit anderen Betroffenen auszutauschen und kämpfe mich mal mehr mal weniger erfolgreich durch den Tag. Aktuell habe ich das Gefühl einen kleinen Schritt nach vorne zu gehen, nur um wieder nach hinten zu stolpern, aber die Zuversicht ist da. Ein großer Punkt an dem ich nach wie vor arbeiten muss, ist meine Launen besser im Zaum zu halten, da sich diese gegen diejenigen richten, die es nicht verdient haben. Ich will wieder ein weitgehend normales und symptomfreies Leben führen. Dass nichts wieder so werden wird wie früher, ist mir klar, aber dennoch möchte ich das für mich erreichbare Maximum an Lebensqualität herausholen. Einen Termin beim Neurootologen und Neurogastroenterologen habe ich noch für die Zukunft geplant, auch möchte ich es mit Osteopathie versuchen und einen Internisten mit Mitochondrienerfahrung konsultieren. Im Moment fehlt mir aber schlichtweg die Kraft dazu, denn diese ist ein rares Gut geworden, welches ich mir einteilen muss. Was ich früher in wenigen Stunden geschafft habe, wie zum Beispiel den Hausputz, muss nun auf mehrere Tage aufgeteilt werden. Termine sind für mich schwer und nur mit Planung zu bewältigen. Mehr als halbtags arbeiten ist momentan undenkbar, und richtigen Sport schaffe ich nicht mehr, da ich schon vor Sportbeginn verausgabt bin. Auf Schmerzmittel versuche ich weitgehend zu verzichten und sie nur im absoluten Schlimmstzustand zu nehmen. Die Halskrause trage ich nicht jeden Tag und nur dann stundenweise, wenn ich wieder einmal das Gefühl habe, den Kopf nicht mehr halten zu können. Über die Woche verteilt mache ich Kräftigungsübungen und bin noch dabei herauszufinden, was mir guttut und was mir schadet. Ich versuche so viel Normalität zurück zu kämpfen wie nur möglich. Wann immer es geht, gehe ich mit meinen Hunden raus und gehe vermeidbarem Stress aus dem Weg. An dieser Stelle möchte ich Karina Sturm und Simone Theisen-Diether für ihre Erfahrungsberichte danken, denn ohne sie wäre ich nicht so schnell in die richtige Richtung geführt worden. Einen besonderen Dank möchte ich an meinen Mann richten, der mich, wann immer es möglich ist, zu Arztterminen begleitet und mir im wahrsten Sinne des Wortes in guten wie in schlechten Zeiten mit Geduld und Liebe beisteht.

Sarah Wörz

17. Wie ein Autounfall Fluch und Segen zugleich wurde

Mein Leben mit der Kopfgelenksinstabilität begann schon in meiner frühen Kindheit. Mit sehr großer Wahrscheinlichkeit im Alter zwischen 1 und 3 Jahren, ich weiß es heute nur aus Erzählungen meiner Eltern. Beim Herumtoben rutschte ich meinem Vater kopfüber aus dem Arm und fiel direkt auf meinen Kopf. Doch dass dies vermutlich der Anfang meiner langen Krankheitsgeschichte war, sollte ich erst viele Jahre später erfahren. Es war für mich immer alles so normal. Ich war während meiner Kindheit übermäßig viel krank, hatte immer wieder Infekte, später Pfeiffersches Drüsenfieber und eine Hirnhautentzündung. Scheinbar nahm ich alles mit. Aber das war nun mal so. Nach der Hirnhautentzündung, die mich, da sie zuerst nicht erkannt und behandelt wurde, über Wochen in den Sommerferien plagte, bekam ich immer wieder starke Kopfschmerzen. Damals wurde das als Spätfolge der Hirnhautentzündung mit Antiepileptika behandelt. Heute habe ich die Vermutung, dass es eher mit meinem instabilen Nacken zu tun hatte. Die Kopfschmerzen kamen zwar während der medikamentösen Therapie in größeren Abständen, aber ich erinnere mich, dass ich immer wieder sehr starke Kopfschmerzen bekam, oft so stark, dass mir vor Schmerzen und Verzweiflung die Tränen in die Augen schossen. Da half dann nur aushalten oder eine Schmerztablette, wenn sie noch wirkte. Später wurde bei mir eine Skoliose diagnostiziert, welcher man versuchte, mit einer Schuherhöhung entgegenzuwirken. Das war im Nachhinein sicherlich wenig sinnvoll, eine Störung am oberen Ende der Wirbelsäule, am unteren Ende auszugleichen. Denn es lag ja nicht an einem Längenunterschied meiner Beine. Aber das alles wusste ich damals noch gar nicht. In der Schule konnte ich mich oft sehr schlecht konzentrieren, fühlte mich oft müde und träumte immer wieder aus dem Fenster. Die Magnolie vor dem Schulhaus wurde oft, vor allem in der Blütezeit, zu meinem

Rettungsanker. Es fällt mir auch heute noch schwer, mich über einen längeren Zeitraum konzentriert zum Beispiel auf ein Gespräch einzulassen. Meine Gedanken schweifen sehr schnell ab, und ich werde müde und unkonzentriert. Das, was ich im Unterricht nicht mitbekam, musste ich mir mit viel Fleißarbeit an den Nachmittagen manchmal förmlich eintrichtern. Irgendwie schaffte ich es aber immer und es war so ganz normal für mich, ich kannte es ja nicht anders. Aber es kostete schon in dieser Zeit viel Kraft. Auffällig war auch im Kindesalter schon, dass ich wenig Kraft in meinen Armen hatte. Es fiel mir schon immer schwer, mich mit den Armen irgendwo hoch zu ziehen, zu hangeln oder zu werfen. Meine Beine waren immer irgendwie kräftiger. Im Sportunterricht in der Schule konnte ich in solchen Disziplinen, die Armkraft erforderten, eher weniger punkten. Genauso schwer fiel es mir, eine Vorwärts- oder Rückwärtsrolle zu machen. Das war für mich immer der Horror, weil ich bei derlei Übungen schon in Grundschulzeiten Schmerzen im Nacken und im Kopf bekam. Sehe ich mir heute die Fotomappen aus meiner Schulzeit an, erkenne ich auf allen Fotos eine eindeutige Kopfschiefhaltung. Alles schon damals Hinweise darauf, dass mit meinen Kopfgelenken etwas nicht in Ordnung war.

Nach der Schule machte ich eine Ausbildung zur Physiotherapeutin. Aus heutiger Sicht etwas schicksalhaft, wurde ich doch in den letzten Jahren vom Therapeuten zum besten Patienten. Zum ersten Mal wurde mir der Zusammenhang zwischen meinem Nacken und den Kopfschmerzen im Alter von 20 Jahren bewusst. Ich hatte gerade meine erste eigene Wohnung bezogen. Nach dem Renovieren eines kleinen Stücks einer Zimmerdecke, wobei ich meinen Nacken überstreckte, hatte ich am nächsten Tag gleich am Morgen beim Aufwachen starke Kopfschmerzen. Die Schmerzen gingen von meiner linken Nackenseite aus und nahmen im Laufe des Tages stetig zu, sodass ich am Abend und in der folgenden Nacht sehr heftige Nacken- und Kopfschmerzen hatte. In der Nacht konnte ich kaum zur Ruhe kommen, wälzte mich hin und her und suchte nach einer möglichen Schlafposition. Am nächsten Tag wurde es langsam besser. Diese Schmerzzustände gehörten im weiteren Verlauf immer wieder zu meinem Leben. Da mir mein Nacken immer wieder Probleme bereitete, besorgte ich mir schon mit Anfang zwanzig ein Nackenstützkissen, welches seit dem aus meinem Leben nicht mehr weg zu denken ist. Seither habe ich keine Nacht mehr auf einem anderen Kissen verbracht. Heute wäre nur eine einzige Nacht auf einem normalen Federkissen unmöglich. Müsste ich es trotzdem tun, wären mir starke Beschwerden, über mehrere Tage anhaltend, sicher. Als ich meine Ausbildung beendet hatte, startete ich motiviert und mit Freude ins Berufsleben. Ich merkte in dieser Zeit schon, als ich Vollzeit in meinem gelernten Beruf arbeitete, dass ich zum Feierabend immer ziemlich müde und erschöpft war. Ich war Anfang zwanzig, da haben andere Menschen noch viel Energie, für mich war das eher ein Fremdwort. Ich schaffte es mit meiner Energie immer gerade so über den Tag zu kommen. Als ich mit Mitte zwanzig zum ersten Mal schwanger war, litt ich an übermäßig starker Übelkeit, was einen Krankenhausaufenthalt und die Einnahme von Medikamenten erforderlich machte. Ich hatte diese Übelkeit bis zur Hälfte meiner Schwangerschaft und war danach sehr froh, endlich die so besondere Zeit mit meinem Baby im Bauch genießen zu können. Doch leider bekam ich zum Ende der Schwangerschaft einen fürchterlich juckenden Hautausschlag. Eine Hautärztin riet mir, die Schwangerschaft einfach früher zu beenden. Einfach? Nein, das kam für mich nicht in Frage, mein Baby sollte die Zeit bekommen, die es brauchte. Dank einer guten Naturheilpraktikerin, konnte ich mit Essigwickeln bis zum Schluss durchhalten. Auch in den folgenden Schwangerschaften war es ähnlich, ich litt auch hier wieder an sehr starker und langanhaltender Übelkeit. Aber tapfer hielt ich auch hier durch.

Da wir als junge Familie mehr Platz benötigten, stand ein großer Umzug an. Ich war Anfang dreißig, als wir in ein altes, sanierungsbedürftiges Haus, mit viel Arbeit umzogen. Es war eine anstrengende, aber auch schöne Zeit. Aber aus heutiger Sicht betrachtet, war die damit verbundene körperliche Belastung für meine instabilen Kopfgelenke absolut schädlich. Mein Mann und ich hatten an unserem Haus viel handwerkliche Arbeit zu verrichten, wir renovierten uns durch die Zimmer, rissen ab und bauten neu auf. Wo es mir möglich war, neben der Betreuung unserer Kinder, packte ich mit an. Aber das war alles viel zu viel für meinen Nacken. Ich sah zunehmend erschöpfter aus. Ich war in körperlich wirklich schlechter Verfassung, was man mir auch ansah. Eine Freundin riet mir, eine Mutter-Kind-Kur zu machen. Da ich ja selbst merkte, wie erschöpft und energielos ich mich fühlte, entschied ich mich, eine Kur zu beantragen. Trotz der Tatsache, dass meine Kinder noch sehr klein waren, lief der Antrag erst mal ins Leere. Ich bekam, für mich und mein Umfeld völlig unverständlich, erst mal eine Absage. Aber ich kämpfte weiter darum, auch weil ich nach einer dringend notwendigen Meniskusoperation plötzlich Attacken von Herzrasen und Herzstolpern bekam. Es begann einen Tag nach der Operation. Zuerst dachte ich, es sei ganz bestimmt von der Narkose. Heute ist mir einiges klarer. Bei der Operation wurde mein Nacken in die Überstreckung gebracht, um mich während der Narkose zu beatmen. Das war ganz sicher der Auslöser und der Beginn meiner Symptomkette.

Nach dem dritten Anlauf wurde mir die Mutter-Kind-Kur dann doch genehmigt. Zu dem nun immer wieder auftretenden Herzrasen, bekam ich nun auch beim nach unten Blicken, oft dieses komische Gefühl, als würde der Boden unter mir schwingen oder wanken, und ich spürte oft eine Schwäche in meinen Armen und Händen, so dass mir häufig Gegenstände aus den Händen glitten. Klar, zu der Zeit dachte ich noch, es sei alles einfach zu viel Belastung. Aber es war weit mehr. Ich war zu dieser Zeit sehr froh über eine Auszeit. Drei Wochen Kur ohne Alltag würden mir hoffentlich guttun und meine Energie wieder etwas zurückbringen. Dem war leider nicht so. Ich hatte zwar auch mal ein paar Minuten für mich allein, aber auch während der Kur bekam ich wieder heftiges Herz-rasen. Mein Herz schlug so wild in meiner Brust, ich bekam innere Unruhe und dazu ein Angstgefühl.

Als die Kur vorbei war und zuhause der Alltag weiter ging, hielten die Beschwerden an, so dass ich mehrfach bei meinem Hausarzt vorstellig wurde. Mein Hausarzt ist ein sehr engagierter Internist und Naturheilpraktiker, der zu dieser Zeit viel mit Kinesiologie und auch Ausleitung von Giftstoffen arbeitete. Er empfahl mir, mit einer natürlichen Ausleitung mit Chlorella-Algen zu beginnen. Motiviert und hoffnungsvoll besorgte ich mir diese Algen und nahm sie über einen längeren Zeitraum konsequent ein leider ohne merkliche Besserung. Im Lauf der Zeit bekam ich nun auch in Abständen plötzlich einschießende, heftige Schwindelanfälle, die mir wirklich Angst machten. Ich erinnere mich an eine Situation, als ich mit meinen Kindern gerade allein zuhause war und aus heiterem Himmel plötzlich wieder diesen Schwindel bekam. Es war so bedrohlich für mich, dass ich große Angst hatte, vor den Augen meiner Kinder umzukippen. Herzrasen, Schwindelanfälle, was war nur mit mir los? Mein Hausarzt schickte mich zu einem Neurologen, der einen Ultraschall meiner Halsgefäße machte, aber keine Auffälligkeiten feststellen konnte.

Aus vollkommener Unsicherheit und Ratlosigkeit suchte ich eine weitere Internistin auf. Diese hörte mir zuerst sehr offen zu und gab mir, nachdem ich sie ein zweites Mal aufsuchte, eine Überweisung zu einem Herzspezialisten, der beurteilen sollte, ob meine Gefäße intakt sind. Es war alles in bester Ordnung: Beruhigend, aber irgendwie doch nicht, denn die Beschwerden waren ja weiterhin da. Nach dem nächsten Schwindelanfall suchte ich sie erneut auf. Was dann passierte, riss mir zuerst fast den Boden unter den Füßen weg. Ich saß in ihrem Sprechzimmer und schilderte ihr erneut meine Problematik. Sie lehnte sich zurück, sah mich an und sagte: „Was wollen Sie eigentlich hier bei mir, Sie sind gesund". Ich konnte es einfach nicht glauben. Ich hätte sicherlich besseres zu tun, als zum Arzt zu laufen, wenn es mir gut ginge. Das hätte ich dieser Ärztin am liebsten ins Gesicht gesagt, aus Verunsicherung konnte ich das aber leider nicht. Mit Tränen in den Augen verließ ich ihre Praxis. Wie wichtig war da meine Familie, die mich auffing und mir wieder Mut machte. Mein Hausarzt riet mir in der Folgezeit zu einer chemischen Ausleitung, welche in mehreren Terminen in seiner Praxis durchgeführt wurde. Als aber wieder keine Veränderung eintrat, erfragte er meinen Zahnstatus. Da ich in meiner Kindheit etliche Amalgamfüllungen bekommen hatte, empfahl er mir einen Zahnarzt, der auf sanfte Weise und ohne Kleinteile des Amalgams beim Entfernen zu verschlucken, meine Zähne sanieren sollte. Eine nicht ganz kostengünstige Sache, aber mein Arzt hatte sicher Recht. Amalgam, also Quecksilber in meinem Mund, das konnte nicht gut sein. Nach guter Überlegung entschied ich mich schließlich zu der zahnärztlichen Behandlung, die ich mir vom Munde absparen musste. Aber meine Gesundheit und eine bessere Lebensqualität waren es mir wert. Die Behandlung war über einen längeren Zeitraum geplant, in mehreren Sitzungen sollten alle Zahnfüllungen mit einem Kunststoff-Keramik-Gemisch erneuert werden. Die ersten Behandlungen waren soweit in Ordnung, obwohl es mich sehr anstrengte, über längere Zeit meinen Nacken zu strecken und meinen Mund geöffnet zu halten. Nach einiger Zeit, ich konnte es damals aber noch nicht in den richtigen Zusammenhang bringen, bekam ich zu allen schon genannten Symptomen, immer mal wieder ein Gefühl, als würden Ameisen auf meinem Kopf laufen, und auch immer mal wieder ein kurzes Piepen im Ohr, mal im linken, mal im rechten Ohr. So schnell, wie es kam, verschwand es auch wieder, und ich machte mir soweit keine großen Gedanken darüber. Die letzten beiden Zahnarztsitzungen waren mit jeweils einer dreiviertel Stunde geplant, da zwei Zähne nacheinander behandelt werden sollten. Hätte ich da schon gewusst, wie es um meinen Nacken steht, hätte ich vielleicht durch eine kluge Entscheidung Schlimmeres verhindern können. In Anbetracht dieser Tatsache wäre es sicher geschickter gewesen, die Behandlungen zu strecken und jeweils nur einen Zahn zu behandeln. Denn heute weiß ich, dass sowohl die weite Mundöffnung, als auch die Überstreckung meines Nackens, bei den Zahnarztbehandlungen echter Stress für meinen Nacken waren. Nach der letzten Zahnarztbehandlung und der Erleichterung, es endlich geschafft zu haben, hatte ich irgendwie das Gefühl, dass der Biss nicht ganz stimmte, die zuletzt behandelte Seite kam mir zu hoch vor. Also machte ich erneut einen Termin, um noch einmal nachschleifen zu lassen. Überstanden – jetzt passte es besser. Was ich noch nicht ahnte, das dicke Ende kam erst noch.

Am nächsten Tag saß ich vor Arbeitsbeginn noch kurz auf dem Sofa, um zu entspannen und Kraft für den Tag zu sammeln. Plötzlich schoss mir ein so starker Schwindel in den Kopf, dass ich kurz innehielt, mir auf den Kopf fasste und nicht wusste, was hier gerade passierte. Parallel dazu ging mein rechtes Ohr zu, ich hörte nur noch gedämpft und war plötzlich sehr geräuschempfindlich. Heute ist mir klar, dass die Zahnarztbehandlungen, mit Überstreckung meines Nackens und weiter Mundöffnung der absolute Stress für mein instabiles Genick waren. Die letzte Zahnarztbehandlung und das erneute Einschleifen meiner Zähne waren offensichtlich zu viel. Mein Genick konnte dem jetzt nicht mehr standhalten. Jetzt begann für mich der totale Horror. Mit der entwickelten Geräuschempfindlichkeit war der Lärmpegel von kleinen Kindern im Haus einfach unerträglich. Aber damit nicht genug, in den folgenden Tagen schoss mir immer wieder ein Tinnitus ins Ohr, mal rechts, dann wieder links. Ich fühlte mich dann plötzlich müde und erschöpft. Der Tinnitus hielt auch länger an, so dass dann nur die Option bestand, mich hinzulegen und auszuruhen. Mein Biss stimmte plötzlich gar nicht mehr, ich konnte morgens mein Frühstück nicht mehr zu mir nehmen, weil ich nicht mehr spürte, wo ich beißen musste. Und dazu kam immer wieder ein Piepen in mein Ohr. Ein Grundton baute sich in den nächsten Tagen auf und blieb. Natürlich ging ich sehr zeitnah auch zum Arzt. Aber die Frage war, wo bin ich damit richtig aufgehoben?

Also begann für mich eine Odyssee von einem Arzt zum nächsten. Begonnen mit der Notfallambulanz im Krankenhaus, da es an einem Freitag begonnen hatte. Hier wollte man mich eigentlich nicht weiter untersuchen, ich bekam nur ein Rezept für ein Kortisonpräparat, gegen den Tinnitus. Da ich so unsicher war, nahm ich es erst mal nicht und suchte in der nächsten Woche meinen Zahnarzt erneut auf und auch einen Hals-Nasen-Ohrenarzt. Mein Zahnarzt war zuerst eher ratlos, versuchte noch ein bisschen einzuschleifen und konnte mir nicht weiterhelfen. Der Hals-Nasen-Ohrenarzt machte ein paar Untersuchungen, fand aber nichts Auffälliges und gab mir wiederwillig für drei Tage eine Arbeitsunfähigkeitsbescheinigung. Na super, wohin denn jetzt? Ich suchte in der nächsten Zeit noch zwei weitere Hals-Nasen-Ohrenärzte auf, wovon mir eine nach kurzem untersuchen erklärte, ich hätte nichts, und das sei alles nicht so schlimm. Nicht so schlimm? Doch das war es, es war so schlimm, dass ich es niemandem wünschte. Ich war aus meinem normalen Leben geworfen und hatte keinen Plan, wer mir helfen konnte. Auch zu meinem Zahnarzt ging ich noch einmal. Dieser riet mir zu einer Untersuchung meiner Kiefergelenke und verpasste mir dann eine teure Zahnschiene, die mir aber keinerlei Verbesserung bracht, eher im Gegenteil. Als ich dann in meiner Verzweiflung noch einmal zu ihm ging, machte er mir unmissverständlich klar, dass er nichts mehr für mich tun könne und ich auch nicht wieder zu ihm zu kommen brauche. Genau das braucht es in so einer Situation nicht. Das hat mir erst mal wieder so viel Zuversicht genommen. Ich war in einem echt desolaten Zustand. Immer wieder Tinnitus, totale Erschöpfung und Müdigkeit. Die gewohnten Nackenschmerzen, Geräuschempfindlichkeit, Schwierigkeiten meinen Biss zu finden und Schlafprobleme. Oft wurde ich nachts durch einschießenden Tinnitus geweckt oder hatte kurz nach dem Aufstehen wieder einen solchen. Das war kaum auszuhalten. Ich suchte mir eine andere

Zahnärztin, die ich auf Empfehlung meiner Osteopathin aufsuchte. Sie machte mir einen Kostenvoranschlag für eine Schienenbehandlung meiner Zähne, ich hatte hier aber das Gefühl, nicht gut aufgehoben zu sein und war nicht bereit dafür Hunderte von Euro zu bezahlen, ohne Aussicht auf Erfolg. Zeitgleich suchte ich natürlich auch weiterhin meinen Hausarzt auf, der weiter mit Ausleitungen zu helfen versuchte. Alles ohne Erfolg. Der dritte Hals-Nasen-Ohrenarzt, nahm mich zumindest etwas ernster, erkannte auch, dass ich durch die Situation seelisch belastet war und riet mir zu einer Kortisontherapie. Er gab mir ein Rezept und einen Plan zur genauen Einnahme mit. Da ich keinen anderen Rat wusste, nahm ich das Kortison ein. Nach einiger Zeit regulierte sich kurzzeitig dieser Grundton des Tinnitus etwas, sodass ich zumindest für kurze Zeit etwas besser schlafen konnte. Ein wirklicher Erfolg blieb aber auch hier aus. Verzweiflung machte sich in mir breit, Verzweiflung über meinen gesundheitlichen Zustand, und nicht zu wissen, wie es weiter gehen konnte. So konnte es nicht für den Rest meines Lebens bleiben. Ich hätte keine Lebensqualität mehr und das mit Mitte dreißig. Ich fühlte mich immer erschöpfter, bekam immer wieder neue Einbrüche durch den immer wieder einschießenden Tinnitus. Irgendetwas musste passieren, so ging es einfach nicht mehr. So elend wie in dieser Zeit hatte ich mich noch nie gefühlt, und ich wünsche es niemandem. Meine Familie hat mich in dieser Zeit sehr unterstützt und aufgefangen. Viele Sachen konnte ich nicht wie gewohnt leisten, so dass meine Mutter oft kurzfristig einspringen musste, um meine Kinder zu betreuen oder bei der Hausarbeit zu helfen. Mein Mann arbeitete im Schichtsystem, es war wirklich sehr schwer in dieser Zeit.

Über weitere Umwege und einen neu aufgesuchten Zahnarzt, der zuerst Feinarbeiten an meinen Zähnen vollbrachte, um noch ein wenig Geld an mir zu verdienen, bevor er mir eine Adresse einer Zahnärztin nannte, die speziell für eine Schienentherapie ausgebildet ist, kam ich endlich in gute Hände. Es war nun ein halbes Jahr vergangen, als ich den ersten Termin bei dieser Zahnärztin hatte. Auch hier bekam ich einen nicht ganz günstigen Kostenvoranschlag, hatte aber von Anfang an das Gefühl, gut aufgehoben zu sein und spürte die Kompetenz der Ärztin, was mir ein sicheres Gefühl gab. Zu meiner desolaten gesundheitlichen Verfassung kam nun aber auch noch die Sorge, wie ich so viel Geld aufbringen konnte. Das ging nur in Raten, denn das Schlimme ist, die gesetzliche Krankenkasse zahlte auch hierfür nichts. Und das, obwohl es in meinem Zustand und zu diesem Zeitpunkt die einzige Lösung war. Also wurde ein Abdruck gemacht, eine Schiene angefertigt und in muskulär entspanntem Zustand, das heißt direkt nach einer physiotherapeutischen Kiefergelenksbehandlung, eingeschliffen. Das Einschleifen lief letztendlich in immer längeren Abständen, über eineinhalb Jahre. Immer mit vorheriger Physiotherapie und einem relativ langen Anfahrtsweg von einer dreiviertel Stunde. Es war ein immenser Aufwand, und nach dem Einschleifen der Schiene ging es mir immer wieder über mehrere Tage schlechter. Das ganze System musste sich wieder neu einstellen. Nach einem halben Jahr merkte ich aber schon erste Erfolge. Ich trug die Schiene tags und nachts. Nur zum Essen nahm ich sie raus. Der Tinnitus-Grundton, der immer zu hören war, regulierte sich mit der Zeit etwas, so kam ich nachts wieder besser zur Ruhe. Hatte ich den Tinnitus, konnte ich dank der Schiene etwas gegensteuern, wenn ich sie dann trug und mich ausruhte. Ich war nicht geheilt, aber es war ein kleiner Erfolg.

Trotzdem kamen immer wieder nach bestimmten Belastungen diese Einbrüche, und sie irritierten mich immer mehr. Ich wusste einfach nicht, was mit mir los war. Aber ich merkte immer mehr, dass die Symptome von meinem Nacken ausgingen. Es kam ein starkes Angstgefühl hinzu, immer wenn ich diesen einschießenden Tinnitus bekam und nicht wusste, was hier vor sich ging. Es hielt stets über mehrere Stunden, so dass ich völlig aus meinem Alltag gerissen war und mich ausruhen musste. Ich fühlte mich dann völlig erschöpft und müde, konnte nur schlafen und abwarten, bis sich der

Tinnitus löste. Und immer diese Frage in mir: „Was ist das? Wo kommen diese massiven Beschwerden her? Und was kann ich noch tun, dass es mir endlich wieder besser geht?" Während der Schienenbehandlung schickte mich meine Zahnärztin auch zu einer Ärztin, die eine Atlastherapie durchführte. Dabei wurden meine Kopfgelenke mobilisiert. Ich sah zuerst noch nicht den Zusammenhang, merkte aber nach einigen Behandlungen, dass einige Stunde nach der Behandlung, der Tinnitus mit gedämpftem Hören auftrat. Heute ist mir klar, dass an meinem instabilen Wirbel noch manipuliert wurde und er so erst recht in Bereiche geschoben wurde, wo er bei gesunden Menschen gar nicht hin kommt, mir aber Probleme machte. Ich spürte, dass ich bei solchen Behandlungen aufpassen musste, obwohl mir damals der Zusammenhang noch nicht klar war. Nachdem diese Zahnärztin nun lange Zeit an meiner Schiene gearbeitet hatte, entließ sie mich mit der Nachricht, dass sie mir jetzt keine Physiotherapie mehr aufschreiben werde, denn es müsse ja irgendwann auch mal besser werden. Ansonsten müsste ich eben zum Orthopäden gehen. Toll, was sollte ich damit jetzt anfangen? Es müsste irgendwann ja mal besser werden. Ja, das wünschte ich mir auch. Aber das tat es eben nicht. Und ich wusste, dass die physiotherapeutischen Behandlungen wichtig für meinen Nacken sind, es gab also keine Option. Solche klugen Sätze von Ärzten helfen einfach nicht weiter, sie verunsichern nur zusätzlich. Es gab mir auch das Gefühl, solange ich als Patientin mein Geld in der Praxis lasse, ist alles super, weiß der Arzt dann nicht mehr weiter, wird man nicht ernst genommen und einfach weiter geschoben. Von einer Ärztin, die ganzheitlich arbeitet, hätte ich mir in meiner Situation gewünscht, gemeinsam weiter nach einer Lösung zu suchen, eventuell die Empfehlung zu einem weiteren Facharzt. In solchen Situationen denke ich oft, seien Sie froh, dass Sie so etwas nicht durchmachen müssen. Oft hatte ich in dieser Zeit das Gefühl, kein Arzt kann verstehen, wie sich das anfühlt und was es für eine Belastung ist. Für einen kurzen Moment machte es mich wütend und traurig. Denn ich konnte ja auch nichts daran ändern, dass es nicht besser wurde.

Mir war klar, es muss nun einen anderen Weg nach vorne geben. Ich suchte einen Orthopäden auf und recherchierte im Internet nach einem Arzt, der sich mit Tinnitus auskannte. So kam ich zu einer Hals-Nasen-Ohren-Ärztin, die laut ihrer Webseite gut mit dem Thema Tinnitus und dessen Behandlung vertraut ist. Sie hörte zuerst auch genau zu und wirkte kompetent, so dass ich sie mehrfach aufsuchte. Bei unserem letzten Termin hatte sie die Vorstellung, Ohrenschmalz in meinem Ohr könnte die Ursache für den erst am vorherigen Tag wieder aufgetretenen Tinnitus und das gedämpfte hören sein. Also nahm sie ohne Vorwarnung ihr Absauggerät und legte los. Leider hatte sie vergessen, dass ich auch an einer starken Geräuschempfindlichkeit litt und bestimmte, gerade hochtonige oder sehr laute Geräusche den Tinnitus verstärkten. Ich konnte es nicht aushalten und teilte es entsprechend mit. Sie sagte zu mir, dass sie so etwas noch nie erlebt hätte und war nicht wirklich verständnisvoll. Das war also auch nicht mein Weg.

Die Orthopädin, die ich aufsuchte, machte erst einmal Untersuchungen, ein Röntgen und ein MRT meiner Halswirbelsäule, sie fand aber keine Auffälligkeiten. Immerhin bekam ich nun wieder die für mich dringend notwendige Physiotherapie. Aber eine Erklärung für meine Beschwerden gab es auch hier nicht. Sie machte in der Folgezeit, da meine Beschwerden sich nicht besserten, auch noch ein Blutbild, um meine Rheumafaktoren zu bestimmen. Aber auch hier kein Hinweis auf Auffälligkeiten. Ich erinnere mich, dass ich an einem Punkt war, wo ich endlich eine Erklärung für mich brauchte. Obwohl ich mir natürlich nicht wünschte, an Rheuma zu leiden, riss es mir den Boden unter den Füßen weg, wieder einen negativen Befund zu erhalten. Die Ärztin merkte das auch und sagte nur: „Seien Sie froh, dass Sie kein Rheuma haben." Ja, sicher - aber was dann? So ging es dann noch einige Zeit für mich weiter. Ein ewiges Auf und Ab, bis das Leben mir auf eindeutige Weise die Richtung wies. Es war sozusagen Fluch und Segen zugleich, nur ein Moment in meinem Leben, aber ein Moment, der nach und nach alles veränderte.

Es war Herbst. Der 30. Oktober. Ich hatte einen netten Abend mit einer Freundin im Restaurant geplant und freute mich riesig darauf. Auf dem Weg zum Restaurant am Stadtrand, fuhr mir der Fahrer eines anderen Fahrzeuges frontal, mit voller Ortsgeschwindigkeit in mein Auto. Eine kleine Kurve, die den über achtzigjährigen Herrn von der Fahrbahn abkommen ließ! Dieser Moment brannte sich in meine Seele. Mein Airbag schoss auf, wie in Zeitlupentempo merkte ich, wie mein Kopf nach vorne geschleudert wurde und meine Zähne aufeinander krachten. Sofort schoss mir ein lautes Piepen in mein rechtes Ohr. Unter Schock stieg ich aus meinem Wagen und rief meine Freundin und meinen Mann an. Dann stand ich am Straßenrand, unfähig noch irgendwie zu reagieren. Aber auch niemand anders reagierte. Viele Autofahrer blieben stehen und wirkten wie versteinert. Die später eintreffenden Rettungskräfte versorgten mich dann irgendwann in einem Krankenwagen und brachten mich in das nächste Krankenhaus. Im ersten Moment schien es so, als hätte ich wirklich großes Glück gehabt. Außer einer Schnittstelle an meinem kleinen Finger und einigen Prellungen im Gurtbereich war erst mal nichts zu sehen. Mein Nacken tat mir weh und der Tinnitus blieb erst mal sehr stark. Ein Röntgen zeigte aber keine Auffälligkeiten, sodass ich noch in der Nacht nach Hause entlassen wurde.

In den nächsten Tagen musste ich mich ausruhen und von meinem Schock erholen. Ich fühlte mich sehr erschöpft und müde. Der Tinnitus störte mich noch einige Tage lang und wurde dann nach und nach leiser, dafür bekam ich Schlafstörungen. Ich war ständig müde, konnte aber nachts nicht mehr durchschlafen. Aber klar, nach so einem Ereignis ganz normal, dachte ich damals. Als ich langsam wieder auf die Beine kam, meinen Liegeplatz auf dem Sofa mehr und mehr verließ, merkte ich, dass ich bei bestimmten Kopfbewegungen immer wieder einen starken Schwindel bekam, bei anderen Kopfbewegungen schoss mir jetzt wieder viel häufiger als vor dem Autounfall ein Tinnitus in die Ohren. Ich fühlte mich weiterhin sehr erschöpft und müde, hatte Konzentrationsprobleme und

Schwierigkeiten mit meinem Kurzzeitgedächtnis. Außerdem hatte ich den ganzen Tag ein benommenes Gefühl im Kopf. Ein Gefühl, als würde ich ständig neben mir stehen und alles nur wie in einer Seifenblase mitbekommen. Nach zwei Wochen ging es etwas besser, als in den Tagen direkt nach dem Unfall, so dass ich wieder arbeiten ging. Schnell merkte ich jedoch, dass ich während meiner Arbeit immer wieder starken Schwindel und Tinnitus bekam, und schon nach wenigen Tagen fühlte ich mich wieder völlig erschöpft und müde. Ich schaffte das noch nicht, mein Körper war noch nicht so weit. Mein Arzt schrieb mich also wieder weiter krank und verabreichte mir ein Vitamin-B-12-Präparat, welches ich mir täglich spritzen sollte. Auch physiotherapeutische Behandlungen bekam ich weiterhin. Nur langsam begann sich eine leichte Erholung einzustellen.

Im Januar konnte ich dann endlich wieder arbeiten. Aber fit fühlte ich mich trotzdem noch keineswegs. Es war ein Kompromiss, gepaart mit der Hoffnung, etwas Ablenkung würde mir vielleicht guttun. Aber Fehlanzeige. Nach zwei Wochen arbeiten ging es mir immer schlechter. Ich hatte überhaupt keine Energie mehr, fühlte mich nur noch erschöpft und müde und kämpfte mich durch meinen Tag. Am Abend war ich dann so müde, dass ich sofort auf der Couch einschlief. Alles, was nicht dringend erledigt werden musste, blieb liegen. Meine Energie reichte nicht einmal für das Nötigste. So konnte ich nicht weiter machen. Unter Tränen rief ich meine damalige Chefin an, um mit ihr abzusprechen, wie es für mich weiter gehen kann. So konnte ich vorerst nicht weiterarbeiten. Sie hatte Verständnis für meine Situation und räumte mir die Zeit ein, die ich brauchen würde. Also ging ich gleich am nächsten Morgen wieder zum Arzt. Ich bekam eine weitere Arbeitsunfähigkeitsbescheinigung und später, bei meinem nächsten Besuch, eine Adressliste mit Psychotherapeuten, bei denen ich versuchen sollte, einen Termin zu bekommen. Mein Arzt vermutete bei mir eine posttraumatische Belastungsstörung. Obwohl ich spürte, dass das nicht mein Problem war, war es immerhin eine Möglichkeit für mich, ein Ansatz. Denn es ging mir weiterhin nicht besser. Vier Wochen später hatte ich meinen ersten Termin und bin bis heute bei dieser Therapeutin, denn in unserem Gesundheitssystem werden Patienten mit einer Kopfgelenksinstabilität leider nicht ernst genommen. Nein, man schiebt uns zu Psychotherapeuten und psychosomatischen Rehabilitationen. Aber Ärzte, die über den Tellerrand hinaus gucken, die sich die Mühe machen, uns wirklich ganzheitlich zu betrachten, die muss man selbst suchen und finden. Und selbst dann wird es von einigen Ärzten angezweifelt, obwohl die Energie schon kaum für das Nötigste im Alltag reicht. Ganz zu schweigen von den finanziellen Kosten, die man dafür benötigt, wieder zu mehr Gesundheit und Lebensqualität zu finden.

Wegen des immer wieder bewegungsabhängig auftretenden Schwindels war ich natürlich auch weiter bei meiner damaligen Orthopädin in Behandlung. Da sie nichts finden konnte, bekam ich eine Überweisung zu einem Halswirbelsäulenspezialisten. Ein Professor, der sehr viel von sich hielt. Er veranlasste eine weitere, spezielle Aufnahme meiner Halswirbelsäule. Der Befund war erst nach einigen Wochen da, und ich hatte einen erneuten Termin bei ihm. Er erkannte jetzt, dass mein letzter Halswirbel bei dem Frontalaufprall Schaden erlitten hatte. Ein Deckplattenanriss war jetzt die Diagnose. Ich sollte eine Halsmanschette tragen, über mehrere Wochen, auch nachts. Am Tage ging das ja alles, aber mit meinen Nackenproblemen nachts auf so einem Ding liegen, ging gar nicht. Ich musste es nachts weglassen, da half nichts. Aber ich hatte glücklicherweise mein super Nackenkissen, auf dem meine Halswirbelsäule gut gestützt wurde. Als ich zum nächsten Termin bei ihm erschien und ihm erklärte, dass meine Probleme im oberen Bereich der Halswirbelsäule liegen und sich der Schwindel und auch die anderen Symptome nicht gebessert haben, sagte er nur, dass der letzte Halswirbel jetzt ausgeheilt sei und ich möglichst schnell wieder arbeiten gehen solle.

Ich hörte eigentlich immer wieder die gleichen Sätze. Ich stelle mir heute die Frage, warum das Thema Kopfgelenke und Instabilitäten in diesem Bereich ganz offensichtlich bei den meisten Orthopäden nicht existiert. Warum hier nicht hingesehen und nicht untersucht wird. Gerade in einem so sensiblen Körperbereich, wo wichtige Nerven vom Körperstamm Richtung Gehirn und auch zurück geleitet werden. Wo wenig muskulärer Schutz bei so massiven Traumata, wie einem Schleudertrauma, gegeben ist. Die Kopfgelenke sind das obere Ende unserer Wirbelsäule, an dem unser verhältnismäßig schwerer Kopf bei einem so starken Aufprall so viel Kraft wirken lässt. Das müsste bei Orthopäden doch eigentlich Standard sein, sowohl in der Diagnostik, als auch in der Behandlung. Aber so ist es leider nicht. Hier wird bewusst oder unbewusst, darüber lässt sich im Einzelfall streiten, nicht hingesehen. Und das zum Nachteil vieler Geschädigter und vieler Menschen die gar nicht wissen, dass sie Betroffene sind, weil es eben von keinem Arzt erkannt oder untersucht wurde! Das zeigte mir mein langer Leidensweg. Es frustrierte mich, immer wieder Niederlagen einstecken und immer wieder gegen Ärzte ankämpfen zu müssen.

Zwischenzeitlich machte mir nun auch mein Anwalt, der mit der Unfallangelegenheit von mir beauftragt wurde, um sich um Schmerzensgeld und Schadensersatz zu kümmern, Druck. Er fragte mehrfach nach, wie es mir denn nun gehe und wollte die Angelegenheit eigentlich gerne zu einem Ende bringen. Da mir kein Arzt sagen konnte, was mir fehlte und ich selbst auch ratlos und verunsichert war, es mir aber auch nicht besser ging und ich leider keine Beweise für meinen schlechten Zustand hatte, ließ ich mich auf seinen Vorschlag ein, die Sache zu einem Ende zu bringen. Leider. Der Anwalt hatte sicher auch keine Ahnung, dass Folgeschäden verbleiben würden und handelte das zu diesem Zeitpunkt mögliche Schmerzensgeld aus. Da es mir nicht besser ging – so denke ich aus heutiger Sicht darüber - hätte er auch keinen Druck machen sollen, solange nicht klar war, was mir fehlte. Ohne zu wissen, welche Folgen noch auf mich zukommen würden, und dass es mich in der Zukunft weiterhin sehr einschränken und vor allem auch finanziell Unsummen an Geld kosten würde, unterschrieb ich also der gegnerischen Versicherung, nach Zahlung der vereinbarten, aus heutiger Sicht sehr geringen Summe an Schmerzensgeld, keine Ansprüche mehr geltend zu machen. Was zur Folge hat, dass ich sämtliche Gesundheitskosten, die sich auf meine Krankheit beziehen und die nun lebenslang weiter auf mich zu kommen, aus eigener Tasche finanzieren muss. Da ich nicht arbeiten kann, entsteht mir ein enormer Verdienstausfall, und auch der Kampf um weitere soziale Absicherung mit der Rentenversicherung und dem Versorgungsamt ist belastend und kostet viel Geld.

Ja, so stand ich wieder da, ohne Besserung, ohne eine Diagnose. Mein Hausarzt brachte mich dann über Umwege auf die richtige Spur. Er empfahl mir, mich mit einem Buch auseinander zu setzten, welches sich grundlegend mit dem Thema „instabiles Genick" und dessen Behandlung befasst. Er hatte offensichtlich den Eindruck, meine Beschwerden könnten etwas mit meinem Nacken zu tun haben. Da ich keine andere Idee mehr hatte, kaufte ich dieses Buch und begann darin zu lesen. Es war eigentlich unglaublich, wie schnell ich mich beim Lesen in den beschriebenen Symptomen wiedererkannte. All meine Beschwerden könnten also tatsächlich von meinem Nacken kommen. Da die Behandlung über Mikronährstoffe sehr umfangreich beschrieben war, mein Hausarzt sich zwar verhältnismäßig gut mit solchen, nicht unbedingt schulmedizinischen Behandlungen, auskannte, aber auf Nachfrage mit diesem speziellen Thema dann doch etwas überfordert war, entschied ich mich, diesen Arzt und Autor des Buches zu kontaktieren. Es war nicht so schwierig, den Kontakt zu finden, da in dem Buch auch sein medizinisches Behandlungszentrum vermerkt war. Als ich dort anrief, wurde mir zum ersten Mal klar, ich bin nicht alleine mit meinen Beschwerden. Ich rief irgendwann im Frühling dort an und musste erfahren, dass der Terminplan für das komplette Jahr schon voll war. Ich sollte

Anfang September einen Termin für das Folgejahr vereinbaren. Also hieß es wieder warten und weiter aushalten. Aber ich machte mir große Hoffnungen, was sich später auch bestätigen sollte. Ich bekam dann einen Termin für den Anfang des nächsten Jahres.

Da mir zwischenzeitlich kein Arzt weiterhelfen konnte, wartete ich weiter auf diesen Termin. Meine Beschwerden blieben. Schwindelanfälle, einschießender Tinnitus mit gedämpftem Hören und Geräuschempfindlichkeit, Kopf- und Nackenschmerzen mit Taubheitsgefühl, Muskelzuckungen, Angstzustände in Phasen starker Symptome, Benommenheit, Unkonzentriertheit, starke Erschöpfung und Müdigkeit, Ameisenkribbeln auf meiner Kopfhaut. Ich merkte auch mehr und mehr, dass mir bestimmte Bewegungen, wie zum Beispiel das nach oben gucken, also meinen Nacken überstrecken, gar nicht gut taten. Danach bekam ich entweder starke Schmerzen, von meinem Nacken ausgehend und in den Kopf ziehend, oder starke Benommenheit. Auch Erschütterungen lösten bei mir solche Symptome aus, zum Beispiel, wenn meine Kinder mir in den Arm rannten oder ich stolperte oder angerempelt wurde. Zwischenzeitlich war ich weiterhin arbeitsunfähig und weiter in psychotherapeutischer Behandlung, sowie in Behandlungen bei meinem Hausarzt und Orthopäden. Eine Reha sollte nun über die Rentenversicherung geplant werden, aber keine orthopädische Reha, sondern eine psychosomatische Reha. Für mich völlig unverständlich. Dagegen konnte ich jedoch nichts weiter tun.

Im Januar dann endlich der erwartete Termin bei dem Arzt, der mein Leben wieder veränderte. Ein sehr erfahrener Arzt, der sich bestens auskennt mit dem, was er sich zur Aufgabe gemacht hat. Er hat sich über sehr lange Zeit mit dem Thema Instabilität der Kopfgelenke auseinandergesetzt, sich ein Netzwerk aufgebaut und kennt sämtliche Zusammenhänge, sowie Diagnostik- und Therapiemethoden, die bei dieser umfassenden Erkrankung von Bedeutung sind. Ich fühlte mich schon während des Erstgesprächs verstanden und sehr gut aufgehoben. Ja, sich verstanden fühlen und ernst genommen werden, das war eigentlich vorerst das Wichtigste. Bis auf meinen Hausarzt, hatte ich bisher bei den meisten Ärzten nicht das Gefühl, dass sie das taten. Das ist ein großes Problem, wenn man sich in einer ausweglosen Situation befindet, selbst nicht mehr weiter weiß und von der Gesellschaft und dem Umfeld abgestempelt wird. Entweder wird man zum Simulanten degradiert, was häufig ein Mittel der in Abhängigkeit von Versicherern arbeitenden Personen ist, oder man fühlt sich völlig allein gelassen, weil auch der Arzt keinen Plan hat, was los ist und was zu tun ist, und wird dann in die Psychoschiene geschoben oder abgewimmelt. Was sich medizinisch von einem Arzt nicht erklären lässt, ist in unserer Gesellschaft eben ganz klar psychosomatisch. Und man findet bei jedem Patienten Gründe für einen psychosomatischen Hintergrund, wenn man nur lange genug sucht. Ich jedenfalls war sehr froh, hier einen neuen Weg gefunden zu haben. Und hier kommt der Zusammenhang, dass der Autounfall Fluch und Segen zugleich war. Ohne den Unfall wäre mein Hausarzt wahrscheinlich gar nicht auf die Idee gekommen, dass der Schlüssel zu meinen Symptomen meine Kopfgelenke sein könnten. Wer weiß, wie mein Leben dann weiter verlaufen wäre.

Schon im Gespräch mit dem Arzt wurde durch gezielte Fragen schnell klar, dass die Vermutung nahe lag, dass ich mir schon durch das Trauma in meiner Kindheit, der Sturz aus den Armen meines Vaters und nun erneut, durch das massive Trauma des Autounfalls, eine Instabilität meiner Kopfgelenke zugezogen hatte. Der erste Arzt, der mir nun gezielte Therapiemöglichkeiten aufzeigte, erklärte mir zuerst Übungen für meine Kopfgelenke, die ich täglich durchführen sollte, stellte mir auf mich abgestimmte Nahrungsergänzungsmittel zusammen, die meinem Körper fehlten und die weiterhin dauerhaft zur Aufrechterhaltung nötig sind, und zeigte mir Möglichkeiten auf, mit meiner Ernährung bewusst gegenzusteuern, um lebenswichtige Prozesse in meinem Körper wieder besser in

Gang zu bringen. Dieser Arzt machte nun in den folgenden Monaten sämtlich Diagnostik, die wichtig war, um zu beweisen, dass meine Kopfgelenke der Auslöser meiner Beschwerden sind. Nur dann macht eine Therapie wirklich Sinn. Zuerst wurde ein gezieltes Blutbild und eine Atemgasanalyse durchgeführt, später wurde unter anderem ein Upright-MRT, ein Schwindelprovokationstest bei einem Hals-Nasen-Ohrenarzt und ein PET-CT durchgeführt. Es war so wichtig für mich, endlich genau zu wissen, was mir fehlt. Ich nahm all diese Anstrengungen auf mich und sparte mir das Geld dafür vom Munde ab. Auch meine Familie stand zum Glück hinter mir. Sie hatte in den letzten Jahren ja hautnah miterlebt, wie es mir immer schlechter ging und wie ich darunter litt. Finanziell war es trotzdem für meine Familie und mich nicht leicht, aber alle wussten, dass das jetzt wichtig war, dass es mein Weg war und verzichteten daher für mich auf alles Unnötige. Um diese Untersuchungen zu machen reiste ich, aller Anstrengung zum Trotz, nach Hamburg, Soltau und Esslingen. Denn wie zuvor schon erwähnt, sieht unser Gesundheitssystem keine gezielte Diagnostik für Patienten wie mich vor. Gezielte Diagnostik ist hier Patientensache und wird in Deutschland nur von wenigen Ärzten durchgeführt. Diese zu finden würde ohne ärztlich aufgebautes Netzwerk nicht funktionieren. Es braucht spezielle und teure Geräte, Wissen und Akzeptanz in Bezug auf diese Erkrankung. Da diese Erkrankung gesellschaftlich nicht anerkannt ist, glaube ich, dass es sich für die Ärzte eigentlich kaum lohnen wird, diese Geräte anzuschaffen, wenn sie viel zu wenig genutzt werden, weil es kaum Ärzte gibt, die sich mit der Erkrankung befassen wollen. Die wenigen Ärzte, die es dennoch machen, machen es aus Überzeugung. Ich kann ihnen nur zutiefst dafür danken und sagen, wie wichtig es für mich war, Klarheit zu haben. All diese Untersuchungen brachten nun ans Tageslicht, was so lange Zeit im Dunkeln verborgen lag. Jetzt weiß ich, ich leide tatsächlich an einer Instabilität der Kopfgelenke. Meine Kopfgelenke sind also überbeweglich. Bei mir liegt ein so genannter Dancing Dens vor, und mein erster Halswirbel ist verschoben und verdreht. Da er sich bei

Bewegung meiner Halswirbelsäule in Bereiche bewegt, wo er Nerven irritiert, oder sogar das Rückenmark einengt, bekomme ich dann diese heftigen Symptome. Der Schwindel ist nachweislich Folge dieser Instabilität, und auch meine Konzentrationsprobleme haben hier ihren Auslöser, das wurde in dem durchgeführten PET-CT deutlich. Alles keine gute Prognose, denn diese Instabilität ist nicht heilbar, aber mit einem guten Arzt an meiner Seite zumindest in gewisser Weise behandelbar oder eindämmbar.

Nach Behandlungsbeginn haben sich bei mir einige Symptome verbessert. Das Ameisenkribbeln auf meiner Kopfhaut und die Muskelzuckungen am Körper bekomme ich seitdem deutlich seltener. Der einschießende Tinnitus bleibt jetzt meistens nicht mehr so lange wie vorher, und die Konzentrationsprobleme konnten nach längerer Behandlung etwas verbessert werden. Bis heute haben sich aber einige meiner Symptome auch weiter verstärkt. Die unteren Bereiche meiner Halswirbelsäule machen mir zunehmend Probleme. Ständig blockieren sich hier meine Wirbel, um die Instabilität an den Kopfgelenken irgendwie auszugleichen. Das führt zu noch mehr Schmerzen und Verspannungen. Seit einiger Zeit kann ich gar nicht mehr beschwerdefrei nach oben gucken. Passiert es mir doch einmal, dass ich es nicht schaffe, auf mich zu achten, bekomme ich sehr starke Beschwerden. Schwindel, Tinnitus oder über Tage anhaltende Schmerzen, ausgehend von meinem Nacken. Der Schmerz zieht dann, verbunden mit einem Taubheitsgefühl, über meine linke Gesichtshälfte, bis über das linke Auge und geht mit starker Übelkeit und manchmal auch sehr starken Schmerzen in den Augenhöhlen einher.

Alles nicht toll, aber heute weiß ich, woher die Beschwerden kommen, deshalb macht es mir auch keine Angst mehr. Ich weiß, was ich tun kann, ich weiß immer besser, worauf ich achten muss, um solche Situationen zu minimieren. Es war und ist immer noch ein Lernprozess. Wenn ich versehentlich eine falsche Bewegung mache, kann ich es auch nicht mehr verhindern, dann kommen die Schmerzen, deshalb muss ich eigentlich jeden Tag gut aufpassen und lernen, alles langsam und mit Bedacht zu machen. Will ich etwas aus der oberen Etage eines Schrankes nehmen, tue ich gut dran, mich nicht nach oben zu strecken, sondern einen Stuhl zu nehmen, alles ein höherer Zeitaufwand, der sich für mich aber lohnt. Da ich an sich eher dazu neige, Arbeiten schnell zu verrichten, muss ich es bis heute immer noch lernen. Vergesse ich es mal in der Eile, hat das für meine Gesundheit massive Folgen und ich verliere Tage an Lebenszeit, durch starke, oft kaum auszuhaltende Schmerzen. Alles, was in meinem Nacken zu Erschütterungen oder Zwangshaltungen führt, ist für mich absolut tabu. Bus, S-Bahn, Fahrrad fahren, geht für mich leider nicht mehr, auch nicht mit einer Halsmanschette. Eine Runde Tischtennis spielen, oder mit den Kindern Federball im Garten: Keine Chance. Manchmal macht es mich traurig, aber dann denke ich an die Zeit zurück als ich noch nicht wusste, was mit mir los war. Das relativiert dann für mich wieder vieles. Ich fühle mich oft 30 Jahre älter und es nervt mich, ständig unter Schmerzen zu leiden, aber das kann ich nun nicht mehr ändern. Ich kann nur mich ändern und lernen damit umzugehen. Mich an dem zu freuen, was ich noch kann und das für mich zu nutzen. Und lernen, den Gegenwind der Ärzte und der Gesellschaft auszuhalten oder, wenn ich die Kraft habe, mich dagegen zu stemmen. Oder mit meinem Beitrag in diesem Buch mehr Aufmerksamkeit für uns Betroffene und unsere Situation zu erreichen.

Anonym

18. Vom Athleten zur Bettlägerigkeit

Prolog: Wie fing das alles an und woher kommt es? Eine gute Frage. Auf jeden Fall weiß ich jetzt, woher gewisse „Kleinigkeiten" über die Jahre kamen, Kleinigkeiten, die ich oftmals ignoriert habe oder versucht habe zu ignorieren, aber aus diesen Kleinigkeiten wurde mittlerweile leider etwas, das mich täglich fast umbringt. Wie es weiter gehen soll? Ich weiß es nicht. Manchmal frage ich mich, wie es kommt, dass ich überhaupt noch am Leben bin. Mein Bauchgefühl hatte immer Recht, und dieses Bauchgefühl sagt mir, dass ich irgendwann im Rollstuhl landen werde, einen Schlaganfall bekommen oder sterben werde. Hilfe bekommt man jedoch nicht für dieses Problem in diesem Land. Man kann nur versuchen, sich selbst zu retten oder man hat wohl einfach Pech gehabt und muss sein Schicksal leider akzeptieren.

Der Anfang: Ich hatte 2012 mit 18 Jahren einen schwerwiegenden Autounfall. Wir sind mit 80 km/h in einen Acker gefahren und haben uns 2,5 x überschlagen. Ich saß hinten, nicht angeschnallt. Ich war froh, dass ich nicht angeschnallt war, denn sonst würde es mich wahrscheinlich nicht mehr geben, so wie das Dach aussah. Zum Glück ist nichts Schlimmeres passiert. Ich hatte danach eine Woche lang Kopfschmerzen, Nackenschmerzen und so eine Art Steifigkeitsgefühl im Körper. Zum Glück verging das Alles ohne jegliche Folgeschäden.

Mir ging es super. Ich habe mich gefreut, dass ich wohl auf bin und habe mein junges Leben in vollsten Zügen weitergelebt. 2012 habe ich dann angefangen, recht viel im Fitnessstudio zu trainieren und habe dadurch 25 Kilo abgenommen. Im Anschluss daran habe ich sehr viel Krafttraining gemacht und mir dadurch eine ziemlich gute Muskulatur aufgebaut. Jedoch merkte ich, dass ich mich beim Training etwas schwertat, im Vergleich zu anderen in meinem Alter. Ich musste meine Ernährung komplett umstellen, um die gleichen

Erfolge zu erzielen wie meine Trainingskollegen. Auffällig war auch, dass immer alle von meiner Beweglichkeit fasziniert waren. Ich hatte von Geburt an eine Hypermobilität, welche mir jedoch nie Probleme gemacht hat. Es hat dann sogar ganz gut geklappt mit dem Muskelaufbau, und ich hatte einen muskulösen Körper. Ich habe Kraftsport geliebt, jeden Tag habe ich mich gefreut, mich auszupowern. Ich habe eine Zeit lang sogar CrossFit gemacht. Ich war ein sehr lebensfreudiger, strahlender und aktiver Mensch, für jeden Blödsinn und Spaß zu haben. Mit dem Abnehmen und dem Kraftsport treiben, habe ich noch weitere Dinge gelernt: ich wurde zielstrebig, ausgeglichen, innerlich ruhiger und habe gelernt, Probleme und Dinge anzugehen und für alles eine Lösung zu finden und das mit extremer Gelassenheit. Ich hatte meine Mitte und mich selbst gefunden. Deshalb fällt es mir jetzt verdammt schwer, mein Schicksal als Kämpfernatur so hinnehmen zu müssen, obwohl ich weiß, dass es Hilfe gibt oder gegeben hätte.

Ich habe 2013 nach dem Abitur mein Wunschstudium angefangen und mich da voll hineingekniet. Ich fand es nicht stressig, sondern sehr erfüllend. Damals stand bei mir vor allem die Karriere im Vordergrund. Aus diesem Grund fing ich an, mein Training ein bisschen zu vernachlässigen, was ich heute sehr bereue. Ebenfalls bereue ich es, dass ich maßlos übertrieben habe mit dem Gewichte heben. Heute würde ich das alles anders machen, aber im Nachhinein ist man immer schlauer. Ich merkte, dass ich ab 2013 gelegentlich gewisse Probleme bekam. Zum Beispiel habe ich mir öfter einen richtig miesen Hexenschuss beim Training eingefangen. Meine rechte Schulter fing an zu hängen und wurde leicht instabil. Ebenfalls tat mein Kiefer gelegentlich weh. Ich bekam auch des Öfteren Kopf- und Rückenschmerzen. Da das alles immer nur gelegentlich Probleme machte, aber nie durchgehend da war, habe ich mir nicht so viele Gedanken gemacht. Das war nicht meine Natur. Ich dachte mir, du sitzt viel, bist auch nicht mehr so sportlich aktiv wie früher, daran wird es liegen. Ich habe dann wieder angefangen mehr Sport zu machen - nicht so exzessiv wie früher - und mich damit größtenteils über Wasser gehalten. Manchmal wurde etwas besser, manchmal kamen ein paar Problemchen dazu, welche jedoch auch wieder verschwanden.

Dies ging so weiter bis Sommer 2015. Ich bekam oft Kopf- und Nackenschmerzen und gelegentlich eine Art Druck in bzw. hinter den Augen, trockene Augen und müde Augenlider. Da das nicht durchgehend war, habe ich mir ebenfalls nicht viel dabei gedacht. Ich habe es größtenteils auf die vermehrte Arbeit am Computer, Studium und die damit verbundenen Fehlhaltungen geschoben. Ich habe weiterhin Sport gemacht, jedoch fiel mir auf, dass ich langsam irgendwie schwächer werde. Auch Übungen, die früher einfach und problemlos gingen, wurden mit der Zeit immer schwerer. Ich bekam mehr Probleme mit der Schulter und ebenfalls mit der rechten Hüfte und dem gesamten rechten Bein. Mein Körper fühlte sich irgendwie verdreht an, und auch mein Kopf und mein Hals schienen ein bisschen schief zu sein. Ebenfalls kamen Schmerzen in der Brustwirbelsäule dazu. Außerdem merkte ich, dass mir aufrechtes Sitzen sehr schwer fiel. Zusätzlich fing mein Kiefer an gelegentlich vermehrt weh zu tun. Irgendwann mal fing ich an, nicht mehr so richtig gut zu sehen. Ich bin zum Augenarzt, und dieser verschrieb mir eine Brille. Ich hatte immer das Gefühl, dass mir die Brille nichts bringt und ich damit nicht richtig sehe. Es hieß, man müsse sich dran gewöhnen. Leider konnte ich mich nie dran gewöhnen. Die Sicht mit der Brille hat sich einfach falsch angefühlt.

Die Chronifizierung: Das ging dann alles so weiter bis ins Jahr 2017. Ich hatte nun täglich Nacken-, Rücken- und Schulterschmerzen. Ich entwickelte eine Kopfhebeschwäche, und es fühlte sich an, als ob mein Schädel einfach nicht richtig auf meiner Halswirbelsäule sitzt. Mein Kiefer drückte nach vorne und schmerzte. Mein ganzer Biss fühlte sich falsch an. Mein Jochbein tat weh. Ich bekam heftige Spasmen im Nacken, immer wie ein Druckgefühl hinter den Augen, fast täglich Kopfschmerzen, mein Gesicht wurde taub und kribbelte ausgehend vom Nacken, es schmerzte und ich hatte immer ein „Blurren" in beiden Ohren. Gelegentlich kamen auch Taubheitsgefühle und Schwäche im Trapezius bzw. Schultern dazu. Der Kopf fühlte sich irgendwie wackelig an. Dazu kamen immer mehr Müdigkeit und Mattigkeit, gelegentlich Brain Fog (Gehirnnebel), Muskel- und Gelenkschmerzen, Faszikulationen - also unwillkürliche Zuckungen - im Gesicht und in den Augenlidern, welche sich zu Nervenschmerzen in Augen und Augenlidern entwickelt haben. Eine Art muskuläre Fatigue und gelegentlich vegetative Probleme, wie z.B. Tachykardien, häufiges Wasserlassen und Unruhe mit Adrenalinüberschuss gesellten sich hinzu.

Jetzt war der Punkt angelangt, an dem ich mir lieber mal bei einem Arzt Hilfe holen sollte, dann würde das schon werden. Ich war ja keine Mimose und, da ich Kraftsport gemacht habe, auch Schmerzen gewöhnt. Nur irgendwann traten die Probleme durchgehend auf und waren mit Sport nicht verbesserungsfähig, das fand ich dann komisch. Mein Arzt hat zwar grundlegende Bluttests gemacht, jedoch kam nichts dabei raus. Er schob es auf den Unistress, verschrieb mir Betablocker gegen meine Tachykardien und empfahl mir mehr Sport. Ich fing an, den Betablocker zu nehmen, und bekam die verrücktesten Beschwerden: Vermehrt Schwindel, das Gefühl umzukippen bei Kopfbewegungen, Akkomodationsstörungen (eine Störung der Nah- und Ferneinstellung der Augen), und mein vegetatives Nervensystem fing an verrückt zu spielen. Zwei Mal bekam ich schlaganfallähnliche Zustände mit Sprachstörungen, Gefühlsstörungen, einem Verlangsamungsgefühl der Umwelt und Ataxien (gestörte Bewegungskoordination). Das war dann der Punkt, an dem ich anfing, richtig Angst zu bekommen und das Gefühl hatte, dass etwas mit mir nicht stimmt. Ich fand diese Anfälle sehr beängstigend. Ich ging vermehrt zum Hausarzt und schilderte ihm, was passiert ist, und er belächelte mich nur. Er hatte mich gefühlt vom ersten Tag an verurteilt. Schlussendlich konnte ich mir nach mehreren

Besuchen noch eine Überweisung für den Neurologen erstreiten. Ich habe mich gut auf den Termin vorbereitet und aufgeschrieben, wie der Verlauf der Dinge war und dadurch gehofft, dass der Arzt sich Gedanken macht. Er beachtete den Zettel gar nicht, stellte mir ein paar Fragen und zeigte mir die Bilder meines Kopf-MRT. Er machte noch ein paar grundlegende neurologische Tests, aber soweit war alles gut. Er stellte den Verdacht auf, dass ich an einer stressbedingten Angststörung mit einer beobachtenden Abwärtsspirale leide. Ich solle die Betablocker absetzen und mir einfach mehr Zeit für mich nehmen. Er meinte, ich wirke sehr selbstreflektiert, und dass ich mir keine Sorgen machen müsste, da ja alles Schlimme abgeklärt sei, vor allem auch durch das Kopf-MRT. Ich habe mich sehr gefreut und diesen Rat befolgt, jedoch hatte ich persönlich immer das Gefühl, dass etwas dahinter steckt. Heute weiß ich, dass auf den Bildern des Kopf-MRT schon damals meine Bänder im oberen Bereich der HWS auffällig waren. Ich setzte die Betablocker ab und die sehr angsteinflößenden Beschwerden gingen zum Glück zurück.

Ich versuchte mein Bestes mit Sport, Meditation, Entspannungsübungen, Spaziergängen, Ablenkung und Freizeitgestaltung. Aber mir ging es einfach nicht besser. Ich besuchte aufgrund meiner Beschwerden verschiedene Fachärzte, um Hilfe zu erhalten. Diesen habe auch von all meinen Beschwerden erzählt, und einige hatten diesbezüglich Ideen. Es wurden wieder Blutuntersuchungen gemacht, doch es gab keinen Durchbruch. Die Zahnärztin verschrieb mir Krankengymnastik wegen meines Kiefers; dies schien endlich mal ein richtiger Ansatz zu sein. Ich ging also zum Physiotherapeuten, und dieser stellte sofort fest, dass etwas mit meinem Kiefer und meiner Halswirbelsäule nicht stimmt. Jedoch konnte er sich ebenfalls nicht alle meiner Symptome erklären. Er versuchte sein Bestes mit gewissen manuellen Therapien und zeigte mir Übungen. Ebenfalls bemerkte er, dass ich ein schwaches Bindegewebe habe. Ich merkte, dass mir die manuelle Therapie guttat und es mir besser ging. Was mir jedoch am besten half, war die Traktion der HWS, also ein therapeutisches Ziehen zur Entlastung der HWS. Zusätzlich fing ich an, Core-Training für die Tiefenmuskulatur zu machen. Mein Zustand besserte sich, jedoch ging es mir noch immer nicht gut. Ich fing an zu Recherchieren und landete beim Thema instabile Halswirbelsäule. Grundsätzlich war ich immer sehr skeptisch bezüglich Diagnosen aus dem Internet und ebenfalls sehr zurückhaltend, was Selbstdiagnosen angeht. Ich sammelte jedoch wertvolle Tipps und fing an, mein Training zu optimieren. Ich erreichte dadurch ein paar Ergebnisse, jedoch keinen Durchbruch. Einmal probierte ich Kinesio-Taping. Ich ließ meinen ganzen Rücken und meine Halswirbelsäule „gerade" tapen. Mir ging es grandios. Ich fühlte mich energiegeladen und sämtliche Beschwerden wurden besser, manche waren sogar komplett verschwunden. Ich erzählte dies meinem Hausarzt, und er belächelte mich wieder, so nach dem Motto: „Das ist eine Art Placebo-Effekt, aber wenn es Ihnen hilft ist doch gut". Allerdings konnte ich nicht durchgehend ein Kinesio-Tape tragen und leider wurde mir auch langsam die Physiotherapie gestrichen, da ich ja laut meines Hausarztes nichts habe. Ich wurde immer mehr in die psychosomatische Schiene gedrängt. Ich musste mir oftmals dumme Kommentare anhören und erhielt nicht mal Schmerzmittel oder eine geeignete Schmerztherapie. Ich versuchte es weiter mit Sport und erhielt noch ein Röntgen der HWS von einem Orthopäden. Der Orthopäde fand eine Steilstellung und verschrieb mir noch mal Physiotherapie. Mir ging es nicht wirklich besser. Ich hatte nur leichte Verbesserung erzielt, und die manuelle Therapie schien auch nur für kurze Zeit zu helfen. Ich hatte manchmal sogar das Gefühl, dass es durch dieses ständige Ausdehnen sogar schlimmer wurde und nur sanfte Traktion half.

Ich wandte mich nochmals voller Verzweiflung an meinen Hausarzt. Ich erklärte ihm erneut sehr ausführlich, dass es mir nicht gut geht und dass ich durch Kopfbewegungen viele meiner Beschwerden verstärken kann. Er hörte mir aufmerksam zu, jedoch fing er an in den Raum zu werfen, dass es ja sein könnte, dass mir mein

Nervensystem einfach einen Streich spielt, ich dadurch diese Probleme habe und dass es so etwas gebe, das sei nichts Schlimmes. Man könne das therapieren, indem man einfach das Nervensystem ein wenig drosselt. Ich hätte ja schon viele Untersuchungen bekommen, und diese wären ergebnislos gewesen, daher solle ich das mal in Betracht ziehen. Es gebe schließlich auch schon einen diesbezüglichen Verdacht vom Neurologen. Er verschrieb mir Amitriptylin, dass sei ein gutes Antidepressivum, welches auch in der Schmerztherapie verwendet werde und ebenfalls entspannend auf die Muskulatur wirke. Was er mir eigentlich durch die Blume sagen wollte: „Ich hab keine Ahnung was mit Ihnen los ist. Aber solche bunten Beschwerden und solch ein Krankheitsverlauf mit ergebnislosen Untersuchungen, da kann es eigentlich nur sein, dass Sie psychisch krank sind. Sie sind 25 Jahre jung, was sollen Sie denn schon haben". Ich meinte selbst innerlich zu mir, es könnte ja wirklich sein, dass es psychosomatisch bedingt ist. Vielleicht ist es einem selbst nicht bewusst. Das dies mir das „Genick brechen" sollte, das dachte ich in dem Moment nicht.

Die Fehltherapie: Ich bekam nun also Amitriptylin verschrieben. Ich hatte irgendwie ein schlechtes Gefühl dabei, da ich selbst nicht so viel von Antidepressiva halte. Ich wollte dem Ganzen aber eine Chance geben, immerhin wurde mir dieses Medikament als Hilfe angeboten und meine Dosierung sei klein. Ich nahm also die erste Tablette vor dem Schlafen gehen. Ich merkte, dass sich meine Spasmen im Nacken ein wenig lösten, was guttat. Das freute mich, jedoch merkte ich ebenfalls, dass ich irgendwie komplett „neben der Kappe" war, eine Art komische „Scheißegalhaltung" entwickelte und eine totale Muskelschwäche sowie Probleme mit dem Laufen hatte. Anfangs dachte ich einfach, dass das Nebenwirkungen sind. Ich nahm also die verschriebene Dosis, aber ich bemerkte oftmals diese Muskelschwäche, und dazu kam auch noch ein verschwommenes Sehen. Ich reduzierte die Dosierung nach ein paar Tagen auf eine halbe Tablette. Aber mir ging es nicht besser, ich bekam mehr

Brain Fog, mehr Schmerzen, heftige Kopfschmerzen, meine ganze Nackenmuskulatur verkrampfte noch mehr, wenn ich mich bewegte. All meine Beschwerden wurden schlimmer. Ich bekam ebenfalls wieder Akkomodationsstörungen, vermehrt Tachykardien und Atemaussetzer. Zweimal bekam ich Anfälle mit Muskelkraft- und Gefühlsverlust im Körper, gepaart mit verschwommenem Sehen, ein komplettes Derealisationsgefühl, als ob der Körper nicht mit dem Kopf verbunden ist. Wie eine Art inkomplette Querschnittslähmung. Nach diesen Anfällen bin ich morgens aufgewacht und es fühlte sich an, als würde sich meine Halswirbelsäule erst mal zurecht knacken. Für meine Kieferschmerzen hatte ich noch eine Aufbissschiene vom Zahnarzt erhalten. Wenn ich diese einsetzte, fühlte sich mein Biss noch weiter nach vorne gezogen an, und ich bekam bei Kopfbewegungen im Liegen so heftige einseitige Schmerzen, dass ich fast durchgedreht bin und Atemprobleme vor lauter Schmerzen bekommen habe. Ich suchte beängstigt meinen Hausarzt auf und erzählte ihm von diesen Beschwerden mit Amitriptylin und der Aufbissschiene. Er schaute mich komisch an und sagte, dass manche Nebenwirkungen von dem Medikament sein könnten, anderes wiederum einfach eine Reaktion meines Nervensystems. Ich solle mir keine Sorgen machen und dass sich das alles adaptieren würde. Das Amitriptylin solle ich weiter nehmen und auch mal versuchen, die Dosis zu erhöhen, da ich noch keine Schmerzverbesserung hatte. Ich erhöhte also das Amitriptylin und mein Puls fing an komplett durchzudrehen. Ich hatte nun sprichwörtlich „die Schnauze" voll. Ich ging wieder zum Hausarzt und bat ihn um ein neues Medikament. Er testete meinen Ruhepuls, welcher bei 130 lag. Er verschrieb mir einen anderen Betablocker und meinte, dass es bei Amitriptylin vorkommen kann, dass Herzrasen entsteht und ich einfach bei Bedarf den Betablocker nehmen soll. Nun nahm ich die beiden Medikamente und hoffte auf Besserung, jedoch sollte es ganz anders kommen.

Der Vorfall: Eines Nachts, drei Tage nach der erneuten Einnahme der Betablocker, wachte ich mit heftigen Kribbeleien in der Halsregion auf. Ich hatte schon in den Wochen zuvor gemerkt, dass ich mal eine Art Kribbeln am Hals hatte. Es fühlte sich an als ob meine Nerven dort nicht richtig funktionieren, als ob etwas abgedrückt würde. Ich stand auf, dann fühlte es sich an, als würde sich ein Stück Knochen im Nacken nach vorne bewegen, als würde Knochen auf Knochen reiben. Dann bekam ich Atembeschwerden, verschwommenes Sehen und das Gefühl, als würde ich umkippen. Außerdem wurde mir übel, und ich hatte das Gefühl, dass ich meinen Urin nicht halten könnte. Ich nahm meine Wasserflasche und lief langsam Richtung Toilette, falls ich spucken müsste. Ich hockte mich neben die Toilette und hoffte darauf, dass sich mein Zustand beruhigt, ansonsten hätte ich dann wohl den Krankenwagen gerufen. Zum Glück beruhigte sich mein Zustand etwas. Ich stand auf und lief zu meinem Zimmer. Ich fühlte mich noch bisschen wackelig und schwach im Körper, jedoch war das Schlimmste vorbei. Ich ging Richtung Zimmer und wollte mich schlafen legen. Im Zimmer knackte es wieder extrem lautstark in meiner oberen HWS, etwas fühlte sich verschoben an. Mir wurde daraufhin ganz komisch. Ich wollte Richtung Bett, um mich hinzulegen. Ich lief auch Richtung Bett, jedoch wurde mir einfach schwarz vor den Augen, und ich fiel um. Ich knallte ca. 2 Meter voraus mit dem Kopf gegen die Bettkante, es gab einen Knall im Nacken. Ich wachte auf und hatte die schlimmsten Kopf- und Nackenschmerzen meines Lebens. Zum Glück konnte ich alles normal bewegen.

Am nächsten Morgen knackte es immer mehr, und ich hatte ein Art Kribbeln am Hinterkopf. Ebenfalls kam eine Art Benommenheit hinzu mit verschwommenem Sehen und Kribbeln in den Armen. Ich ging sofort zum Hausarzt. Dieser meinte, dass ich mir eine leichte Prellung und Zerrung zugezogen habe, da ich alles normal bewegen könne. Ich solle mich einfach ausruhen. Das Kribbeln und Knacken sollte ich nicht beachten. Ich fing an, ein Brennen in den Beinen zu bekommen. Ebenfalls wurde mein rechter Arm taub, und ich bekam Herzstolpern und Atemprobleme wegen meines Zwerchfells. Mir fing an Flüssigkeit aus der Nase, dem Mund und den Ohren zu laufen.

Ich ging am nächsten Tag wieder zum Hausarzt und bat ihn, mich ins Krankenhaus einzuweisen. Er lachte mich aus und meinte, dass er dies für übertrieben hält, ich könne ja noch alles bewegen und meinen Kopf ebenfalls. Ich würde mir nur unnötig Sorgen machen und solle das alles ignorieren, es werde sich legen. Er gab mir schlussendlich nur widerwillig eine Überweisung für den Neurologen. Mir ging es immer schlechter; ich habe mich in die Notaufnahme fahren lassen, als ich merkte, dass meine Schultermuskulatur versagt und ich Schluckprobleme habe. Ich glaube, es war wahrscheinlich zu spät, weil ich wieder diesem Quacksalber vertraut habe, und er mich nicht ernst genommen hat. Die Frage ist allerdings, ob mir eine frühzeitige Einweisung ins Krankenhaus noch etwas gebracht hätte, denn was ich dort im Nachhinein so erlebt habe, das hat mich schockiert. Ich empfinde es als eine Schande für dieses Land. Notaufnahmen in Deutschland sind die reinste Katastrophe. Ich habe noch nie in meinem Leben so viele überforderte, überarbeitete, inkompetente und ignorante Ärzte erlebt. Ein richtiges Armutszeugnis für dieses fortschrittliche Land. Ich lag dort nun in der Notaufnahme und musste erst mal ewig warten. Es kam eine junge ausländische Ärztin hinein, welche sich als Neurologin vorstellte. Ich erklärte ihr, was und warum dies alles passiert sei und den Verlauf seit dem Sturz. Sie meinte, da es schon länger her sei, wäre das Schlimmste vorbei. Ich schaute sie nur an und meinte, ob sie mir denn gerade zugehört habe, und dass ich seit dem Sturz unter extrem schlimmen Zuständen leide. Dies sei besonders heftig, wenn ich meinen Kopf strecke und dann das Gefühl habe, als ob sich dort etwas verschiebt und knackt, und ich außerdem das Gefühl habe, dass ich mir sämtliche Gefäße, Nerven und sonstiges abdrücke. Sie schaute mich fragend an und meinte, sie müsse das mit ihrem

Chefarzt besprechen. Ich wartete eine weitere Stunde, bis die Ärztin wiederkam und mir erklärte, dass sie mit ihrem Chefarzt gesprochen habe, und nun ein CT gemacht werde, unter anderem auch wegen der Gefäße. Selbstverständlich war das CT ergebnislos, und ich wurde daraufhin aus der Notaufnahme geschmissen; mit Schmerzmitteln und der Empfehlung für Krankengymnastik.

Ich saß nun zu Hause mit den schlimmsten Zuständen und wusste nicht weiter. In der folgenden Woche bekam ich solch einen extremen neurologischen Anfall, dass ich dachte, ich müsse sterben. Meine ganze Wirbelsäule sackte in der Nacht zusammen und stauchte sich. Mein Kopf war im Nirvana, es fühlte sich an, als ob etwas verschoben wäre. Mein Kiefer krachte auf einer Seite, ich bekam Atemnot, konnte nicht mehr richtig sprechen, Kreislaufstörungen, neuropathische Schmerzen im ganzen Körper, Ohnmachtsgefühle, Kältegefühl im ganzen Körper abwechselnd mit Schweißausbrüchen und Schwäche von oben nach unten. Meine Weichteile, Muskeln und Nerven wurden überdehnt. Es war der schrecklichste Moment in meinem Leben. Ich schrie verzweifelt nach meinen Eltern, und diese fuhren mich sofort ins Krankenhaus. Im Sitzen hatte sich mein Zustand ein bisschen gebessert, vor allem wenn ich meinen Kopf festgehalten haben. Ich stellte mich noch mal in der Notaufnahme vor. Ich musste durchgehend meinen Kopf festhalten. Hinlegen konnte ich mich nicht, da ich mir dabei gefühlt alles abdrückte und streckte, was wieder zu neurologischen Problemen führte. Eine Ärztin führte die Erstanamnese durch und ich erzählte ihr, was los ist. Sie guckte mich mit einem Fragezeichen im Gesicht an und meinte, sie schickt die Chefärztin. Diese kam nach 30 Minuten, begrüßte mich und fragte mich direkt ob ich am Montag kommen könne, da es gerade recht voll sei. Mir fiel die Kinnlade herunter und ich fragte mich innerlich, ob die gute Frau noch alle Tassen im Schrank hat. Ich diskutierte mit ihr und schlussendlich hat die Chefärztin sich doch entschlossen, mich stationär aufzunehmen.

Aufenthalt im Krankenhaus: In der Neurologie angekommen, musste ich alles noch mal erzählen. Mir ist aufgefallen, dass Ärzte oftmals nur halbherzig zuhören, vor allem wenn man sein Problem nicht in weniger als zwei Sätze fassen kann. Ebenfalls denkt kein Arzt sinnvoll nach. Ärztliche Behandlung ist heutzutage stupide Fließbandarbeit. Zum Beispiel läuft der Nerv der Schluckmuskulatur, Zunge und viele weitere Nerven am Schädel und der Halswirbelsäule entlang. Habe ich nun dort ein Problem, wo der Nerv liegt, ist es ja wohl nicht abwegig, dass mein Schluckmuskel betroffen sein kann und ich somit Schluckprobleme entwickle. Das Gleiche ist mit dem Nerv, der den Trapezius innerviert der Fall. Glauben Sie deutsche Ärzte kommen darauf? Selbstverständlich nicht! Sie kommen nur darauf, wenn sich eine Pathologie auf dem MRT-Bild finden lässt, wie z.B. ein Schlaganfall, Hirnblutung, Fraktur, usw. Ohne bildgebende Pathologie kann etwas meistens nicht sein, und dementsprechend muss man ja etwas anderes haben, sonst würde es einem nicht so schlecht gehen. Dann wird eben eine psychische Diagnose gestellt.

Zurück zum Thema: Ich lag also dort mehrere Tage im Krankenhaus und versuchte meinen Kopf immer in einer Position zu halten, so dass ich nicht sterbe. Ich bekam immer wieder Atemprobleme, Kreislaufprobleme, Atemaussetzer, konnte nicht richtig auf die Toilette gehen und hatte die heftigsten Schmerzen. Einen Löffel zum Essen konnte ich kaum halten. In einer Nacht krachte es mal wieder irgendwo, und ich wachte auf mit starken Kopfschmerzen und Atemnot. Ich war total benommen, hatte Sehstörungen und Flüssigkeit lief mir weiter aus der Nase, dem Mund und den Ohren. Es fühlte sich an, als ob meine Augen gleich rausfallen vor Druck. Ich ging zum Spiegel und tatsächlich: meine Augen standen hervor. Im Nachhinein stellte ich mir die Frage, ob ich Hirndruck hatte. Mit Sicherheit hatte ich den, nur das hat niemanden interessiert. Ich habe den Ärzten im Krankenhaus immer Bescheid gegeben, wenn etwas los war oder passiert ist. Interessiert hat es aber keinen. Ich habe immer zu Gott gebetet und hoffte einfach drauf, dass mir jemand hilft. Um es jetzt hart zu sagen, hätte ich gewusst, was mich noch erwartet, hätte ich lieber zu Gott gebetet, dass er mich doch bitte sterben lassen soll. Ich lag also dort mehrere Tage, ohne dass Untersuchungen stattgefunden haben. Später wurden dann doch ein paar Untersuchungen gemacht und ein spinales MRT der Wirbelsäule. Auf meine Schilderungen ist man nicht eingegangen und schlussendlich wurde ich aus dem Krankenhaus geschmissen. HWS-Trauma ohne Traumafolgen und dissoziative Störung war die Diagnose. Die letzte Diagnose sollte mich nun für immer verfolgen und alles weitere zur Hölle machen. Damit hat man mein Schicksal endgültig besiegelt.

Ich lag nun zu Hause, gefühlt halb sterbend. Ich wollte noch mal ins Krankenhaus, da ich manchmal sehr schlimme Zustände bekam. Mein Vater fuhr mich also nochmals in die Notaufnahme. Dort angekommen, mussten wir wieder 3 Stunden warten, bis eine Unfallchirurgin zu uns kam. Ich ratterte also erneut herunter, was passiert war und hoffte auf ein bisschen Menschlichkeit. Ich sagte zu ihr, dass mein Kopf lose ist, dass sich da etwas bewegt und dass ich dann furchtbare Symptome bekomme. Ich bat um ein Röntgen. Sie meinte, sie wolle sich noch mal die MRT-Bilder anschauen und überlegen, was sie für mich tun kann. Sie kam 30 Minuten später wieder und meinte, dass sie mich jetzt nach Hause schickt. Sie habe mein MRT angeschaut und darauf gesehen, dass nichts gerissen sei. Ich solle bedenken, dass ich eine dissoziative Störung habe und wahrscheinlich Schmerzen spüre, die ich gar nicht habe. Der Rest meiner Symptome komme ebenfalls davon. Ich meinte zu ihr, dass ich auf den Kopf gefallen sei und mir überstreckend die Halswirbelsäule angeschlagen habe. Sie meinte, das sei nicht schlimm, und ich soll nur Physiotherapie machen. Ich weiß heute, dass damals nur ein spinales MRT angefertigt wurde und nicht eines zusätzlich von hinten, somit konnte man nicht mal die Weichteile und Bänder der

Kopfgelenke sehen. Dann wurde ich wieder aus der Notaufnahme geschmissen.

Ich lag also heulend zu Hause und dachte, dass es bald mit mir vorbei ist. Einmal hab ich solche Kreislaufprobleme bekommen, dass wir den Krankenwagen gerufen haben. Der einzige Kommentar des Notarztes, als er die Antidepressiva sah und den Entlassbericht des Krankenhauses las, war, dass ich nicht so viel sitzen soll, das käme alles nur von stressbedingten Verspannungen. Auf meine Schilderungen wurde nicht eingegangen. Mein Hausarzt fand das alles natürlich grandios. Er hat sich daran regelrecht „aufgegeilt". Ich musste mir anhören, dass all meine Beschwerden psychischer Genese seien: Meine Trapeziusteilausfälle bei Kopfbewegungen, meine stauchende Wirbelsäule und die Gehprobleme ebenfalls. Er habe bei somatoformen Störungen schon viel erlebt. Ich sagte zu ihm, dass sich mein Kopf anatomisch unnormal bewegt, dass sich dort Knochen bewegen, etwas dort „ploppte", besser ließ sich das nicht ausdrücken. Seiner Meinung nach sei das nicht schlimm und das dies nur mein subjektives Empfinden sei. Ich fragte ihn, ob meine Schultersubluxationen, die ich bereits früher hatte, auch psychischer Genese seien. Er meinte daraufhin: „Sie hatten ja ein MRT der Schulter, und das war nicht so aussagekräftig zu Ihrem Problem". Also sollte meine Schultersubluxation, welche man von außen sehen und hören kann auch psychischer Genese sein? Und das nur, weil man auf dem MRT-Bild noch nicht so viele Schäden sehen kann? Zu meinen Eltern wurde er richtig gemein. Er fing an, mich ihnen gegenüber als verrückt und psychisch krank darzustellen. Es sei ihm richtig klar geworden, dass ich psychisch krank bin, als ich nach meinem Sturz verängstigt in seine Praxis gekommen sei und berichtet habe, dass ich Ausfälle im Arm habe. Am darauffolgenden Termin drückte er mir ein Rezept für ein anderes Antidepressivum mit dem Kommentar in die Hand, dass ich endlich akzeptieren solle, dass alles psychischer Genese sei, und er das auch meinen Eltern erklären müsse, damit diese sich nicht unnötig Sorge über meine körperliche Gesundheit machen. Ich bat ihn, dass er mich zur Abklärung dieser heftigen Schmerzen trotzdem noch weiter überweisen sollte. Ich bekam daraufhin einen Termin in der Schmerztherapie einer neurologischen Abteilung und hoffte darauf, dass sich dort wenigstens noch ein bisschen Menschlichkeit zeigen würde, da mein Zustand immer schlimmer wurde. Was ich dort erlebt habe, sprengte jedoch jeglichen Rahmen von gesundem Menschenverstand und Menschlichkeit.

Stationäre Schmerztherapie in der Neurologie: Als ich in der Neurologie eines nahe gelegenen Krankenhaus ankam, ahnte ich noch nicht, dass dies das schlimmste Erlebnis meines Lebens sein sollte. Ich wurde am Vormittag mit den heftigsten Symptomen aufgenommen. Ich hatte sehr starke Schmerzen im ganzen Körper, Kopfschmerzen, welche im Stehen oder Sitzen so eskalierten, dass ich schreien musste. Atemnot, überall Nervenschmerzen. Weiterhin diese Flüssigkeit, welche mir aus der Nase und dem Mund lief. Ich konnte mich kaum aufrecht halten, bekam teilweise Ataxien, und jegliche Halsbewegungen machten alles schlimmer. Ich war kreidebleich, und meine ganze HWS verselbständigte sich. Eine Ärztin nahm mich auf, und ich erzählte ihr alles aus den letzten zwei Jahren, was bei Medikamenteneinnahme und bei meinem Sturz passiert ist, wie es mir jetzt geht und welche Probleme ich habe. Sie notierte alles und stellte mir ein paar Fragen. Danach nahm sie noch Blut ab und brachte mir ein paar Schmerzmittel. Ich lag also dort rum und wusste nicht, wohin das alles führen würde. Am nächsten Tag kam die Ärztin samt Chefarzt, und beide berichteten mir, dass ich einfach ein bisschen Physiotherapie brauche und Schmerzmittel, dann würde es mir besser gehen. Ebenfalls wollte sie noch eine Lumbalpunktion machen, um alles abzuklären. Ich schaute sie fragend an und sagte, dass ich – wie berichtet - neurologische Ausfälle habe und sie sich doch bitte etwas überlegen sollen, um mir zu helfen.

Am nächsten Tag wurde ich erst mal mit Schmerzmitteln zuge-
dröhnt und sollte zur physikalischen Therapie. Einzig, wenn die
Physiotherapeutin an meinem Kopf zog, fühlte es sich von den Problemen her etwas besser an. Kaum bewegte ich meinen Kopf wieder
zu weit, eskalierte es. Es fühlte sich so an, als ob mein Atlas rum-
wandern würde und mein 2. Halswirbel hypermobil ist. Ich bekam
immer mehr Probleme, wie z.B. Spasmen oder Halbseitenschwäche
bei Kopfbewegungen. Meine Wirbelsäule krachte immer mehr zusammen. Ich erzählte dies alles natürlich meiner Ärztin. Als ich gerade so einen Anfall mit Halbseitenschwäche bekam, tastete sie
meine Halsmuskulatur ab. Eine Seite funktionierte einfach nicht
mehr richtig, und ich hatte Probleme meinen Kopf aufrecht zu halten. Ihr Kommentar dazu war, dass dies wahrscheinlich vom falschen Sitzen kommt und ich nur muskuläre Dysbalancen habe. Ich
schaute sie verwirrt an und schilderte noch mal was mit mir ge-
schieht. Ich bekam eine Standpauke, dass ich mich nicht so darauf
fixieren und nicht immer alles hinterfragen, sondern es einfach akzeptieren soll. Ich bekam noch eine Nervenmessung an der Hand,
aber das war es schon.

Ich verbrachte 14 Tage in der Schmerztherapie und musste mir
den größten Blödsinn anhören. Es hat sich wie eine Gehirnwäsche
angefühlt. Ich wurde gezwungen, bei gewissen Dingen mitzuma-
chen, trotz eines sich immer mehr verschlimmernden Zustandes.
Einmal lag ich mehrere Minuten bewusstlos im Bett. Ich bekam
Rumpfataxien, Schweißausbrüche, Stromschläge von unten nach
oben so dass z.B. meine Beine versagten und vieles Weitere. Schlussendlich bin ich verzweifelt zu meiner Ärztin gegangen und habe sie
angefleht, dass sie mir doch bitte helfen soll und dass wirklich etwas
mit mir nicht stimmt. Die gute Ärztin schaute mich an und meinte,
dass sie mich noch zum Psychologen dort schickt und es keine weitere Diagnostik gebe. Ich habe keine Brüche und keine Bandscheibenvorfälle und alles andere wäre von keiner Relevanz. Ich solle
mich nicht so hypochondrisch verhalten, und meine Beschwerden

seien wahrscheinlich sowieso rein psychosomatisch. Ich wurde dort nun also zum Psychologen geschickt. Dieser war nett und verständnisvoll, jedoch versuchte er es so hinzudrehen, dass ich einfach alles akzeptieren soll, dies alles nur halb so schlimm sei und dass ich eine psychische Diagnose akzeptieren solle. Er befragte mich zu sämtlichen Themen meines Lebens, fand aber nichts, was eine psychosomatische Diagnose erklären würde. Schlussendlich lief es auf eine Schmerzstörung hinaus. Ich bekam den schlimmsten Arztbericht meines Lebens mit lauter Fehlern, falschen Schilderungen, verdrehten Tatsachen und verrückten Diagnosen. Ich war am Boden zerstört und heulte nur noch.

Das Upright-MRT und die Diagnose: Da es mir nicht besser ging und dies leider niemanden interessierte, beschlossen meine Eltern und ich, ein Upright-MRT machen zu lassen, wohlwissend, dass dies wahrscheinlich nicht alles erklären würde, jedoch wenigstens etwas. Wie erwartet, zeigte sich, dass ich eine ligamentäre atlantodentale Instabilität habe, wodurch ich an der oberen HWS diverse Rotationsinstabilitäten habe. Ebenfalls erbrachte das Upright-MRT, dass ich sehr viel Verscheiß für mein Alter habe, latente subaxiale Instabilitäten und in der gesamten Halswirbelsäule Bandscheibenprotrusionen. Ich schickte meine Bilder noch an einen renommierten EDS-Chirurgen im Ausland, da ich durch recherchieren herausgefunden hatte, dass diese auf EDS spezialisierte Chirurgen sich sehr gut mit diesem Thema auskennen. Er vermaß meine Bilder nach den im Rahmen des 2. internationalen CSF Dynamics Symposiums von 2013 erstellten Kriterien und den erstellten Konsensstatements der Bobby Jones Chiari & Syringomyelia Foundation für kraniozervikale Instabilitäten und bestätigte die Diagnosen, da meine Werte sehr pathologisch waren. Ihm ist ebenfalls aufgefallen, dass ich Cerebellar Tonsills Ectopia von 7,5 mm habe (auch Kleinhirn-Tonsillen-Ektopie oder Tonsillentiefstand genannt). Etwas, das es im deutschen Gesundheitssystem in der Kombination mit den zuvor beschriebenen Pathologien nicht gibt. Es ist keine richtige Chiari-Malformation, kommt aber im Zusammenhang mit Instabilitäten vor. Leider war er selbst mit meinem Zustand überfordert. So hatte ich zwar eine Diagnose, aber keine Hilfe. Interessant waren die standardisierten Fragen des Chirurgen in multiplen Fragebogen. Ich habe noch nie gehört, dass in Deutschland jemals Fragebogen zur Anamnese ausgefüllt werden. Das ist richtig sinnvoll. So viele Fragen beinhalteten Beschwerden, welche ich früher nicht zuordnen konnte und die niemand hier in Deutschland beantworten konnte. Da war ich sehr überrascht.

Die Termine bei den Neurochirurgen: Da ich nun eine klare Diagnose in der Hand hatte und meine ganze klinische Symptomatik auch auf eine Myelopathie (Rückenmarksschädigung) und diverses anderes hindeutete, machte ich mich voller Hoffnung zu renommierten Neurochirurgen auf. Die Termine waren sehr durchwachsen. Ein paar Ärzte hörten mir zu und versuchten ihr Bestes, um wenigstens ein paar Fragen zu beantworten. Andere wiederum waren ehrlich und meinten, dass sie mir nicht helfen können. Manche Neurochirurgen hatten auch noch ein paar Ideen zur weiteren Diagnostik. Andere kamen mit den verrücktesten Ideen von diversen Krankheiten an. Dabei wollte ich eigentlich nur, dass mal jemand zuhört und versucht, mir meinen Vorfall zu erklären, jedoch interessierten meine Schilderungen größtenteils niemanden, oder die Ärzte waren maßlos überfordert. Mein Upright-MRT wurde nur teilweise beachtet oder als kompletter Humbug abgetan, obwohl ich in Flexion ein vergrößertes Atlas-Dens-Intervall von 5,8 mm hatte, was als pathologisch anzusehen ist.

Die Diagnose des EDS-Neurochirurgen wurde komplett ignoriert oder als Blödsinn abgetan. Zwei Neurochirurgen kamen sogar auf die Idee, dass ich einfach für meine Beschwerden psychologische Betreuung brauche. Ich bekam außerdem diese dumme Diagnose der dissoziativen Störung nicht mehr los, und sie wurde auf vielen Befunden einfach mitübernommen. Diese elende Fehldiagnose machte mir das Leben schwer. Bei einem Termin bekam ich noch eine Röntgenaufnahme der ganzen Wirbelsäule, welche zeigte, dass sich meine ganze Wirbelsäule von einem Flachrücken zu einer Kyphose verbogen hat, wie ich es schon zuvor zu allen gesagt habe, mir jedoch niemand glaubte. Ich war auf dem Röntgenbild auf einmal im Stehen 10 cm kleiner, als ich sonst bin. Ich ging davon aus, dass es jetzt gar nicht mehr abgestritten werden kann, dass etwas mit mir nicht stimmt. Leider habe ich mich getäuscht. Im Prinzip wurde mir gesagt, dass nirgends vermerkt sei, dass ich einen Flachrücken hatte und es keine Aufnahmen von diesem gebe. Ich sagte, dass ich die Diagnose von 2 Orthopäden bekommen habe und auch von meinem Hausarzt. Daraufhin wurde wieder argumentiert, dass so etwas nicht möglich sei und ich wahrscheinlich nie einen Flachrücken gehabt habe; dies müsse eine Fehldiagnose sein. Oder mir wurde entgegen gehalten, dass ein MRT im Liegen und ein Röntgen im Stehen nicht vergleichbar seien Einen Kommentar eines Neurochirurgen werde ich nie vergessen. Er meinte zwar, dass ich alle Anzeichen dafür habe, dass bei mir nervale Strukturen eingeengt seien, jedoch hätte ich so etwas nicht.

Der stationäre Aufenthalt an der Uniklinik: Da es mir immer schlechter ging und ich auch noch einige Untersuchungen benötigte, hatte ich mich entschlossen, meine Unterlagen beim Zentrum für seltene Erkrankungen an einer Uniklinik einzureichen. Ich wollte auch mal das Thema EDS abklären lassen wegen meines Bindegewebes. Es war auch gefühlt meine letzte Möglichkeit noch Hilfe zu bekommen. Ich wurde nach dem Einreichen der Unterlagen dort zu einer Erstvorstellung eingeladen. Die Ärztin war sehr nett, und ich diskutierte mit ihr über meine Beschwerden in dem ganzen Verlauf und über das Trauma. Sie nahm sich recht viel Zeit für die Anamnese und ging ebenfalls auf meine Ideen und Vorschläge ein. Sie meinte, sie werden mich auf jeden Fall sehr ausführlich und auch interdisziplinär untersuchen. Sie gab mir einen Termin für den stationären Aufenthalt. Ich war nun wieder voller Hoffnung endlich

Hilfe zu erhalten. Ich bereitete mich auf den stationären Termin vor. Ein paar Wochen später kam ich also in die Uniklinik und alle Ärzte waren sehr nett. Es hieß wie besprochen, man würde sich sehr ausführlich um mich kümmern. Der Umfang des Ganzen war jedoch nicht sehr ausführlich. Es wurde die Standarddiagnostik gemacht. Ich erhielt ein neues Kopf-MRT, eine Liquorpunktion mit Druckmessung, ein paar Nervenmessungen und ein Gespräch mit einem Professor für Bindegewebs- und Gelenkerkrankungen. Das einzig Auffällige war, dass mein Hirndruck leicht erhöht war, jedoch konnte das auch nicht meinen Zustand erklären. Nach dem Ablassen des Drucks ging es mir jedoch extrem miserabel, so dass ich für 2 Tage gar nichts mehr konnte. Meine ganze Wirbelsäule sackte in sich zusammen. Meine Hände und Beine drehten in sich ein. Ich konnte kaum 10 Meter laufen. Als ich die Ärzte erschrocken nach dem Grund fragte, konnte mir das niemand beantworten. Jedoch fragten sie mich gleich ob ich ein paar Beruhigungsmittel möchte, falls mir das zu viele Sorgen macht. Ich vermutete jedoch, dass irgendetwas mit meinem Hirndruck, dem venösen Abfluss und dem Liquorfluss nicht stimmt. Die Untersuchung für EDS bekam ich ebenfalls. Ich konnte viele Punkte ankreuzen auf dem Fragebogen, meine Narbenbildung passte ebenfalls zu hypermobiles EDS, jedoch war mein Beighton Score zur Messung meiner Hypermobilität mit 3,5 zu gering, deshalb blieb auch dies schlussendlich unklar.

Ich wurde anschließend ohne Ergebnis und nur mit der Hälfte der geforderten und besprochenen Untersuchungen entlassen. Ein Kommentar des Abschlussgesprächs bezüglich meiner Wirbelsäule hat sich noch in meinen Kopf eingebrannt: „Es steht nirgendwo in Ihren medizinischen Unterlagen, dass Sie einen Flachrücken haben. Sie haben einfach eine Kyphose mit kompensatorischer Lordose in der LWS, das hatten Sie wahrscheinlich schon immer. Sie können auch nicht 10 cm kleiner geworden sein, sie waren schon immer so groß. Wir glauben nicht, dass es noch sinnvoll ist jemanden von der Neurotraumatologie, Orthopädie und Wirbelsäulenchirurgie hinzu zu holen. Machen Sie einfach Sport". Wenigstens haben sie mir an der Uniklinik keine dumme Psychodiagnose gegeben, da sie gesehen haben, was mit mir los ist. Der Chefarzt sagte mir, dass dies nicht mehr nur ein Problem sei, sondern mehrere. Darauf eingehen wollte jedoch niemand. Was mich wirklich wütend gemacht und fast den Tränen nahegebracht hat, war, dass meine Ärztin auch über meine früheren Beschwerden Bescheid wusste und sie mir sagte, dass viele Untersuchungen schon früher hätten gemacht werden sollen. So gehört zum Beispiel die Diagnostik der intrakraniellen Hypertension eigentlich laut Richtlinien zur Standarddiagnostik bei chronischen Kopfschmerzen mit Nackensteifigkeit; das hätte man bereits 2017 untersuchen sollen.

Der devastierende Zustand: Nach dem einen Jahr voller Devastieren (Zerstörung/Verwüstung) und ohne Behandlung, kann ich sagen, dass es mir ziemlich schlecht geht. Meine ganze Wirbelsäule hat sich verbogen und ist instabil, mein Körper sackt ab. Ich habe Weichteil-, Muskel und Nervenschäden von oben nach unten, weil ich mir während des Jahres ohne Behandlung alles überdehnt habe. Mein Darm arbeitet nicht mehr richtig, und meine Blase macht ebenfalls Probleme. Ich drücke mir an sämtlichen Stellen des Körpers irgendwelche Nerven ab, und einzelne Teile meiner Wirbelsäule drücken immer wieder an nervale Strukturen im Rückenmark. Ich konnte in einem Fall für mehrere Stunden meine Beine nicht bewegen und habe mittlerweile Tiefensensibilitätsverlust im kompletten Körper. Mein vegetatives Nervensystem ist zerstört, und meine Thermoregulation ist die größte Katastrophe überhaupt. Ich kann mittlerweile nicht mehr als 50 Meter anständig laufen, und wenn ich es tue, bekomme ich die schlimmsten Symptome. Ich verbringe die meiste Zeit zu Hause und im Bett. Manchmal drücke ich mir unbewusst im Hals irgendwelche Gefäße und Nerven ab, so dass ich das Gefühl habe, dass es bald vorbei ist. Es fühlt sich an wie täglich einen Schlaganfall vom Hals abwärts zu haben. Hinzu kommen dann auch die Folgeschäden durch diese täglichen neurologischen Ausfälle.

Zum Beispiel hat mein rechtes Bein erhebliche Schäden. Jeder Tag ist für mich eine Qual geworden, und ich frage täglich, wohin das alles führen soll.

Es belastet mich, dass ich diese Psychodiagnose nicht los werde, obwohl ich sogar beim Psychologen war und dieser mir außer reaktiver Angst keine psychischen Auffälligkeiten bestätigt hat. Da es in Deutschland meistens nur Operationen gibt, wenn Knochen gebrochen sind oder etwas direkt ins Rückenmark drückt, weiß ich, dass es sehr wahrscheinlich hier keine Hilfe für mich geben wird. Ich habe es an so vielen Stellen, oftmals fast schon um Hilfe bettelnd und den Tränen nahe, versucht. Ich frage mich manchmal, ob ich mit meinen ganzen Problemen von einer Fusions-Operation überhaupt profitieren würde, ich denke eher nicht. Ich weiß schon gar nicht mehr, welches Problem ich angehen und zu welchem Arzt ich gehen soll. Es geht mir jeden Tag schlechter und ich devastiere mehr. Die Medikamente helfen ein bisschen, allerdings weiß ich auch nicht, bei was sie genau helfen und warum. Früher fragte ich mich immer, warum manche Leute sehr krank sind und Ewigkeiten bis zur passenden Diagnose brauchen, obwohl wir ein sehr gutes Gesundheitssystem haben. Jetzt verstehe ich es, und all diese Menschen tun mir sehr leid.

Beim Schreiben und erneuten Durchlesen meiner Geschichte frage ich mich oftmals, ob ich einfach träume, aber das ist leider nicht der Fall. Ebenfalls frage ich mich, ob ich irgendetwas falsch gemacht habe, vor allem gegenüber Ärzten, dass ich so behandelt und abgefertigt wurde und schlussendlich in diesem Zustand nun verweile. Ich frage mich jeden Tag, ob ich früher etwas falsch gemacht habe, dass gewisse Dinge nicht frühzeitig abgeklärt wurden. 1,5 Jahre bis zu meinem Vorfall habe ich mich auf freundliche Weise bemüht, passende Diagnostik, Therapien, Verbesserung oder Heilung zu bekommen. Ich habe mich als gebildeter Mensch natürlich belesen und versucht, meine Beschwerden irgendwie passend zuzuordnen. Damit meine ich wirklich passend und nicht hypo-chondrisch übertrieben. Ich habe passende Vermutungen geäußert und medizinische Fragen aufgeworfen, jedoch mir selbst nie Diagnosen gestellt oder mich auf etwas versteift. Mein Standpunkt war, dass ich einfach wissen wollte, was mir Probleme macht und ich gerne eine passende Diagnose und Therapie hätte. Nach meiner medizinischen Reise kann ich sagen, dass es keine andere Berufsgruppe gibt, die solch ein großes Ego hat und die sich gleichzeitig so vor Intelligenz fürchtet wie Ärzte. Wer sich als Patient informiert und für sein Recht einsteht, der hat schon verloren. Man muss dem Mediziner blind vertrauen, ansonsten ist man kein guter Patient und nervig. Wenn ein Arzt sagt, dass man gesund ist, dann hat man auch gesund zu sein. Ich hatte vor allem in der Schmerztherapie das Gefühl, dass dieses Gesundheitssystem möchte, dass man einfach alles stillschweigend akzeptiert, den Ärzten vollkommen vertraut, auch wenn man für eine Sache zehn verschiedene Diagnosen bekommt, und am besten so wenig Kosten wie möglich verursacht. Wie es dann mit der eigenen Lebensqualität und dem eigenen Wohl aussieht, das interessiert niemanden und soll einen selbst am besten auch nicht interessieren. Man erkennt an den Arztberichten, dass die Wiederherstellung der Arbeitsfähigkeit das Wichtigste ist und weit vor der eigenen Lebensqualität steht. Ich kann einfach nicht verstehen, wie solch ein Thema wie ligamentäre Instabilitäten der Halswirbelsäule in Deutschland dermaßen unter den Tisch gekehrt werden kann. Das ist ziemlich abartig. An der Universität von Stanford gibt es bereits Studien über den Zusammenhang von ligamentären, kraniozervikalen und atlantoaxialen Instabilitäten bei Patienten mit Myalgischer Enzephalomyelitis als Ursache dieser Erkrankung, während die Ärzte hier noch nicht mal in der Lage sind Upright-MRT-Bilder richtig zu lesen und zu interpretieren. Die wissenschaftliche Arbeit der EDS-Chirurgen, welche schon vielen Patienten das Leben gerettet und verbessert haben, werden hierzulande als Schwachsinn abgetan. Dies alles fühlt sich so an, als ob ich im falschen Film wäre. Mir fehlen oftmals die Worte, wenn ich über das alles nachdenke, mir ist jeden Tag nur noch zum Heulen zumute, und ich stelle mir 1000 Fragen zu früher, zu jetzt und zu der Zukunft. Ich wünsche mir sogar, dass ich eine psychische Krankheit hätte. Nicht, dass so etwas weniger schlimm ist, aber wenigstens könnte ich dann eine Therapie machen und Medikamente nehmen, damit es mir hoffentlich besser gehen würde.

Das Fazit: Wahrscheinlich werde ich niemals herausfinden, was mir bei dem Vorfall wirklich passiert ist. Ich glaube, dass ich mir sämtliche haltenden Weichteile gerissen habe, welche meinen Kopf auf meiner Wirbelsäule halten. Ich weiß auch, dass mein ganzer Zustand nicht mehr alleine mit einer rein instabilen Halswirbelsäule erklärbar ist, da einfach so viele sekundäre Probleme entstanden sind. Ich hatte mich im Anschluss an meinen Vorfall viel belesen und gemerkt, dass im Bereich des kraniozervikalen Übergangs und der Halswirbelsäule viele Dinge „schief gehen" können. Von leichten Instabilitäten, die dann eher vaskuläre, also die Gefäße betreffende Probleme machen, bis hin zu unerkannten Bänderrissen ist alles möglich. Ebenfalls können zum Beispiel gewisse mechanische Stenosen von Halsgefäßen zu interkranieller Hypertension führen. Interkranielle Hypertension kann ähnliche oder gleiche Probleme verursachen, genauso wie Liquorlecks. Außerdem kommen noch Erkrankungen des autonomen Nervensystems hinzu, welche ja im Zusammenhang mit Halswirbelsäulenproblemen oder auch alleine auftreten und dann durch falsche Medikamente verstärkt werden können. Ich habe jedoch noch nie gehört, dass in Deutschland jemand mit diesen Problemen eine umfangreiche Differentialdiagnostik bekommen hat, um dem gesamten Problem vollkommen auf die Schliche zu kommen. Meistens scheitert es ja schon daran, ob man überhaupt ernst genommen wird. Je nach Problem reichen dann auch schon mal eine Fehlmedikation und ein weiteres Bagatelltrauma wie bei mir aus, um das ganze Fass zum Überlaufen zu bringen.

Ich weiß jetzt eigentlich nur, dass ich mit 25 Jahren schwerkrank und schwerbehindert bin und mir durch die Fehltherapie, Inkompetenz und Ignoranz der Ärzte jegliche Chance genommen wurde, etwas an meiner Situation zu verbessern. Viele Dinge hätten vermieden werden können. Ich bin mir auch sicher, dass ich auch noch weiterhin konservative Therapie hätte machen können, um wenigstens meinen Status so lang wie möglich aufrecht zu halten und eventuell sogar zu verbessern. Ich war ja bereits auf einem guten Weg. Vielleicht hätte auch zunächst ein anderer Eingriff oder eine andere Therapie gewisse Probleme lösen können. Vor allem wäre dies mit geeigneter konservativer Therapie möglich gewesen. So habe ich mir wahrscheinlich mit dem ganzen Rumtherapieren - ohne überhaupt zu wissen, was ich habe - selbst mehr geschadet, als geholfen. Dazu kommt meine familiäre Veranlagung mit dem schlechten Bindegewebe und meiner damit verbundenen Hypermobilität. Hätte ich gewusst, was dies für meine Zukunft bedeutet, hätte ich mein Training und meinen Lebensstil darauf angepasst. Ich bin keinem Arzt böse, dass er nicht herausgefunden, hat was mir los ist. Was ich jedoch nie verstehen werde ist, dass man Menschen ewig hinhält und nicht zielgerichtet untersucht. Man sollte seinem Patienten einfach mal zuhören und dann mit ihm gemeinsam überlegen. Dies bedeutet, als Arzt sowohl die Fragen und Vorschläge des Patienten mit zu berücksichtigen, als auch selbst Überlegungen zu äußern und Fragen zu stellen. Teilweise werden Untersuchungen gemacht, die vollkommen unnötig sind, aber wiederum auch wichtige Untersuchungen unterlassen. Unklare Beschwerden werden sofort als psychischer Art dargestellt, ohne überhaupt entsprechende Untersuchungen zu machen. Das dies zu viel Leid, richtigen psychischen Problemen und eventuell sogar körperlichen Schäden führen kann, muss ich mit meiner Geschichte wohl nicht noch mal erwähnen. Eine gute Anamnese ist sehr wichtig für alles Weitere, jedoch scheitert es oftmals schon daran.

Erschreckend ist die Diskrepanz beim Thema Anamnese: eine psychische Diagnose kann einfach so erstellt werden, ohne dass überhaupt ein Facharzt dieser Richtung konsultiert wird. Was mich jedoch sehr wütend macht, ist, dass man mich mit der Fehlmedikation fast getötet hat, mich anschließend weiterhin meinem Elend überlässt und mich zusätzlich noch in die Psychoecke geschoben hat. All den Ärzten, die dafür verantwortlich sind, habe ich zu sagen, dass ihr euch schämen sollt. Schämt euch, dass ihr meinen Zustand befeuert habt und mich nun mit dieser schrecklichen Situation alleine lasst. Euer Beruf sollte eine Berufung sein, jedoch haben viele von euch diese vollkommen verfehlt. Jetzt kann mir nicht mal mehr der liebe Gott helfen und zwar nicht, weil er das nicht gerne tun würde, sondern weil es einfach an Ärzten und dem Gesundheitssystem scheitert. Ich möchte aber zumindest den Ärzten danken, die versucht haben zu helfen und mir wenigstens zugehört haben. Ich weiß, ihr habt euer Bestes getan, aber ihr wart leider maßlos überfordert. Wie gesagt, ich bin niemandem vom euch böse, dass ihr nicht rausgefunden habt, was mir fehlt, jedoch bin ich verdammt böse, dass manche von euch aus Ignoranz mein Leben zu einer Katastrophe gemacht haben. Wie ich mein Leben nun nenne: Zum Sterben liegen gelassen und ein Leben auf der Warteliste als lebendes Grab.

Zum Thema psychische Diagnosen möchte ich noch sagen, dass diese sehr wohl ihren Platz haben, und selbstverständlich dürfen auch Ärzte diesen Verdacht gegenüber ihren Patienten äußern. Jedoch sollten diese Diagnosen nicht nach dem Ausschlussprinzip gestellt werden, weil gewisse Untersuchungen nichts ergeben haben, sondern nach einer geeigneten psychischen Beurteilung. Dieses typische: „Sie haben nichts, also muss es psychisch sein", oder „So etwas habe ich noch nie gehört, dass kann nur psychisch sein" oder „Das kann nicht sein", ist einfach so falsch. Es gibt heutzutage so viele Erkrankungen und Multi-System-Erkrankungen, das sollte an dieser Stelle nicht vergessen werden. Ich möchte alle Ärzte bitten, einfach mal über den Tellerrand zu schauen, nicht nur stupide nach

Richtlinien, Blutbildern und MRT-Bildern zu therapieren und sich nicht auf 5-10 alltäglich in der Praxis erscheinende Krankheitsbilder zu beschränken.

Falls jemals ein Arzt meine Geschichte liest und mir und meiner Familie das alles auch nur ansatzweiße erklären kann, darf er sich gerne bei mir melden.

Sören Kupitsch*

* Name auf Wunsch des Autors geändert

19. Ich bin zu müde, um depressiv zu sein

W as tun, wenn gegenwärtig bei jeder kleinen körperlichen oder geistigen Anstrengung das Herz bis in den linken Arm hinein schmerzt und der Ruhepuls permanent viel zu hoch ist? Wenn der Stoffwechsel teilweise zur Selbstzerstörung durch den Abbau körpereigener Ressourcen übergegangen ist, so dass ohne Unterbrechung dieses Prozesses wohl wenig Zeit mehr bleibt?

Bei Stress und manchmal auch ohne definierbaren Anlass, rieche ich wie ein Chemiebaukasten. Der Duft von „Angel" war mir und meinem Mann lieber.

Es mag ja heutzutage dem Schönheitsideal entsprechen, abzunehmen und schlank zu sein. Wenn aber der Kampf gegen diesen ungewollten Gewichtsverlust trotz

- biologisch ausgewogener, unverarbeiteter Lebensmittel frei von jeglichen Zusatzstoffen,
- der strikten Einhaltung einer LOGI Diät,
- der Einnahme aufeinander abgestimmter reiner Ergänzungsmittel und
- dem kompletten Verzicht auf Süßes und seit Jahren jeglichen Alkohols

wochenlang verloren geht, dann bin ich kraft- und ratlos.

Was also tun? Damit weitermachen, um weiter leben zu können und zusätzlich versuchen, den Stoffwechsel nach Möglichkeit durch Bewegung wieder neu anzuregen. Selbst, wenn es kaum möglich erscheint, zwinge ich mich zu ein paar Schritten im Freien am Tag, natürlich nur in Begleitung, unterbrochen von kleinen Pausen. Mehr ist derzeit leider nicht mehr im Akku, und an manchen Tagen ist auch das beim besten Willen gar nicht mehr umsetzbar. Ich muss also gezwungenermaßen fast immer in der Wohnung bleiben. Die Energie reicht dann gerade mal für Essen, Körperpflege (leider nicht immer) sowie Ruhen/Schlafen. In wachsendem Maße fühle ich mich eingesperrt wie in einer selbstgestalteten Zelle.

Diese Aussichtslosigkeit macht mich sehr traurig und verzweifelt, weil ich selbst kaum noch etwas tun oder daran ändern kann. Ich habe in Fachpublikationen gelesen bzw. mir wegen meiner häufigen Sehstörungen vorlesen lassen, dass der wesentliche Unterschied zwischen einem an Depressionen Leidenden und einem CFS-Kranken darin bestehe, das Ersterer „nicht wolle", während Letzterer „nicht könne". Ich kann es für mich auch so sagen: „Ich bin zu müde, um depressiv zu sein". Selbst mein mich begleitender Facharzt für Innere Medizin und Umweltmedizin, der sich seit Jahren intensiv mit Folgewirkungen von HWS-Schädigungen auf den Zustand der Energiebausteine in den Zellen (Mitochondrien) beschäftigt, erscheint mir zunehmend ratlos. Er sieht derzeit nur noch einen Ausweg: Eine Versteifungsoperation im Bereich der oberen HWS, um die Genickinstabilität zu beenden und damit die Folgen des Drucks auf das Rückenmark und die Schädigung des Hirnstamms zu unterbrechen. Eine solche OP wird aber nach seiner Recherche wegen des damit verbundenen Risikos in Deutschland nicht durchgeführt. Er hat mir die erste Seite eines Fachbeitrages amerikanischer Ärzte zugeschickt, der sich mit drei erfolgreichen Operationen dieser Art in den USA beschäftigt. Ich solle mit meinem Mann einmal selbständig recherchieren, wann, wie und zu welchem Preis (Selbstzahlung) eine solche OP inklusive einer Reha möglich sei. Denn das deutsche Gesundheitssystem ist hier am Ende seiner fachlichen und finanziellen Unterstützungswilligkeit. Weder ich noch mein Mann sind uns klar darüber, wie wir das leisten sollen. Bei meiner aktuellsten neurootologischen Untersuchung sagte mir der Arzt zum möglichen Umgang mit der voranschreitenden

Hirnstamm-Schädigung und deren Folgen: „Hier muss ich auf das IWAN Syndrom verweisen = Ich Weiß Auch Nicht". Gute Prognose, oder? Dann bin ich also „der IWAN, der in die USA muss"?

Zusätzlich belastet mich, dass die eigene Leidenssituation Nicht-betroffenen, wie persönlichen Kontakten, aber auch Freunden und der eigenen Familie nur schwer vermittelbar ist. Die HWS-Instabili-tät und deren Folgen sind mir eben nicht direkt am Gesicht abzule-sen (außer wenn ich meine Halsbandage trage); ich sitze - noch - nicht im Rollstuhl und habe keinen Begleithund. Deshalb kann ich nur über die Symptome erzählen, und nach meiner Erfahrung stößt das nach einiger Zeit selbst den wohlmeinendsten Zuhörer ab. Ei-nerseits ist das mit nachvollziehbarer Hilflosigkeit zu erklären. An-dererseits will fast jeder natürlich nicht ständig mit solchen schwer verständlichen und wenig offensichtlichen Krankheiten konfrontiert werden. Jeder hat schließlich auch sein eigenes Leben und eigene Nöte. Zudem kennt wohl jeder die Situation, wenn wir uns als Stressgeplagte nach einem harten Tag mit beruflichen und familiä-ren Aufgaben völlig energielos, ohne jegliche Kraftreserven, zer-mürbt und am Ende fühlen. Jeder nächste Schritt wäre dann einer zu viel, jeder Gedanke quält schmerzvoll, jede zusätzliche Aufgabe wäre schon nicht mehr lösbar. Was aber, wenn diese Einschränkun-gen alltäglich sind, sich über die Zeit fatal verschlimmern und eben nicht nach einer Erholungsphase nachlassen, sondern zum ständi-gen Begleiter werden? Was, wenn in unvermeidbaren Ausnahmesi-tuationen eine kurzzeitige Belastung, das „über die eigenen Grenzen Gehen", zu einem langfristigen Energieverlust über Wochen führt? Das ist Nichtbetroffenen schwer vermittelbar, die nach einem kur-zen, selbst miterlebten Energieeinsatz bei meinem danach folgenden langwierigen Zusammenbruch ja nicht mehr dabei sind. Das ist lei-der die Realität.

Wenn ich den Kopf unwillkürlich etwas verdrehe, bin ich häufig kurz wie ausgeschaltet, und danach folgen Schwindelgefühle und

Übelkeit. Lärm und Gerüche überreizen mich und sprengen oft jedes erträgliche Maß. Ich will dann dieser Situation entfliehen, habe aber keinerlei Kraft dafür und fühle mich elend und ohne Ausweg. Der Gang über eine stabile Brücke gleicht für mich dem Balancieren über eine Hängebrücke im Dschungel. Ein Steg am Wasser verwandelt sich in ein Schiff auf hoher See. Kleinste Erschütterungen, z.B. beim Auto-, Bahn- oder Busfahren, die kaum jemand wahrnimmt, erleide ich wie ein hochempfindlicher Seismograf mit hohen Ausschlägen. Der Schlag einer Pauke während eines Umzugs in der Nähe löscht meinen Orientierungssinn aus, wie bei einem gestrandeten Wal. Beim Vorbeigehen an einer Schwimmhalle mit ihren Chlorausdünstungen wird mir „Schwarz" vor Augen, ich versuche ruhig zu atmen und die Situation zu überleben. Trotz altersentsprechender Augenwerte und intakter Netzhaut verschwimmen mir beim Lesen immer häufiger Buchstaben und Bilder. Leider kann ich deshalb kaum noch selbständig lesen und schreiben. Diese akuten Probleme mit Dritten zu teilen nervt insbesondere bei Wiederholung, denn beide Seiten werden ständig mit ihrer eigenen Hilflosigkeit konfrontiert. Dadurch gingen mir – neben meinem Energiemangel – viele Freundschaften und alltägliche Kontakte verloren, was langfristig soziale Bindungen und den Bezug zum Umfeld zerstört. Somit bleibt mir grundsätzlich nur mein Mann. Damit wird natürlich auch das Gleichgewicht unserer Beziehung immer stärker belastet. Ich wünsche ihm – wie er mir – von ganzem Herzen ein „normales Leben" und würde gerne mit ihm in unser früheres Leben zurückkehren. Das scheint derzeit aber weitgehend aussichtslos, macht beiderseits hilflos, stresst uns wechselseitig und entlädt sich zeitweise in Zorn und ohnmächtigen Wutausbrüchen. „Die dunkle Seite der Macht ist dann stark in uns." Das alltägliche Leben und viele kleine Freuden sind größtenteils verschwunden. So wurde mir jetzt zum Beispiel das Füttern von Amseln und Meisen, meiner gefiederten Freunde, die mich täglich auf dem Balkon besuchten, von der Hausgemeinschaft untersagt. Ich habe das Gefühl, dass nicht nur mein Umfeld, sondern ich selbst langsam verschwinde. Hätte ich mehr Energie, würde ich wie früher nach Lösungen suchen können.

Rückblickend habe ich seit meiner Kindheit und Jugend viele Erkrankungen durchlebt, die überwiegend als Zeichen einer schwachen Konstitution und Widerstandskraft gewertet wurden. So berichtet meine Mutter, dass ich unmittelbar nach meiner Geburt nicht etwa geschrien, sondern geniest hätte. Ich war als Kind häufig krank, insbesondere mit Atemproblemen und wiederkehrender Bronchitis. Dass dahinter eine hohe Sensibilität gegenüber Umweltbelastungen stecken könnte, wurde seinerzeit weder ernsthaft vermutet noch untersucht. Um für eine Luftveränderung zu sorgen, wurde ich zur Erholung zu meiner Großmutter im Umfeld des Bitterfeld/Wolfener Industriegebiets geschickt. Zudem erlitt ich einige Unfälle, die vielleicht im Einzelfall relativ undramatisch waren, jedoch in ihrer Summe wohl langfristige und tiefgehende Folgen verursacht haben. Im Kindergarten fiel mir vor dem Mittagsschlaf aufgrund der Unachtsamkeit der Erzieher eine Metallliege auf den Kopf, und ich wurde am Nachmittag blutverschmiert von meinem Vater abgeholt. Hinzu kamen einige kleinere Unfälle in der Freizeit sowie im Sportunterricht während der Schul- und Studienzeit. Im Erwachsenenalter hatte ich einen Auffahrunfall, wurde zweimal von Fahrradfahrern auf reinen Fußgängerwegen angefahren und hatte im August 2019 einen nicht verschuldeten Unfall als Beifahrer. Diese traumatischen Ereignisse haben mit hoher Wahrscheinlichkeit zum Status meiner Kopfgelenkinstabilität und deren Folgewirkungen geführt oder beigetragen. Beinahe identisch waren – mit Ausnahme des letzten HWS Traumas – die konsequente Ablehnung einer Schuld durch die Verursacher, deren Flucht unter persönlichen Beschimpfungen des Opfers bzw. die meist nicht umgehende medizinische Untersuchung und Behandlung der Traumata selbst.

Unmittelbar nach einer umfangreichen Amalgam-Entfernung 2001 erlitt ich einen massiven gesundheitlichen Zusammenbruch.

Da meine damalige Hausärztin und der Zahnarzt nicht weiter wussten, wurde ich erstmals von dem mich seither begleitenden Facharzt für Innere- und Umweltmedizin untersucht. Im Resultat einer sehr intensiven Anamnese, spezifischer Laboruntersuchungen und spezieller CT / MRT-Aufnahmen, sowie von Tests und Messungen bei einem Neurootologen, erhielt ich erstmals die Diagnose einer Kopfgelenksinstabilität, der später auch der Befund einer nachhaltigen Schädigung der Mitochondrien (sekundäre Mitochondriopathie) folgte. Der längere Aufenthalt in einer Wirbelsäulenklinik im Jahr 2001 war erfolglos, da es dort keine Anerkennung der HWS-Instabilität gab. Mir wurde vielmehr eine psychosomatische Therapie empfohlen. Ein späterer zusätzlicher LWS Bandscheibenvorfall wurde auf Empfehlung eines Neurochirurgen mit einer Spritzenkur in das Rückenmark behandelt. Unmittelbar danach erlitt ich eine Psychose. Seitdem bin ich äußerst vorsichtig, was medikamentöse Behandlungen und Anästhesien betrifft. Darüber hinaus war ich in Therapie bei einem Psychiater/Psychosomatiker zur Behandlung der psychischen Folgen meiner somatischen Grunderkrankungen. Er hat mich dabei unterstützt, mit meinen Beeinträchtigungen umzugehen.

In den darauffolgenden Jahren kamen weitere schwerwiegende Krankheitssymptome hinzu. Die gravierendsten sind Gleichgewichtsstörungen, hoher Hirndruck, eine phasenweise Unterversorgung des Gehirns, Nervenbrennen, sporadische Erstickungsanfälle, Gelenkschmerzen, Kaugelenks-Probleme und Trigeminusneuralgien, Schlafstörungen, zeitweise Synkopen, orthostatische Intoleranz sowie die weitere Schwächung des Immunsystems. Dazu noch gynäkologische Probleme, die zum Teil operativ behandelt werden mussten. Die Summe der dokumentierten, komplexen Befunde und Symptome wurde im November 2018 vom jetzigen Fatigue Zentrum einer renommierten Berliner Klinik dem Chronischen Fatigue Syndrom mit einer schweren Ausprägung zugeordnet und damit die bereits bestehende Diagnose meines behandelnden Arztes in einem wesentlichen Punkt bestätigt. Zudem hat eine toxikologische

Untersuchung im September 2018 eine Schadstoffbelastung der DNA mit Quecksilber und Formaldehyd, sowie eine Schwermetallbelastung mit Aluminium nachgewiesen.

Der Weg zu einer integrierten Diagnose dieser Vielzahl, mein Leben erheblich belastender Probleme, war lang und frustrierend. Insofern bin ich meinem Arzt für Innere- und Umweltmedizin sehr dankbar, dass er hier grundsätzlich für mich eine Klarheit geschaffen hat und mich auf der Suche nach einer Behandlung und Milderung der Beschwerden seit 2001 stabil begleitet. Trotzdem musste ich - wie viele andere Betroffene auch - seitdem lernen, mit belastenden Umgangsformen von Ärzten vieler Fachdisziplinen mit meinen genannten Diagnosen umzugehen. Das reicht von Unkenntnis über Ignoranz bis hin zu offener Ablehnung und Zynismus. Gern werden viele Symptome zudem auf die psychische Ebene geschoben. Es kann oder darf halt – trotz ICD Kodifizierung 10G93.3 – so etwas wie CFS im deutschen schulmedizinisch geprägten Gesundheitssystem nicht geben. Die Folgewirkung ist für Betroffene wie mich verheerend: Die Suche nach einem durch die gesetzlichen Krankenkassen zugelassenen Hausarzt, der bereit ist, sich mit dieser Thematik vertraut zu machen, sich mit Fachärzten abzustimmen und Verordnungen und Therapieansätze zu unterstützen, war in meinem Falle bisher erfolglos. Zwar weist das Internet im geografischen Einzugsgebiet Dutzende Allgemeinmediziner und Praktische Ärzte aus, die als „mit CFS vertraut" registriert sind. Bei Kontaktaufnahme zeigte sich dann hingegen Uninformiertheit und Ablehnung. Das Gleiche trifft auf die HWS-Problematik zu. Hier bin ich auf die Behandlung durch Osteopathen und somit wiederum komplette Eigenfinanzierung angewiesen. Fachärzte sind mehrheitlich nicht bereit, über den Tellerrand ihres eigentlichen Gebiets hinaus andere Befunde in ihre Bewertung einzubeziehen. Eine integrierte Betrachtung wird meist nicht angestellt. Die Aussagen sind dabei vielfältig: „So etwas gibt es nicht…"; „Bei diesen speziellen Erkrankungen müssen Sie sich selbst kümmern"; „Schaffen Sie sich ein Kind an, dann

verschwinden die Symptome"; „Das ist doch bei Ihnen alles nur getriggert"... In meiner Hitliste oben steht auch ein Neurologe, der
eine Untersuchung ablehnte, aber empfahl, sein Buch zu kaufen,
dann würde alles besser werden. Damit ist der betroffene Patient
beinahe zwangsläufig aus dem Bereich der durch Krankenkassen
mitfinanzierten Medikationen und Behandlungen, sowie therapeutischen Maßnahmen in die Selbstfinanzierung privatärztlicher Behandlung und privater Verordnungen verwiesen. Das lässt die
Schlussfolgerung zu, dass sich Betroffene solche Krankheiten
„...wohl nur leisten sollen, wenn sie genug Geld haben."

Viele Mediziner, die sich auf diesem Gebiet spezialisiert haben
und nach individuellen Behandlungskonzepten für ihre Patienten
suchen, sind die ständige Auseinandersetzung mit der Gesundheits-
politik, den Krankenkassen und institutionellen Einrichtungen leid
und deshalb nur noch als Privatärzte am Start. Auch hier mag es eine
Minderheit von „schwarzen Schafen" geben, für die nicht das Wohl
ihrer Patienten, sondern vielmehr nur ihr Konto im Mittelpunkt
steht. Persönlich ist mir das noch nicht passiert, aber es ist eine exis-
tentielle Herausforderung, wenn fast alle notwendigen Schritte
selbst finanzieren werden müssen. Es ist meiner Meinung nach gegenüber betroffenen Patienten auch politisch verantwortungslos, sie
außerhalb der gesetzlich finanzierten und kontrollierten Medizin-
landschaft willkürlich ins eigene Risiko gehen zu lassen. Damit wird
die Verantwortung bewusst auf das schwächste Glied, den Patienten, verlagert. Aber in der öffentlichen Diskussion und in Medien
werden vorrangig nur die sogenannten „schwarzen Schafe" diskutiert, ohne das Grundproblem der Nichtanerkennung im gesetzlichen Gesundheitssystem in den Mittelpunkt zu stellen. Dieser Ansatz setzt sich auch im behördlichen Bereich scheinbar nahtlos fort.
Dies muss ich u.a. gerade in einem laufenden Sozialgerichtsverfah-
ren zur Kenntnis nehmen. Das Integrationsamt lehnte entgegen den
Stellungnahmen und Gutachten behandelnder Ärzte deren Empfehlungen für eine Mindest- GdB Höhe (Grad der Behinderung) und

die Festsetzung des Merkzeichens „G" ab. Als Begründung wurde angeführt, dass meine funktionellen Beeinträchtigungen geringer einzustufenden Krankheitsbildern entsprechend der „Versorgungs-medizinischen Grundsätze..." zuzuordnen seien. Das Ganze, ohne dass der die Behörde unterstützende Medizinische Dienst mich je begutachtet hätte, wie ich in meinem Widerspruch selbst angeboten hatte. Darüber hinaus könnten, so das Amt, „… von speziell ansons-ten deutschlandweit aufgesuchten Alternativmedizinern getroffene, nicht schulmedizinische Feststellungen …nicht berücksichtigt wer-den". Damit schließt sich dann wohl der Kreis. Mir scheint in wach-sendem Maße, dass sich hinter diesen Gegebenheiten und Verhal-tensweisen eine politische Motivation verbirgt. Solange sich die Be-troffenen nicht organisieren und eine erfolgreiche Lobby schaffen - was mit dem Krankheitsbild in Ermangelung von Energie schwer ist - wird eine grundsätzliche Veränderung kaum erreichbar sein. Ein Arzt einer Berliner Klinik, der in diesem Bereich (ME/CFS) tätig ist, prognostizierte mir im letzten Jahr: „Sie werden diese Anerkennung nicht mehr erleben." Ich kann den bitteren Hinweis einer Mitarbei-terin des Vereines Betroffener Fatigatio e.V. nicht mehr vergessen, dass sich viele von CFS Betroffene das Leben nehmen, bevor sie durch die Krankheit selbst an ihr Ende gelangen. Das macht mich todtraurig, ist für mich aber nachvollziehbar. Dankbar bin ich allen Menschen, die mir geholfen haben und weiterhin helfen. Zuneigung und Momente der Freude sind wichtige Medizin. Ich hätte mich gerne noch ausführlicher geäußert, habe aber dazu zu wenig Ener-gie.

Anonym

Weil nicht sein kann, was nicht sein darf!

Wir haben viele verschiedene Geschichten gelesen mit den unterschiedlichsten Ausprägungen der Erkrankung und vor allem mit den unterschiedlichsten Entwicklungen, Fazits und Ausgängen. So individuell diese Geschichten auch sind, so weisen sie dennoch viele Parallelen auf. Es gibt fünf Parameter, die regelmäßig in den Geschichten vorkommen und aufgrund ihrer Häufung den Verdacht des bereits angesprochenen Instabilitäts-Desasters erhärten.

An dieser Stelle ist es wichtig zu erwähnen, dass die Geschichten keiner Vorauswahl unterlagen. Der medizinische Nachweis über die Erkrankung war das einzige zu erfüllende Kriterium. Darüber hinaus gab es keine Vorgaben. Die Geschichten wurden in der Reihenfolge ihres Posteingangs angenommen.

Die nachfolgende Tabelle zeigt auf, wie oft die verschiedenen Parameter in den 19 Geschichten vorkommen. Der prozentuale Anteil ist auf- bzw. abgerundet dargestellt.

Jahrelange Suche nach der Ursache	Psychiatrisierung erlebt	Hilfe durch Eigen-recherche	Hilfe im Ausland gesucht	Hohe finanzielle Eigenleistungen erbracht
17	18	16	5	17
89 %	95 %	84 %	26 %	89 %

Natürlich sprechen wir bei 19 Personen hier nicht von einer repräsentativen Umfrage, dennoch geben die Ergebnisse ein deutliches Bild wieder. Aufgrund der Erfahrungswerte, die ich während der Arbeit an diesem Buch sammeln konnte, kann ich mutmaßen, dass sich auch bei 100 Geschichten die prozentuale Gewichtung nicht wesentlich verändert hätte. Diese fünf Parameter scheinen die „Knackpunkte" zu sein, wenn man es mit einer – wie auch immer ausgeprägten – HWS-Problematik zu tun hat.

Ein Punkt fällt bei der prozentualen Verteilung ganz besonders auf. Mit 95 Prozent nimmt die „Psychiatrisierung" die unangefochtene Spitzenposition ein. Nicht ganz unerwartet, aber doch noch deutlicher, als gedacht. Wie lässt sich dieses Phänomen erklären? Ich könnte an dieser Stelle die „üblichen Verdächtigen" an den Pranger stellen. Zwischen den Zeilen verschiedener Publikationen ist es zu erkennen und auch gängiger Tenor in den üblichen Internetforen, dass Versicherungsgesellschaften, die mächtige Lobby der Pharmaindustrie und womöglich auch eine mangelhafte Ausbildung des Ärztenachwuchses für die Problematik bei Kopfgelenksinstabilitäten verantwortlich sind (ich verwende zur Vereinfachung des Leseflusses nachfolgend den Begriff „Kopfgelenksinstabilität", stellvertretend für alle Ausprägungen von Instabilitäten und Verletzungsmuster). Am Anfang des Buches habe ich hierzu bereits einige Aussagen getroffen, die hier nicht noch einmal vertieft werden sollen. Vielmehr scheint es mir wichtig, die Psychiatrisierung als gesamtgesellschaftliches Problem zu betrachten. In den letzten Jahrzehnten hat sich eine Entwicklung auf diesem Gebiet vollzogen, die mehr als bedenklich ist. Wurde früher noch hinter vorgehaltener Hand getuschelt, wenn jemand psychisch erkrankt war, scheint es heute nicht nur gesellschaftlich anerkannt, sondern vielmehr sogar modern oder ein diagnostisches Allzweckmittel geworden zu sein. Das Pendel hat von einem Extrem in das andere umgeschlagen.

Eines der auffälligsten Beispiele für diese Entwicklung ist in meinen Augen die Diagnose ADHS (Aufmerksamkeitsdefizithyperaktivitätsstörung). In meiner Schulzeit, also den 1980er und 1990er Jahren, gab es auch auffällige Schüler, den Klassenclown, die typische Nervensäge, die lieber störte, anstatt zu lernen. Aber irgendwie kamen die Lehrer und auch das Klassengefüge mit diesen Schülern bzw. Situationen zurecht. Jahre später, als ich noch Übungsleiterin beim Judo war, häuften sich plötzlich die Fälle, in denen man mir sagte: „Mein Kind hat ADHS, es nimmt Ritalin". Noch mal ein paar Jahre später erlebte ich als Mitarbeiterin im Bereich des Jugendamtes eine wahre Flut an sogenannten verhaltensauffälligen Kindern. Anders als früher schien ein Klassenverband das Verhalten dieser Kinder nicht mehr zu tolerieren, und Lehrer sprachen sich regelmäßig dafür aus, diese Kinder medikamentös einstellen zu lassen. Da kommt man schon ins Grübeln! Ich möchte selbstverständlich keine Zweifel am Krankheitsbild ADHS zum Ausdruck bringen, das steht mir gar nicht zu. Vielmehr möchte ich aufzeigen, wie sich die Einstellung von Schulen und Eltern bzw. der Gesellschaft im Allgemeinen, in wenigen Jahrzehnten geändert hat. Gab es früher das Krankheitsbild ADHS nicht oder wird es heute einfach durch verbesserte Diagnostik häufiger erkannt? Auf jeden Fall kommt es einem heute viel einfacher über die Lippen, dass ein Kind eine psychische Störung hat.

Das Pendant bei Erwachsenen scheint der Burn-Out zu sein. Früher hätte man sich eher die Zunge abgebissen, als zuzugeben, dass man mit den beruflichen Anforderungen oder den familiären Begebenheiten überfordert ist. Das ist heute gar kein Problem mehr. Wenn der Stress im Job zu groß wird, nimmt man sich lieber eine Auszeit, weil ein Burn-Out droht. Auch hier möchte ich betonen, dass ich einen ernsthaft medizinisch diagnostizierten Burn-Out – was im Prinzip oft nichts anderes meint, als eine Depression (19) - niemals in Frage stellen würde. Aber die inflationäre Benutzung dieses Begriffes durch selbsternannte Hobby-Psychologen halte ich für bedenklich. Durch die oft leichtfertige Nutzung des Wortes wird man den Menschen nicht gerecht, die tatsächlich psychisch erkrankt sind und eine adäquate Behandlung benötigen. Die Wartezeiten für Therapieplätze sind jetzt schon zu lang. Eine Studie aus dem Jahr 2018 hat eine durchschnittliche Wartezeit von 19,9 Wochen für eine Richtlinienpsychotherapie ermittelt (20). Vermutlich würden sich noch einige andere Beispiele finden lassen, an denen sich eine Veränderung im Umgang mit psychiatrischen Erkrankungen festmachen lässt.

Den eigentlichen Auslöser dieser Veränderung findet man im 20. Jahrhundert, als es zu einer zunehmenden Therapeutisierung der Gefühle kam. „Ihren eigentlichen Durchbruch erlebte diese Form der Therapeutisierung von Gefühlen erst in den späten 1960er und 1970er Jahren – von den Zeitgenossen selbst als „Psychoboom" beschrieben. In Zahlen und Fakten ausgedrückt war der Psychoboom gekennzeichnet durch eine Vervielfachung ebenso wie Verbreitung von psychologischen Beratungs- und Therapieangeboten, einen enormen Anstieg der Zahl von Psychologiestudenten sowie durch eine sprunghafte Zunahme von populärwissenschaftlichen Veröffentlichungen zu den Themen Psychologie oder Psychotherapie" (21). Selbst in Fachkreisen wird diese Entwicklung inzwischen kritisch betrachtet, wie nachfolgende Aussagen während des Deutsch-Polnischen Symposium zum Thema „Gibt es noch gesunde Menschen?" zeigen: Prof. Dr. Martin Driessen, Chefarzt der Klinik für Psychiatrie und Psychotherapie des Ev. Krankenhauses Bielefeld, kritisierte, dass die Psychiatrie recht unkritisch übernehme, was die Amerikanisch-Psychiatrische Gesellschaft mit ihrem DSM-System (Diagnostic and Statistical Manual of Mental Disorders) empfehle. Martin Driessen warnte vor der „Gefahr einer inflationären und damit beliebigen Diagnostik" (22). Weiter heißt es: Eine wesentliche Rolle spielten zudem die Medien, wie das Beispiel „Burnout" zeige. „Dieses Thema ist in den letzten Jahren in fast allen Medien en vogue, sodass man fast den Eindruck gewinnen kann, dass ein großer Teil der arbeitenden Bevölkerung völlig ausgebrannt durchs Leben geht", bemerkte Martin Driessen. Dr. Bogdan de Barbaro, Psychiater aus Krakau, sieht ebenfalls die Gefahr einer inflationären Diagnostik und einer Psychiatrisierung im alltäglichen Leben (22).

Betrachtet man diese Gemengelage, so ist es gar nicht verwunderlich, dass auch wir Menschen mit Kopfgelenksinstabilität schnell und leichtfertig eine psychische Diagnose übergestülpt bekommen. Man gibt sich gar keine Mühe mehr, organische Ursachen ausreichend zu ergründen. Passt ein Patient nicht in ein gängiges Krankheitsbild mit den üblichen Symptomen, lassen viele Ärzte den Blick über den Tellerrand vermissen und springen auf eine psychische Diagnose. Dies ist allerdings grundlegend falsch. Die Betroffenen einer Kopfgelenksinstabilität sind nicht psychisch krank, sie sind weder Hypochonder noch Simulanten. Sie leiden an einer körperlichen Erkrankung und wünschen sich nichts sehnlicher, als die Anerkennung ihres Krankheitsbildes und die Behandlung ihrer somatischen Probleme. Eine wunderbare Ärztin hat mir vor einiger Zeit Folgendes dazu gesagt: „Das ist bei Ihnen nicht psychosomatisch, wenn überhaupt, dann ist es somatopsychisch". Sie hat damit ganz klar die körperliche Erkrankung in den Vordergrund gestellt.

Werfen wir noch mal einen Blick auf die anderen Parameter. Dass Betroffene zumeist sehr lange nach der Ursache ihrer Beschwerden suchen müssen, verwundert nicht. Zum einen liegen die Gründe in der vorstehend thematisierten Psychiatrisierung. Darüber hinaus scheint aber auch die gängige Diagnostik nicht dafür ausgelegt, Kopfgelenksinstabilitäten aufzudecken. Gerade bei der Erstdiagnose von Unfallopfern scheint es, als sei man in der Vergangenheit stehen geblieben. Früher gab es bei Autounfällen oftmals knöcherne Verletzungen, die mit Röntgendiagnostik gut zu ermitteln waren. Aufgrund von Airbags, Sicherheitsgurten und sonstigen technischen Fortschritten der modernen Autos, werden schwere Schädel-Hirn-Traumata, Gesichtsverletzungen oder Knochenbrüche der

HWS seltener. Kommt man nach einem Unfall ins Krankenhaus, dienen die Röntgenaufnahmen aber bis heute in erster Linie dem Ausschluss von knöchernen Verletzungen der HWS. Wenn also die HWS als unauffällig befundet wird, heißt das nur, dass keine knöchernen Verletzungen vorliegen. Statt knöcherner Verletzungen sind heutzutage die Verletzungen von Bändern und Muskeln an der HWS deutlich häufiger zu finden, werden aber selten diagnostiziert. Beim Schleudertrauma kommt es zu einer maximalen Dehnung der reflektorisch angespannten Muskulatur, manchmal zu einer Überdehnung mit Zerreißen von Sehnen , Muskelfasern und Bändern (23). Selbst, wenn zum Ausschluss anderer lebensbedrohlicher Verletzungen Notfalls-MRT's oder CT's gemacht werden, liegt der Fokus in dem Moment nachvollziehbar nicht auf den feinen Bandstrukturen der Halswirbelsäule. Das heißt, Schädigungen im Bereich der Kopfgelenke bleiben unbemerkt. Ich habe Verständnis dafür, dass dies in der akuten Notfallmedizin so gehandhabt wird, aber bei Langzeitbehandlungen wäre es wünschenswert, dass vom Standardprogramm abgewichen wird. Anstatt der fünften oder sechsten Röntgenaufnahme, sollte die Diagnostik mehr in der Zukunft ankommen.

Damit schließt sich im Prinzip auch der Kreis zu den Punkten „Hilfe durch Eigenrecherche" und „Hohe finanzielle Eigenleistungen erbracht". Welche Chance hat man als Patient, wenn einem der normale Gang zum Arzt nicht hilft? Was soll man tun, wenn man mangels passender Standarderkrankung und aufgrund untypischer Symptome einen Psycho-Stempel erhält? Soll man sich kampflos seinem Schicksal fügen, den schlechten Zustand akzeptieren? Wohl kaum. Also bleibt den Betroffenen gar nichts anderes übrig als zu kämpfen, sich auf eigene Faust schlau zu machen. Auch wenn man skeptisch bleiben sollte bei „Dr. Google" und nicht jeder Eintrag in den sozialen Medien als absoluter Lebensratgeber taugt, so kann man sich dennoch über diese Kanäle und im Austausch mit anderen Betroffenen ganz brauchbares eigenes Wissen aneignen.

Fachliteratur ist zum Teil mühsam zu lesen, aber auch darunter finden sich für den medizinischen Laien verständliche Aussagen. Da die Diagnose „Kopfgelenksinstabilität" – falls man überhaupt so weit kommt – in Deutschland leider noch zumeist belächelt wird, sieht es auch mit der Übernahme entsprechender Untersuchungs- und Behandlungskosten mau aus. Neben der Eigenrecherche muss folglich auch eigenhändig gezahlt werden. Mikronährstoffe zum Beispiel, die aus meiner eigenen Erfahrung heraus einen maßgeblichen Anteil an der Verbesserung körperlicher Beschwerden haben, zahlt Ihnen keine Krankenkasse. Osteopathische Behandlungen sind oftmals Verhandlungssache und außerdem in der Anzahl gedeckelt. Will man als Patient mit einer Kopfgelenksinstabilität zumindest eine Stagnation der Beschwerden, besser noch, etwas Linderung erfahren, muss man das oftmals notgedrungen aus der eigenen Tasche bezahlen. Private Krankenkassen sind bei der einen oder anderen Sache toleranter, manche gesetzlichen Kassen bewegen sich auch – zuletzt habe ich häufiger gehört, dass die Kosten für ein Upright-MRT übernommen werden – aber noch immer stehen Betroffene vor großen finanziellen Hürden.

Kurz noch zu dem Punkt „Hilfe im Ausland gesucht": Prozentual der geringste Wert, was aber seine Bedeutung nicht schmälert. Medizinische Hilfe im Ausland in Anspruch zu nehmen, ist mit nicht unerheblichen Kosten verbunden und je nach dem auch mit sprachlichen Hürden. Daher überrascht es nicht, dass nur 5 der Gastautoren diesen Schritt wagten. Ungeachtet dessen möchte ich dennoch mit ein paar Gedanken auf die Thematik eingehen. Ich bin grundsätzlich der Meinung, dass wir in Deutschland eine sehr gute medizinische Grundversorgung haben. Was Kopfgelenksinstabilitäten angeht, kann man aber durchaus ins Grübeln kommen. Es scheint, als seien andere Länder auf diesem Gebiet deutlich weiter. Das kann ich nicht an Zahlen oder dergleichen festmachen, jedoch fallen im Austausch mit Betroffenen immer wieder diese Aussagen. Komplizierte Operationen im Bereich des kraniozervikalen Übergangs werden in den USA und auch in Spanien durchgeführt, in Deutschland traut man sich in der Regel nicht daran. Mir scheint es so, als fehle es hierzulande an dem Mut zur Behandlung auf diesem Gebiet. Ebenso scheint man in den USA klarere Vorgaben zur Diagnostik zu haben, das konnten wir in einigen Geschichten lesen. Warum ist das so? Die Frage ist schwierig zu beantworten. In den USA gibt es Universitäten mit großen privat finanzierten Forschungsbereichen, wodurch sich natürlich ganz andere Möglichkeiten ergeben. Eventuell könnte man auch historische Gründe anführen, was aber auch nur eine vage Idee ist. Es gibt Publikationen, die sich damit befassen, dass eine Abwanderung von Wissenschaftlern im Dritten Reich zu geistigen Verlusten geführt hat, die unersetzbar sind. Ich habe diesbezüglich ein Zitat von Altbundeskanzler Helmut Schmidt gefunden: „Diese Vertreibung hat unsere eigene Kultur geistiger Schöpfungskräfte beraubt, die unersetzbar bleiben" (24). Zugegebenermaßen ist das Zitat aus dem Jahr 1979, aber es könnte durchaus heute noch Bestand haben. Mit Blick auf die politische Entwicklung in den USA geht mir der nachfolgende Satz etwas schwer „über die Lippen", aber was das Thema Kopfgelenksinstabilitäten angeht, sollten wir uns Amerika vielleicht wirklich zum Beispiel nehmen.

Wenn man das bis hierhin Gelesene noch mal Revue passieren lässt, so kann man die eingangs gestellte Frage nach dem Vorliegen eines Instabilitäts-Desasters eindeutig mit „Ja" beantworten. Die Umstände und Hintergründe wurden ausführlich erörtert, außerdem mögliche Gründe dargelegt. Man könnte das ganze Problem aber auch mit einem Satz erklären: „Weil nicht sein kann, was nicht sein darf". Dieses Sprichwort ging mir bei der Arbeit an diesem Buch immer wieder durch den Kopf. Letztlich habe ich mich auf die Suche nach dessen Ursprung begeben und fand ein Gedicht des deutschen Dichters und Schriftstellers Christian Morgenstern, veröffentlicht in seinem Buch „Palmström", aus dem Jahr 1910. Erst, wenn man den vollständigen Text liest, wird einem die erstaunliche Ähnlichkeit zu der hier erläuterten Problematik deutlich:

Die unmögliche Tatsache

Palmström, etwas schon an Jahren,
wird an einer Straßenbeuge
und von einem Kraftfahrzeuge
überfahren.

»Wie war« (spricht er, sich erhebend
und entschlossen weiterlebend)
»möglich, wie dies Unglück, ja –:
daß es überhaupt geschah?

Ist die Staatskunst anzuklagen
in bezug auf Kraftfahrwagen?
Gab die Polizeivorschrift
hier dem Fahrer freie Trift?

Oder war vielmehr verboten,
hier Lebendige zu Toten
umzuwandeln, – kurz und schlicht:
Durfte hier der Kutscher nicht –?«

Eingehüllt in feuchte Tücher,
prüft er die Gesetzesbücher
und ist alsobald im klaren:
Wagen durften dort nicht fahren!

Und er kommt zu dem Ergebnis:
»Nur ein Traum war das Erlebnis.
Weil«, so schließt er messerscharf,
»nicht sein kann, was nicht sein darf.«

Was muss passieren?

Dieses Kapitel soll noch mal allen Betroffenen die Möglichkeiten geben, ihre Wünsche und Forderungen zu formulieren, ihre Wut und Enttäuschung zum Ausdruck zu bringen und Ideen vorzutragen.

Gerne fange ich damit an. Was mich wirklich mächtig stört, ist der Umstand, dass man in Bezug auf Kopfgelenksinstabilitäten einfach alles mit der Aussage wegwischt, es sei nicht evidenzbasiert, anstatt dass man versucht, durch Forschung die notwendige Evidenz herzustellen. Nur weil etwas noch nicht vollständig erforscht und bewiesen wurde, bedeutet das nicht automatisch, dass es nicht stimmt.

Außerdem würde ich mir wünschen, dass ein erster Untersuchungsbericht kein unabänderbares „Totschlagargument" mehr sein darf. Gerade mit Blick auf die sich anschließenden Haftungs- und Schadenersatzfragen muss sich endlich die Erkenntnis durchsetzen, dass HWS-Schädigungen durchaus einige Zeit später auftreten können. Ein negativer neurologischer oder radiologischer Befund im Rahmen einer ersten Unfalldiagnostik bedeutet nicht automatisch, dass der Patient nichts hat.

Die Mitglieder des HWS-Stammtisch und weitere Betroffene haben Folgendes zu sagen:

„Wir Betroffenen brauchen dringend Anerkennung und Unterstützung für unsere schwere Erkrankung: Und zwar von der Gesellschaft, der Forschung und den Sozialleistungsträgern. Eine Kopfgelenksinstabilität kann schwerste Symptome und Leiden verursachen und die Lebensqualität aufs massivste einschränken!"

****

„Ich würde mir wünschen, dass Patienten ernst genommen werden und dass Ärzte ihre Neigung zu psychosomatischen Diagnosen überdenken. Nur weil man eine Erkrankung vielleicht nicht ganz versteht, heißt das nicht, dass sie deswegen psychisch sein muss."

****

„Ich wünsche mir ein respektvolles Arzt-Patienten-Verhältnis auf Augenhöhe und möchte ernst genommen werden. Seltene Erkrankungen sollten ernster genommen und nicht (fast) jeder Patient als ausschließlich psychisch erkrankt abgestempelt werden. Die Gesellschaft sollte nicht weg- sondern genauer hinsehen, denn seltene Erkrankungen können jeden treffen, sei es als Betroffener, als Freund oder in der Familie."

****

„Ich würde mir wünschen, dass Patienten mit Instabilitäten der Kopfgelenke endlich mit ihren Symptomen akzeptiert werden und nicht weiter von Gesellschaften, Ärzten und Versicherungsunternehmen stigmatisiert werden. Außerdem sollte mehr Forschung in diesem Bereich stattfinden, um konkrete Lösungen für die Beschwerden anbieten zu können."

****

„Bitte nehmt die Beschwerden der Patienten ernst und bügelt sie nicht immer sofort als psychisch krank ab, nur weil ihr keine medizinische Antwort auf ihre recht vielfältigen Leiden habt!"

****

„Wer es nicht selbst erlebt hat, kann sich nicht vorstellen, welche Hölle ein unschuldiges Unfallopfer mit Kopfgelenksinstabilität schon mit seiner Krankheit und erst recht mit einer überforderten Medizin und bösartigen Behörden durchlebt!"

****

„Ich wünsche mir, dass Ärzte mehr über den Tellerrand blicken und mehr hinterfragen. Sie sollten den Patienten und seine Beschwerden ernst nehmen, ohne diese gleich auf die Psyche zu schieben. Das würde auch das Ärztehopping vermeiden."

****

„In der Medizin ist generell ein Umdenken erforderlich. Die Symptommedizin muss ein Ende haben. Die Behandlung allein von Symptomen mit chemischen Medikamenten führt nicht zur Heilung. Die Ursache für die multiplen Beschwerden muss gesucht, gefunden sowie therapiert werden. Das instabile Genickgelenk als mögliche Ursache für die Multisystemerkrankung muss (an-) erkannt und behandelt werden. Der Mensch ist zudem ganzheitlich zu sehen und auch so zu therapieren. Die übliche Aufteilung der Medizin in die diversen Fachbereiche und die separate Behandlung am kranken Organ macht keinen Sinn. Und die Biochemie muss einen wesentlich größeren Anteil des Medizinstudiums ausmachen. Den zukünftigen Medizinern müssen ausführliche Kenntnisse über biochemische Abläufe im Körper und deren Zusammenhänge mit Krankheiten vermittelt werden. Die Mikronährstoff-Therapie muss mehr Anerkennung in unserer Gesellschaft finden!"

****

„Ich wünsche mir, dass die Krankenkassen endlich die Kosten für eine doppelte Gesichtsfelduntersuchung oder das Upright-MRT übernehmen. Ein Gelenk in Bewegung darzustellen ist absolut sinnvoll und im Interesse des Patienten, damit er adäquat behandelt wird. Denn eine schnelle und zielgenaue Diagnose erspart eine Ärzteodyssee und Fehlbehandlungen, die definitiv die Krankenkosten unnütz in die Höhe treiben und das Gesundheitssystem enorm belasten."

****

„Ich wünsche mir, dass die Ärzte aufhören an der Diagnose des instabilen Genickgelenks und seinen Auswirkungen zu zweifeln, nur weil es noch nicht in zig Studien belegt ist. Viele von Ihnen da draußen sind doch in der einen oder anderen Form gläubig. Warum? Es gibt keinerlei wissenschaftliche Beweise für ein höheres überirdisches Wesen. Da lässt sich das instabile Genickgelenk mittlerweile besser belegen."

****

„Mein Appell an die Gesellschaft: Nehmt uns ernst mit unseren Belangen, man sieht nicht immer, wenn es uns schlecht geht - trotzdem sind die Handicaps da! Es kann jeden treffen!"

****

„Es wird Zeit, dass nicht mehr die finanziellen Interessen im Vordergrund stehen, sondern die Spätfolgen eines Schleudertraumas anerkannt und auch die Leistungen von den Versicherungen gezahlt werden. Die Krankenkassen sollen endlich die Kosten für eine Upright-MRT-Untersuchung übernehmen; im normalen MRT kann eben nicht alles dargestellt werden."

****

„Ich wünsche mir, dass die Ärzte uns endlich ernst nehmen. Sie sollen sich ausreichend über unser Krankheitsbild informieren und uns dementsprechend behandeln. Es muss Schluss sein mit der Reduzierung auf eine F-Diagnose (ICD-10-Schlüssel: Psychische und Verhaltensstörungen)."

****

„Ich schicke einen „Wunschluftballon" auf die Reise. Sein Ziel ist unsere Gesellschaft, Ärzte, Politiker und Versicherer. Zeigt endlich mehr Verantwortung für uns Menschen mit einer Kopfgelenksinstabilität. Zeigt Interesse, Verständnis und beschäftigt euch mit diesem wichtigen Thema. Und gebt uns allen, die erst gar keine Diagnose erhalten, eine Stimme. Sorgt außerdem für Veränderungen in den Gesetzen und für eine allgemeine Anerkennung dieser Erkrankung. Damit wir wieder einen Platz in der Mitte unserer Gesellschaft haben."

****

„Ich wünsche mir, dass Mediziner/Ärzte sich den wissenschaftlichen Blick offen halten, mit dem sie ihr Studium einmal begonnen haben. Und ich wünsche mir, dass Menschen immer auch als Menschen betrachtet werden, ganz individuell und nicht als 'Fall'. Denn es ist schlimm genug, dass Versicherungen Menschen minimieren wollen... eben auf einen Fall, der Kosten verursacht."

****

Zu guter Letzt!

Es war für mich ein ganz besonderes Erlebnis, dieses Buch zu schreiben. Der intensive Austausch mit anderen Betroffenen hat mich in vielem bestärkt, insbesondere in meiner Auffassung, dass wir für die Anerkennung unserer gesundheitlichen Situation kämpfen müssen. Es geht nur gemeinsam, als Einzelkämpfer fällt man durchs Raster. Ich habe während des Projektes viele faszinierende Menschen kennen gelernt, zum Teil sind freundschaftliche Beziehungen entstanden. Nachdem die Suche nach Geschichten richtig angelaufen war, war ich erstaunt, wie viele Betroffene mitmachen wollten. Sogar über die gesetzte Frist hinaus erhielt ich Rückmeldungen. Leider konnten nicht alle, die sich meldeten, an dem Projekt mitarbeiten – so sehr sie es auch wünschten. Eine chronische Erkrankung ist schwer kalkulierbar und so mussten manche schlichtweg aus gesundheitlichen Gründen absagen. Andere befanden sich in laufenden Rechtsstreitigkeiten und mussten daher ihre Beteiligung zurückziehen. Trotz der Möglichkeit zur Anonymisierung gibt es Geschichten, die aufgrund ihrer Besonderheiten dennoch zuzuordnen wären. Das Risiko, dass sich die Veröffentlichung einer Geschichte negativ auf ein gerichtliches Verfahren auswirkt, sollte niemand eingehen. Insgesamt habe ich in den zurückliegenden Monaten also weit mehr als die veröffentlichten neunzehn Geschichten gehört. Manche haben mich zu Tränen gerührt, andere haben mich wütend und fassungslos gemacht. Aber manchmal musste ich auch herzhaft lachen. Viele Betroffene haben sich trotz aller Umstände einen tollen Humor bewahrt, auch wenn es hin und wieder Galgenhumor ist.

Das ist auch bei uns zu Hause so. Nicht jedes Leid, aber doch viele Hürden im Leben, lassen sich mit Humor besser ertragen. Dazu kann ich eine Anekdote beitragen: mit vielen meiner Gastautoren habe ich zwischenzeitlich Handynummern ausgetauscht, um so eine schnellere Abstimmung und einen unkomplizierten Austausch zu ermöglichen. Eines Abends – mitten in der heißen Phase des Buch-projekts – hörte mein Handy gar nicht mehr auf zu piepen. Mein Mann bekam mit, dass es Nachrichten besagter Gastautoren waren. Er kommentierte die Szene mit folgendem Satz: „Simone und die In-stabilies – das wäre auch ein guter Buchtitel." Keine Ahnung, ob die anderen Betroffenen unbedingt als „Instabilies" bezeichnet werden möchten – vermutlich nicht – aber ich musste trotzdem lachen, weil es in dem Moment einfach passte.

Nun ist es schlussendlich der Titel „Der HWS-Stammtisch – Ge-schichten einer unsichtbaren Krankheit" geworden. Ich verbinde mit diesem Buch viele Hoffnungen und Wünsche. Es geht um die Anerkennung unseres Krankheitsbildes im medizinischen Bereich, bei Arbeitgebern, Versicherungen, Sozialleistungs- und Rententrä-gern und – ganz wichtig – in der Gesellschaft. Ich spreche nicht nur für mich, wenn ich sage: „Wir wollen raus aus der Psycho-Falle, der Existenznot, der Vorverurteilung als Simulanten und der sozialen Isolation". Diese neunzehn Geschichten sind nur ein Bruchteil der Realität, sozusagen die veröffentlichte Spitze des Eisbergs. Die An-zahl der Betroffenen ist hoch, zuzüglich einer unbekannten Dunkel-ziffer, die Menschen beinhaltet, die das gleiche gesundheitliche Problem haben, allerdings noch nicht diagnostiziert wurden. Ein Arzt formulierte es mir gegenüber einst so: „Was glauben Sie, wie viele Menschen in der Psychiatrie sitzen, obwohl sie eigentlich eine Kopfgelenksinstabilität haben?" Eine harte Aussage, aber ist sie total abwegig? Ich denke nicht! Nach der Lektüre des Buches muss ei-gentlich jedem klar sein, dass sich endlich etwas bewegen muss. Da-her bitte ich Sie, liebe Leserinnen und Leser, tragen Sie die Geschich-ten weiter, erzählen Sie von diesem Buch. Je größer die Aufmerk-samkeit ist, desto eher steigen die Chancen für uns Betroffene auf Anerkennung.

Ich hatte bei den Vorbereitungen zu diesem Buch die Idee, die Hälfte aller Einnahmen an einen lokalen gemeinnützigen Verein zu spenden. Einen Verein, der Menschen finanzielle oder materielle Hilfe leistet, wenn diese aufgrund medizinischer Notlagen auf Unterstützung angewiesen sind. Sei es zum Beispiel ein behindertengerecht umgebautes Auto oder der Einbau eines Treppenlifts. Je mehr Geschichten ich las, desto mehr wuchs in mir jedoch der Wunsch, eine konkrete Hilfe für Menschen mit Kopfgelenksinstabilität anzubieten. Eine Stiftung wäre perfekt. Das würde die Möglichkeit eröffnen, ungedeckte Kosten für die Diagnostik zu übernehmen, zum Beispiel ein Upright-MRT oder komplexe Laboruntersuchungen oder im besten Fall vielleicht sogar eine Operation im Ausland zu ermöglichen. Mein Mann und ich haben im November 2019 einen Lottoschein abgegeben, der Jackpot war riesig. Mit dem Gewinn hätte man wunderbar den finanziellen Grundstock für eine Stiftung legen können. Da ich im Konjunktiv schreibe, können Sie es erahnen: wir haben den Jackpot leider nicht geknackt. Im Moment sind das nur Phantasien und Träume, ich kenne mich mit Stiftungsrecht gar nicht aus. Aber bis vor 12 Jahren kannte ich mich auch nicht mit Kopfgelenksinstabilitäten aus. Die Überlegungen müssen noch etwas reifen. Man weiß ja nie, vielleicht liest jemand meine Gedankengänge und hat einen Ratschlag für mich. So lange werde ich die Einnahmen aus den Buchverkäufen wie angedacht verwalten und dem ursprünglichen gemeinnützigen Zweck zukommen lassen.

Aktuell bin ich erst einmal sehr froh, dass ich dieses Buch zu einem guten Ende gebracht habe. Das Projekt hat mir eine Menge abverlangt. Bei mir ist es nicht anders, als bei vielen anderen Betroffenen auch. Auch ich muss mit meinen Energiereserven sehr haushalten. Insbesondere die PC-Zeiten muss ich angemessen dosieren, da ein Überschreiten der akzeptablen Zeit direkt einen gesundheitlichen Einbruch zur Folge hat. Zum Glück hat mir mein Diktierprogramm wieder gute Dienste geleistet. In der Regel muss ich mich entscheiden, ob ich Schreibtischarbeit verrichte oder Hausarbeit, beides zusammen akzeptiert mein Körper nicht. Wie Sie sich bestimmt vorstellen können, habe ich während des Buchprojektes der

Schreibtischarbeit den Vorrang gegeben. Das hatte natürlich zur Folge, dass der Haushalt über längeren Zeitraum etwas verwaist war. Insofern gilt ein besonderer Dank meinem Mann, der ohne Murren die Anwesenheit der einen oder anderen Wollmaus hingenommen hat und auch kein Wort über den wachsenden Berg ungebügelter Wäsche verlor. Es tut mir auch wirklich leid, dass ich ihn mehr als einmal abends vom Einschlafen abhielt, weil mir noch tausend Fragen zum Aufbau des Buches durch den Kopf gingen, die unbedingt genau zu diesem Zeitpunkt geklärt werden mussten. Ich glaube, er ist sehr froh, dass jetzt erst mal wieder etwas Ruhe einkehrt. Aber ohne seine Unterstützung und vor allem seine Bestätigung, dass dieses Buchprojekt wichtig ist, wäre es nicht gegangen. Dafür bin ich ihm unglaublich dankbar.

Wo ich gerade dabei bin, möchte ich auch meinem Papa Danke sagen. Er ist über die ganzen Monate auch etwas zu kurz gekommen. Eigentlich haben wir beiden den Deal, regelmäßig kleine Wanderungen zu machen, die sogenannten Traumpfädchen. Die Bewegung an frischer Luft ist für mich sehr wichtig, aber auch das geht nur, wenn noch Energiereserven übrig sind. Ähnlich wie die Hausarbeit, wurden folglich auch unsere Wanderungen etwas vernachlässigt. Das wird jetzt unbedingt wieder nachgeholt. Ungeachtet dessen habe ich es aber meinem Papa zu verdanken, dass ich während des Buchprojektes nicht verhungert bin. Er hat mich an mindestens vier Tagen pro Woche mit einem wunderbaren Mittagessen versorgt. Also, um es kurz zu machen: mit meinen beiden Männern habe ich wirklich das große Los gezogen, dafür bin ich sehr dankbar.

Ganz besonders danke ich auch meinen Gastautoren für ihre Geschichten. Dank euch war es mir möglich, mein Herzensprojekt auf die Beine zu stellen. Ich weiß, dass das für viele von euch große Mühen und zum Teil auch Schmerzen bedeutet hat, dass es emotional anstrengend und fordernd war. Umso mehr weiß ich euren Einsatz

zu schätzen und ich wünsche uns allen, dass wir Erfolg haben werden.

Nachruf

Ich möchte an dieser Stelle gerne drei Menschen gedenken, die leider nicht mehr bei uns sind. Alle drei haben den Kampf gegen die Kopfgelenksinstabilität, die damit verbundenen Schmerzen, Beschwerden und Einschränkungen verloren.

Mit euren Geschichten in diesem Buch bleibt euer Andenken lebendig.

Ich bin sehr dankbar, mit zweien von euch für kurze Zeit im persönlichen Kontakt gestanden zu haben. Dir, lieber Andy, danke ich, dass du die Kraft hattest, mir die Geschichte deiner Frau zu erzählen.

„Denn ich bin ein Mensch gewesen und das heißt ein Kämpfer sein."

-Johann Wolfgang von Goethe-

Quellenangaben

(1)   Allianz Chronisch Seltener Erkrankungen – ACHSE e.V.,
        Online:https://www.achse-on-
        line.de/de/die_achse/Seltene-Erkrankungen.php
        (Stand 19.10.2019)

(2)   Dr. Kuklinski, Bodo: Das HWS-Trauma, 2. Auflage, Biele-
        feld: Aurum, 2007, Seite 32-33

(3)   Prof. Dr. Harms, Jürgen: Grundlagenwissen Wirbelsäule,
        Bandapparat der Wirbelsäule. Online: http://harms-spi-
        nesurgery.com/src/plugin.php?m=harms.   ANA06D
        (Stand: 02.10.2016)

(4)   Dr. Tempelhof, Siegbert: Krankheitsursache Atlaswirbel,
        1. Auflage, München: Arkana, 2017, Seite 93

(5)   Dr. Kuklinski, Bodo: Das HWS-Trauma, 2. Auflage, Biele-
        feld: Aurum, 2007, Seite 33

(6)   Dr. Kuklinski, Bodo: /Dr. Schemionek, Anja: Schwach-
        stelle Genick, 4. Auflage, Bielefeld: Aurum, 2007, Seite 17

(7)   Dr. Kuklinski, Bodo: /Dr. Schemionek, Anja: Schwach-
        stelle Genick, 4. Auflage, Bielefeld: Aurum, 2007, Seite 22-
        23

(8)   Dr. Med. Kersten, Wolfram: Die wahren Ursachen chro-
        nischer Krankheiten. In: raum & zeit, Nr. 163, Jahrgang
        2010, Seite 10-11

(9)   Dr. Kuklinski, Bodo: /Dr. Schemionek, Anja: Schwach-
        stelle Genick, 4. Auflage, Bielefeld: Aurum, 2007, Seiten
        28, 39-41, 46-47

(10)   Dr. med. Mutschler, Rainer: Ein Umdenken in der Medi-
        zin tut Not. Mitochondrien in den Mittelpunkt stellen:
        Die Wege der Mitochondrialen Medizin: In: OM & Er-
        nährung, Nr. 142, Jahrgang 2013, Seite F72

(11)   Dr. Tempelhof, Siegbert: Krankheitsursache Atlaswirbel,
        1. Auflage, München: Arkana, 2017, Seiten 60, 61, 67;
        Prof. Dr. Hülse, Manfred:/Prof. Dr. Neuhuber,
        Winfried:/Dr. Wolf, Hanns-Dieter: Die obere Halswir-
        belsäule, 1. Auflage, Heidelberg: Springer, 2005, Seiten
        111-145; Dr. Kuklinski, Bodo:/Dr. Schemionek, Anja,
        Schwachstelle Genick, 4. Auflage, Bielefeld. Aurum
        2007,Seiten 30-37, 56-63

(12)   Dr. Tempelhof, Siegbert: Krankheitsursache Atlaswirbel,
        1. Auflage, München: Arkana, 2017, Seite 129; Dr.
        Kuklinski, Bodo:/Dr. Schemionek, Anja: Schwachstelle
        Genick, 4. Auflage. Bielefeld: Aurum, 2007, Seite 20/21;
        Dr. Kuklinski, Bodo: Das HWS-Trauma, 2. Auflage, Biele-
        feld: Aurum, 2007, Seite 22-29, 33/34

(13)   Dr. Graf, Michael:/Grill, Christian:/Wedig, Hans-Dieter:
        Beschleunigungsverletzung der Halswirbelsäule; HWS-
        Schleudertrauma, 1. Auflage. Darmstadt: Steinkopff,
        2009, Geleitwort von Univ. Prof. Dr. Dietrich Gröne-
        meyer

(14)   Dr. Graf, Michael:/Grill, Christian:/Wedig, Hans-Dieter:
        Beschleunigungsverletzung der Halswirbelsäule; HWS-

Schleudertrauma, 1. Auflage. Darmstadt: Steinkopff, 2009, Seite 5

(15)   Dr. Graf, Michael:/Grill, Christian:/Wedig, Hans-Dieter: Beschleunigungsverletzung der Halswirbelsäule; HWS-Schleudertrauma, 1. Auflage. Darmstadt: Steinkopff, 2009, Seite 406

(16)   Prof. Dr. Hülse, Manfred:/Prof. Dr. Neuhuber, Winfried:/Dr. Wolf, Hanns-Dieter: Der kranio-zervikale Übergang, 1. Auflage, Heidelberg: Springer, 1998, Seiten 151,

(17)   Dr. Tempelhof, Siegbert: Krankheitsursache Atlaswirbel, 1. Auflage, München: Arkana, 2017, Seite 107

(18)   Dr. Hill, Hans-Ulrich: Die Psychiatrisierung von Patienten mit chronischen Multisystemkrankheiten am Beispiel von ME/CFS – Folgen und Hintergründe. Online: https://www.genuk-ev.de/files/Artikel/Krankheitsbilder/ME-CFS/Psychiatrisierung von Patienten mit ME nach Katharina Voss.pdf (Stand: 29.08.2019)

(19)   Hegerl, Ulrich: Burnout ist eine Ausweichdiagnose. In: Spiegel Online, 24.11.2011. Online: https://www.spiegel.de/karriere/volkskrankheit-burnout-ist-eine-ausweichdiagnose-a-799348.html (Stand 29.10.2019)

(20)   Bundes Psychotherapeuten Kammer: Ein Jahr nach der Reform der Psychotherapie-Richtlinie; Wartezeiten 2018, 11.04.2018, Seite 3. Online: https://www.bptk.de/wp-content/uploads/2019/01/20180411_bptk_studie_wartezeiten_2018.pdf (Stand 29.10.2019)

(21)   Hitzer, Bettina: Die Therapeutisierung der Gefühle – eine Geschichte aus dem 20. Jahrhundert. In: Der Mensch, Zeitschrift für Salutogenese und anthropologische Medizin 42/43, H. 1+2, Jahrgang 2011, Seite 17-20

(22)   Kreutner, Gunnar: Deutsch-Polnisches Symposium. Gibt es noch gesunde Menschen? In: Der Ring, Monatszeitschrift der v. Bodelschwinghschen Stiftungen Bethel, Jahrgang November 2012, Seite 6-7, Online: http://www.schattenblick.de/infopool/pannwitz/presse/pptag290.html (Stand 14.09.2019)

(23)   Salomon, Bernhard, Orthomed-Weiden, Wirbelsäulenzentrum, Online: https:// www.orthomed-weiden.de/index.php?id=488 (Stand 14.09.2019)

(24)   Fölsing, Albrecht: Naturwissenschaften im Dritten Reich. Verluste, die unersetzbar sind. In: Zeit Online, Nr. 14/1981, Online: https://www.zeit.de/1981/14/verluste-die-unersetzbar-sind/komplettansicht?privat

Informative Internetseiten von Betroffenen für Betroffene:

https://www.karina-sturm.com/

https://www.instabile-halswirbelsaeule.de/

https://www.schleudertrauma-selbsthilfe.at

https://www.edsplus.at

https://www.daisy-day.com
(Selbsthilfegruppe Ehlers Danlos Syndrom)